SAINT AMBROISE
DEVANT L'EXÉGÈSE
DE PHILON LE JUIF

Hervé SAVON

SAINT AMBROISE DEVANT L'EXÉGÈSE DE PHILON LE JUIF

TOME I

Texte

ÉTUDES AUGUSTINIENNES
8, rue François 1er
75008 PARIS

1977

Ouvrage publié avec le concours du Centre National des Lettres

ISBN 2-85121-017-3

Introduction

Les traités qui vont faire l'objet de cette recherche sont sans doute parmi les plus difficiles qu'ait écrits l'évêque de Milan. Les obscurités que nous y trouvons aujourd'hui, soit du fait de la composition et de l'ordre des pensées, soit en raison d'un allégorisme complexe, ont-elles été ressenties depuis longtemps ? La plupart de ces textes, en tout cas, ont trouvé peu de lecteurs, comme en témoigne le nombre relativement faible des manuscrits où ils sont conservés et des traductions qui en ont été faites[1]. Aux yeux de bien des critiques modernes, avouons-le, ces opuscules représentent la partie la plus ingrate d'une œuvre peu attrayante. Peut-être ce jugement sera-t-il révisé. Peut-être l'importance de ces textes sera-t-elle peu à peu mise en valeur par l'incontestable renouveau que connaissent en ce moment les études ambrosiennes.

Depuis deux siècles environ, et il y a encore une trentaine d'années, on se faisait de l'évêque de Milan une idée relativement simple. On voyait en lui essentiellement un grand homme d'action, un *Kirchenpolitiker*[2], qui aurait été par surcroît et comme par accident un écrivain prolixe, souvent ennuyeux[3], et un médiocre penseur. La spéculation, pensait-on, ne l'avait d'ailleurs jamais vraiment intéressé. En ce domaine, quand besoin était, il s'était contenté d'adapter hâtivement les Pères grecs. On soulignait que ses goûts et son tempérament le portaient plutôt vers la morale. Là, il devenait, disait-on, sinon vraiment original, du moins plus personnel, et son idée de donner une version ecclésiastique du *De officiis* de Cicéron avait fait époque. Encore ajoutait-on volontiers qu'il n'avait pas su exploiter cette intuition et que son *De officiis ministrorum* était dans l'ensemble une œuvre manquée[4].

Quant aux commentaires de l'Écriture, ils rencontraient encore moins d'indulgence. Jülicher, par exemple, qui admire fort la personnalité de l'évêque de Milan et apprécie les œuvres où elle s'exprime directement — comme les lettres ou les discours funèbres —, est en revanche extrêmement dur pour les traités exégétiques, qu'il juge prolixes, boursouflés d'un allégorisme sans frein, bref insupportables. Il trouve l'*Expositio euangelii Lucae* particulièrement pénible, mais ne pense guère plus de bien d'opuscules comme le *De paradiso*, le *De Cain* ou le *De Noe*, c'est-à-dire les textes qui vont faire l'objet de la présente étude[5].

Certes, ce portrait a sa part de vérité. On peut hésiter pourtant à l'accepter sans nuances. N'est-il pas étrange que cet homme d'action si averti et si efficace, que ce prélat qu'Augustin nous montre si occupé, ait consacré beaucoup de temps et d'efforts à composer et à diffuser des textes sans portée réelle ? Ce doute est d'ailleurs confirmé par un témoignage de poids, qui est encore celui du futur évêque d'Hippone. Augustin nous raconte, en effet, dans ses *Confessions*, l'influence que les sermons d'Ambroise ont eue sur lui. Or, c'est précisément l'exégèse « spirituelle » développée par l'évêque de Milan[6] qui a surtout frappé le jeune Africain féru de philosophie et l'a éclairé au point de jouer un rôle décisif dans son retour à l'Église et dans l'évolution de sa pensée[7].

Comme on le voit, le témoignage d'Augustin contraste curieusement avec le jugement qu'ont porté la plupart des modernes sur l'exégèse de l'évêque de Milan. Cet apparent paradoxe a d'ailleurs été l'occasion de la nouvelle orientation que connaissent actuellement les études ambrosiennes. En effet, c'est en partant du témoignage des *Confessions* que P. Courcelle a montré, en 1950, qu'Ambroise, ce soi-disant « anti-dialecticien », avait lu Plotin et avait même remployé des pages entières des *Ennéades*[8]. Cette découverte en a provoqué d'autres et l'on a décelé dans l'œuvre de l'évêque de Milan de nouveaux emprunts à Platon, à Plotin et à des représentants du platonisme latin, comme Apulée et Macrobe[9].

En même temps, l'œuvre poétique d'Ambroise suscite à nouveau l'intérêt. Christine Mohrmann a rappelé le rôle créateur qu'avait joué, en ce domaine, l'évêque de Milan[10]. Les analyses que poursuit J. Fontaine montrent à quel heureux équilibre entre la tradition poétique latine et l'inspiration chrétienne ces quelques hymnes doivent leur exceptionnel succès[11].

Ces recherches et ces découvertes récentes posent évidemment de nouveaux problèmes. Le portrait traditionnel, que l'on croyait définitif, apparaît soudain trop simple. Cet administrateur énergique, ce gouverneur devenu un évêque à la poigne parfois un peu rude, est en même temps un poète qui eut assez de goût, de sensibilité et de savoir-faire pour créer un genre nouveau. Ce pasteur d'âmes, apparemment étranger aux subtilités de la pensée pure, a suffisamment apprécié certaines pages de Platon et de Plotin pour les remployer à plusieurs reprises dans sa prédication.

Sur ce dernier point, précisément, de nouveaux contrastes viennent d'être mis en lumière par la thèse de Goulven Madec. Ce dernier montre

---

II, p. 12.

en effet qu'Ambroise, cet utilisateur des philosophes, semble bien n'avoir qu'antipathie à leur égard. S'il les cite, c'est surtout pour les décrier. Il déforme gravement leurs doctrines, soit qu'il ne veuille, soit qu'il ne puisse les comprendre vraiment. Telles sont les conclusions auxquelles aboutit la recherche menée par G. Madec sur *Saint Ambroise et la philosophie.*

On saisirait mieux l'unité qui se cache derrière cette diversité quelque peu paradoxale si l'on pouvait entrevoir par quelles démarches et dans quelle intention ont été créées ces œuvres souvent déconcertantes et pour lesquelles nous avons parfois du mal à imaginer un public. Il faudrait, pour ainsi dire, surprendre Ambroise au travail. Si aventureuse que puisse paraître une telle entreprise, elle n'est peut-être pas complètement chimérique. On sait en effet depuis longtemps que l'évêque de Milan a utilisé de nombreuses sources dont certaines ont joué le rôle d'un canevas qu'il accommodait à ses besoins. L'idéal serait donc de posséder à la fois le modèle et l'adaptation et d'observer les additions et les suppressions, les gloses et les déplacements, en un mot toutes les altérations que suppose le passage de celui-là à celle-ci. Ce serait un peu l'équivalent de ces manuscrits raturés et surchargés, où l'on peut déchiffrer les démarches successives de l'écrivain, entrevoir ses intentions et deviner ses arrière-pensées.

Or, une telle confrontation est heureusement possible. Philon est, en effet, l'un des auteurs auxquels l'évêque de Milan doit le plus et, par chance, nous possédons la grande majorité des textes de l'Alexandrin qu'Ambroise a utilisés. La plupart de ces emprunts ont été déjà remarqués, signalés, répertoriés par les philologues des trois derniers siècles.

Les premiers éditeurs de l'évêque de Milan semblent encore ignorer l'utilisation qu'il fait de l'Alexandrin, en dehors évidemment du passage où celui-ci est cité nommément, dans le *De paradiso*[12]. Cette ignorance conduit même Érasme à une amusante méprise. Dans son édition des *Opera Ambrosii*[13], en face de quelques lignes du *De Abraham* II consacrées à l'interprétation des deux noms donnés successivement à l'épouse d'Abraham — Sara et Sarra —, on trouve, en effet, cette note marginale : « Hic videtur aliquis adsuisse suas nugas. » En fait, ces « sornettes » n'ont pas été glissées dans le texte d'Ambroise par un interpolateur indiscret ; c'est l'évêque de Milan lui-même qui les a pour ainsi dire traduites de Philon[14]. Plus tard, les bénédictins Du Frische et Le Nourry se divertiront de cette bévue du grand humaniste[15], mais les éditeurs d'Ambroise qui succèdent immédiatement à Érasme reproduisent pieusement cette note marginale, ironie involontaire mais cruelle à l'adresse de l'évêque de Milan et, à travers lui, de Philon. C'est le cas du chanoine de St-Martin de Louvain, Jean de Coster[16], et de Jean Gillot lui-même dont l'édition sera fort appréciée des Mauristes[17]. Ce dernier pourtant, publiant ses *Opera Ambrosii* en 1569, aurait pu consulter un ouvrage

---

II, p. 12.

récent qui lui eût évité de reproduire l'erreur de ses devanciers. C'est en 1566, en effet, que le dominicain Sixte de Sienne a fait paraître sa *Bibliotheca sancta*, sorte de manuel d'Écriture Sainte, dont la quatrième partie est consacrée à la présentation des grands exégètes du passé[18]. On a, dans ces pages, sous une forme brève, une des plus anciennes « patrologies » des temps modernes. Or l'auteur, un juif converti qui a sans doute fait des études rabbiniques[19], signale déjà l'utilisation de Philon dans certains traités de l'évêque de Milan : le *De paradiso*, le *De Cain et Abel*, le *De Abraham*[20].

Lenain de Tillemont et les Mauristes Du Frische et Le Nourry utilisent et citent les pages que Sixte de Sienne a consacrées à Ambroise. Les Mauristes surtout augmentent beaucoup la liste des remplois philoniens connus. Ils en signalent dans l'*Exameron*, dans le *De fuga*, dans le *De Iacob*, dans les *Epistulae*.

Ce ne sont pas seulement les éditeurs d'Ambroise qui s'intéressent à ces emprunts. Dans sa monumentale édition de Philon, parue à Londres en 1742, Mangey se sert souvent de l'adaptation d'Ambroise pour appuyer une leçon, suggérer ou même apporter une correction au texte des manuscrits[21].

Mais c'est dans la première moitié du XIXᵉ siècle qu'une découverte considérable permet de compléter ce que l'on savait déjà de la survie de Philon chez Ambroise. Un méchitariste, J. B. Aucher, publie à Venise en 1826 une traduction arménienne des *Quaestiones et solutiones* de l'Alexandrin, dont l'original grec n'a pas été conservé[22]. Or, l'évêque de Milan a fait un large usage des *Quaestiones in Genesin*, notamment dans le *De paradiso*, le *De Cain*, le *De Noe*. Aucher, qui signale ces emprunts, décerne à Ambroise le titre de « Philo christianus ».

Dès lors, l'essentiel est acquis. Après les Mauristes et Aucher, les éditeurs et les historiens de l'évêque de Milan n'auront plus guère qu'à enregistrer et à préciser les résultats obtenus. C'est ce qu'a fait pour les traités exégétiques Karl Schenkl, et pour les lettres le Père Otto Faller[23].

Sans doute, d'autres similitudes de détail peuvent apparaître, et nous verrons qu'il est possible d'étendre les parallèles déjà mis en valeur. Mais pour l'essentiel, et à moins d'événements aussi imprévisibles que la découverte des *Quaestiones in Genesin*, la « topographie » des remplois philoniens chez Ambroise est fort bien connue. Le travail qui va suivre ne relève donc pas directement de la recherche des sources. Fondée en majeure partie sur des emprunts déjà signalés, la présente étude s'attache à les interpréter. Plus précisément encore, elle a pour objet propre tout ce qui fait la différence entre l'original philonien et l'adaptation ambrosienne, c'est-à-dire l'ensemble des accidents et des altérations que subit l'héritage du juif alexandrin en passant dans l'œuvre de l'évêque de

---

II, p. 12-13.

Milan. L'espoir qui anime cette recherche, c'est que ces modifications nous feront au moins entrevoir les méthodes de travail d'Ambroise, les buts qui sont les siens, les idées qui servent de cadre à son exégèse.

A vrai dire, cette espérance peut paraître aujourd'hui téméraire. La manière d'apprécier les rapports de Philon et d'Ambroise a en effet sensiblement évolué. Longtemps, dans les études ambrosiennes, la philologie a été plus ou moins complètement la servante de la théologie. Il apparaissait alors évident qu'entre l'exégète juif et son imitateur chrétien existait une sorte d'abîme doctrinal et que le second n'avait pu adapter des pages du premier sans les modifier profondément et sans conserver sa parfaite indépendance. C'est la manière de voir des Mauristes[24] et c'est encore la conclusion de Förster en 1884. Ce dernier croit pouvoir affirmer que, si l'influence de l'Alexandrin sur Ambroise a été décisive pour la pratique de l'exégèse allégorique, elle n'en est pas moins restée essentiellement « formelle ». Si l'évêque de Milan reprend les équivalences symboliques de l'Alexandrin, il n'en garde pas moins sur le plan des idées sa complète indépendance, ce qui l'amène en bien des passages à contredire expressément celui dont il adapte les traités[25].

Quelques années après Förster, Karl Schenkl formule un jugement diamétralement opposé : dans le *De Cain*, par exemple, Ambroise n'apporte que les mots ; les idées sont de Philon, si l'on excepte quelques ornements scripturaires et quelques digressions moralisantes ; dans le *De Noe*, l'imitation est encore plus servile ; le sujet et les matériaux du *De fuga saeculi* sont repris à Philon[26].

C'est que, à la différence de Förster, Schenkl examine ces remplois en pur philologue, comme avait fait Mangey pour appuyer ses corrections du texte de Philon. Dans cette perspective, ce qui compte, c'est le détail. Il est sûr, de ce point de vue, que les observations de Mangey, les relevés de Wendland et de Schenkl sont beaucoup plus précis que les indications fournies par les Mauristes. Ihm d'ailleurs n'est pas sans railler discrètement ceux-ci lorsqu'il remarque que « naturellement » les bénédictins ont signalé les emprunts d'Ambroise à Philon « de manière à nuire le moins possible au prestige littéraire du Père de l'Église[27] ».

Et il est vrai que, si l'on se place au niveau de la phrase — et non point du traité, ou même du développement —, l'imitation d'Ambroise paraît la plupart du temps servile. Reste à savoir si ce découpage extrême permet de saisir ce que précisément l'évêque de Milan veut exprimer. C'est le problème de ce que l'on pourrait appeler la « plus petite unité significative ». En d'autres termes : jusqu'où peut-on pousser le morcellement d'un texte sans que le fragment obtenu, même s'il garde un sens, ne perde celui que voulait lui donner l'écrivain ?

Le problème est de particulière importance dans le cas de saint Ambroise. Rien ne me semble plus révélateur à cet égard que la préface

---

II, p. 13-14.

dont J. Ev. Niederhuber a muni l'une de ses études — d'ailleurs très utile — sur la doctrine de l'évêque de Milan[28]. Dans ces pages, l'auteur indique avec beaucoup de franchise les difficultés qu'il a dû surmonter au cours de son travail. Il a cherché en vain, explique-t-il, des textes où l'évêque de Milan donne un exposé suivi et complet de sa doctrine. Il lui a donc fallu, pour reconstruire celle-ci, prendre les matériaux, souvent sous forme de simples fragments (« bruchstückweise ») aux endroits les plus divers[29]. La collecte achevée, il restait à interpréter cette poussière de textes. D'autres difficultés ont alors surgi : l'absence d'un système sous-jacent aux œuvres de l'évêque de Milan et surtout la fluidité déconcertante de la terminologie ambrosienne. En dépit de tous ces obstacles, Niederhuber estime qu'il a réussi à rassembler ces fragments dans un ensemble harmonieux, cohérent et logiquement articulé[30].

Ce texte est intéressant parce qu'il nous laisse voir ce qui a fait achopper bien des études thématiques sur l'œuvre d'Ambroise. Celle-ci résiste mal à ces découpages, plus mal encore à ces reconstructions, surtout si elles sont « harmonieuses » et « logiques ».

Ce que beaucoup de ces travaux semblent avoir méconnu, c'est précisément ce problème de la « plus petite unité significative ». Il est important de voir qu'elle varie avec les auteurs. En raison de la précision du langage — de sa « formalité » —, une phrase de la *Somme théologique* ou encore de l'*Éthique* garde un sens précis quand on l'isole. On peut alors, sans la dénaturer, la rapprocher, avec les précautions nécessaires, d'un énoncé du même auteur : la combinaison ainsi obtenue restera significative. Mais Ambroise — il faut bien en prendre son parti — n'écrit ni comme Thomas d'Aquin ni comme Spinoza. Les termes dont il se sert ont un contenu mouvant que l'on ne peut préciser sans l'aide d'un contexte assez large. La phrase est rarement chez lui un tout autonome, une entité stable qui garderait l'essentiel de sa signification, une fois isolée. Elle n'est le plus souvent — au sens propre du mot — qu'un *passage*, au sein d'un développement souvent fort long, qui constitue la véritable unité, et en dehors duquel elle ne saurait être comprise.

Cette observation suggère une méthode toute contraire à celle que décrit Niederhuber. Au lieu d'arracher des fragments aux textes les plus différents et les plus éloignés, de les isoler par une espèce de coup de force et de les rassembler ensuite selon un ordre fatalement étranger à leur auteur, il s'agit de respecter les unités naturelles dont l'œuvre est formée — non pas une ou deux lignes, mais souvent plusieurs pages — et de traiter chacune de ces parties comme un tout organique, dont on ne peut détacher les éléments sans les altérer.

Cette seconde méthode est particulièrement indiquée dans l'étude des rapports d'Ambroise avec Philon. On risquerait fort de se méprendre

---

II, p. 14.

en ne regardant que les endroits où l'évêque de Milan reprend directement un énoncé philonien. C'est souvent, en effet, dans un autre passage, — parfois éloigné —, du même développement et là où l'Alexandrin apparaît seulement en filigrane que l'on peut découvrir la véritable signification de ce remploi. On s'aperçoit alors qu'Ambroise amende et rectifie parfois très profondément les énoncés qu'il semblait au premier abord se borner à traduire.

Pour observer le jeu subtil qui s'établit entre le modèle et l'adaptation, le mieux est de s'adresser à des œuvres où cette espèce d'interaction est suffisamment longue et continue. De ce point de vue, on peut répartir en trois groupes les textes où Ambroise se sert des traités de l'Alexandrin. Dans le premier, les emprunts à Philon sont en quelque sorte occasionnels : ils viennent compléter le « texte canevas » ou « texte d'appui »[31] qui, lui, n'est pas philonien. C'est ainsi, par exemple, que dans l'*Exameron*, Philon vient à l'occasion enrichir une exégèse dont le fond est une paraphrase de saint Basile, relevée d'emprunts à Hippolyte et à Origène[32]. De même, le *Quod omnis probus liber sit* fournit à Ambroise quelques éléments pour son *De Iacob*[33].

Le second groupe est formé par quelques lettres où l'évêque de Milan utilise visiblement certaines exégèses de l'Alexandrin. Ici, le « texte d'appui » est bien philonien, mais l'imitation est relativement peu étendue en raison du genre même dont il s'agit. Sans doute, ces *Epistulae* n'ont-elles souvent d'une lettre que l'adresse et la salutation finale. Le reste relève plutôt du traité ou plus exactement de la *quaestio*. Chaque fois, en effet, un problème particulier est posé au début, et Ambroise, dans le corps de l'*epistula*, s'attache à le résoudre. La difficulté est souvent présentée comme l'objet d'une consultation demandée par le correspondant d'Ambroise. D'autres fois, elle est introduite directement par l'évêque de Milan luimême. Parmi ces *quaestiones* en forme de lettres, celles qui ont une base nettement philonienne sont adressées à Sabinus, peut-être l'évêque de Plaisance[34], à Iustus, qui serait lui aussi évêque[35], aux clercs Orontianus[36], Simplicien[37] et Irénée[38].

En dépit de leur ton fort peu épistolaire, ces espèces de *quaestiones* se distinguent nettement des traités bibliques et posent des problèmes fort différents. Tout d'abord, le point de départ, ce qui fait l'objet de la consultation, n'est point toujours un passage de l'Écriture, même si finalement on aboutit toujours à celle-ci. Ce peut-être une question générale concernant les auteurs sacrés — ont-ils écrit selon les règles de l'art[39] ? — l'origine d'un précepte de Pythagore[40], un lieu commun de philosophie stoïcienne : la liberté consiste dans la connaissance de la sagesse[41]. Quand il s'agit directement d'exégèse biblique, celle-ci porte presque toujours sur une difficulté assez particulière, soulevée parfois par un seul verset. Ainsi, Ambroise éclaircit une phrase de l'*Exode* qui a embarrassé Irénée[42]. Cela explique les dimensions restreintes

---

II, p. 15.

de chacune de ces petites dissertations. Corrélativement, les textes philoniens utilisés sont eux-mêmes d'étendue limitée : une section d'un traité, voire quelques paragraphes. Seule la lettre à Sabinus sur le paradis fait exception, mais, moins que d'un commentaire proprement dit des textes de la _Genèse_, il s'agit plutôt d'un _compendium_ des exégèses déjà proposées dans le _De paradiso_. Aussi ces _epistulae_, quel que soit leur intérêt, ne permettent pas d'observer dans toute son ampleur le travail d'adaptation effectué par saint Ambroise, qui comporte non seulement des suppressions et des additions, mais des déplacements, des anticipations, des retours en arrière, procédés qui ne peuvent bien apparaître que sur un texte assez long.

C'est ce qui donne un avantage considérable, pour la recherche entreprise ici, au troisième groupe de textes, ce que j'appellerais les « traités philoniens », entendant par là ceux où Philon ne joue point seulement un rôle d'appoint pour telle ou telle page, mais fournit un canevas à tout l'opuscule. Ces traités ne sont pas non plus de brèves dissertations sur un point précis, comme les _Epistulae_. Quatre d'entre eux sont des commentaires continus de certaines sections du récit biblique : le drame du paradis terrestre, les vies parallèles de Caïn et d'Abel, l'histoire de Noé, celle d'Abraham interprétée allégoriquement[43]. Un cinquième traité relève d'un genre assez différent : s'il est en grande partie formé d'exégèses de l'Écriture, il ne reçoit pas son unité d'un texte qu'il commenterait d'un bout à l'autre, mais d'un thème retrouvé dans différents passages de la Bible. Ce _De fuga saeculi_ répond cependant pour l'essentiel à notre définition du traité philonien. Comme nous le verrons en effet, il a pour base un traité de l'Alexandrin : le _De fuga et inventione_[44].

C'est dans ces cinq opuscules formant un ensemble cohérent dans l'œuvre d'Ambroise, que j'essaierai d'apercevoir, à travers le processus d'adaptation, les méthodes de travail et les intentions de l'évêque de Milan.

La préférence donnée à ce dernier groupe a une autre raison, accidentelle celle-ci. Nous avons de ces cinq traités une édition critique, celle de Schenkl, susceptible d'être améliorée sur certains détails, mais satisfaisante dans l'ensemble. De plus, l'éditeur du Corpus de Vienne a muni son travail d'abondants prolégomènes concernant les sources, le genre littéraire et la chronologie des textes qu'il éditait. Il en va tout autrement pour les lettres. Non seulement l'édition critique du Père Faller n'en est qu'à son premier volume, mais les prolégomènes préparés par le regretté spécialiste d'Ambroise ne seront édités qu'avec le second. Or O. Faller[45] a entièrement repris en sous-œuvre la question des _Epistulae_, en refusant les solutions que les Mauristes ont imposées depuis plus de deux siècles. Renonçant, en effet, à l'ordre chronologique dont Ihm avait déjà montré la fragilité[46], il revient à la présentation par livres qui est celle des manuscrits. En France, J.-P. Mazières vient de publier

II, p. 15-16.

un important article dans lequel il admet lui aussi le caractère originel de cette division en livres et en propose une explication[47]. Cette dernière étude n'est que le prélude à une nouvelle édition critique des *Epistulae* annoncée par l'auteur. Lorsqu'on en disposera et que celle du Père Faller sera complétée, il deviendra possible de vérifier si les quelques lettres « philoniennes » d'Ambroise confirment pour leur part les conclusions auxquelles nous aura conduits l'examen des traités.

Il faut dire maintenant quelques mots de la nature exacte et de la chronologie de ces derniers. Le premier problème pourrait se résumer dans la question depuis longtemps classique chez les spécialistes d'Ambroise : ces opuscules ont-ils été immédiatement composés à l'intention de lecteurs, ou bien ne sont-ils que le remaniement pour l'édition de prédications faites par l'évêque de Milan à son peuple ? Certaines œuvres d'Ambroise relèvent très évidemment de cette seconde catégorie. Telles sont par exemple les exégèses de l'œuvre des six jours, l'*Exameron*[48]. Cette conclusion a pu être étendue à d'autres textes de l'évêque de Milan. Certains, comme P. de Labriolle, ont même pensé que la plupart des œuvres d'Ambroise avaient été parlées avant d'être écrites[49].

Qu'en est-il de nos cinq traités ? A dire vrai, les critiques ne s'accordent guère à leur sujet. La solution la plus simple est celle de Bardenhewer : les cinq opuscules seraient tous formés de sermons remaniés. Il est vrai que les arguments proposés par le célèbre historien de la littérature de l'Église ancienne ne sont pas toujours décisifs. Ainsi, il reconnaît que le *De paradiso*, loin d'avoir l'allure d'un sermon, se présente comme une dissertation savante. Pourquoi alors y voir malgré tout une prédication ? Bardenhewer défend son opinion par deux arguments. Tout d'abord, dans les premières années de son épiscopat — auxquelles il faut faire remonter le *De paradiso* selon le témoignage même d'Ambroise —, le jeune évêque de Milan n'aurait guère eu le loisir de se consacrer à des travaux n'ayant pas pour objet immédiat l'instruction de son peuple. Mais on est là dans une pure hypothèse que semble contredire le caractère même du traité. Aussi, Bardenhewer propose-t-il une seconde raison, qui n'est d'ailleurs pas plus convaincante que la première : le *De paradiso* ferait un tout avec le traité suivant, le *De Cain et Abel*, qui serait indubitablement composé de prédications[50].

Ce sont là deux suppositions contestables. Les mots qui ouvrent le *De Cain*[51] montrent sans doute que l'auteur veut établir un lien, une suite, entre ce traité et le *De paradiso*, mais ils n'impliquent nullement que les deux opuscules aient été composés ensemble et dans les mêmes circonstances. Il n'est pas non plus évident que le *De Cain* ait d'abord été prêché. Les passages les plus oratoires de ce traité sont ceux où Ambroise nous fait assister, après bien des auteurs depuis Prodicos et Xénophon, au duel d'éloquence que se livrent Volupté et Vertu. C'est donc le thème

---

II, p. 16.

même du morceau qui explique une impression que le reste du texte ne vient pas confirmer.

On peut faire des remarques analogues à propos des traités *De Noe* et *De Abraham* II. Sur la foi d'une phrase de Cassiodore, ou plutôt de l'interprétation qu'on lui donnait, on a longtemps pensé que les traités de l'évêque de Milan sur les Patriarches formaient une série homogène et ordonnée. Comme on retrouvait dans certains de ces opuscules des indices de prédication, on en concluait que l'ensemble représentait une suite de sermons qui avaient mené Ambroise de Noé à Abraham. Le commentaire consacré au premier, comme les deux traités portant sur l'histoire du second, ont donc été considérés comme des discours remaniés. J.-R. Palanque a montré que ni le renseignement de Cassiodore, ni la phrase du *De Abraham* n'avaient la signification qu'on leur prêtait[52]. Il ne restait plus qu'à admettre que rien dans le *De Noe* et le *De Abraham* II n'évoquait une prédication.

La position adoptée par J.-R. Palanque apparaît donc la plus vraisemblable : le *De paradiso*, le *De Cain*, le *De Noe* et le *De Abraham* II ont été dès l'origine destinés à la lecture. Seul, le *De fuga* aurait d'abord été prêché, comme l'indiquerait la doxologie finale[53]. Il est vrai que, là encore, l'argument ne semble pas dirimant. En effet, lorsqu'Ambroise a, comme on le suppose, transformé son sermon en traité, cette doxologie finale n'a pu lui échapper aussi facilement que quelques traces de style parlé dans le cours du texte. S'il l'a laissé subsister, c'est qu'elle ne lui semblait pas déplacée dans une œuvre écrite. Mais alors, ne pourrait-elle se trouver d'emblée dans un traité rédigé, sans qu'il faille nécessairement y voir le remaniement d'un sermon ? On peut noter que Schenkl ne trouvait pas dans cette finale du *De fuga saeculi* la preuve formelle que ce traité avait d'abord eu la forme d'une prédication[54]. Il semble en tout cas évident qu'entre le sermon et le traité écrit — si l'on admet l'hypothèse de J.-R. Palanque —, il y a eu un remaniement important[55]. Il serait donc téméraire, pour la présente recherche, de ne pas se borner à étudier les techniques de l'adaptation ambrosienne dans le résultat final : le traité écrit tel que nous l'avons encore sous les yeux.

Le problème chronologique concerne plus directement notre propos, Il serait en effet souhaitable de savoir si ce qu'on peut appeler le philonisme d'Ambroise a connu une certaine évolution et si l'influence de l'exégète alexandrin a plus spécialement marqué l'évêque de Milan à un moment donné de sa carrière.

Malheureusement, bien des incertitudes subsistent sur la chronologie de ces quelques traités, pour lesquels les dates les plus diverses ont été proposées[56]. La donnée la plus sûre, encore que d'une précision toute relative, concerne le *De paradiso*. Ambroise déclarera plus tard à son

---

II, p. 16-17.

correspondant Sabinus qu'il a écrit cet opuscule alors qu'il n'était pas encore un *veteranus sacerdos*[57]. En outre, comme le note fort justement J.-R. Palanque, « les caractères intrinsèques confirment qu'il s'agit d'une œuvre de jeunesse ». L'opuscule appartient donc sûrement aux premières années de l'épiscopat. Il est difficile de préciser davantage. Palanque et Dudden restent dans les limites de la vraisemblance quand ils proposent de dater le *De paradiso* de 377 environ[58].

Le *De paradiso* est clairement évoqué dans les premières lignes du *De Cain* où Ambroise rappelle qu'il a expliqué le paradis et la faute d'Adam et d'Ève « in superioribus[59] ». S'ensuit-il nécessairement que les deux traités aient été composés la même année comme le pense J.-R. Palanque[60] ? Ambroise n'aurait-il pu ajouter plus tard à son explication du paradis un commentaire de l'histoire de Caïn et Abel ?

Les premières lignes du *De Noe* évoquent une situation de crise ecclésiastique et de crise militaire. M. Palanque, après les Mauristes et Rauschen, a montré que cette conjonction et les détails donnés par Ambroise devaient correspondre à la situation ayant immédiatement suivi la mort de Valens[61].

Le *De Abraham* II — d'un genre tout différent du *De Abraham* I — est postérieur au *De paradiso*, évoqué au cours de la première page[62]. Aucun autre indice certain ne permet de préciser la date de ce traité[63]. Cependant, l'importance des emprunts à Philon suggèrerait une date qui ne soit point trop éloignée de celle du *De Noe*[64]. On considère en revanche que le *De fuga saeculi* est beaucoup plus tardif, depuis que Bücheler a signalé, dans ce dernier traité, l'emprunt d'une citation de Salluste au *Quadrige* d'Arusianus Messius. A vrai dire, tout le monde n'a pas été convaincu, et Schanz estime qu'Ambroise a très bien pu lire la phrase de l'historien dans l'ouvrage qui a servi de base à la compilation du grammairien[65]. Ce qui donne cependant une certaine consistance à l'hypothèse de Bücheler, c'est qu'Ambroise, avant de citer l'*excerptum* de Salluste, semble faire allusion au titre et au contenu du recueil d'Arusianus Messius[66]. Si cette hypothèse est exacte, le *De fuga* ne pourrait être antérieur à 388 ou 391, date à laquelle Symmaque a prononcé un discours qui a fourni quelques citations à l'auteur du *Quadrige*[67].

Récemment, le problème de la datation du *De fuga* a été abordé du point de vue de la *Quellenforschung*. Le Père Szabó a décelé en effet dans ce traité l'imitation de quelques passages plotiniens, ce qui inviterait à le rapprocher du *De Isaac*. Mais, comme on n'y trouve point encore la mystique du *Cantique des Cantiques*, qui, sous l'influence d'Origène, va tenir une grande place chez Ambroise, le *De fuga* serait légèrement antérieur. Il ne pourrait donc avoir été écrit après 386[68] et marquerait ainsi le moment où l'évêque de Milan passe de Philon à Plotin.

II, p. 17-18.

On peut trouver l'argumentation de F. Szabó trop systématique. Ambroise n'a-t-il pas pu revenir à Philon après l'avoir délaissé un certain temps ? Faut-il nécessairement qu'après avoir abondamment utilisé le Cantique dans un traité, il continue à le faire constamment par la suite ? On peut supposer que la source utilisée par l'évêque de Milan dépend moins de son évolution intellectuelle que du sujet qu'il veut traiter et des documents dont il dispose à cet effet. Remarquons d'ailleurs que dès le *De Cain* la mystique origénienne du Cantique intervient à un tournant de l'argumentation[69].

Il reste de la thèse du Père Szabó, une fois dépouillée de sa systématisation excessive, que le *De fuga* a beaucoup de parenté avec le *De Isaac*. Cette observation pourrait en fin de compte renforcer plutôt l'hypothèse formulée par Bücheler et donner à penser que ce traité a été composé très peu de temps après 388. On peut même supposer que le *De fuga* a d'abord été prêché avant cette date et que l'emprunt à Arusianus Messius fait partie du remaniement ultérieur en vue de l'édition. Mais ce ne sont là que des conjectures qu'il faudrait renforcer par d'autres indices.

Comme on le voit, la chronologie de ces cinq traités n'offre guère de certitudes définitives. On pourrait faire d'ailleurs la même constatation pour beaucoup d'autres textes de l'évêque de Milan. Aussi Dassmann semble s'être assez imprudemment avancé en fondant toute son étude de la spiritualité d'Ambroise sur la distinction des « œuvres de jeunesse » et des « œuvres tardives »[70].

Il n'en reste pas moins que l'ordre habituellement proposé par les historiens, même s'il ne repose en grande partie que sur des conjectures, semble offrir, dans ses grandes lignes, le cadre le plus commode pour notre étude. En effet, l'ancienneté certaine du *De paradiso* et les questions fondamentales qu'il pose à propos du drame de l'Éden invitent à commencer par ce traité. Il est assez naturel d'examiner ensuite les trois opuscules qui sont consacrés à d'autres épisodes de l'histoire des origines : le *De Cain et Abel*, le *De Noe*, le *De Abraham*, que rapprochent non seulement la parenté de leurs objets, mais encore l'identité de leur méthode. Comme il s'agit d'explications continues de plusieurs chapitres de la Genèse, on peut prévoir que le parallélisme avec le modèle philonien y sera particulièrement marqué. Le *De fuga*, enfin, relève d'un genre plus souple. Les textes du Pentateuque y jouent encore un rôle capital, mais ce ne sont plus eux qui donnent à l'œuvre son unité. Celle-ci est thématique, au lieu d'être exégétique : on le voit dès le titre, qui n'est plus emprunté à l'histoire biblique, mais évoque simplement une parénèse spiritualiste qui pourrait être platonicienne aussi bien que chrétienne ou juive. N'étant plus lié par l'ordre même du texte sacré, Ambroise peut du même coup prendre plus de libertés à l'égard de l'Alexandrin. Terminer par l'étude du *De fuga saeculi* est donc de bonne méthode, si l'on veut voir

---

II, p. 18.

jusqu'à quel point l'évêque de Milan s'est réellement approprié les thèmes et les procédés de l'exégèse philonienne.

Le plan de l'étude qui va suivre se fonde sur ces observations. La première partie sera consacrée au *De paradiso* et à la découverte de Philon par Ambroise. La juxtaposition dans ce traité de deux parties assez mal assorties et relevant de deux techniques exégétiques fort dissemblables nous permettra d'entrevoir pourquoi l'évêque de Milan a résolument opté pour l'allégorisme philonien (chap. i). Le *De paradiso* nous offre de plus le seul passage où Ambroise cite le nom de Philon. Le jugement qui accompagne cette mention renvoie au système d'interprétation auquel les emprunts philoniens vont avoir à s'intégrer. Et nous verrons que, par bien des aspects, ce système, lui aussi, provient indirectement de l'Alexandrin (chap. ii). Les deux parties centrales de cette étude seront consacrées respectivement à la *critique* (chapitres iii et iv) et à la *christianisation* (chapitres v, vi et vii) de l'héritage philonien. Les éléments en seront fournis par le *De Noe*, le *De Cain*, le *De Abraham* II et aussi par un développement du *De paradiso* qui relève des mêmes techniques. Enfin, le *De fuga* nous montrera comment les éléments empruntés par Ambroise sont employés à une construction nouvelle où la personnalité de l'évêque de Milan peut s'affirmer plus librement (chap. viii).

Au cours de ces quatre étapes, nous nous attacherons à saisir la déformation progressive des exégèses qu'Ambroise doit à son devancier. Il est évident que cette déformation ne s'explique pas simplement par la personnalité et le bon plaisir de l'évêque de Milan. Entre Philon et Ambroise, il y a trois siècles d'exégèse chrétienne. Il ne faut pas oublier non plus toute cette littérature de doxographies[71] et de florilèges où se conserve, assez déchue, il est vrai, la tradition philosophique. C'est en traversant tout cela que l'exégèse de Philon parvient à Ambroise et il en résulte comme un phénomène de réfraction. C'est dire qu'il nous faudra aussi tenir compte de cette double tradition pour expliquer l'infléchissement qui est l'objet propre de cette recherche.

II, p. 18.

PREMIÈRE PARTIE

Le « De Paradiso »
et la rencontre avec l'exégèse de Philon

Entre tous les traités où Ambroise travaille sur un canevas philonien, le *De paradiso* occupe une place singulière. D'une part, c'est le coup d'essai exégétique de l'évêque dont l'installation à Milan est encore récente[1]. D'autre part, c'est le seul ouvrage où Ambroise cite le nom de Philon. Ces deux particularités ne sont peut-être pas sans relation entre elles. La mention du nom de Philon pourrait en effet trahir une découverte récente. Plus tard, Ambroise ne pensera peut-être plus à citer l'œuvre qui est devenue pour lui un instrument de travail familier et il aura, en tout cas, pris l'habitude générale de n'accorder à ses sources que des allusions vagues, quand il ne les passe pas tout simplement sous silence.

D'ailleurs, comme le signale justement Schenkl[2], Philon est cité une autre fois dans le *De paradiso*, non plus nommément sans doute, mais de manière fort transparente. Lorsqu'Ambroise nous dit qu'un de ses prédécesseurs a interprété le serpent comme la figure du plaisir, Ève, comme celle de la sensibilité, et a expliqué ainsi le péché du premier homme, c'est-à-dire de la « mens »[3], il est assez clair qu'il évoque l'auteur du *De opificio mundi*.

Certes, Origène a donné du premier péché une interprétation en apparence assez voisine. Néanmoins, il s'écarte beaucoup plus de l'exégète juif que ne fait Ambroise. En particulier, dans l'allégorèse du premier couple, Origène remplace par la dichotomie de saveur paulinienne πνεῦμα-ψυχή[4] la division νοῦς-αἴσθησις à laquelle se référait Philon[5]. Or c'est cette dernière que retient Ambroise, qui va jusqu'à citer en grec les termes mêmes dont s'était servi l'allégoriste juif[6]. Aussi s'est-on accordé à reconnaître Philon dans ce « quidam ante nos » dont parle l'évêque de Milan[7].

Par ces deux particularités, la priorité dans le temps et la mention expresse de l'Alexandrin, le *De paradiso* devrait pouvoir jeter quelques lumières sur ce que j'appellerais la rencontre de Philon par Ambroise. Quels services celui-ci pouvait-il attendre de l'exégèse philonienne ? Dans quel cadre idéologique, dans quelles catégories cette exégèse devait-elle s'insérer pour être baptisée par l'évêque de Milan ? Peut-être trouverons-nous des éléments de réponse à ces deux questions dans ce traité quelque peu déroutant qu'Ambroise a consacré au paradis et à la faute.

II, p. 20.

CHAPITRE PREMIER

Apelle ou Philon

Ce que nous savons des conditions dans lesquelles Ambroise a accédé à l'épiscopat suggère aussitôt une réponse assez terre à terre à la première question que nous avons posée : les services que Philon pouvait rendre au nouvel exégète. Obligé d'enseigner avant d'avoir appris[1], l'évêque de Milan a eu besoin, pour commenter l'Écriture à ses ouailles, de modèles, de canevas, qui lui ont permis, moyennant une rapide adaptation, de satisfaire en peu de temps à cette tâche hebdomadaire[2], sans parler des consultations auxquelles il fallait toujours être prêt à répondre, et dont la correspondance d'Ambroise nous donne nombre d'exemples[3].

On ne peut guère douter que l'utilisation des traités de Philon n'ait d'abord satisfait à ce besoin fort simple. Encore fallait-il que l'exégèse de l'Alexandrin se prêtât particulièrement bien aux desseins d'Ambroise. S'il en eût été autrement, l'évêque de Milan n'aurait guère eu de peine à trouver d'autres matériaux pour ses sermons et ses homélies. La littérature ecclésiastique de langue latine était loin d'être insignifiante, et surtout Ambroise avait personnellement accès au domaine grec chrétien dont on sait quelles étaient déjà la richesse et l'ampleur. Il devait donc y avoir comme une harmonie préétablie entre ce que l'évêque de Milan voulait dire et ce qu'il trouvait chez Philon.

Aurons-nous d'ailleurs besoin d'exégèses subtiles et de conjectures ingénieuses ? Il semble bien qu'Ambroise nous donne lui-même ouvertement la réponse que nous cherchons, lorsqu'il évoque Philon pour la première fois. Pourquoi, en effet, mentionne-t-il ce prédécesseur qui a vu dans le serpent, la femme et l'homme les figures du plaisir, de la sensibilité et de l'intellect ? L'auteur du *De paradiso* nous le dit sans ambage : il fallait apaiser ceux qui persistaient à trouver scandaleux

---

II, p. 21.

que Dieu ait introduit au paradis le serpent — le diable — d'où devait provenir tant de mal. L'allégorèse philonienne tombait donc à point nommé : « Beaucoup pourtant veulent que le diable ne se soit point trouvé au paradis... De peur qu'on ne les voie se scandaliser de ces paroles, qu'ils entendent une interprétation conforme à leur désir. Avant nous, en effet, quelqu'un a écrit que le péché de l'homme avait été commis par l'intermédiaire du plaisir et de la sensibilité. Il a vu dans la forme du serpent la figure de la volupté et fait figurer par la femme la sensibilité de l'âme et de l'intelligence, que les Grecs appellent αἴσθησις. Il a encore affirmé que, dans le récit, une fois la sensibilité trompée, c'est l'intelligence — appelée νοῦς par les Grecs — qui a péché[4]. »

Si Ambroise introduit ici l'allégorisme philonien, c'est donc ouvertement pour écarter ce qui, dans le texte biblique, pourrait apparaître scandaleux, ne fût-ce qu'à certains esprits. Il n'y a là rien de bien nouveau. On sait que l'une des fonctions de l'allégorèse, c'est de faire échapper aux difficultés que pose le texte expliqué, non point en les résolvant, mais en les transcendant. L'importance de notre passage, c'est qu'il ne laisse point de place aux suppositions : l'évêque de Milan lui-même explique ouvertement cette stratégie et les soucis pastoraux auxquels elle répond.

Il convient néanmoins de vérifier si la stratégie indiquée ainsi par Ambroise vaut aussi pour le reste du traité. Il n'est pas inutile non plus de préciser la nature des oppositions ou des inquiétudes que l'évêque de Milan doit apaiser ou affronter. Un coup d'œil sur l'ensemble du *De paradiso* devrait permettre de donner au moins un commencement de réponse à ces questions.

A vrai dire, on pourrait d'abord en douter. D'abord, n'est-ce pas une gageure de prétendre considérer le *De paradiso* « dans son ensemble » ? A quoi, en effet, avons-nous à faire ? A un traité composite dont la seule unité est apparemment tout extérieure : les quelques versets de la Genèse qui s'y trouvent commentés. Si l'on envisage le commentaire lui-même, on se trouve en présence de deux blocs juxtaposés où il est précisément fort difficile de discerner quelque dessein d'ensemble. D'une part, nous avons une suite d'interprétations allégoriques, où le jardin, les arbres qui y croissent, les êtres qui le peuplent et l'action qui s'y déroule sont interprétés comme autant de symboles renvoyant à des réalités et à des événements intérieurs à l'âme. Comme l'Alexandrin est ici largement utilisé et fournit à peu près toutes les clés, c'est ce que j'appellerai la partie philonienne du *De paradiso*. A côté, ou plutôt comme une enclave, on rencontre un développement d'un tout autre style. C'est une longue discussion de plusieurs apories par lesquelles un disciple de Marcion, Apelle, prétendait montrer que la Genèse n'était qu'un tissu de mensonges qui se détruisaient par leur incohérence même. Ici, il n'est pas question de s'envoler au-dessus des difficultés. La discussion reste au

---

II, p. 21.

niveau de la lettre, on y argumente de façon serrée, même s'il arrive à Ambroise de s'embarrasser dans ses raisons.

Et cependant, après quelques lectures, on finit par percevoir une unité secrète, mais réelle, entre ces deux blocs si disparates et si gauchement juxtaposés. Ce n'est pas une unité de ton, ce n'est pas une unité de méthode, c'est, si l'on veut, une unité de préoccupation. Le souci avoué par l'évêque, au moment où il appelle l'Alexandrin en renfort, apparaît en pleine lumière dans la longue discussion des objections d'Apelle. En un mot, Ambroise pouvait employer deux stratégies pour lutter contre l'offensive rationaliste dont les premiers chapitres de la Genèse étaient le terrain de prédilection : ou bien discuter pied à pied en dialecticien, ou bien déborder l'adversaire en allégoriste. Ambroise se montre visiblement fort malhabile dans le premier rôle. Il trouvait heureusement chez Philon une autre méthode qui convenait fort bien au contraire à sa formation oratoire, à ses dons poétiques, à sa conception très hiérarchique de l'enseignement.

I — « QVAESTIONES ET SOLVTIONES » DANS LE « DE PARADISO »

Dès la première lecture, le *De paradiso* apparaît, pour l'essentiel, comme une suite de difficultés et de solutions, de questions et de réponses, qui rapprochent ce traité de la littérature des *Quaestiones et solutiones.* Cela est sensible dès les premières lignes : « De paradiso adoriendus sermo non mediocrem aestum nobis videtur incutere quidnam sit paradisus et ubi sit qualisve sit investigare et explicare cupientibus[5] ».

G. Bardy[6] a montré que les auteurs chrétiens de scholies sur l'Ancien et le Nouveau Testament avaient volontiers adopté un genre littéraire déjà classique, celui des ζητήματα καὶ λύσεις, des questions et des solutions Il semble qu'il faille faire remonter cette forme d'exposition et son titre même à Aristote[7]. En tout cas, dans les écrits conservés du Stagirite, nous trouvons le mot ζήτημα, qui sert à désigner un thème de recherche[8]. Des commentateurs d'Aristote, comme Alexandre d'Aphrodise, sous Septime Sévère, et Dexippos, au ive siècle, rédigeront à leur tour des recueils d'ἀπορίαι καὶ λύσεις.

Le genre est utilisé également par les exégètes d'Homère. Avec eux, la question perd sa généralité ; elle en vient à ne plus porter que sur un détail du texte, un vers, une phrase, voire un simple mot. Devant cette spécialisation du terme ζήτημα, les philosophes lui préfèrent désormais, en règle générale, πρόβλημα ou ἀπορία. Porphyre n'en intitulera pas moins un de ses ouvrages Σύμμικτα ζητήματα[9].

Les commentateurs de la Bible vont adopter en bien des cas la forme des questions et réponses. Philon donne l'exemple avec ses *Quaestiones*

II, p. 21.

et solutiones in Genesin et in Exodum. Sur ce point aussi, les exégètes chrétiens lui emboîteront le pas.

Mais dans cette littérature de *Quaestiones et responsiones* sur la Bible, on peut distinguer ce qui reflète une controverse réelle et répond à des objections effectivement formulées, et les textes où la difficulté soulevée n'est guère qu'un procédé d'exposition. Parfois, il est facile de rattacher tel cas précis à l'une ou l'autre classe, d'autres fois, il est permis d'hésiter.

Il arrive que l'adversaire qui a soulevé le premier les objections à résoudre soit désigné nommément. C'est précisément le cas dans les passages du *De paradiso* où Ambroise répond aux *Syllogismes* d'Apelle. Ailleurs, le contradicteur éventuel n'est ni nommé, ni évoqué. Ce silence, à lui seul, ne prouve pas que les questions examinées n'aient pas été réellement soulevées[10].

En revanche, lorsque Philon se demande pourquoi Moïse ne précise pas le territoire qu'arrose l'Euphrate, alors qu'il indique les terres baignées par le Phison, le Géon et le Tigre, c'est là apparemment un pur procédé servant à analyser le moindre détail du texte et non la reprise d'une difficulté réelle[11].

Ce procédé d'explication par questions et réponses déborde d'ailleurs le genre littéraire des *Quaestiones* proprement dites. Les scholies d'Origène, dont nous ne connaissons malheureusement que des débris, ne semblent pas avoir eu la forme rigoureuse de ζητήματα καὶ λύσεις, mais leur auteur n'en utilise pas moins, à travers toute son œuvre exégétique, la méthode qui procède par apories et solutions[12].

Comment situer le *De paradiso* d'Ambroise dans cette littérature ?

Constatons tout d'abord que le traité de l'évêque de Milan ne se présente pas formellement comme une collection de *Quaestiones et solutiones*. Alors que, dans les *Quaestiones et solutiones in Genesin et in Exodum* de Philon ou encore dans les *Quaestiones Veteris et Novi Testamenti* de l'Ambrosiaster, questions et réponses, nettement détachées, alternent, comme dans un dialogue ou une leçon de catéchisme, dans l'opuscule d'Ambroise problèmes et solutions se trouvent intégrés à un développement continu, par des formules de liaison, des transitions, tout un encadrement.

A vrai dire, la pratique d'Ambroise, dans le *De paradiso*, n'est pas uniforme. Parfois les questions apparaissent, en quelque sorte, à l'état nu, précédées seulement d'une phrase, voire de deux mots d'introduction : « Beaucoup, en effet, dont le chef de file est Apelle, comme on le voit au tome trente-huit de son œuvre, posent les questions suivantes[13]... » Et un peu plus loin : « Ils posent à nouveau d'autres questions : il n'est pas toujours mal de ne pas obéir à un commandement[14] ». D'autres fois, le problème peut être annoncé par un simple « alia quaestio[15] ». Même quand il se contente de transitions aussi sommaires, Ambroise

---

II, p. 22.

garde le souci du discours suivi et s'applique à varier ses formules. A
« alia quaestio » succèdent les variantes : « iterum quaestiones serunt[16] »,
« accipe aliud[17] », « iterum alia quaestio subripit[18] », « iterum quaestio[19] »,
« iterum hinc aliam faciunt quaestionem[20] ».

Dans d'autres cas, les objections ou les difficultés sont exprimées
d'une manière moins directe et comme enveloppées dans la réponse
que leur fait Ambroise, ainsi dans ce passage où il s'attache à justifier
la présence du diable au paradis : « C'est pourquoi il ne faut ni mettre
en doute, ni critiquer le fait que le diable se soit trouvé au paradis,
puisqu'il n'a pu barrer le chemin aux saints[21] ».

Ces questions qui forment l'armature du *De paradiso*, qu'elles apparaissent ouvertement ou qu'elles soient en quelque sorte intégrées à la
démonstration même d'Ambroise, peuvent être réparties entre les deux
grandes classes que nous avons déjà indiquées : les unes sont présentées
comme ayant été réellement soulevées par des objecteurs, voire des
adversaires, les autres semblent posées par l'auteur lui-même — ou
par sa source — à des fins pédagogiques. Souvent, les formules d'introduction permettent de faire le partage : « Quaestiones proponunt[22] »,
« faciunt quaestionem[23] », « dicunt[24] », « obiciunt[25] », ou encore, avec
une pointe polémique, « iterum quaestiones serunt[26] ».

Ailleurs, aucun objecteur n'est impliqué dans les formules utilisées
par Ambroise et la teneur même du problème envisagé semble montrer
son caractère purement méthodique. C'est le cas, nous semble-t-il,
lorsque l'évêque de Milan demande pourquoi Dieu n'a pas seulement
dit à Adam « vous mourrez » mais « vous mourrez de mort[27] » ou pourquoi
l'auteur de la Genèse n'a pas pris soin de mentionner les contrées traversées par l'Euphrate[28].

Au moins en apparence, dans les passages du *De paradiso* où Ambroise
suit Philon, ce qui est débattu, ce sont des questions fictives et non
des objections réellement avancées. En revanche, au centre de l'opuscule,
plusieurs pages, d'un caractère tout différent, sont consacrées directement
à la réfutation d'un certain nombre d'objections, proposées par l'hérétique
Apelle dans ses *Syllogismes*, et reprises par ses disciples.

II — LES « SYLLOGISMES » D'APELLE

Apelle[29], disciple de Marcion, se sépara du maître dont il rejeta le
dualisme. Son attachement à la « monarchie », sa croyance à la préexis-
tence des âmes, font penser à Harnack qu'il avait été influencé par la
spéculation théologique en honneur à Alexandrie, ville où il s'était installé
et avait enseigné après avoir quitté Marcion. Revenu à Rome, il y déploya
une grande activité, si bien que la secte dont il était le chef apparaît

---

II, p. 22.

aux yeux de Tertullien, au moment où celui-ci écrit le *De praescriptione*, comme le plus important des groupes hérétiques à côté des marcionites et des valentiniens. Cette triade se retrouve souvent sous la plume du polémiste de Carthage ; on la rencontre également en plusieurs endroits de l'œuvre d'Origène. La secte d'Apelle avait donc connu une importante diffusion, mais rien n'atteste sa survivance après l'époque d'Origène qui la combattit avec vigueur. A la fin de sa vie, Apelle semble avoir tenu une position fortement teintée de fidéisme[30], dont Harnack a proposé une séduisante et très moderne interprétation[31]. Mais l'œuvre dont le *De paradiso* nous a conservé les fragments les plus nombreux et les plus intéressants — les *Syllogismes*, témoigne au contraire d'un rationalisme encore impénitent.

Apelle avait corrigé les idées de Marcion sur quelques points essentiels[32]. Tout d'abord, le dualisme de son maître lui a paru intenable. Il fait donc du créateur, non pas un dieu opposé au dieu bon, mais une créature de celui-ci, un ange d'une particulière excellence. Or, si le monde procède ainsi du dieu bon, comme d'un premier principe, on ne peut plus le considérer comme entièrement mauvais. Le monde sensible est simplement la copie avortée d'un monde supérieur. Avec cette seconde modification, c'est la tradition platonicienne qui fait irruption là où Marcion s'était borné à une méditation de l'Écriture et avant tout de l'Épître aux Galates. En revanche, et c'est ce que montrent en particulier les arguments conservés dans le *De paradiso*, l'Ancien Testament n'est que mensonge et absurdité. Il ne saurait donc être attribué au créateur dont la volonté fut bonne, même si ses moyens l'ont quelque peu trahi. Le responsable de l'Ancien Testament est un autre ange, l'ange de feu du buisson ardent.

C'est dans cette perspective qu'il faut situer les *Syllogismes*. En les écrivant, Apelle pouvait s'inspirer d'un précédent célèbre : les *Antithèses* de Marcion. Mais, sous des analogies certaines, les deux ouvrages diffèrent profondément. Marcion s'attaque moins à l'Ancien Testament qu'au Dieu qui s'y révèle. Il ne doute pas de l'historicité des faits rapportés par les livres de Moïse. Ce qu'il conteste, c'est qu'ils aient pour auteur un dieu bon. Apelle, au contraire, s'attache à souligner ce qu'il considère comme les incohérences, les absurdités, les impossibilités du récit mosaïque. La critique de Marcion est religieuse, celle d'Apelle est historique[33].

Tel est l'adversaire qui est à l'horizon du *De paradiso* d'Ambroise. C'est même au traité de l'évêque de Milan que nous devons presque tout ce que nous savons de l'exégèse polémique pratiquée par l'auteur des *Syllogismes*.

II, p. 23.

III — LA SURVIE D'UNE CONTROVERSE

En 375-380, l'influence d'Apelle est-elle donc si redoutable ? Il y a longtemps qu'on a perdu toute trace de la secte fondée par le disciple infidèle de Marcion. Les *Syllogismes* de l'hérétique sont encore connus sans doute puisqu'Ambroise les cite sans éprouver davantage le besoin de s'expliquer, mais il n'est pas téméraire de penser qu'ils doivent principalement ce qui leur reste de notoriété à Origène, leur grand contradicteur.

Quelle est donc la raison qui a pu pousser le nouvel évêque de Milan à consacrer une bonne partie d'un de ses premiers travaux exégétiques à combattre un adversaire en passe d'être oublié ?

Il est vrai que la tradition scolaire tend à assurer une survie factice à des querelles dépassées. Que de penseurs surannés, que d'hétérodoxes rentrés dans l'obscurité depuis des siècles doivent encore un semblant d'existence à leurs adversaires victorieux que l'on commente inlassablement dans les écoles et les universités ! Si c'est essentiellement au *De paradiso* que nous devons de connaître les *Syllogismes*, n'est-ce pas en vertu d'un enchaînement analogue ?

On sait l'aveu qu'Ambroise faisait à ses clercs peu de temps après son installation sur le siège de Milan : « Transféré brusquement des tribunaux et des fonctions administratives à l'épiscopat, j'ai commencé à vous enseigner ce que je n'ai pas appris moi-même... Il me faut donc apprendre et enseigner en même temps, puisque le loisir d'apprendre a fait auparavant défaut[34] ». Or, le *De paradiso*, que l'ancien préfet d'Émilie-Ligurie composa alors qu'il n'était pas encore « un vétéran dans l'épiscopat », semble bien porter des traces de cette précipitation. Une première lecture laisse déjà une impression de disparate. On dirait un texte fait de plusieurs morceaux mal raccordés. Au centre, on a une discussion assez serrée de thèses rationalistes contre lesquelles il faut défendre la lettre même de la Genèse. Au début et à la fin se succèdent des questions beaucoup moins pressantes que l'exégète semble d'ailleurs se poser à lui-même et auxquelles il répond par une allégorèse souvent audacieuse. D'un côté, c'est une âpre discussion ; de l'autre, c'est une libre méditation poétique et édifiante. Cette première impression donnerait à supposer que le nouvel évêque a dû hâtivement compiler deux sources, peut-être plus, et que le *De paradiso* est le produit de cet assemblage rapide. Et ce sentiment se renforce lorsqu'on observe certains raccords maladroits, certaines disparates imparfaitement dissimulées[35].

Cette utilisation de sources que l'auteur n'a guère eu le temps de retravailler expliquerait-elle l'importance qu'Ambroise accorde curieusement à un adversaire qui devait être passé de mode et qui, au IVe siècle,

---

II, p. 23.

ne semble guère avoir intéressé que les hérésiologues de vocation, toujours friands de monstruosités doctrinales ? Que l'on pense à Épiphane dont le cœur simple et le tempérament irascible se reflètent si bien dans le *Panarion*, où la revue des hérésies prend la forme d'un bestiaire fabuleux.

D'où Ambroise peut-il tenir à la fois ces objections d'Apelle et leur réfutation ? Harnack, qui a en quelque sorte ressuscité Apelle à la fin du siècle dernier, s'est posé la question. Il est hautement invraisemblable, estime-t-il, que l'évêque de Milan ait eu entre les mains les *Syllogismes*. « Il suffit de lire avec attention leur réfutation aux chapitres v-viii (du *De paradiso*) et de la comparer avec la teneur habituelle des travaux ambrosiens pour s'apercevoir que toute la section est empruntée. De lui-même, Ambroise ne peut pas écrire ainsi[36] ». Toujours selon Harnack, on peut seulement hésiter, parmi les sources possibles, entre Hippolyte et Origène, qu'Ambroise a utilisés dans son *Exameron*. Le critique allemand penche pour Origène ; quelques années plus tard, il n'aura plus de doute et citera ces passages du *De paradiso* comme de l'« Origène chez Ambroise[37] ». C'est que le seul fragment des *Syllogismes* qui nous ait par ailleurs été conservé se trouve dans les *Homélies sur la Genèse* du grand exégète de l'Église d'Alexandrie[38].

Faut-il supposer pour autant qu'Ambroise n'a sorti de ses tiroirs, ou plutôt des rayons de sa bibliothèque, ce dossier anti-apellien que parce qu'il y trouvait des matériaux pour étoffer un commentaire des deuxième et troisième chapitres de la Genèse ? Doit-on admettre que les objections des *Syllogismes* avaient, à la fin du vie siècle, perdu toute leur actualité ? La réponse suppose un examen préalable de leur contenu.

IV — Les objections d'Apelle d'après le « De paradiso »

Pour le chanoine Bardy, Apelle « raisonne comme un virtuose de la dialectique : ses objections sont plus spécieuses que profondes. On comprend cependant qu'elles aient embarrassé plus d'un fidèle[39] ». Certes, l'argumentation des *Syllogismes* apparaît souvent d'une subtilité quelque peu artificieuse. Nous hésiterions pourtant à affirmer que, dans leur ensemble, les difficultés qu'on y soulève sont plus « spécieuses que profondes ». Il nous semble, au contraire, que les apories formulées par Apelle et les solutions proposées par Ambroise nous introduisent dans un débat majeur. Ces pages centrales du *De paradiso* pourraient bien alors situer toute l'œuvre exégétique de l'évêque de Milan dans sa juste perspective, et mieux nous faire comprendre, du même coup, ce qu'il demandait aux commentaires de Philon.

Le nom d'Apelle n'apparaît que dans un seul passage du *De paradiso*. Ambroise introduit trois difficultés qu'il s'apprête à examiner par la

---

II, p. 23.

remarque suivante : « Plerique enim, quorum auctor Apelles, sicut habes in tricesimo et octavo tomo eius, has quaestiones proponunt[40]... » Les trois questions que certains soulèvent à la suite d'Apelle sont les suivantes : 1. « Comment se fait-il que l'arbre de vie semble plus efficace que l'insufflation divine ? » 2. « Si Dieu n'a pas créé l'homme parfait, et si chacun acquiert la perfection de la vertu par sa propre activité, l'homme ne paraît-il pas se procurer plus que Dieu ne lui a donné ? » 3. « S'il est vrai que l'homme n'avait pas goûté la mort, il ne pouvait en aucune façon connaître cette mort qu'il n'avait pas goûtée. Donc, s'il ne l'avait pas goûtée, il l'ignorait. S'il l'ignorait, il ne pouvait la craindre. Dieu agita donc bien inutilement la menace d'une mort que les hommes ne craignaient point[41]. »

D'autres questions suivent ces trois premières difficultés. Que ce soit leur contenu, leur pointe dirigée contre l'Ancien Testament, leur structure dialectique, les formules par lesquelles Ambroise les introduit[42], tout indique que ces nouvelles apories proviennent de la même source que les trois premières[43]. On arrive, selon ces critères, à retrouver dans le *De paradiso* dix fragments certainement apelliens[44].

Ces dix questions d'Apelle soulèvent sous une forme paradoxale quelques-uns des grands problèmes que posent les rapports de Dieu et de sa créature : quelles sont les relations de la grâce divine et de l'effort humain ? pourquoi Dieu a-t-il interdit à l'homme la connaissance du bien et du mal, si la connaissance est un bien ? Dieu serait-il envieux ? Comment la mort a-t-elle pu s'introduire, si Dieu est bon et tout-puissant ? Enfin, créer un être fragile, qui va succomber au péché, n'est-ce pas manquer soit de sagesse, soit de prescience ?

Au moment où il écrit le *De paradiso*, c'est-à-dire à peu près au moment où il entreprend de commenter l'Écriture, il est naturel qu'Ambroise ait été préoccupé par ces problèmes, notamment par le second, celui de la valeur religieuse de la connaissance.

Il ne s'agit pas ici, en effet, d'un désaccord secondaire, auquel une rhétorique spécieuse aurait donné une importance démesurée, mais du grand débat qui opposait l'hellénisme et le christianisme. On a pu dire[45] que ce qui était en cause dans les controverses entre les milieux éclairés du paganisme et de l'Église, ce n'était, en premier lieu, ni le monothéisme, ni la rigueur morale. Sur ces deux points, il arrivait aux chrétiens eux-mêmes de ne revendiquer qu'une plus grande efficacité, une plus grande force de persuasion et de diffusion : ce que le platonisme ne cherchait à faire accepter que par un petit nombre d'esprits cultivés, le christianisme le faisait vivre par la foule. La véritable opposition était celle de la πίστις et du λογισμός, de la foi et du raisonnement. Croire sans preuve — ἀλόγως πιστεύειν — c'est un des grands reproches que Celse fait aux disciples de Jésus[46] dont certains, dit-il, vont jusqu'à répéter : « N'examine point, mais crois, ta foi te sauvera[47]. »

II, p. 23-24.

D'après ces quelques fragments — et quels que soient par ailleurs les complexités et les avatars de sa pensée — Apelle semble imprégné de rationalisme hellénique. En opposant la foi à l'expérience, Ambroise incarne un autre univers spirituel[48]. C'est ce débat fondamental qui donne au *De paradiso* ce qu'on pourrait appeler une unité d'intérêt, en dépit des disparates de ton et de contenu, malgré les jointures souvent trop visibles et l'harmonisation imparfaite d'éléments qu'on dirait hâtivement assemblés.

Aussi ce qu'on pourrait appeler la « problématique apellienne » déborde très largement la section explicitement consacrée à l'auteur des *Syllogismes* pour envahir en quelque sorte tout le *De paradiso*. Harnack lui-même n'était pas absolument certain qu'il ne faille pas faire remonter à Apelle la difficulté que soulève la présence des passions au paradis, telle qu'elle est évoquée dans la partie allégorisante du traité d'Ambroise[49]. Comme on l'a vu[50], le contexte donne à penser que ce passage ne provient pas des *Syllogismes*. Les mêmes questions devaient donc être posées dans des milieux très divers.

Dans les premières pages du *De paradiso*, — et donc avant d'avoir évoqué Apelle —, Ambroise se montre déjà préoccupé par le problème que pose l'interdit jeté sur l'arbre de la connaissance. Dès la première mention de ce dernier dans le livre de la Genèse[51], la difficulté affleure. On lit en effet dans la version utilisée par Ambroise : « Produxit deus lignum speciosum ad aspectum et bonum ad escam et lignum vitae in paradiso et lignum scientiae boni et mali[52]. » Ambroise comprend, conformément au grec des LXX[53], le premier « lignum » comme un collectif, et se demande en conséquence si l'arbre de la connaissance est à mettre lui aussi au nombre de ces arbres beaux à voir et dont le fruit est bon à manger. Il observe que la réponse à cette question sera plus à sa place au moment où l'on verra l'homme trompé en goûtant de ce fruit[54]. La remarque n'a rien que de très naturel, mais Ambroise insiste, semble vouloir faire patienter un lecteur anxieux d'entendre la solution de la difficulté évoquée, montrant ainsi la place que tient celle-ci dans sa pensée au moment où il écrit le *De paradiso* : « Pour l'instant, il n'est rien que nous ayons à reprendre, même si nous ne pouvons en savoir la raison. Dans cette création du monde, en effet, — bien que quelques détails paraissent difficiles à notre intelligence et incompréhensibles à notre esprit — nous ne devons rien condamner par une sorte de jugement téméraire, comme la création des serpents et de certains animaux venimeux, puisque, nous autres hommes, nous ne pouvons encore comprendre et savoir pour quelle raison chaque chose a été faite. Aussi ne reprenons pas facilement dans les Écritures ce que nous ne pouvons comprendre. La plupart des choses qu'on y trouve ne sont pas en effet à mesurer à notre intelligence, mais sont à apprécier selon la profondeur des desseins et de la parole de Dieu[55]. »

II, p. 24.

Cette préoccupation n'était naturellement pas propre à Ambroise. L'arbre de la connaissance du bien et du mal et les apories qu'on y rattachait étaient visiblement une « crux interpretum ». Du côté orthodoxe, on avait échafaudé différents systèmes pour répondre à ces difficultés et sauver ainsi l'autorité de l'Ancien Testament. Trois d'entre eux peuvent être reconstitués à partir du *De paradiso* qui les utilise et les reprend tour à tour, selon les exigences d'une exégèse très morcelée. Nous allons les analyser successivement, en précisant pour chacun d'eux les réactions d'Ambroise, les critiques qu'il leur fait ou la caution qu'il leur donne.

V — Les solutions proposées par Ambroise

1. *La science du bien et du mal comme élément nécessaire d'un ensemble.*

« S'il n'y avait pas de science du bien et du mal, comment apprendrions-nous à discerner le bien du mal ? En effet, nous ne jugerions jamais mal ce qui est mal s'il n'y avait pas de science du bien — or la science du bien ne pourrait exister si le bien n'existait pas — et nous ne saurions jamais que ce qui est bien est bien s'il n'y avait pas la science du mal[56]. » Il n'est pas sans intérêt de constater que le texte où Ambroise reprend cette thèse tourne court. La symétrie de la phrase et le mouvement du raisonnement appelaient en effet, à la fin, à peu près ceci : « scientia autem mali esse non posset, nisi esset et malum ». Cette idée pourrait bien avoir figuré dans la source d'Ambroise, mais, comme elle était inutile à son propos et doctrinalement gênante, il s'est contenté de ce qui pouvait servir son argumentation, ce qui explique cet arrêt brusque qui surprend le lecteur.

Or ce raisonnement ainsi suspendu avant son terme, nous le connaissons par ailleurs : c'est un des arguments que les stoïciens avançaient, à la suite de Chrysippe, pour prouver que le mal n'était pas entièrement irrationnel et concourait à sa manière à l'ordre universel[57]. Une de ces justifications, c'est que l'existence du mal permettait celle de la prudence, définie par les philosophes du Portique comme la science du bien et du mal[58].

C'est une des thèses stoïciennes attaquée par Plutarque, qui leur oppose que, si le mal est détruit, il n'y aura pas à regretter cette prudence, remplacée qu'elle sera par une autre vertu, science des seuls biens[59].

Mais ici, dans cette tentative pour résoudre le problème posé par l'arbre de la connaissance, l'argument stoïcien est utilisé résolument. La marque du Portique apparaît aussi dans la suite de ce passage du *De paradiso* ; il y est fait appel à l'idée souvent répétée que ce qui semble

---

II, p. 24.

un mal du point de vue de la partie, se révèle utile si on le considère par rapport au tout. C'est ainsi que le fiel dont l'amertume est proverbiale sert à la bonne santé de l'ensemble du corps. Il en est de même pour la connaissance du bien et du mal[60]. Le serpent apparaît tout naturellement dans ce contexte. D'une part, il posait dans le récit biblique un problème analogue à celui de l'arbre de la connaissance du bien et du mal. En même temps c'était, avec la bile, un exemple dont les Stoïciens aimaient, semble-t-il, à illustrer leur thème du mal comme élément nécessaire d'un mélange salutaire[61].

Ayant ainsi expliqué pourquoi Dieu avait créé l'arbre de la connaissance du bien et du mal, il restait à justifier l'interdit jeté sur son fruit. Encore fallait-il bien comprendre cette prohibition. Ici encore, le thème stoïcien du mélange était mis à contribution. La connaissance du bien et du mal, expliquait-on, est bonne pour le sage ; en revanche, elle est dangereuse pour celui qui ne possède pas les autres vertus. On avançait ici l'exemple de la thériaque, antidote dans la composition duquel entraient des substances empruntées au corps du serpent. Le corps et le venin de cet animal, continuait-on, nocifs à l'état pur, sont salutaires si on les mêle à d'autres substances[62]. Il fallait donc comprendre ainsi l'interdiction divine : « vous ne mangerez pas du fruit de cet arbre seul », c'est-à-dire «vous n'en mangerez pas sans l'accompagner du fruit des autres arbres[63]».

Le problème semblait donc résolu : l'arbre de la connaissance n'était pas une créature superflue, et il n'était pas nécessaire de chercher d'autres utilisateurs que l'homme. En même temps, le commandement divin se justifiait pleinement : ce fruit de la connaissance ne devait pas être consommé seul : pour pouvoir en goûter sans dommage, l'homme avait en effet besoin d'autres secours[64].

Mais, si Ambroise rapporte avec assez de détail cette interprétation, ce n'est pas qu'il soit persuadé de sa justesse. Il l'évoque, par une tactique habituelle dans le *De paradiso*, pour ceux qu'elle pourra satisfaire et protéger ainsi des dangereuses objections formulées par Apelle. Lui-même pense avoir au contraire deux bonnes raisons de rejeter cette interprétation minimisante de la prohibition divine.

La première, c'est que la femme, interrogée par le serpent, répète l'interdiction sous une forme qui, cette fois, ne prête à aucune équivoque : «Celui qui est au milieu du paradis, a dit Dieu, vous n'en mangerez pas[65] ». Certes, la bonne foi de celle qui va désobéir est sujette à caution. Mais un second argument oblige à penser qu'elle a, cette fois, dit vrai. Si l'on admet en effet que la faute d'Adam consiste à n'avoir goûté que du seul fruit de la connaissance du bien et du mal, il faudrait supposer le premier homme démuni de toutes les vertus, que représentent les autres arbres. Or on ne peut admettre qu'Adam au paradis ait été aussi pauvrement doté[66]. Penser autrement, ce serait, selon Ambroise, faire

---

II, p. 24-25.

injure au genre humain tout entier, qui est innocent avant de connaître le bien et le mal. Le Christ n'a-t-il pas dit : « Si vous ne devenez semblable à cet enfant vous n'entrerez pas dans le royaume des cieux ». L'enfant ignore en effet la vengeance, l'ambition, l'avidité[67].

Il semble alors plus exact de penser que Dieu interdit au premier homme de goûter au fruit de la connaissance, même en l'accompagnant d'autres nourritures.

2. *Les deux niveaux de connaissance.*

Une deuxième solution consistait à distinguer entre un savoir superficiel et la véritable connaissance, celle qui suppose l'expérience. Adam pouvait avoir la notion de la différence entre le bien et le mal. Ce qui lui était interdit, c'était d'en rechercher la connaissance, au sens fort, celle qui requiert non seulement le savoir, mais le faire. En effet, c'est dans son acception la plus énergique que la Bible emploie le mot connaître, comme en témoigne par exemple ce verset : « Dieu connaît ceux qui sont à lui » ; il les connaît comme ceux qu'il a unifiés, ceux en qui il habite, ceux en qui il marche : « Mais s'ils comprenaient ce que c'est que *connaître* et quelle force a ce mot, s'ils comprenaient, comme il faut comprendre : ' le Seigneur a connu, en effet, ceux qui sont à lui ' ! Oui, il a connu ceux qui, de plusieurs qu'ils étaient, sont devenus un, ceux en qui il habite, en qui il marche ; oui, connaître ne consiste pas seulement en une pure science superficielle...[68]. » La suite de la phrase fait, il est vrai, difficulté. Ambroise a-t-il mal compris la source qu'il utilise ? Cela lui arrive et le *De paradiso* est le travail, sans doute hâtif, d'un débutant. Peut-être aussi, a-t-il modifié sciemment le texte qui lui sert de base et a-t-il négligé de faire disparaître toute trace de cette opération. Quoi qu'il en soit, l'argument semble dévier, peut-être sous l'influence du verset biblique qui concerne la connaissance que Dieu a de son œuvre. Du plan philologique où se situait sans doute la remarque de son modèle, Ambroise dérive vers la morale. Connaître le bien et le mal, c'est maintenant, pour lui, faire les choses qu'il convient : « Cognoscere itaque non in sola et perfunctoria scientia sit, sed in eorum operatione quae oporteat fieri[69] ». Or il convenait certainement qu'Adam obéit à Dieu[70]. La problématique de l'arbre semble oubliée, mais on la retrouve quelques lignes plus loin, quand Ambroise envisage l'hypothèse selon laquelle Dieu avait interdit à Adam même le savoir superficiel[71].

Ceux qui faisaient valoir, au contraire, la distinction d'une « scientia perfunctoria » et d'une « cognitio in operatione » disposaient, semble-t-il, d'un autre argument, fondé cette fois sur la lettre même du texte biblique. Ambroise, il est vrai, ne fait pas explicitement le rapprochement, mais son exégèse soumise au principe du verset par verset, presque du mot à mot, procède d'une manière extrêmement analytique. Aussi, la présenta-

---

II, p. 25-26.

tion d'un même problème ou d'une même thèse se trouve-t-elle souvent dispersée en plusieurs endroits du traité. Il faut alors, avec les précautions et les réserves nécessaires, et aussi les risques inévitables, entreprendre de rassembler les « membra disiecta ».

Au chapitre 12, l'auteur du *De paradiso*, venant à commenter le dialogue entre le serpent et Ève, observe que celle-ci, interrogée par l'animal, répète d'une manière inexacte la défense qui avait été faite à Adam. Alors que Dieu avait simplement dit :«... mais de l'arbre de la science du bien et du mal vous ne mangerez pas », la prohibition devient, dans le récit d'Ève : « Vous n'en mangerez pas, et vous n'y toucherez pas[72] ». Pour Ambroise, il s'agit là, non d'un pléonasme innocent, mais d'une interpolation évidemment sacrilège puisqu'elle attente à l'intégrité de la parole divine. Ne voyons-nous pas l'auteur de l'Apocalypse menacer de tous les fléaux qu'il vient de décrire celui qui ajoutera quelque chose à son livre ? Que sera donc le crime, quand il s'agit des paroles mêmes de Dieu ! C'est proprement cette addition sacrilège qui constitue le début du premier péché[73].

Mais, à côté de cette faute contre la forme du précepte, y a-t-il eu aussi altération du contenu ? Il semble que oui : toucher n'est pas manger. Il peut être prudent d'éprouver par la main avant de porter à la bouche. Connaître superficiellement le mal est nécessaire, non pour y tomber, mais pour s'en garantir[74]. Adam et Ève n'auraient peut-être subi aucun dommage du fait de la parole du serpent s'ils avaient commencé à la tâter avec les mains de l'âme[75]. C'est ainsi que le païen qui veut s'initier à la foi, ou le catéchumène qui désire parfaire son instruction, doit d'abord tâter les textes d'Écriture qu'on lui commente, de peur de se livrer à son insu aux interprétations de Photin, d'Arius ou de Sabellius[76]. Ce toucher exploratoire est ici nécessaire car une citation d'Écriture peut, selon le commentateur, orienter vers le bien et le mal, la vérité ou l'erreur : Sabellius, Photin, Arius empruntent leurs leitmotive au Nouveau Testament[77]. Une expression résume fort heureusement cette exploration tâtonnante, ce maniement spirituel : « pertractare secum[78] ». D'ailleurs, avant même de le toucher, Adam et Ève, dans leur faiblesse, auraient dû regarder attentivement l'arbre qui renfermait la science du bien et du mal[79]. En effet, et on retrouve ici l'idée fondamentale de ceux qui plaident pour une « perfunctoria mali scientia », « la connaissance du mal lui-même nous est souvent profitable[80] ».

Si nettes que soient de telles affirmations, on peut quand même hésiter sur l'accord que donne en définitive Ambroise à ce second type de réponse. De même qu'il consacre à chaque verset du texte biblique un commentaire qui forme un tout, de même il examine une par une les objections d'Apelle et ne se préoccupe pas d'esquisser une synthèse de ses réponses. Aussi ne faut-il pas être surpris de trouver, à quelques pages de distance, des déclarations dont la cohérence n'apparaît pas immédiatement.

II, p. 26-27.

Au paragraphe 36 du *De paradiso*, Ambroise fait le procès d'une connaissance du bien et du mal qui ne serait pas une « cognitio profunda ». Mieux vaut alors l'ignorance. Sans doute il est préférable d'avoir la science et du bien et du mal pour choisir l'un et se précautionner contre l'autre[81]. Encore faut-il que cette double connaissance soit suffisamment approfondie et que celui qui la possède puisse en faire un bon usage. Comme l'Écriture nous l'enseigne, mieux vaut encore ignorer le bien et le mal que les connaître superficiellement[82].

Mais il faut remarquer que la « cognitio profunda » est ici celle qui se traduit pratiquement, c'est-à-dire celle qui aboutit à l'action bonne. On revient ainsi au thème exprimé plus haut : « Cognoscere itaque non in sola et perfunctoria scientia sit, sed in eorum operatione quae oporteat fieri[83]. » L'opposition est ici entre la connaissance du bien et du mal qui, possédée avec négligence, reste sans fruit, et celle qui, au contraire, inspire la conduite. En ce sens, Ambroise préfère évidemment la « cognitio profunda » et condamne la « perfunctoria ». En revanche, lorsqu'il s'agit de la connaissance du seul mal, il accepte dans certains cas celle qui se contente d'un toucher exploratoire et condamne sans appel celle qui va jusqu'à l'expérience, jusqu'à goûter le fruit défendu.

3. *L'esprit d'enfance.*

Si l'on n'acceptait pas de donner ici au mot « connaissance » le sens fort de « connaissance par expérience », une autre ligne de défense pouvait encore être tenue : si Dieu a jugé bon d'interdire même un savoir superficiel du bien et du mal, la désobéissance n'en reste pas moins une faute[84].

En ce sens, la réponse d'Ambroise à la sixième objection d'Apelle est particulièrement significative. Voici le problème que soulevait l'auteur des *Syllogismes* : « Celui qui ne connaît pas le bien et le mal ne sait même pas qu'il est mal de ne pas garder le commandement et ignore ce bien qui est d'obéir au commandement. En raison de cette ignorance, celui qui n'a pas obéi mérite le pardon et non la condamnation[85] ». Ambroise répond que l'homme aurait pu, du moins, considérer le souffle divin qu'il avait reçu, le paradis de délices où il avait été placé, et conclure de si grands dons qu'il devait la plus complète obéissance à leur auteur. Aussi, même s'il ignorait la nature du bien et du mal, il aurait dû faire confiance à Dieu qui lui interdisait de goûter de l'arbre de la connaissance. Ce qui était demandé à l'homme, ce n'était pas l'expérience, c'était la foi[86]. Et Ambroise précise encore le fondement de cette foi - confiance : l'homme « comprenait à coup sûr que Dieu était supérieur à tout. Il aurait donc dû considérer la personne de celui qui ordonnait. Même s'il ne comprenait pas la portée et la nature des préceptes, il savait qu'il devait en respecter l'auteur. C'était en lui une notion innée, même s'il lui manquait le discernement du bien et du mal[87]. »

II, p. 27.

« Non enim ab eo peritia sed fides exigebatur ». C'est, semble-t-il, le fond de la pensée d'Ambroise. Il y reviendra à plusieurs reprises sous des formes diverses dans le *De paradiso*.

Il le fait tout d'abord dans sa réponse à la cinquième objection d'Apelle. Pour celui-ci, le premier homme de la Bible, qui ignore la distinction du bien et du mal n'est, par là même, qu'un petit enfant, un « parvulus » comme traduit Ambroise. Aucun juge équitable ne l'aurait tenu pour responsable de ses actes[88]. L'évêque de Milan répond par l'exemple de l'enfant de la prophétie d'Isaïe, « puer » mais non « parvulus », qui, avant de savoir le bien et le mal, ne s'est pourtant pas laissé séduire par la malice. Peu importe d'ignorer ou de savoir, la perfection consiste exclusivement à faire le bien, à observer la loi, même sans en avoir la connaissance[89].

Cette exaltation de l'obéissance confiante opposée aux aventures de l'expérience ne se trouve pas seulement dans la section du *De paradiso* explicitement consacrée à la réfutation des arguments d'Apelle. Beaucoup plus loin, Ambroise, voulant commenter l'épisode de la présentation des animaux à Adam[90], reprend les clefs de l'allégorèse philonienne : Adam, c'est l'intellect, les bêtes que Dieu lui amène, ce sont les passions et les vaines pensées[91]. Là-dessus, l'évêque de Milan soulève la difficulté suivante : si Dieu a placé dans le paradis les passions du corps et les vaines pensées, n'est-il pas le responsable de notre faute [92] ?

En dépit d'une analogie avec les objections d'Apelle, Harnack considère comme fort douteux qu'Ambroise nous ait ici conservé une nouvelle aporie de l'auteur des *Syllogismes*[93]. Le grand critique ne motive pas davantage son impression négative. On peut observer tout d'abord que la formule même par laquelle Ambroise introduit le problème — « sed forte arguas » — est fort différente de celles qui annonçaient, à la troisième personne du pluriel, l'intervention d'Apelle et de ses sectateurs[94]. D'autre part, l'objection naît ici du sens allégorique, alors que l'auteur des *Syllogismes* en restait à un littéralisme qui convenait bien à l'intention de sa polémique. Peut-être est-ce pourtant la controverse apellienne qui a suggéré à Ambroise de soulever cette difficulté au cours de son effort d'interprétation spirituelle.

La réponse qu'il propose est particulièrement intéressante, car elle semble juxtaposer, sans précaution, deux arguments difficilement compatibles. De telles contradictions laissent espérer évidemment quelque indice concernant le soubassement du texte ambrosien.

L'évêque de Milan commence par exalter la faculté de juger que Dieu avait conférée à Adam. Il en voit la preuve précisément dans cette comparution de tous les animaux devant l'homme, qui est alors chargé par le Créateur de leur donner un nom. Or nommer, ce n'est pas appliquer des étiquettes arbitrairement choisies et, de soi, interchangeables, c'est expri-

---

II, p. 27-28.

mer ce qui est caractéristique de chaque genre, c'est discerner[95]. Donner un nom, c'est donc juger, c'est exercer un pouvoir, ce pouvoir même que Dieu a donné solennellement à Adam sur les poissons de la mer, sur les oiseaux du ciel et tout ce qui rampe sur la terre[96]. Les bêtes de l'air, de l'eau et de la terre sont présentées à l'homme pour que celui-ci apprenne qu'il leur est supérieur par l'esprit[97]. Adam avait donc une double raison de ne pas tomber : il avait reçu le discernement, il avait l'expérience de sa supériorité qui devait l'empêcher de s'unir à ce qui lui était inférieur, c'est-à-dire les passions. Voilà ce qu'Ambroise découvre dans la scène de l'imposition des noms, fidèle en cela à l'enseignement de Philon, qui voit, dans cette prérogative accordée au premier homme, la preuve à la fois de sa sagesse et de sa royauté[98]. C'est donc Adam qui est coupable puisqu'il avait reçu de Dieu ce qu'il lui fallait pour se bien conduire[99].

Inopinément et sans transition, Ambroise passe à un autre argument, qui vise encore à innocenter Dieu, mais semble difficilement compatible avec ce qui vient d'être dit : Dieu savait qu'Adam était fragile, sujet à l'erreur. Aussi lui a-t-il enjoint : « Ne jugez point et vous ne serez pas jugés. » Comme Adam n'a pas obéi, c'est avec justice qu'il a été expulsé du paradis[100].

Sans doute il est à la rigueur possible de concilier les deux arguments avancés ici par Ambroise. On peut penser au schéma que voici. Dieu a accordé au premier homme le pouvoir de discerner et il lui a donné autorité sur le monde inférieur et animal des passions. Adam reste malgré tout sujet à l'erreur. C'est pourquoi Dieu lui interdit d'exercer cette faculté de juger dont il vient de gratifier : ultime précaution qui aurait garanti Adam de toute chute, si celui-ci avait obéi. Mais le premier homme a voulu juger, il a jugé faussement : dès lors son erreur n'avait plus aucune excuse[101].

Comme on le voit, si une conciliation est possible, elle n'est guère harmonieuse. On n'accorde pas facilement « vides quod ille tibi tribuerit potestatem, ut de omnibus iudicare tu debeas », de la ligne 3, avec « sciebat... te... iudicare non posse », de la ligne 11.

A vrai dire, Ambroise ne doit pas être tenu pour seul responsable de cette incohérence. La difficulté tenait au fond des choses. Plus on exaltait les dons reçus par Adam, plus son péché était difficile à concevoir. L'homme souverain, capable de pénétrer l'essence de chaque espèce animale, était en même temps celui auquel il était interdit de connaître le bien et le mal. Il y avait là comme une contradiction à laquelle il était difficile d'échapper.

Quelle que soit la difficulté foncière du problème posé par les textes bibliques et par leur exégèse traditionnelle, ce qui frappe c'est l'aisance avec laquelle Ambroise traduit l'interdiction signifiée à Adam comme un ordre de renoncer à faire usage de son discernement. On remarque éga-

---

II, p. 28.

lement l'interprétation radicale donnée au précepte que nous lisons en Matthieu, 7, 1, «ne jugez point et vous ne serez pas jugés ». Ce qui apparaissait dans l'Évangile comme une mise en garde contre la sévérité des jugements portés sur autrui devient ici une condamnation de tout exercice de l'intelligence en matière de morale.

Sans doute faut-il toujours se rappeler que l'exégèse d'Ambroise, comme celle de ses contemporains, est avant tout parcellaire. Il peut arriver alors que ce qui, dans l'énoncé, semble un principe de portée universelle, ne vaille que dans la perspective très précise qui est celle du texte à expliquer.

Mais, dans le cas présent, Ambroise insiste et reprend les mêmes thèmes à différents endroits de son commentaire. La généralisation du précepte « ne jugez point », et l'exemple de l'enfant obéissant avec confiance et sans question, c'est là, semble-t-il, qu'il faut chercher le dernier mot de l'auteur du *De Paradiso* sur le problème de la connaissance du bien et du mal. On retrouve l'un et l'autre de ces thèmes vers la fin du traité, au moment où Ambroise vient d'écarter l'idée qu'Adam avant sa faute n'avait goûté le fruit d'aucun des arbres du paradis, c'est-à-dire n'avait été pourvu d'aucune vertu : on ferait, en l'admettant, injure à tous les hommes, qui sont innocents avant d'atteindre l'âge où ils deviennent capables de discerner le bien et le mal. Jésus ne nous a-t-il pas ordonné de redevenir comme un enfant ? N'est-ce pas l'enfance qui reproduit le mieux les traits du Christ, en ne rendant ni les malédictions ni les coups, en ignorant l'ambition et la cupidité[102] ? On est loin du sombre réalisme d'Augustin dans les *Confessions*. Nous sommes ici dans une autre tradition, celle qui aboutira par exemple au septième sermon pour l'Épiphanie de Léon le Grand : « Amat Christus infantiam, humilitatis magistram, innocentiae regulam, mansuetudinis formam. Amat Christus infantiam ad quam maiorum dirigit mores, ad quam senum reducit aetates[103]. »

L'enfant n'a pas la science, poursuit Ambroise, mais celle-ci n'est utile qu'aux parfaits. Or, puisque saint Paul lui-même s'est reconnu imparfait, quel homme pourrait revendiquer la perfection ? Aucun, bien sûr, et c'est pourquoi le Seigneur a dit à ces imparfaits : « Ne jugez pas et vous ne serez pas jugés[104]. »

Il est significatif que, dans les deux passages où Ambroise oppose ainsi au rationalisme d'Apelle et de ses émules l'obéissance confiante de l'enfant, il prenne soin de faire apparaître derrière le « puer » l'image de Jésus. La première fois[105], il cite la fameuse prophétie de l'Emmanuel, dont la signification christologique était traditionnelle depuis le premier Évangile[106]. La seconde fois[107], la tableau de la douceur et de l'innocence de l'enfant reprend certains termes et le mouvement même du portrait que trace du Christ souffrant la première Épître de Pierre[108].

II, p. 29.

VI — Péché et prescience :

DE LA DIALECTIQUE STOÏCIENNE A L'HISTOIRE DU SALUT

Ambroise n'a pas repris à son compte l'opinion trop ingénieuse de ceux qui voulaient que Dieu ait seulement défendu à Adam de goûter du fruit de la connaissance sans l'accompagner de ceux des autres arbres. Mais, si cette exégèse ne lui paraît pas recevable, c'est qu'elle contredit l'idée traditionnelle d'un Adam riche en vertus. La thèse stoïcisante d'un mal ayant quelque rationalité et jouant un rôle nécessaire dans ce mélange savant qu'est l'univers ne semble pas le choquer.

Ambroise repousse si peu ce genre de spéculation qu'il va y recourir pour parer une autre attaque, particulièrement dangereuse, de l'auteur des *Syllogismes* : Dieu savait-il qu'Adam allait désobéir et goûter du fruit de la connaissance ? S'il l'ignorait, quelle impuissance ! S'il le savait, quelle frivolité bien peu divine de promulguer ainsi une loi qui devait être immédiatement enfreinte ! Dieu ne fait rien de superflu et la Genèse qui le prétend ne saurait donc venir de lui[109]. Ambroise répond en s'adressant d'abord à ceux qui admettent l'autorité du Nouveau Testament, aux chrétiens : Jésus a choisi Judas tout en sachant fort bien que celui-ci le trahirait[110]. Mais cet argument « ad hominem » ne vaut pas contre les païens qui viendraient à reprendre l'argument d'Apelle. A ceux-ci il faut non des exemples, mais des raisons[111]. Sur ce plan, la réponse d'Ambroise est double. Tout d'abord, la reconnaissance envers leur bienfaiteur et les avertissements reçus auraient dû dissuader Adam et Judas de pécher. Ensuite, leur faute même est utile. « Le péché, en effet, ne serait pas survenu s'il n'y avait eu l'interdiction. Or, si le péché n'était pas survenu, non seulement la malice, mais peut-être aussi la vertu n'existeraient pas, puisque celle-ci ne pourrait ni subsister ni manifester sa supériorité sans au moins quelques germes de malice[112] ».

On a voulu voir, dans la seconde partie de l'argument, un certain recul d'Ambroise en quelque sorte effrayé de sa hardiesse : les « semina » désigneraient une pure potentialité. On se trouverait alors en face de cette banalité : il n'y a vertu que s'il y a possibilité de mal faire. Mais la relative sert à prouver la thèse contenue dans la principale — sans l'existence du péché, point de vertu — il faut donc concevoir ces « semina » comme une réalité déjà positive, comme un début de péché, et non comme une simple virtualité[113].

Ici encore, comme l'a bien montré Josef Huhn, nous avons à faire à un argument stoïcien. Ambroise n'est pas le seul des écrivains ecclésiastiques à l'avoir employé. On le trouve déjà chez Lactance et le rhéteur de Nicomédie est parfois moins discret que l'évêque de Milan sur ses sources.

II, p. 29.

Dans le *De ira dei*, nous trouvons, en effet, l'idée que le bien et le mal ne peuvent exister l'un sans l'autre, et Lactance replace cette affirmation dans la grande vision du monde que Tertullien, pour sa part, faisait remonter à Empédocle[114] : l'univers se subsiste que par l'antagonisme des contraires et ceux-ci se retrouvent dans l'homme[115].

Lactance revient sur cette question dans un passage de l'*Epitome* des *Institutions divines*. Ceux qui reprochent à Dieu d'avoir permis aux maux et aux crimes de se répandre dans l'humanité et d'avoir même créé dès le commencement le chef des démons, l'universel corrupteur[116], oublient que la vertu n'est bonne — et donc n'est vertu — que parce qu'elle lutte contre le vice et qu'elle a, par conséquent, besoin de celui-ci pour exister. Supprimez le vice et vous faites disparaître également la vertu[117]. Il ne peut pas davantage y avoir de bien sans mal que de victoire sans ennemi ; il faut donc qu'il y ait du mal pour que le bien puisse exister[118]. Et Lactance de citer à l'appui Chrysippe — « vir acris ingenii » — qui avait gourmandé la sottise de ceux qui pensent que Dieu a créé le bien, tout en n'admettant pas qu'il ait créé aussi le mal[119]. La citation est empruntée aux *Nuits attiques* d'Aulu-Gelle, qui l'oppose à ceux qui font état de l'existence des maux pour appuyer leur négation de la Providence[120]. Le philosophe du Portique, dans le texte cité, qui vient du Περὶ προνοίας, s'attaque en effet à ceux qui se figurent que les biens pourraient exister sans les maux, et qui ne voient pas que l'existence d'un contraire suppose celle de son antagoniste, que le courage ne se conçoit pas sans la lâcheté, pas plus que la tempérance sans l'incontinence, la prudence sans son contraire, la vérité sans le mensonge[121]. Le dernier exemple, comme aussi un peu plus haut, l'emploi du verbe « intellegi » — « Quid fortitudo intellegi potest nisi ex ignaviae adpositione ? » — souligne le caractère idéaliste, logiciste, de l'argumentation. Chrysippe enfin évoque à l'appui de sa thèse l'autorité de Platon et cite le fameux passage où Socrate, à peine délivré de ses chaînes dont il éprouve encore la gêne, observe, au début du *Phédon*, à quel point sont inséparables ces deux contraires : le plaisir et la douleur[122].

Sous sa forme dialectique, abstraite, cette démonstration par les contraires ne devait pas séduire beaucoup Ambroise. Aussi nuance-t-il son affirmation d'un « fortasse » qui exprime bien la distance qu'il garde vis-à-vis du raisonnement qu'il propose. Selon une démarche très caractéristique, l'auteur du *De Paradiso* présente un choix d'arguments qui lui paraissent plus ou moins plausibles, et laisse à chaque lecteur le soin de choisir ceux qui lui conviendront le mieux.

Comme toujours, Ambroise se meut avec beaucoup plus de naturel et d'aisance sur le plan de l'histoire que sur celui de la métaphysique. Ce qu'il retient de la théodicée optimiste du Portique, c'est l'idée que même le mal sert en fin de compte au bien. Mais il ne s'attarde pas à la métaphysique des contraires. Ce lien entre mal et bien, il l'envisage

---

II, p. 29-30.

beaucoup plus spontanément dans la succession temporelle de la pédagogie divine. C'est là son dernier mot dans la discussion des *Syllogismes* d'Apelle : de quoi se plaint-on puisque Dieu a prévu le remède en même temps qu'il permettait le mal et puisque celui-ci, une fois réparé, est l'occasion d'une grâce plus abondante et la condition d'une obéissance plus constante[123] ?

VII — PERMANENCE DE LA TRADITION RATIONALISTE

Le *De paradiso* nous est apparu comme une œuvre nettement apologétique. L'évêque de Milan ne se borne pas à expliquer un texte que ses lecteurs acceptent sans questions et sans problèmes ; il lui faut défendre, justifier ; il doit montrer que ce récit n'est pas absurde, ne donne pas de Dieu une image inadmissible. L'attaque qu'il s'attache à repousser est celle d'une critique que nous appellerions aujourd'hui rationaliste, et dont les *Syllogismes* fournissent une expression singulièrement nette et particulièrement développée. Ces préoccupations polémiques, nous l'avons vu, ne sont pas seulement le fait des chapitres du *De paradiso* qu'Ambroise consacre explicitement aux objections d'Apelle, on les retrouve tout au long du traité.

A l'époque où Ambroise écrit le *De paradiso*, un tel débat est-il encore d'actualité ? En cette fin du ive siècle, si pénétrée par le goût du merveilleux et le besoin de croire, la réfutation de la critique rationaliste d'un Apelle est-elle plus qu'un exercice académique ou que la preuve d'une adaptation hâtive de textes déjà anciens reflétant des controverses démodées ?

Certes, depuis le *Discours véritable* de Celse, c'est-à-dire la fin du iie siècle [124], et même depuis l'époque d'Origène, le climat intellectuel a été de plus en plus marqué par le fidéisme. Assurément, les prétentions des philosophes à n'accepter que le raisonnement comme fondement de la conviction étaient presque toujours démenties par la pratique courante de leurs écoles. Origène souligne que l'adhésion à une secte ne repose pas sur un examen critique préalable mené de façon exhaustive — ce qui serait bien impossible — mais résulte plutôt d'une affinité de tempérament : certains sont attirés par l'élévation de Platon, d'autres par l'humanité d'Aristote, d'autres encore se laissent intimider par les objections épicuriennes contre la Providence[125]. L'argument, d'ailleurs, est loin d'être neuf au moment où Origène l'utilise. Il a déjà servi à Lucien, qui l'emprunte lui-même à l'arsenal des sceptiques[126], et à Galien[127].

Il est vrai que cette dégénérescence scolaire de la philosophie, qui fait oublier les questions et ne retient que les réponses, semble un phénomène inévitable et caractérise plus ou moins toutes les époques. Mais, au moment où Ambroise écrit, cette prédominance de la tradition sur la recherche avait pris des proportions particulièrement impressionnantes.

II, p. 30.

Grégoire de Nazianze, répondant à Julien qui reprochait aux chrétiens de ne faire appel qu'à la foi, a beau jeu de lui opposer le « magister dixit » des disciples de Pythagore[128]. Et ce n'était pas là le seul fait d'une « secte » philosophique particulièrement respectueuse de la tradition.

Après Plotin, et surtout depuis Jamblique, le platonisme tendit toujours davantage à être une πίστις au lieu d'une ζήτησις. Comme les intellectuels chrétiens, leurs concurrents, les Platoniciens vont être de plus en plus absorbés par l'exégèse et la conciliation de textes considérés comme faisant autorité : non seulement les œuvres de Platon, mais la poésie orphique, la théosophie de l'hermétisme, les oracles chaldaïques[129]. Porphyre lui-même fait de la πίστις le point de départ de l'itinéraire spirituel qu'il propose à sa femme Marcella[130]. Croire, c'est aussi le mot d'ordre que Minucius Felix met sur les lèvres de Caecilius, le porte parole du paganisme, lorsque celui-ci, après avoir fait profession d'agnosticisme, conclut que, parmi tant d'incertitudes, le mieux est encore de faire crédit à la religion des ancêtres[131].

Il est vrai que, dans le langage de Caecilius et surtout dans celui de Porphyre, le mot « croire » et le mot « foi » sont loin d'avoir le même sens que pour les chrétiens. Dans la *Lettre à Marcella*, par exemple, πίστις ne signifie pas la foi accordée à un témoignage, mais désigne plutôt la conviction initiale qui anime la conversion philosophique[132].

C'est un fait que la recherche, l'expérience, le refus de donner son assentiment sans examen des preuves et sous la seule garantie de l'autorité et de la confiance, tout cet ensemble d'exigences critiques n'en restait pas moins, en dépit de tout, un idéal pour les milieux intellectuels du paganisme. On continuait à reprocher aux chrétiens le caractère irrationnel de leurs convictions[133].

Les porte-parole de l'Église répondaient en substance, comme l'avait déjà fait Clément d'Alexandrie, que, depuis que le Christ avait donné l'εὕρησις, la philosophie comme ζήτησις était périmée. Pour les plus généreux et les plus libéraux des tenants de la foi nouvelle, les techniques philosophiques pouvaient tout au plus servir à défendre, à préciser et à exprimer avec plus de rigueur ce qui était déjà trouvé[134].

Mais l'usage même de ces techniques n'était pas regardé sans inquiétude. Il arrivait qu'elles fussent expressément réprouvées par l'autorité. A côté d'autres reproches, on faisait grief, par exemple, au corroyeur Théodote et à son cercle d'admirer Aristote, Théophraste et Galien, de cultiver la méthode géométrique et d'appliquer à l'Écriture les syllogismes conjonctifs et disjonctifs de l'École[135].

Irénée déjà nous donne l'idée de ces petits groupes de chrétiens à prétentions rationalistes, qui méprisent la simplicité de la masse des fidèles et raillent la médiocrité intellectuelle du clergé. Incapables de s'accorder entre eux, donnant dans les opinions les plus contraires,

---

II, p. 30-31.

aveugles guidés par d'autres aveugles, ils cherchent toujours et ne trouvent jamais[136]. Eux aussi prétendent avoir la science du bien et du mal, mais, si l'on goûte du fruit de connaissance qu'ils proposent, on se voit bientôt chassé du paradis qui est l'Église[137].

A l'époque d'Ambroise, ces prétentions rationalistes s'étaient conservées, en dépit de tous les démentis de la pratique, non seulement chez les païens, comme on l'a vu, mais dans les différentes sectes hérétiques, qui reprochaient encore à la grande Église son fidéisme et promettaient à qui voulait les écouter, non plus des autorités, mais des raisons. Les Eunomiens, extrémistes de l'Arianisme, avaient le goût que l'on sait pour la dialectique et se réclamaient dans leurs spéculations sur la génération du Christ des « traditions de la philosophie », pour reprendre l'expression — très significative — d'Ambroise[138]. Augustin notera que c'est la tactique générale des hérétiques de séduire par l'appât de la science, tout en raillant la foi des simples[139]. Lui-même avait été gagné au manichéisme par des promesses de ce genre[140]. Les sectateurs de Mani, dans leur affectation d'opposer le savoir à la foi, jouaient particulièrement bien le rôle du serpent tentateur qui promit aux premiers hommes d'être comme des dieux. Ne professaient-ils pas que l'âme est par nature identique à Dieu[141] ? Détracteurs de l'Ancien Testament, ils embarrassaient là-dessus les fidèles peu éclairés[142]. Leurs arguments devaient souvent ressembler à ceux qu'avait proposés Apelle. Faustus de Milève, par exemple, reproche à la Genèse de nous présenter un Dieu assez ignorant de l'avenir pour donner un commandement qu'Adam n'allait pas observer[143].

Un fait significatif montre bien que, dans de telles polémiques, l'arsenal que Marcion et ses épigones avaient rassemblé contre l'Ancien Testament gardait toute son actualité. Vers 420, un manuscrit anonyme, trouvé au bord de la mer, circulait à Carthage. On en faisait même des lectures publiques. Or la Loi et les Prophètes y étaient pris à partie. Inquiets, des correspondants d'Augustin réussirent à acquérir le document et le lui envoyèrent pour qu'il en fît une réfutation. Nous possédons encore celle-ci : c'est le *Contra adversarium legis et prophetarum*[144].

Que renfermait exactement ce manuscrit ? On y trouvait en premier lieu un texte qui s'attachait à démontrer que l'Ancien Testament ne pouvait être attribué à un dieu bon. Augustin observait que cet opuscule, malgré son thème central, ne devait pas être l'œuvre d'un manichéen. Celui-ci, en effet, n'aurait pas condamné l'auteur du monde comme le faisait l'anonyme. Ce dernier était donc un marcionite, ou l'adepte de quelque secte plus obscure[145]. Mais le manuscrit ne contenait pas uniquement ce traité. Deux autres opuscules de thème analogue y étaient adjoints, mais le copiste n'avait, semble-t-il, reproduit que le début de chacun d'eux. Le dernier de ces textes était l'œuvre du manichéen Adimante. Sur ce point, il est vrai, les explications d'Augustin ne sont pas

---

II, p. 31.

absolument claires. Lenain de Tillemont a cru que le manuscrit trouvé au bord de la mer comprenait trois traités, le premier seul étant complet[146]. Mais, pour Alfaric[147] et Harnack[148], ce manuscrit ne renfermait que deux opuscules[149].

L'important pour nous, c'est cette réunion dans un même « codex » d'un traité d'origine vraisemblablement marcionite et d'un texte dû à l'une des autorités du manichéisme ; c'est aussi le succès de curiosité et d'intérêt que cet ensemble suscita dans le public[150].

Ainsi, au début du cinquième siècle, circulaient des manuscrits qui contenaient, à côté de traités manichéens, des textes polémiques issus de sectes beaucoup plus anciennes, et même en grande partie oubliées, — les explications que doit fournir Augustin le montrent bien —, mais qui pouvaient encore servir d'armes contre l'Ancien Testament. Ce n'était sans doute pas là une innovation et tout permet de supposer qu'à l'époque d'Ambroise, à plus forte raison, des hommes comme Faustus de Milève ou Fortunat n'hésitaient pas à puiser dans les *Antithèses* de Marcion et les *Syllogismes* d'Apelle.

On comprend mieux, alors, l'insistance avec laquelle Ambroise s'attache à discuter les apories soulevées par ce dernier. Elles n'étaient pas plus périmées pour ses contemporains que les pamphlets anti-chrétiens de Voltaire dans les premières années du vingtième siècle. L'Église appellite avait sans doute depuis longtemps cessé d'exister ; les arguments de son fondateur n'en restaient pas moins efficaces.

VIII — Défense biblique,
pluralité des interprétations et allégorie

Il ne semble pas pour autant que les manichéens soient directement visés par Ambroise. Nulle part, en effet, leur nom n'apparaît dans le *De paradiso*, alors que plus tard l'évêque de Milan les citera à plusieurs reprises, quand il énumérera les principales hérésies.

Dans l'*Expositio evangelii Lucae*, par exemple, l'interprétation allégorique des cinq frères du mauvais riche (Luc, 16, 28) amène Ambroise à citer cinq sectes, qui doivent être à ses yeux les plus importantes ; les manichéens viennent en tête : « ... inpugnans haereticos, Manicheum Marcionem Sabellium Arrium Fotinumque — isti enim non aliud quam fratres sunt Iudaeorum, quibus perfidiae germanitate nectuntur[151]. » A l'intérieur de ces listes, le manichéisme forme parfois un sous-groupe avec le marcionisme et le valentinianisme qui nient, comme lui, la réalité de la chair du Christ et rejettent ainsi le mystère de l'Incarnation[152]. En un passage, c'est au seul Valentin que Mani est directement associé[153]. On trouve le manichéisme dans d'autres listes de sectes hétérodoxes[154].

II, p. 32.

Ailleurs, il est opposé aussi bien à la Synagogue qu'à l'Église : le judaïsme
s'arrête sur la route que l'Église suit jusqu'au bout, c'est-à-dire jusqu'au
Christ ; Mani, quant à lui, reste complètement à l'écart du droit chemin[155].
Le fait que les manichéens soient une des trois sectes — avec les photi-
niens et les eunomiens — à être exclus de l'édit de tolérance de Gratien
explique d'autres mentions. Le trio des proscrits se trouve spécialement
interpellé dans un passage de l'*Exameron*[156]. D'autre part, il était particulièrement tentant d'assimiler à un de ces groupes de hors-la-loi un
adversaire que l'on voulait éliminer. On taxe les disciples de Priscillien
de manichéisme et c'est la même accusation qu'Ambroise porte, très
officiellement, contre Jovinien : celui-ci s'attaque à la virginité de Marie
et par là-même au mystère de l'Incarnation, c'est donc un manichéen.
Tel est le raisonnement d'Ambroise, porte-parole du synode de Milan,
et il ne manque pas de rappeler au pape Sirice que le très clément Empereur a lui-même voué à l'exécration les sectateurs de Mani, qui se sont
vus expulsés de la ville de Milan[157].

Or, le nom de ces hérétiques, dont Ambroise parlera ensuite si souvent,
n'apparaît pas dans le *De paradiso*, dont le thème pourtant aurait pu
amener l'évêque de Milan à les mentionner. Nous y trouvons bien, un
bref catalogue d'hérésies, mais n'y figurent que Photin, Arius et Sabellius[158], c'est-à-dire les trois noms qui reviennent classiquement dans
la controverse entre les nicéens et leurs adversaires. Cela n'a rien de
surprenant quand on pense à la situation de l'Église de Milan au début
de l'épiscopat d'Ambroise. Mais, à part cette évocation occasionnelle
des grandes hérésies exemplaires, le thème du paradis terrestre, de la
tentation et du premier péché se prêtait assez peu à l'évocation des débats
trinitaires. C'étaient d'autres adversaires que l'exégète rencontrait ici,
les manichéens sans doute, mais en assez nombreuse compagnie.

Visiblement, ce que combat Ambroise, dans ce traité du début de
son épiscopat, ce ne sont pas les raisons d'une seule secte, c'est tout un
ensemble d'arguments anti-catholiques, sorte de masse commune où
peuvent puiser marcionistes, manichéens et païens[159]. Il est vraisemblable
d'ailleurs que l'évêque de Milan cherche moins à atteindre directement
les adversaires du dehors qu'à lutter contre l'influence de leur propagande
et à affirmer et rassurer ceux des fidèles que cette critique diffuse et
que ces objecions entendues ici ou là ont pu ébranler ou troubler. On
a parfois l'impression qu'Ambroise veut armer ses ouailles pour les discussions où ils pourront se trouver engagés, et les fournit d'arguments « ad
hominem » : voilà ce qu'il faut répondre aux hérétiques qui admettent
l'autorité du Nouveau Testament, voilà ce qu'il convient d'ajouter pour
les païens, qui n'acceptent que la simple raison[160].

Le *De paradiso* ne doit donc pas être lu dans le contexte quasi-médiéval
d'une Église dont la domination doctrinale et culturelle est pratiquement
incontestée. La réaction païenne n'est pas encore brisée ; elle va même,

---

II, p. 32-33.

en Occident au moins, connaître de nouveaux réveils politiques. Certains de ses arguments coïncident avec ceux des hérétiques. L'exégèse du *De paradiso* n'a pas pour théâtre le milieu feutré et abstrait de l'École. C'est une œuvre de défense, en même temps que d'explication. Et cette fonction apologétique rend compte en grande partie de deux traits caractéristiques de ce que l'on pourrait appeler la « manière » d'Ambroise dans ce traité : en premier lieu, une exégèse *ad hominem* et dans une certaine mesure *ad libitum*, qui, pour se faire toute à tous, propose un éventail d'interprétations ecclésiastiquement acceptables ; en second lieu, le recours à l'allégorie, qui doit permettre d'atteindre un niveau de compréhension où les objections des adversaires s'évanouissent.

Sous cette diversité de méthode et d'allure, le *De paradiso* laisse voir ce que j'ai appelé une unité de préoccupation. Dans la partie dialectique et dans la partie allégorique de l'opuscule, ce sont les mêmes objections qu'Ambroise a dans l'esprit, ce sont apparemment les mêmes adversaires dont il entreprend de repousser les attaques. Ce qui change, c'est la tactique qu'il emploie : tantôt la lutte corps à corps, tantôt la manœuvre de débordement.

Le passage de l'une à l'autre est particulièrement clair dans ces quelques lignes où Ambroise évoque Philon pour la première fois, sans le nommer sans doute, mais de manière transparente. Après les avoir replacées dans la perspective d'ensemble du *De paradiso*, il n'est pas superflu de rappeler un instant leur contexte immédiat. Ce qui est en question, c'est la présence du serpent — c'est-à-dire du diable — au paradis. On sait que le péché en a été la conséquence directe ; il serait néanmoins absurde de penser que cette présence n'a pas été voulue par Dieu. Ambroise commence par essayer de sauver ce que l'on pourrait nommer, provisoirement, le sens historique, en le conciliant avec l'idée de la bonté divine : Satan n'a eu qu'un pouvoir limité, il n'a fait tomber que quelques lâches et quelques pervers, il est bien plus important et plus beau qu'il ait donné aux saints l'occasion de le chasser par la prière[161]. Le serpent n'a reçu que le pouvoir de tenter ; l'homme qui tombe reste pleinement responsable de ne pas s'être procuré le secours qui lui aurait permis de résister[162].

Mais, cela dit, Ambroise prévoit que certains ne seront pas apaisés pour autant et continueront d'être scandalisés par la présence du diable au paradis. C'est alors qu'il propose à ceux-ci une autre explication plus à leur convenance : « *Plerique tamen, qui volunt in paradiso diabolum non fuisse... ne in isto sermone videantur offendi, secundum suam accipiant voluntatem interpretationem istius lectionis*[163]. »

On saisit ici sur le vif comment cette exégèse apologétique amène à reconnaître la multiplicité des significations de l'Écriture et entraîne le recours à l'allégorisme, dont Philon continuait à fournir le modèle. C'est, en effet, pour satisfaire ces objecteurs récalcitrants qu'Ambroise

---

II, p. 33.

évoque l'opinion de ce prédécesseur qui voyait dans Ève la sensibilité, dans le serpent, le plaisir, dans Adam, la raison[164]. Ainsi se trouve définitivement écarté le scandale que pouvait provoquer chez certains la présence au paradis d'un être incarnant le mal. Tout se passe dans l'âme, il n'y a plus de substance mauvaise, il n'y a plus que la faiblesse inhérente à la complexité d'un être à la fois raisonnable et sensible.

IX — Le recours a Philon et l'unité du « De paradiso »

Ainsi l'allégorie philonienne intervient au moment où l'argumentation, fondée sur le « sens littéral », rencontre les limites de son efficacité. Il est remarquable que ce changement de méthode ait été finalement sans retour. Comme Harnack l'a bien remarqué, l'évêque de Milan n'écrira plus jamais rien de semblable à ces pages du *De paradiso* où il discute les « apories » d'Apelle. Harnack tirait de la singularité de ce morceau l'idée qu'il était purement et simplement traduit d'Origène. Peut-être est-ce aller un peu loin. Nous avons vu, en effet, qu'Ambroise est souvent extrêmement maladroit quand il répond aux subtilités de l'hérésiarque. Il est difficile de prêter une telle gaucherie à l'auteur du *De principiis* et du *Contra Celsum*. Il est vraisemblable qu'Ambroise pratique déjà ici ce qui sera sa méthode ordinaire : ne jamais pousser l'imitation jusqu'à la reproduction servile. Si Origène est bien à la base de cette section du *De paradiso*, l'évêque de Milan le réinterprète et l'adapte comme il fait ailleurs pour Philon.

Mais alors, il reste à expliquer la singularité de cette section antiapellienne dans l'œuvre d'Ambroise. Les quelques lignes qui font présentement l'objet de notre recherche nous livrent peut-être la réponse. Ambroise passe à l'allégorie au moment où la réfutation dialectique se révèle insuffisamment convaincante.

Il est toujours hasardeux de livrer combat sur le terrain que l'adversaire a choisi. Les succès de la dialectique sont aléatoires, et ses voies dangereuses. L'allégorie ouvre des chemins moins périlleux. Voilà ce qu'Ambroise semble penser. Il ne renonce pas pour autant à la polémique — loin de là — mais, au moins dans ses explications de la Bible, il préfère désormais le mouvement tournant à l'attaque frontale.

On a vu d'autre part combien l'évêque de Milan paraît embarrassé dans ses exercices de dialectique. Il est très probable qu'il s'y sentait lui-même mal à l'aise. L'allégorie philonienne s'accordait au contraire fort bien à son génie. La définition et la stabilité des concepts, la précision des termes, la rigueur des énoncés ne seront jamais le fort d'Ambroise. Mais ces défauts, impardonnables pour un dialecticien, deviennent autant de vertus chez l'allégoriste. Ils facilitent en effet ces métamorphoses,

---

II, p. 33.

ces glissements subtils, ces ambiguïtés suggestives où Ambroise excelle
et par où il l'emporte largement sur Philon, plus pesant et plus didactique.

Ainsi, le *De paradiso* offre un intérêt exceptionnel, par la maladresse
même de sa composition. C'est le témoignage d'une tentative et d'un choix
qui vont orienter définitivement l'exégèse d'Ambroise. On y voit l'évêque
de Milan s'essayer successivement à l'imitation de deux modèles, à la
pratique de deux méthodes. La première, c'est la discussion dialectique
de la lettre ; c'était l'arme d'Apelle, que l'on pouvait être tenté de retourner contre lui. La seconde, c'est le passage plus ou moins immédiat au
sens allégorique. Après une tentative peu convaincante dans la première
direction, Ambroise a choisi, judicieusement, la seconde voie.

Ce serait cependant une erreur d'en conclure que le choix de l'exégèse
figurative[165] est pour Ambroise une pure question d'opportunité straté-
gique et de convenance personnelle, sans qu'il faille d'ailleurs nier le
rôle important joué par ces deux considérations. En fait, chacune des
deux méthodes suppose une certaine idée du rôle de la connaissance
dans le salut, c'est-à-dire justement une certaine interprétation de l'arbre
de la connaissance et de l'interdit jeté sur son fruit.

Il est important pour nous qu'Ambroise ait, de fait, adopté, dans ce
débat essentiel, la position de Philon. On est en effet frappé de constater
les affinités entre la solution de l'évêque de Milan, que nous avons résumée
plus haut, et celle de l'Alexandrin, qui a été étudiée par Madame M. Harl,
dans un article récent[166], où le texte essentiel — *De opificio*, 54, 153-154 —
est minutieusement analysé.

Le point décisif, pour notre objet, c'est évidemment de savoir quelle
est, pour Philon, la nature exacte de l'arbre de la connaissance du bien
et du mal. A vrai dire, quand il en parle, Philon remplace volontiers
les verbes εἰδέναι γνωστόν[167] et γινώσκειν[168] par γνωρίζειν ou δια-
κρίνειν, substituant ainsi à l'idée de « connaître » celle d'« apprendre
à connaître » et surtout de « distinguer »[169]. Le changement est d'importance : ce que procure l'arbre défendu, d'après Philon, c'est moins un
savoir qu'un savoir-faire[170], moins une connaissance qu'un pouvoir,
la faculté de juger, de discerner[171].

C'est ce que Philon appelle la φρόνησις μέση. Le sens de cette expression est immédiatement précisé : la φρόνησις μέση est ce qui permet
de distinguer les contraires[172], c'est-à-dire ici le bien et le mal. Nous
sommes dans une problématique que nous avons déjà rencontrée. L'identification de l'arbre de la connaissance avec le pouvoir de discernement
moral, c'est exactement l'idée qui est à la base de l'objection d'Apelle,
comme de la réponse d'Ambroise.

En effet, si tel est le fruit de l'arbre qui s'élève au milieu du paradis,
pourquoi Dieu l'a-t-il interdit à Adam ? La question ne pouvait manquer
de se poser à Philon aussi bien qu'à Apelle. Et nous découvrons mainte-

---

II, p. 33.

nant que la réponse d'Ambroise n'est pas différente de celle qu'avait déjà donnée l'Alexandrin. Pour l'un comme pour l'autre, Adam a péché non point pour avoir préféré le mal au bien, mais parce qu'il a voulu les distinguer par lui-même au lieu de s'en remettre totalement à son Créateur et Père dans un acte d'obéissance confiante[173].

On a vu qu'Ambroise avait développé à ce propos le thème de l'enfance. Il affleure également chez Philon. Les termes mêmes dont l'Alexandrin se sert pour désigner l'état moral d'Adam avant la faute[174] sont ceux qui conviennent à un tout jeune enfant (νήπιος). Après l'avoir souligné, Madame Harl résume ainsi la solution de l'Alexandrin : « Ce qui caractérisait l'homme avant la faute était son zèle à faire toutes choses pour faire plaisir à son Père et Roi en le suivant à la trace[175]. Cela n'exigeait aucune connaissance personnelle, aucune activité de discrimination entre ce qui est bien et ce qui est mal : l'homme aurait dû rester dans l'attitude de la piété obéissante. La faute fut la revendication intempestive de l'autonomie dans le domaine de la morale, la hâte à s'occuper soi-même de ce qui est bien et mal, au lieu de s'en remettre comme un enfant à Dieu[176]. » Il est frappant de constater qu'il n'y aurait rien à changer à ces lignes si on les appliquait à la position qu'Ambroise adopte dans le *De paradiso* pour résoudre la grave question soulevée par Apelle.

Faut-il croire pour autant qu'Ambroise a utilisé Philon pour combattre les objections de l'hérésiarque ? Rien n'est moins vraisemblable. Si la thèse soutenue est finalement identique, les développements et les formules mêmes sont différentes. On ne découvre point ces parallèles et ces paraphrases qui caractérisent les endroits où l'évêque de Milan adapte l'Alexandrin.

Mais il faut admettre que la solution philonienne du problème posé par l'arbre de la connaissance a été largement acceptée et reprise par les exégètes et les controversistes chrétiens. La source dont Ambroise s'est servie — Origène sans doute — devait reprendre à son compte cette doctrine. Il en résulte que le *De paradiso* est encore beaucoup plus philonien qu'on ne le suppose généralement. A l'imitation directe, nettement discernable dans les sections allégoriques, où Ambroise utilise les *Legum allegoriae* et les *Quaestiones in Genesin*, s'ajoute cette influence indirecte que l'on constate dans la réfutation des *Syllogismes* d'Apelle, où les idées que l'Alexandrin a exposées dans *De opificio* jouent un rôle décisif.

S'il en est bien ainsi, c'est l'économie d'ensemble du *De paradiso* qui apparaît dans une autre lumière. Ce traité déroute d'abord par une disparité choquante entre sa partie dialectique et sa partie allégorique. Mais cette dualité est finalement plus extérieure, moins radicale qu'il ne semblait d'abord. L'adoption de la méthode allégorique est en effet la conséquence logique de la réponse aux objections d'Apelle. Et cela surprend moins si l'on pense que cette méthode et cette réponse viennent l'une et l'autre de Philon.

II, p. 33.

La dialectique apellienne vit de dilemmes et suppose par conséquent l'exclusivité du sens littéral. A partir de la première opposition entre ce qui est dit et ce qui n'est pas dit dans le texte, elle développe ses antinomies entre la miséricorde et la puissance de Dieu, entre sa prescience et sa bonté, entre la responsabilité d'Adam et l'ignorance qu'on lui suppose. On est bien dans le domaine de cette « prudence moyenne », de cette aptitude à distinguer les contraires que Philon découvre sous la figure de l'arbre de la connaissance, cet arbre « à deux branches »[177]. Armée de sa technique simple mais efficace, la dialectique apellienne entreprend ainsi — littéralement — de mettre la Bible à la question.

Elle perd prise en revanche dès que l'on admet avec l'exégète spirituel la pluralité des sens. Le cercle de fer de l'alternative est, du même coup, rompu. Cette nouvelle méthode suppose évidemment une tout autre attitude à l'égard du texte, qui redevient texte sacré. A la suspicion succède la foi, à l'inquisition l'abandon docile. L'allégorèse biblique de Philon et d'Ambroise, c'est d'abord une confiance entière en l'Écriture, la certitude que tout ce qu'il y a de bon et d'utile s'y trouve contenu. C'est ensuite l'émerveillement devant les multiples chemins qu'on voit à chaque pas s'ouvrir dans tant de directions. En un sens, l'exégète allégoriste — et combien plus son auditeur ou son lecteur — c'est Adam redevenu enfant et désormais bien prévenu contre le fruit amer de l'arbre à deux branches.

II, p. 33.

CHAPITRE II

Philon et le programme exégétique d'Ambroise

Le premier endroit du *De paradiso* où Philon est clairement désigné nous a permis de mieux entrevoir les services qu'Ambroise pouvait attendre de l'Alexandrin. Au contraire, ce sont ses critiques, ses réserves, que l'évêque de Milan formule dans le second passage, celui où le nom même de Philon apparaît : ce dernier aurait été empêché de saisir le contenu spirituel de l'Écriture par sa tournure d'esprit judaïque. Il faut peser les termes de ce jugement : « Philon autem, quoniam spiritalia Iudaico non capiebat affectu, intra moralia se tenuit[1]. » La clé de cette phrase, c'est évidemment l'opposition entre « spiritalia » et « moralia ». Elle nous renvoie à un classement connu, à une hiérarchie établie des interprétations de l'Écriture. Ainsi, au moment où il commence à utiliser Philon, Ambroise dispose déjà d'une sorte de grille à travers laquelle il déchiffre l'œuvre de l'Alexandrin. Le fait est d'importance, car cette référence préalable pourrait nous laisser prévoir et nous expliquer les choix que l'évêque de Milan va opérer dans l'héritage de son prédécesseur et les modifications qu'il va y introduire. Il serait donc important, au début de cette recherche, de pouvoir définir le système exégétique qui va orienter l'adaptation et la critique de Philon par Ambroise.

Mais ces deux lignes du *De paradiso* ne sauraient nous suffire, si précieuses qu'elles soient, pour nous mettre en quelque sorte sur la piste de ce que nous cherchons. Il faut bien recourir aux autres commentaires bibliques de l'évêque de Milan, ce qui n'est pas sans inconvénient. Peut-on expliquer cette brève allusion du premier opuscule exégétique d'Ambroise par des textes plus tardifs ? N'y a-t-il pas, dans cette négligence de la chronologie, un danger de brouiller les perspectives et d'attribuer à l'évêque débutant un système qu'il n'a peut-être adopté que bien plus tard ?

II, p. 35.

C'est là certainement un risque. Il ne semble pas qu'il faille pour autant renoncer à cette enquête comparative. En effet, le système auquel se réfère l'évêque de Milan est visiblement un cadre conventionnel déjà bien établi, quasi scolaire. Il est clair que ce n'est pas le fruit d'une élaboration personnelle. Or ces classifications didactiques sont ce qu'un exégète débutant rencontre et doit assimiler en premier lieu.

Il n'est donc pas si téméraire d'espérer que les autres commentaires bibliques de l'évêque de Milan nous permettront d'avoir une vue plus complète de cette grille exégétique où les matériaux philoniens devront venir s'insérer.

I — LA LETTRE ET L'ESPRIT

1. « *Moralia* » et « *spiritalia* ».

« Mais Philon s'est borné aux réalités morales, parce que sa tournure d'esprit judaïque l'empêchait de saisir les réalités spirituelles. » Toute l'interprétation de cette phrase repose évidemment sur le sens précis qu'il faut donner à l'antithèse « spiritalia »/« moralia ».

Pour le P. Daniélou, Ambroise opposerait ici les allégories volontiers moralisantes, chères aussi bien à l'Alexandrin Philon qu'aux commentateurs hellénistiques d'Homère, et les interprétations typologiques proprement chrétiennes. Les premières se meuvent hors du temps : elles projettent dans le texte auquel elles s'appliquent toute la psychologie, la morale, la physique ou la métaphysique qu'elles prétendent en dégager ; les secondes sont essentiellement historiques : elles découvrent dans les personnages et les événements du récit biblique une prémonition, une annonce, une ébauche d'un fait décisif et singulier, la venue et la personne de Jésus de Nazareth. Dans la première perspective, par exemple, les épisodes du jardin de l'Éden deviennent l'occasion d'exposer une théorie de la connaissance, en faisant des trois acteurs du drame la personnification des facultés et appétits de l'âme humaine. La typologie du même récit partira, quant à elle, de l'idée que le Christ est le nouvel Adam dont le premier n'est que la préfigure ou le type. C'est ainsi que le sommeil du premier homme, condition de la création d'Ève, sera interprété comme une première allusion à la passion du Christ et à la naissance de l'Église.

Le P. Daniélou a insisté avec force sur cette opposition, au point qu'il a refusé de confondre, dans un même vocabulaire, comme faisaient les anciens à la suite de saint Paul[2], deux procédés aussi hétérogènes. Voici par exemple ce qu'il écrivait dans *Sacramentum futuri* : « C'est un véritable abus de mots que de ranger, sous la même étiquette de sens spirituel

---

II, p. 35.

opposé à sens littéral, cette allégorie morale à côté de la typologie : celle-ci représente, en effet, le prolongement authentique du sens littéral ; l'autre lui est parfaitement étrangère ; la première est de l'exégèse, la seconde n'en est pas. C'est Origène le premier qui, dans sa puissante synthèse, a rapproché ces diverses interprétations. Mais elles constituent des courants hétérogènes qu'il juxtapose artificiellement[3]. » Non pas que cette psychologie, cette morale, voire cette métaphysique soient sans valeur ou purement profanes : lorsque, après des siècles, sera rompu le lien artificiel par lequel on prétendait les rattacher à la Bible, lorsqu'elles auront ainsi trouvé leur autonomie, elles apparaîtront tout naturellement comme la philosophie chrétienne[4].

Ces remarques du P. Daniélou énoncent des principes et posent des problèmes qui sont de la plus grande importance pour le sujet de la présente étude. Que faut-il entendre au juste par ce prolongement du sens littéral ? N'y a-t-il pas des « typologies » fort artificielles, et des « allégories » fondées dans la nature même de l'effort d'intelligence et d'explication de tout texte ancien ?

Pour l'instant, ce qui nous importe, c'est de savoir si, quand il oppose les « spiritalia » aux « moralia » où se complaît selon lui la mentalité juive de Philon, l'auteur du *De paradiso* a dans l'esprit une distinction correspondant, pour l'essentiel, à celle que l'on fait souvent aujourd'hui entre typologie et allégorie[5].

Quand on y regarde de près, on est assez surpris des deux termes entre lesquels Ambroise établit ici une antithèse. Si l'on en juge par la terminologie habituelle de l'évêque de Milan, « moralia » et « spiritalia » forment, en effet, un couple d'opposés aussi mal assorti, aussi disparate que, par exemple, le froid et le sec.

De fait, « moralia », « moraliter » et « moralis » ont comme contreparties presque obligées « mystica », « mystice », « mysticus ». Quant aux « spiritalia » ils sont normalement opposés aux « carnalia », aux « terrena », ou, sur le terrain plus proprement exégétique, à la « littera ». Il est insolite de les voir confrontés aux « moralia ».

2. « *Spiritalia* » *et* « *iudaica interpretatio* ».

On remarque. du fait même du vocabulaire, que les couples dont « spiritalia » ou « spiritalis » représentent l'un des termes ont toujours un caractère fortement antithétique. Il s'agit de deux niveaux de réalités ou de compréhension, dont l'un se trouve, par ce rapprochement même, discrédité, disqualifié, dénoncé comme essentiellement inférieur.

On se trouve ici dans une ambiance de platonisme christianisé : « Cette vie dans le corps n'est que l'ombre et l'image de la vie, non sa vérité ; bref, l'homme chemine dans l'image et nous nous trouvons dans la

---

II, p. 35.

région de l'ombre de la mort. Mais, si quelqu'un, au lieu de fixer les
yeux de son intelligence sur les *choses terrestres,* les élève vers les *spirituelles,*
de manière à pouvoir dire : ‘ l'esprit devant notre face c'est le Christ
Seigneur ’ il sera digne de dire : ‘ nous vivrons à son ombre ’.[6] » Ailleurs
Ambroise oppose l'étroitesse des objets charnels auxquels l'insensé se
réduit et l'ampleur des réalités spirituelles vers lesquelles le sage étend
les mains[7]. C'est ainsi que le serviteur d'Élisée ne voyait pas d'abord
« l'escadron spirituel », l'escorte d'anges invisible aux regards mais
que le prophète percevait fort bien. Élisée obtint pour son compagnon
la même vision, bel exemple de l'illumination nécessaire pour découvrir
les « spiritalia », grâce qui n'est octroyée qu'à celui qui s'attache au
prophète[8].

Mais, comme l'Écriture elle-même, et spécialement l'Ancien Testament,
présente des objets matériels, ou des événements qui se déroulent sur le
plan du sensible, l'antithèse se retrouve dans le domaine de l'exégèse.
Elle ne confronte pas alors un événement de l'histoire et un autre événement qu'il préfigure, mais le monde du corps et celui de l'esprit. La lettre
de la législation mosaïque sur les homicides involontaires renvoie, par
son absurdité même, à une autre signification, tout intérieure cette fois :
les différents niveaux du salut de l'âme[9]. De même la stabilité de la
terre que Dieu a fondée désigne en réalité dans le Psaume 118, v. 90
— « fundasti terram et permanet » —, la constance du sage qui ne se
laisse ébranler par aucun désir. Le sens apparent est matériel, le sens
réel est spirituel[10].

Atteindre le second suppose toujours, puisqu'il est comme masqué,
un effort, un travail d'extraction qui permet de dégager la grâce spirituelle
contenue dans la simplicité des mots[11]. Il s'agit véritablement d'une
manducation et d'une assimilation. L'aliment offert doit être réchauffé
s'il est froid, attiédi s'il est brûlant. En outre, la lettre de l'Ancien Testament est dure et, comme telle, indigeste ; il faut qu'elle soit broyée, que
le suc vital en soit exprimé et puisse alors nourrir tous les membres
de l'âme. Il faut en écarter les parties mortes, pour que la parole vivante
puisse pénétrer jusqu'aux entrailles de l'esprit[12]. Cette belle description
de la lecture méditative est elle-même un exemple d'exégèse spirituelle
puisqu'elle se présente comme l'interprétation d'un verset de la béné-
diction du patriarche Juda, à la fin de la Genèse : « ses dents sont comme
du lait[13] ».

Ce qui est particulièrement intéressant pour notre propos, c'est que
cette antithèse entre le spirituel et le littéral se situe souvent, chez
Ambroise, dans un contexte de polémique anti-juive. Ces riches, dont
parle David, ces riches qui ont été dans le besoin et qui ont eu faim[14],
ce sont bien ceux qui, tout en possédant les trésors des Écritures célestes,
n'ont ni découvert, ni goûté la nourriture spirituelle qu'elles renfer-

---

II, p. 35-36.

maient[15]. C'est en ce sens que la loi spirituelle dont Paul a l'intelligence s'oppose à la loi telle que les juifs se la représentent[16].

On se rappelle le début de ce qui est considéré communément comme le second poème du Cantique des Cantiques : la voix du bien-aimé se fait entendre ; il franchit en bondissant montagnes et collines. Le voici derrière le mur, regardant à travers les fenêtres et appelant celle qu'il aime à se lever, à sortir de la maison où elle se tient et à le suivre. Dans l'*Expositio psalmi CXVIII*, qui est, presque au même degré, un commentaire du Cantique, Ambroise interprète ces vers d'abord du point de vue moral, celui de l'âme individuelle, de ses passions, de leur guérison[17]. Et Ambroise d'observer, en reprenant avec quelques variantes, la formule stéréotypée qui lui permet de passer à une autre ligne d'interprétation : « Ethice ista decursa sint ; mystica autem illa, si possumus, vel linea intueamur extrema[18]. » La signification mystique, c'est celle qui a trait à la connaissance, plus précisément ici à l'intelligence des Écritures par l'Église. La demeure où se trouve la bien-aimée, c'est celle de l'Ancien Testament ; elle est faite de pierre spirituelles ; La Loi et les Prophètes sont à la fois ses murs et ses fenêtres. La bien-aimée s'y trouve entourée de trésors, de richesses qui la remplissent d'un étonnement admiratif et dont elle aimerait bien qu'on lui dévoile les secrets. Il lui faut un interprète. Le voici qui arrive, c'est Jésus. Il franchit en bondissant collines et montagnes, c'est-à-dire « les doctrines des juifs, corporelles et dures comme la roche ». Le voici qui se tient derrière le mur de cette maison. Il regarde par ces fenêtres et ces ouvertures qui sont la Loi et les Prophètes[19]. Et Ambroise poursuit : « Les vestibules de cette maison n'étaient pas encore accessibles, les clés de la science n'avaient pas encore ouvert les verrous des portes derrière lesquelles étaient enfermées les réalités intérieures de la Loi. Mais en regardant d'en haut, c'est-à-dire de la partie spirituelle, il appelle l'Église afin que, passant par la Loi et les Prophètes, elle se dresse sur la cîme de l'Évangile et qu'elle foule aux pieds intrépidement les rets et les nœuds de l'interprétation judaïque[20]. »

Ces lignes, fort riches pour la théorie de l'exégèse allégorique, montrent bien le rôle que le sens spirituel jouait, pour Ambroise et la tradition dont il dépend, dans l'apologétique antijuive. C'est grâce au sens spirituel, pensait-on, que l'Église pouvait échapper aux objections et aux interprétations avancées par la Synagogue. On y voit aussi que c'est le Christ qui est considéré comme l'interprète par excellence, celui qui ouvre enfin les « legis interna ».

Ce sens spirituel auquel le Christ est venu donner accès s'oppose à l'interprétation littérale de tout ce qui dans l'Écriture concerne des objets sensibles, corporels, matériels. Loin de représenter la « typologie » face à l'allégorie, il s'identifie le plus souvent à cette dernière. Ainsi, comme on l'a vu, lorsque le psalmiste nous parle de la terre et de sa permanence, c'est la constance du sage qu'il veut nous suggérer[21].

II, p. 36.

Fréquemment, sous la plume d'Ambroise, l'épithète « spiritalis » indique seulement que le substantif ainsi qualifié est employé métaphoriquement. C'est ainsi que l'évêque de Milan nous parle de « rênes spirituelles[22] », de « maison spirituelle[23] », d'« huile spirituelle[24] », de « monnaie spirituelle[25] ».

Il arrive que, dans de telles formules, « spiritalis » tienne lieu du grec ψυχικός. C'est le cas, par exemple, dans le passage du *De fuga* qui évoque la vaine recherche de Laban fouillant la demeure de Jacob, c'est-à-dire non point une maison matérielle, mais l'âme de l'ascète. Sous le texte d'Ambroise — « Laban perscrutatus est domum eius spiritalem[26] », on reconnaît sans difficulté le modèle philonien : Λάβαν γοῦν ἀναζητήσας ὅλον τοῦ ἀσκητοῦ τὸν ψυχικὸν οἶκον...[27]. Ailleurs le même « spiritalis » représente le grec πνευματικός, ainsi dans ce passage où l'évêque de Milan commente un propos du patriarche Jacob, « Dieu m'a nourri depuis mon adolescence[28] » : « Encore à la fleur de l'âge, mais ancien par sa prudence, il a reçu un aliment spirituel. Il ne convient pas en effet de penser que c'est en parlant d'une nourriture corporelle qu'un si grand patriarche a dit : 'Dieu qui me nourrit depuis ma jeunesse.' Car il ne désirait pas le pain corporel... En effet, si nos pères ont mangé une nourriture spirituelle et ont bu un breuvage spirituel, combien plus le saint Jacob a-t-il été nourri d'un aliment spirituel[29] ! » La dernière phrase est une évocation manifeste d'un passage de la première Épître aux Corinthiens où saint Paul présente les épisodes miraculeux de la marche du peuple hébreu dans le désert comme des τύποι destinés à l'instruction des chrétiens : Πάντες τὸ αὐτὸ πνευματικὸν βρῶμα ἔφαγον, καὶ πάντες τὸ αὐτὸ πνευματικὸν ἔπιον πόμα... Ταῦτα δὲ τύποι ἡμῶν ἐγενήθησαν[30]. Ainsi donc Ambroise confond sous un même vocable les deux registres que certains aujourd'hui tendent à opposer si fortement : l'allégorie « philonienne », tout imprégnée de philosophie scolaire, et la typologie proprement chrétienne dont saint Paul a ouvert la voie.

Bien plus, c'est précisément à saint Paul que l'évêque de Milan fait appel pour fonder l'allégorie dans son sens le plus héllénistique, le plus éloigné de la typologie, l'allégorie qui, loin de faire intervenir la notion d'un temps irréversible, déchiffre les textes et les symboles « sub specie aeternitatis ». Dans son *Expositio psalmi CXVIII*, Ambroise vient à commenter le verset 14, « in via testimoniorum tuorum delectatus sum sicut in omnibus divitiis ». L'exégète s'attache à justifier cette comparaison entre le plaisir trouvé dans l'accomplissement des enseignements divins et celui que procurent les richesses. Comment peut-on rapprocher ainsi voluptés corporelles et réalités spirituelles ? Il ne s'agit pas, bien sûr, de leur reconnaître une égale valeur. C'est seulement pour sa douceur que le plaisir sensible est cité ici en exemple. L'Apôtre lui-même n'a-t-il pas dit[31] que ce qui est invisible et éternel en Dieu nous est connu par

---

II, p. 37.

les choses créées[32]. On comprend que l'évêque de Milan n'ait pas éprouvé le besoin de distinguer une « typologie » proprement chrétienne d'une allégorie qui serait essentiellement profane : l'une et l'autre semblent bien pour lui se confondre, sous la commune autorité de saint Paul[33].

3. « *Moralia* » et « *mystica* ».

On l'a vu, c'est avec *mysticus* que *moralis* est généralement accouplé dans le vocabulaire ambrosien de l'exégèse. Tandis que *spiritalis* entre généralement dans des antithèses polémiques où les différences de valeur sont placées dans une lumière crue, le couple *moralis/mysticus* sert plus à classer les thèmes qu'à indiquer une hiérarchie de valeurs. Sans doute observe-t-on souvent qu'Ambroise place plus haut les *mystica* que les *moralia*[34], mais les seconds, loin d'être rabaissés comme les *terrena*, sont bien des fois gratifiés des épithètes les plus flatteuses. Ambroise aime à vanter la suavité de la *doctrina moralis*[35]. Tandis que les *spiritalia* exigent une préférence exclusive et que des antithèses comme *spiritalia/corporalia*, *spiritalis pars/iudaica interpretatio* expriment, sous la plume d'Ambroise, une alternative rigoureuse, *mysticus* et *moralis* renvoient, chez lui, à deux domaines complémentaires. Ce sont les deux robes du prédicateur[36], ce sont les deux yeux de l'Église[37], ce sont les deux parts que fit Moïse du sang des victimes, celle qu'il versa dans les coupes, celle qu'il répandit sur l'autel ; la morale, en effet, assure la domination de la partie rationnelle à l'intérieur de l'homme ; la mystique, c'est le mouvement de connaissance et d'amour qui le porte en dehors de lui-même, vers Dieu[38]. L'étroite solidarité du sens moral et du sens mystique, c'est celle qui existe entre la purification et l'union avec le Christ, entre ce que les spirituels des temps modernes appelleront « vie purgative » et « vie unitive[39]. »

Cet enseignement moral doit souvent être dégagé par la technique de l'allégorie, mais il n'est pas rare qu'il coïncide avec la lettre. Il est évident, par exemple, qu'Ambroise n'a aucun besoin de dépasser la lettre pour découvrir la *doctrina moralis* de la plupart des versets du Psaume 118, et déjà du premier : « Beati inmaculati in via, qui ambulant in lege domini. »

Ce qui semble bien ressortir de toutes ces analyses, c'est que ces deux couples *spiritalia/iudaica interpretatio* et *mystica/moralia*, dans le vocabulaire et les classifications auxquels réfère Ambroise, appartiennent à des points de vue tout à fait différents et qu'on ne saurait donc sans contre-sens les confondre ou les combiner. Tandis que le premier couple oppose deux niveaux, le second distingue deux domaines, deux disciplines.

Mais d'où vient alors que, dans ce texte du *De paradiso* où il se situe par rapport à Philon, Ambroise semble faire lui-même cette confusion en opposant directement les *spiritalia* aux *moralia* ? C'est, croyons-nous,

II, p. 37-38.

que le sens moral, loin de s'identifier en tant que tel à l'allégorie, comme
le veut l'auteur de *Sacramentum Futuri*, se confond ici avec le sens
littéral. Il s'agit d'expliquer Genèse, 2, 15 : « Dieu prit l'homme qu'il
avait fait, et le plaça dans le paradis pour le cultiver et le garder ». Ce
sont les deux derniers verbes qui donnent à l'évêque de Milan l'occasion
d'évoquer, de manière assez péjorative, l'interprétation proposée par
son prédécesseur dans les *Quaestiones in Genesin*. Or cette interprétation
prend le texte au pied de la lettre, dans ce qu'il a de plus terre à terre,
et explique que, si le paradis n'avait pas besoin d'être cultivé, Adam
n'en devait pas moins se livrer au jardinage, pour servir d'exemple aux
agriculteurs futurs[40]. C'est ce littéralisme moralisateur qu'Ambroise
juge trop limité et dont il prend prétexte pour attaquer l'*affectus iudaicus*
de l'Alexandrin.

Le sens « spirituel » qu'ajoute ici l'auteur du *De paradiso* en son propre
nom est au contraire résolument allégorique. La culture et la garde du
jardin sont à comprendre comme le progrès et la défense de la perfection
ainsi obtenue[41]. Assez paradoxalement, ce qu'Ambroise reprocherait
ici à Philon, ce serait donc d'ignorer le sens allégorique et non de trop
s'y complaire, comme le voulait, non sans quelque vraisemblance, le
Père Daniélou.

Cette solution semble imposée par le contexte. Mais elle pose au moins
deux problèmes. Le premier concerne l'accusation même portée par
l'évêque de Milan. Il paraît étrange que ce dernier reproche à Philon
d'ignorer l'allégorie en raison de ses dispositions d'esprit judaïques,
alors que lui-même n'hésite pas à réutiliser les allégorèses de l'Alexandrin,
tout particulièrement dans le *De paradiso*. Mais cette difficulté n'est
sans doute pas insurmontable. Ambroise a toujours relevé ses exégèses
d'une pointe de polémique et, quand il doit combattre quelque adversaire
de la foi pour protéger son troupeau, il ne se soucis guère d'exactitude,
ni d'équité. Ayant cru prendre Philon en flagrant délit de littéralisme,
il saisit cette occasion de lancer une flèche qui vise plus le judaïsme en
général que la personne même de l'Alexandrin.

La seconde difficulté mérite sans doute qu'on s'y arrête davantage.
On considère communément que, dans l'exégèse spirituelle issue d'Origène
— et celle d'Ambroise en particulier —, le sens moral s'oppose d'une
part au sens mystique, d'autre part au sens littéral ou historique. Or,
si notre interprétation est juste, Ambroise fait coïncider, dans le verset
de la Genèse qu'il explique ici, le sens littéral et les « moralia ». Il paraît
donc opportun de mieux définir les relations que l'évêque de Milan
établit entre ces deux catégories fondamentales de son exégèse.

II, p. 38.

II — « Natvralia », « moralia », « mystica »

1. Les « trois sens » de l'Écriture.

Toute l'intelligence des procédés exégétiques d'Ambroise et, par conséquent, de ses rapports avec Philon, suppose une connaissance exacte et précise des deux schémas que nous venons de présenter rapidement et que définissent respectivement le couple esprit-lettre et le couple moral-mystique. A vrai dire, la seconde de ces distinctions n'est binaire qu'en apparence. En réalité, nous avons là deux éléments détachés d'une triade, dont la formule complète pourrait être : physique, moral, mystique. Nous ne pouvons donc omettre d'examiner ici les éventuelles mentions d'un « triple sens de l'Écriture » chez Ambroise.

Certes, il ne faut pas attendre de l'évêque de Milan sur ce sujet une théorie pleinement rigoureuse et arrêtée. Ce ne serait guère dans sa manière. Au moins en ce qui le concerne, on ne peut que souscrire à ce que dit H. de Lubac, lorsqu'il parle des « formules éclectiques ou changeantes d'Ambroise, de Jérôme et d'Augustin[42] ».

Le savant jésuite estime du moins pouvoir rattacher les schémas ambrosiens à l'une ou l'autre des classifications des sens de l'Écriture qu'il propose de reconnaître chez Origène. Disons pour résumer que la première — universellement reconnue par les critiques — distingue trois niveaux : l'histoire, qui formerait le corps de l'Écriture, la morale, qui en serait l'âme, l'allégorie, qui en représenterait l'esprit[43], tandis que dans la seconde, les deux derniers termes seraient intervertis, ce qui donnerait l'ordre suivant : le sens historique, le sens mystique, le sens moral[44]. Le Père de Lubac insiste sur l'importance de la seconde division, trop ignorée jusqu'ici selon lui, et qui représente la formule la plus typiquement chrétienne : la vie et le progrès de l'âme — c'est le sens moral — y sont en effet présentés comme la conséquence et le prolongement du mystère du Christ et de l'Église, objet du sens mystique. Mais, selon l'auteur de l'*Exégèse médiévale*, Ambroise aurait surtout retenu le premier schéma sans ignorer tout à fait le second[45].

Le point de vue auquel se place H. de Lubac dans cet ouvrage riche et touffu ne va pas sans quelques servitudes dont la plus sensible est peut-être l'usage constant du retour en arrière. Comme c'est la doctrine médiévale du quadruple sens qui est au centre de l'intérêt, il est inévitable que les rigides catégories de l'âge scolastique viennent quelque peu figer l'ondoyante diversité des explications d'un Ambroise.

C'est le cas, semble-t-il, des trois textes qui sont cités comme exemples du premier schéma, celui qu'Ambroise aurait préféré, et que le P. de Lubac analyse ainsi : on « tire » du sens littéral ou historique « diverses moralités », c'est-à-dire, en général, « une série de spéculations sur l'âme, ses facultés,

---

II, p. 38.

ses vertus, etc. : sorte d'anatomie et de physiologie morale — *physique de l'âme*, disait Philon... description du *microcosme*, de nature plutôt philosophique, abstraite et intemporelle[46] ». C'est seulement ensuite que l'interprète passe au « sens porteur de l'*esprit* ».

Le premier des exemples ambrosiens est tiré de l'*Expositio evangelii Lucae*. Ambroise vient de justifier la présence de deux femmes de réputation douteuse, Thamar et Ruth, dans la généalogie du Christ rapportée par l'évangéliste, et conclut ainsi sa longue démonstration : « Videmus igitur mulierum conmemorationi *historiam mores mysterium* convenire[47]. » Certes, les mots caractéristiques du « premier schéma » se retrouvent bien ici ; mais en fait leur emploi nous situe dans une perspective fort différente. Les *mores* ne sont pas des moralités tirées plus ou moins artificiellement du récit et concernant la vie morale de l'âme en général. Ambroise veut dire simplement qu'en dépit d'apparences contraires la conduite de ces deux femmes s'est révélée irréprochable. En parlant des *mores*, Ambroise n'évoque donc pas ici on ne sait quelle « physique de l'âme », mais un jugement éthique sur la conduite des personnages historiques qu'il vient d'évoquer. Ce n'est qu'avec le *mysterium* que nous quittons définitivement la lettre pour l'allégorie.

Le second texte avancé par le P. de Lubac, pour illustrer la présence de premier schéma origénien chez Ambroise, soulève encore plus de difficultés. Il s'agit cette fois d'un passage du *De Isaac*. Ambroise y commente Cantique, 1, 7 : « Et cum de verbo loquitur, inradiante sibi verbi splendore conversa ad ipsum dicit : ' ubi pascis ? ubi manes in meridiano ? ' Recte dicit ' ubi pascis ? ' quia regale est dei verbum ; ' ubi manes ? ' quia morale ; ' in meridiano ' quia mysticum, siquidem meridie Ioseph cum fratribus suis in convivio constitutus futurorum temporum mysteria revelabat[48]. » Pour que le « premier schéma » s'applique ici, il faudrait pouvoir faire correspondre « regale » au sens littéral ou historique, ce qui semble bien impossible. Les trois fois, il s'agit du Verbe, d'abord envisagé comme pasteur — « regale » — ensuite comme habitant de l'âme — « morale » — enfin comme révélateur, « mysticum ». Nous avons ici un écho de la division traditionnelle de la philosophie en trois parties : physique[49], éthique, logique.

Un troisième texte est évoqué par le P. de Lubac comme exemple ambrosien du « premier schéma ». S'il ne le met pas tout à fait sur le même plan que les deux premiers[50], c'est que l'on n'y trouve expressément mentionnés que le sens moral et le sens mystique.

Comme dans le développement sur Thamar et Ruth, nous avons ici un sens « moral » qui reste en quelque sorte intérieur à l'histoire. Il s'agit d'un passage du *De Ioseph*[51] où Ambroise évoque un épisode de la vie du patriarche. Celui-ci, au moment où ses frères se présentent devant lui, aperçoit aussitôt Benjamin[52]. Le fait inspire d'abord à l'évêque

---

II, p. 38.

de Milan une remarque de psychologie générale : on aperçoit d'abord ceux qu'on aime, « haec moraliter ». Ce n'est point là une moralité adventice, mais une remarque générale qui sert à expliquer la psychologie et le comportement du Joseph de l'histoire. Ce n'est que lorsqu'on passe du plan moral au plan mystique que l'on abandonne la signification obvie du récit : à Joseph et Benjamin se superposent alors le Christ et saint Paul[53].

2. L'Écriture et les parties de la philosophie.

Il faut donc, semble-t-il, écarter pour l'instant les formules déjà connues et recourir aux deux grands textes où Ambroise expose *ex professo* l'idée qu'il se fait des Écritures. On les trouve tout naturellement au début de ses deux grands commentaires : l'*Expositio psalmi CXVIII*, et l'*Expositio evangelii Lucae*. Or, ni dans le premier, ni dans le second, on ne trouve l'un ou l'autre des schémas du P. de Lubac.

Le début du Psaume 118 — « Beati immaculati in via, qui ambulant in lege domini, beati qui scrutantur testimonia eius, in toto corde exquirunt eum » — donne à Ambroise l'occasion de souligner avec quel bonheur l'auteur sacré ordonne deux versets, qui, du pur point de vue de la lettre, de la forme, « secundum litteram », auraient pu se présenter dans l'ordre inverse. C'est qu'il faut pratiquer l'ascèse et la correction des mœurs avant de s'adonner aux travaux de la connaissance. La morale doit venir d'abord, et ensuite la mystique. La vie et la connaissance ne peuvent se séparer, elles doivent s'appuyer mutuellement[54]. Ambroise indique ainsi d'entrée de jeu les deux niveaux sur lesquels va se situer tour à tour son commentaire. Mais, dans cet avertissement méthodologique qu'il place ainsi au début de son explication, l'évêque de Milan veut visiblement être complet et en vient à évoquer un troisième sens scripturaire : aux « moralia » et aux « mystica », il ajoute les « naturalia », et il retrouve cette tripartition dans les trois livres de Salomon. Sans doute, aucun d'entre eux ne s'attache à un seul des trois sens. Néanmoins le thème moral domine dans les Proverbes, le naturel dans l'Ecclésiaste, le mystique dans le Cantique[55].

Un même verset d'ailleurs peut renfermer à la fois une leçon morale et un enseignement mystique, comme celui-ci, tiré du Cantique[56] : « Qu'il me donne un baiser de sa bouche, parce que tes seins sont meilleurs que le vin, et l'odeur de tes parfums que tous les aromates[57]. »

Dans ce début de l'*Expositio psalmi CXVIII* les définitions qu'Ambroise donne du « locus moralis » et du « locus mysticus » sont assez claires : est « moral » ce qui a trait à la rectitude de la conduite, est « mystique » ce qui concerne la connaissance religieuse. Le « locus naturalis », en revanche, reste dans une certaine pénombre. Nous apprenons qu'il caractérise plus

---

II, p. 38.

particulièrement dans la trilogie salomonienne le livre de l'Ecclésiaste. On ne nous explique pas pourquoi.

Les éclaircissements désirés, nous les trouvons au début de l'autre grand commentaire biblique de l'évêque de Milan, l'*Expositio evangelii Lucae*. Nous y lisons que l'Écriture divine, bien qu'elle exclue les méthodes de la sagesse profane, qui s'appuie davantage sur l'éclat des mots que sur la raison des choses, n'en contient pas moins tout ce que vantent les philosophes de ce monde, c'est-à-dire la triple sagesse naturelle, morale, rationnelle[58]. La « sapientia rationalis » correspond ici au « locus mysticus » de l'*Expositio psalmi CXVIII* comme le montre la suite du texte. Après avoir en effet rattaché ces trois sagesses aux trois puits creusés par Isaac[59], Ambroise reprend la distinction que nous avons vue plus haut entre les trois livres de Salomon, et y retrouve pour l'essentiel les mêmes différences d'accent. Le Cantique, en particulier, unit les « moralia » de l'amour et les « rationabilia » de la connaissance[60].

Dans la même page, une figure et un exemple nous aident à comprendre ce qu'Ambroise entend par « sapientia naturalis ». La figure, c'est celle du troisième puits creusé par Isaac. Selon l'étymologie admise par l'évêque de Milan, le nom hébreu qui lui fut imposé se traduit « puteus iuramenti », le puits du serment. Or, quel est le garant que l'on prend à témoin quand on prête serment ? Dieu, maître de la nature. Le serment enveloppe donc dans sa notion à la fois la nature et ce qui la dépasse. Et c'est bien là l'objet de la sagesse naturelle[61]. La maxime de sagesse naturelle, qu'Ambroise cite à titre d'exemple, précise le sens qu'il faut donner à cette définition. C'est le plus célèbre des versets de l'Ecclésiate : « De naturalibus in Ecclesiaste, quia *vanitas vanitatum et omnia vanitas* quae in hoc mundo sunt constituta[62]. »

Mais Ambroise, dans cette préface à son *Expositio evangelii Lucae*, ne se borne pas aux corrélations que lui offrent les trois livres de Salomon. Dans la pluralité des Évangiles, il découvre une nouvelle expression de la pluralité des sagesses : la sagesse naturelle est vraiment contenue dans le livre de Jean, l'éthique dans l'Évangile de Matthieu, la rationnelle dans celui de Marc[63]. Nous reviendrons sur le traitement particulier réservé au troisième Évangile.

Tout ce développement liminaire est particulièrement intéressant parce que nous y voyons à découvert le bouleversement qu'Ambroise, ou plutôt sans doute la tradition dont il dépend, impose aux catégories empruntées à cette κοινή philosophique où se mêlent les héritages de l'Académie, du Lycée et du Portique. Nous avons ici un remarquable exemple de l'interaction de la pensée hellénistique et de la foi chrétienne.

On faisait remonter cette tripartition à Xénocrate et même à Platon[64]. On la trouve explicitement chez Aristote[65]. Les Stoïciens l'adoptent et lui donnent une large diffusion. Grâce à eux, elle devient un des lieux

---

II, p. 39.

communs les plus rebattus de la philosophie populaire. Il n'en est pas moins intéressant d'observer les variations de la formule : les trois parties ne sont pas toujours désignées par les mêmes noms, leur ordre même connaît des vicissitudes significatives[66]. Tout cela n'est pas sans portée pour la survie du thème dans la littérature patristique.

Le Portique transmet donc cette division tripartite à l'éclectisme de l'époque impériale et à la tradition scolaire commune, ainsi qu'en témoignent Cicéron et Albinus[67]. Les textes du premier sont particulièrement importants pour situer Ambroise par rapport à cette division classique de la philosophie : « Fuit ergo iam accepta a Platone philosophandi ratio triplex, una de vita et moribus, altera de natura et rebus occultis, tertia de disserendo et quid verum, quid falsum, quid rectum in oratione pravumve, quid consentiens, quid repugnans esse, iudicando[68] » ; « Enitar ut latine loquar, nisi in huiusce modi verbis, ut philosophiam aut rhetoricam aut physicam aut dialecticam appellem, quibus ut aliis multis consuetudo iam utitur pro Latinis[69]. »

3. Christianisation des trois sagesses.

De tels textes font apparaître immédiatement que, tout en se référant explicitement aux « philosophi mundi istius », Ambroise donne à cette tripartition un contenu tout nouveau.

Commençons par la « sapientia rationalis ». Elle est formellement l'héritière des λογικαὶ προτάσεις d'Aristote, des λογικά de Chrysippe, de la « dialectica » de Cicéron. Mais s'agit-il encore de logique ou de dialectique, s'agit-il encore de l'exactitude, de la fausseté, de la compatibilité ou de l'incompatibilité des énoncés et des jugements, de la validité des raisonnements ?

En un passage, il est vrai, Ambroise semble bien se référer à cette conception strictement logique de la sagesse rationnelle. Cherchant dans saint Luc des textes pouvant illustrer chacune des trois sagesses, il trouve comme exemple de « rationabile » ce λόγιον : « Celui qui est fidèle dans le moins, dans le plus aussi est fidèle[70]. » Comme il vient d'attribuer à la seconde sagesse tout ce qui concerne les vertus et les mœurs, ce n'est pas le contenu de cet aphorisme qu'Ambroise envisage ici, c'est son caractère d'inférence, c'est-à-dire sa forme logique.

Mais, dans l'œuvre de l'évêque de Milan, cette conception des « rationabilia » n'est guère plus qu'une survivance. La manière habituelle dont il présente cette troisième sagesse est toute différente.

Voici comment Ambroise explique la signification du premier des puits creusés de nouveau par Isaac : « Le puits de la vision c'est la (sagesse) rationnelle, car la raison donne de l'acuité à la faculté visuelle de l'âme et purifie le regard de l'esprit[71] ». A la notion de la cohérence

---

II, p. 39-40.

discursive s'est substituée l'idée de la purification comme prélude à la connaissance contemplative.

Un peu plus loin, résumant les « rationabilia » du Cantique, Ambroise évoque la « sancta societas » où l'âme, unie à la raison, découvre de surprenants mystères[72]. Toujours en quête de corrélations, Ambroise retrouve ensuite les trois sagesses dans trois des quatre Évangiles. C'est Marc qui est chargé de représenter la sagesse rationnelle. Tout au début de son Évangile, on lit en effet : « Voici, j'envoie mon ange » et « Voix de celui qui crie dans le désert[73] ». La première formule indique la phase initiale de l'étonnement, de la stupeur qui invite à l'attention, et ici nous retrouvons le vieux thème selon lequel la philosophie commence par l'étonnement[74].

La seconde phase, c'est celle de l'abaissement et de l'abstinence, que symbolise la vie au désert, et celle de la foi, qui répond au cri, à la proclamation. C'est ainsi que l'homme doit se rendre agréable à Dieu[75]. Comme on le voit, la dialectique a fait place à la purification de l'intelligence, et le dernier mot de cette « sagesse rationnelle », c'est maintenant la foi.

La métamorphose que subit la « sagesse naturelle » n'est pas moins impressionnante. Certes, ici encore, Ambroise use des notions et des formules avec une souplesse parfois déroutante, et quand, à côté des « moralia » et des « mystica », il découvre dans l'Évangile de Luc des « naturalia », il désigne apparemment par ce dernier mot des phénomènes « physiques » au sens le plus concret, par exemple l'obscurité qui s'est faite lors de la Passion du Christ. Cependant, dans ce cas aussi, ce qui intéresse l'évêque de Milan, ce n'est pas le phénomène météorologique en tant que tel, c'est le témoignage qu'il rend à la domination du Fils de Dieu sur le soleil et sur les puissances célestes[76]. Même dans un texte comme celui-ci, le monde sensible n'intéresse la « sagesse naturelle » selon Ambroise que dans la mesure de son manque d'autonomie, de son manque de consistance propre.

Certes, il serait fort inexact de réduire le contenu de la « physique » des Anciens, même prise dans son acception originelle, à celui de la cosmologie wolffienne ou de la « philosophie de la nature » du XIXe siècle. Chez Chrysippe, par exemple, la doctrine des dieux forme la dernière partie de la physique[77].

Aussi Ambroise ne rompt-il pas autant qu'on pourrait le croire avec les « philosophes de ce monde » quand il assigne à la « sagesse naturelle » la compréhension des choses qui sont au-dessus de la nature ou qui sont de la nature[78]. A ce titre l'exemple du serment, dont la sanction est la manifestation du maître de la nature dans la nature, exprime assez heureusement cette position frontalière de la « sapientia naturalis ». On peut dire qu'à l'époque impériale la soumission de la nature à la

---

II, p. 40.

Providence était le dogme essentiel de la physique divulguée par le stoïcisme populaire.

Le renversement de perspective n'en est pas moins évident. Ambroise découvre la maxime fondamentale de la « sapientia naturalis » dans le propos désabusé de l'Ecclésiaste, légèrement glosé pour la circonstance : « ' Vanitas vanitatum et omnia vanitas ' quae in mundo sunt constituta[79]. » La sagesse naturelle n'est plus alors connaissance du monde, même d'un monde auquel préside la divinité, elle ne le considère plus que pour en percevoir l'inconsistance. Il ne s'agit plus de se tourner vers la nature pour la comprendre, mais d'en comprendre le néant pour s'en détourner.

La corrélation que découvre Ambroise entre les différentes sagesses et chacun des Évangiles est, de ce point de vue, particulièrement significative. Alors que, précédemment, il s'était tenu à l'ordre traditionnel des livres de Salomon, les besoins de son parallèle l'amènent ici à commencer par le quatrième Évangile. Personne, en effet, explique-t-il, n'incarne mieux que Jean la sagesse naturelle. On peut penser que le lecteur d'aujourd'hui est encore moins surpris de la perturbation apportée à la suite des Évangiles que de la raison qui la motive, cette attribution de la « sagesse naturelle », de la « physique », à l'évangéliste qui nous semble si bien symbolisé par le vol de l'aigle. Mais, si l'on saisit bien ce qu'Ambroise entend par « sapientia naturalis », rien n'est plus normal que cette équivalence, et le présent texte vient fort heureusement souligner davantage encore ce que l'allégorie du « puits du serment » a déjà commencé à nous apprendre. « Car la sagesse naturelle se trouve vraiment dans le livre de l'Évangile intitulé ' selon saint Jean '. Personne, en effet, j'ose le dire, n'a vu la majesté de Dieu d'une telle hauteur de sagesse et ne nous l'a révélée dans un langage plus exact. Il est monté au-dessus des nuées, au-dessus des puissances des cieux, au-dessus des anges, et il a découvert le Verbe à l'origine, et il a vu le Verbe auprès de Dieu[80]. » On voit qu'ici la « sapientia naturalis » réside essentiellement dans ce mouvement ascensionnel qui laisse très loin en bas la terre — elle n'est même pas évoquée ici —, qui dépasse la sphère aérienne — celle où se meuvent les « nubes » —, qui ne s'arrête même pas à la zone céleste — celle des « virtutes caelorum » —, mais s'élève jusqu'au principe, jusqu'à la vision du Verbe demeurant auprès de Dieu. La sagesse naturelle n'est plus contemplation attentive de la nature, elle en est au contraire le dépassement, « transcendit ». Sous la permanence d'une dénomination, la « physique » des philosophes a fait place à la « conversion » du chrétien[81].

La sagesse morale semble moins affectée par le renversement des perspectives que la naturelle et la rationnelle. Des disciplines traditionnelles de la philosophie, c'est sans doute la seule avec laquelle Ambroise se sente en quelque sorte de plain-pied. Son enracinement

---

II, p. 40.

romain, son tempérament d'homme d'action, ses devoirs de pasteur, tout incline l'auteur du *De Officiis ministrorum* aux considérations sur les vertus et les devoirs beaucoup plus qu'aux spéculations métaphysiques. On sait combien il use, et parfois abuse, des lieux communs de l'éthique traditionnelle, mais on a apprécié aussi, dans son œuvre, la finesse des nombreuses analyses qui se situent aux confins de la psychologie et de l'éthique[82]. C'est en ce sens que, pour Ambroise, la sagesse morale est le propre de l'Évangile de saint Matthieu, le plus riche en préceptes pour la conduite de la vie[83].

Pourtant, même ici, la transposition de la notion traditionnelle est évidente, plus ou moins marquée, il est vrai, selon les passages. Quand Ambroise retrouve les « moralia » dans le premier verset du Psaume 118[84] ou dans le livre des Proverbes[85], le mot garde à peu près son contenu classique. Il n'en est plus exactement de même lorsque l'évêque de Milan souligne la « moralium suavitas » que renferme selon lui le Cantique des Cantiques : il s'agit ici de l'amour du Verbe céleste répandu dans l'âme[86].

Inlassable, Ambroise poursuit le jeu subtil des correspondances. Maintenant, c'est dans le seul Évangile de Luc qu'il cherche ce qui peut relever de chacune des trois sagesses[87]. Enfin, redoublant de hardiesse, c'est au sein même de la Trinité qu'il retrouve cette triple sagesse que la prudence mondaine cherche vainement à s'arroger[88]. La notion de nature, pensée dans la perspective de la naissance, de la génération, est rapportée au Père : « Ipsa fides nostra... esse non possit, nisi credamus et illum naturaliter patrem, qui nobis genuit redemtorem[89]. » L'éthique est représentée par le Fils, qui, en tant qu'homme, nous a rachetés en obéissant au Père jusqu'à la mort[90]. La sagesse rationnelle, rattachée au Saint-Esprit, apparaît comme une synthèse des deux précédentes. Elle est, en effet, ce qui fonde, dans le cœur de l'homme, et le culte de la divinité et la juste direction de la vie[91].

Aussitôt après avoir ainsi élevé cette distinction des trois sagesses jusqu'au niveau du mystère de la Trinité, Ambroise prévient une objection : ne risque-t-on pas, en admettant une telle correspondance, de diviser la Trinité et d'établir en son sein une hiérarchie ? L'évêque de Milan s'en défend, allègue l'autorité et l'exemple de Paul, dans la première Épître aux Corinthiens[92] et conclut que cette distinction n'introduit dans les opérations du Père, du Fils et de l'Esprit ni distinction ni inégalité[93].

Cette dernière précision indique assez clairement qu'Ambroise, quand il parle ici de « naturalia », de « moralia » et de « mystica », pense à une distinction des domaines et non à une hiérarchie des « sens ». Il serait donc totalement inutile de chercher à faire correspondre l'une de ces trois sagesses à ce « sens littéral », qu'Origène appelle souvent « historique ».

II, p. 40-41.

Il est d'ailleurs question de l'histoire dans le prologue de l'*Expositio evangelii Lucae*. On a vu que saint Jean, représentait pour Ambroise la sagesse naturelle et son élan ascensionnel, que saint Matthieu, riche en préceptes pour la conduite de la vie, correspondait à la morale, que saint Marc évoquait plus spécialement la sagesse rationnelle, qui d'abord remue l'âme par l'étonnement et ensuite la purifie par le désert. Reste le troisième Évangile. Il est caractérisé, nous dit Ambroise, par le « stilus historicus[94] », c'est-à-dire que, de par sa composition, son objet et son style, il relève de la narration historique. Il est en effet moins consacré à l'énoncé de préceptes qu'à la description des événements[95]. Mais cette histoire est rédigée de telle sorte que les trois « vertus » de la sagesse s'y trouvent renfermées[96].

Ainsi l'« historia », loin de s'ajouter comme un quatrième terme au groupe des trois sagesses ou de s'identifier à l'une d'entre elles, leur sert de commun support ou, pour reprendre l'image même d'Ambroise, de contenant.

Cela montre assez que le « sens littéral » n'a pas sa place dans le schéma tripartite développé par Ambroise comme prélude à ses deux grands commentaires d'Écriture. Il est présent certes dans le prologue de l'*Expositio evangelii Lucae*, sous la forme de l'« historia », mais les rapports de celle-ci avec les trois sagesses ne sont pas du tout ceux d'un quatrième terme : « ita ... ut omnis sapientiae virtutes evangelii istius conplecteretur historia[97] ». La narration apparaît comme ce qui renferme les enseignements physiques, éthiques, rationnels. C'est là une image statique dont la précision laisse certes à désirer. D'autres allégorèses viennent heureusement la compléter.

4. Les six puits d'Isaac, figures des trois sagesses.

On retrouve une structure analogue — un et trois — dans un intéressant développement du *De Isaac*[98]. Il y est question des puits déblayés par le patriarche et, comme dans le prologue de l'*Expositio evangelii Lucae*, Ambroise y reconnaît les différents enseignements que l'on peut trouver dans l'Écriture. La différence la plus apparente, c'est que ces puits sont cinq au lieu de trois et que les correspondances ne sont pas les mêmes que celles qu'établit l'*Expositio evangelii Lucae*. On n'y retrouve pas moins la triade habituelle, sous cette orchestration allégorique nouvelle.

Avant d'analyser cette nouvelle présentation, il ne sera pas inutile d'indiquer en un tableau le jeu des corrélations entre les différents puits forés à nouveau par Isaac, et les deux listes ambrosiennes, celle de l'*Expositio evangelii Lucae* et celle du *De Isaac*.

II, p. 41.

Genèse	Noms des puits	Exp. Luc.	De Isaac
24, 62	puteus visionis	rationalis (p. 1, 14)	rationabile... (p. 656, 15)
26, 20	Iniustitia		
26, 21	Inimicitiae		moralis (p. 657, 2)
26, 22	Latitudo		naturalis (p. 657, 7)
26, 33	Abundantia	ethicus (p. 2, 15)	
26, 25	Iuramentum	naturalis (p. 2, 20)	mysticus (p. 657, 16)

On voit que la grande nouveauté de la seconde classification, outre un appariement nouveau des puits et des sagesses, c'est, au moins à première vue, le nombre de ces dernières : quatre au lieu de trois.

A y regarder de plus près, on s'aperçoit que la triade habituelle garde cependant sa consistance. Il est question de la « doctrina moralis », puis de la « de naturalibus disciplina », enfin de la « doctrina mystica[99] », mais non d'une « doctrina rationalis » ou d'une « de rationalibus disciplina ». Au lieu d'expressions analogues, nous avons une formule de structure toute différente : « ut eius putei aqua primum *rationabile* animae oculumque eius dilueret et foveret[100] ». Cette dissymétrie certainement volontaire permet à Ambroise de reprendre l'énumération des trois sagesses — morale, naturelle, mystique — à propos des trois livres de Salomon censés leur correspondre terme à terme[101].

A elle seule, la morale se voit attribuer deux puits, « Injustice » et « Inimitiés ». Il n'est pas moins important de noter que l'un et l'autre furent l'occasion d'un conflit entre les gens d'Isaac et les pasteurs de la vallée de Gérar. Or ce dernier nom équivaut, explique Ambroise, au latin « maceria » — mur de clôture — qui évoque aussitôt Éphésiens 2, 14-16[102]. Ce mur de séparation aboli, cette union de deux en un, Ambroise l'interprète comme le signe de la réunification intérieure, comme la suppression des discordes que l'homme éprouve en lui-même du fait de sa chair[103].

La « physique » — « de naturalibus disciplina » — est représentée par le puits dit « Latitudo ». Cette appellation indique l'état de l'âme qui se trouve au large, en paix, qui a échappé aux discordes, car elle est maintenant au-dessus des réalités du monde et des sens, elle a dépassé les Philistins, les « alienigenae », c'est-à-dire les pensées qui lui faisaient obstacle, les pensées « étrangères », qui méritent d'autant mieux leur qualificatif que tout ce qui est du monde est transitoire. Le sage est bien celui que Dieu a élevé et qui a pu ainsi dépasser les choses terrestres[104].

11, p. 41-42.

Sous le chatoiement des correspondances et jusque dans le vocabulaire, on reconnaît le caractère transcendant de la « physique » ambrosienne.

Le cas du « puits du serment » est particulier. Affecté à la sagesse naturelle dans l'*Expositio evangelii Lucae,* nous le voyons ici mis en corrélation avec la « doctrina mystica ». Là, c'était la nature même du serment qui était prise en considération, sa situation intermédiaire entre un dieu supraterrestre qu'il prend à témoin, et les sanctions intérieures à ce monde qu'encourt sa transgression. Ici, c'est la parole divine entendue auprès de ce puits qui sert de base à l'interprétation : « Ne crains point ; je suis avec toi[105] ». C'est cette présence de Dieu qui fait la « doctrina mystica[106], » à laquelle le Cantique est plus spécialement consacré.

Le puits de Vision reste donc extérieur à la trilogie que nous venons de retrouver dans le *De Isaac.* Il est mentionné pourtant dans ce passage, mais pour symboliser une sorte d'étape préparatoire, qu'il convient maintenant de considérer quelque peu. Voici ce qu'en dit Ambroise :

« C'est par le puits de Vision qu'Isaac a commencé ses forages et cet ordre est le bon. Il faut en effet que tout d'abord l'eau de ce puits lave et soigne la partie rationnelle et l'œil de l'âme, pour rendre sa vision plus nette[107]. » Ce premier puits symbolise donc la purification préliminaire de l'œil de l'âme, opération qui doit permettre à celle-ci, devenue plus clairvoyante, de pénétrer les enseignements moraux, naturels, mystiques et tout particulièrement de les découvrir dans l'Écriture.

Or, nous l'avons vu[108], le puits de Vision avait déjà cette signification dans le prologue de l'*Expositio evangelii Lucae,* où il représentait les « rationabilia », qu'évoque évidemment le « rationabile » de cette page du *De Isaac.* La sagesse rationnelle — pour prendre les termes de l'*Expositio evangelii Lucae* — ou « mystique » — pour utiliser le vocabulaire de l'*Expositio psalmi CXVIII* — avait un double aspect : elle concernait à la fois la purification de l'âme et l'union de celle-ci à Dieu. Ce qui est nouveau dans le *De Isaac,* c'est qu'elle s'est en quelque sorte scindée. En tant que purification de l'âme raisonnable, elle est devenue une sorte de propédeutique ; en tant qu'union de l'âme à Dieu, elle a été placée au terme, et c'est le sens précis que prend maintenant l'expression « doctrina mystica ».

A la trilogie s'est donc, en un sens, substituée une échelle à quatre degrés. Mais, d'un autre côté, cette purification du regard de l'âme n'est pas une « doctrine » au même titre que les trois autres. Elle n'est pas un enseignement, elle est une ouverture de l'esprit. Elle ne donne pas à voir, elle dote simplement la vue de l'acuité nécessaire. C'est pourquoi — et la forme même de l'exposé ambrosien le donne bien à entendre — un quaternaire ne s'est pas substitué à la trilogie familière au lecteur d'Ambroise. Comme dans l'*Expositio evangelii Lucae,* nous avons le

---

II, p. 42.

schéma un et trois. Mais il ne s'agit plus du support commun des trois doctrines — le récit qui les enveloppe —, le point de vue est maintenant celui du sujet, celui de l'âme raisonnable qui doit d'abord recevoir la perspicacité nécessaire pour l'intelligence des Écritures.

Cependant, si la trilogie subsiste, son économie interne s'est sensiblement modifiée. Il n'est pas inutile de considérer d'abord comment s'ordonnent les trois disciplines. Sans doute la séquence la plus familière à Ambroise semble être celle-ci : morale, physique, doctrine rationnelle ou mystique. C'est celle que l'on trouve aussi bien au chapitre 4 du *De Isaac* qu'au début de l'*Expositio psalmi CXVIII*, c'est celle qui apparaît dès la première page de l'*Expositio evangelii Lucae*, c'est celle enfin que semble imposer la succession des livres salomoniens, Proverbes, Ecclesiaste, Cantique. Cependant, quand on y regarde de près, les choses sont un peu moins simples. Tout d'abord, Ambroise lui-même le souligne, quels que soient les accents respectifs, il y a comme un mélange des disciplines dans deux au moins des livres de Salomon, ce qui donne, par exemple, dans l'*Expositio evangelii Lucae*, cette liste où — de manière assez significative, si l'on pense aux quatre degrés du *De Isaac* — les « rationabilia » ouvrent et ferment à la fois l'énumération : « Qui de rationabilibus et ethicis in Proverbiis scripsit, de naturalibus in Ecclesiaste... de moralibus autem et rationabilibus in Canticis canticorum[109]. »

De fait on trouve à l'occasion une autre séquence sous la plume d'Ambroise, comme dans cet autre passage de l'*Expositio psalmi CXVIII*, qui offre l'intérêt particulier de nous donner une formule grecque de la trilogie, en l'accompagnant d'une paraphrase latine qui suit d'ailleurs un ordre différent : « Et si quis nunc intentus divinis triplicem illam sapientiae hauriat disciplinam, θεωρητικήν, πρακτικήν, λογικήν, bono studio percipiendae cognitionis pulchrior erit, exequendae rationalis moralisque doctrinae gratiam tenens[110]. »

Même dans le prologue de l'*Expositio evangelii Lucae*, Ambroise abandonne vite l'ordre plus habituel annoncé d'abord. En déchiffrant la symbolique des puits, il commence par la sagesse rationnelle, continue par l'éthique, termine par la sagesse naturelle[111]. La considération des trois livres de Salomon lui suggère, on vient de le voir, une formule plus complexe. Avec la corrélation des Évangiles et des sagesses c'est un nouveau retournement d'autant plus curieux que l'ordre traditionnel des livres du Nouveau Testament se trouve bouleversé : Jean incarnant la sagesse naturelle, précède Matthieu, la morale, et Marc, la doctrine rationnelle[112]. En revanche, retrouvant la trilogie dans le récit de Luc, Ambroise adopte une troisième formule : « moralia — rationabilia — naturalia[113] ». Enfin, remontant jusqu'à la Trinité, l'évêque de Milan retrouve l'ordre dont il était parti en rapportant la sagesse naturelle au Père, l'éthique au Fils, la rationnelle à l'Esprit. Il est vrai que cette dernière

---

II, p. 42.

séquence peut se lire dans les deux directions puisque l'Esprit unit au Fils qui conduit au Père.

De tant de variations et de renversements on peut d'abord conclure que saint Ambroise, au moment où il écrit ce prologue de l'*Expositio evangelii Lucae*, qui est une sorte de topique des Écritures, se soucie avant tout de classer, de répartir, beaucoup moins d'indiquer un ordre.

Mais les schémas qu'il emploie ont leur logique interne, le dernier terme prend généralement une nouvelle importance du fait de sa position même[114]. Quand la sagesse naturelle clôt la série, sa compréhension tend à s'élargir jusqu'à envelopper par priorité ce qui est littéralement le surnaturel : « Hoc est sapientiae naturalis, quae ea quae supra naturam vel naturae sunt conprehendat[115]. » Lorsque les « rationabilia » commencent la série, c'est leur aspect de purification[116] qui est souligné. Quand, au contraire, ils terminent la trilogie, ils expriment de manière positive l'union de l'âme et du Verbe[117].

Ainsi la position respective des termes de la triade influe-t-elle plus ou moins sur leur contenu. Cela est vrai déjà dans l'*Expositio evangelii Lucae* où pourtant Ambroise semble assez indifférent à l'ordre de ses énumérations. C'est, à plus forte raison, le cas du chapitre 4 du *De Isaac* où, conformément à l'idée directrice du traité, tout se situe dans la perspective des étapes de la vie spirituelle.

Dans ce dernier texte nous voyons d'une part que la doctrine mystique qui termine l'itinéraire a retenu tout l'aspect positif, unitif, de l'ancienne « sapientia rationalis ». En même temps, la sagesse naturelle elle-même a définitivement perdu son ancien contenu théologique : elle n'a gardé que sa fonction de détachement, de dépassement du monde. Alors que, dans le prologue de l'*Expositio evangelii Lucae*, l'ordre des trois disciplines, qui leur restait en quelque sorte extérieur, manquait visiblement de nécessité, la séquence qu'offre cette page du *De Isaac*, loin d'être un arrangement parmi d'autres, est étroitement solidaire de la définition donnée à chacun des termes qui la composent.

Comme c'est souvent le cas, l'exposé d'Ambroise, malgré le style volontiers fleuri, reste très elliptique. Il faut, pour le saisir pleinement, supposer des arrière-plans qui semblent avoir été gommés. On dirait parfois un résumé, un abrégé qui a fait disparaître quelques explications clarificatrices. De fait, c'est dans un texte d'Origène que nous trouvons, semble-t-il, l'explication de ce qui, dans le *De Isaac*, demeure allusif.

Dans le Prologue de son commentaire du Cantique des Cantiques, Origène entreprend d'expliquer l'ordre des trois livres de Salomon en le comparant à celui des parties de la philosophie. Celles-ci sont au nombre de trois, que les Grecs appellent éthique, physique, époptique[118]. Rufin[119] donne comme équivalents latins « moralis », « naturalis », « inspectiva ». Mais certains Grecs y ajoutent la logique — en latin

II, p. 42-43.

la « scientia rationalis » — qui s'occupe des termes et des propositions, des genres et des espèces et s'attache aux différentes formes des énoncés. Pour d'autres cependant et, semble-t-il, pour Origène lui-même, plutôt que d'en faire une discipline particulière, il convient d'intégrer la logique aux trois autres parties[120]. Et ce sont bien celles-ci qui expliquent la trilogie salomonienne. Ici nous retrouvons le thème bien connu d'Ambroise, mais avec des variantes qui témoignent d'un état antérieur de son évolution. Il est remarquable, par exemple, que, dans la « scientia naturalis » définie ici par Origène, la physique de lignée aristotélicienne soit encore reconnaissable : « On appelle science naturelle celle où l'on scrute la nature de chaque chose. » Mais la métamorphose s'annonce aussitôt, et cette physique se voit immédiatement assumée — dans un vocabulaire emprunté à l'actualité, nous dirions « récupérée » — par la morale : si l'on scrute la nature des choses, c'est pour ne commettre aucun acte contre nature, et faire de toutes choses l'usage qu'en a prévu le Créateur[121]. L'affectation de l'Ecclésiaste à cette sagesse naturelle annonce une transmutation bien plus radicale : ce que l'on découvre maintenant en scrutant les choses, c'est moins leur nature que leur inconsistance, ce n'est plus ce qu'elles sont, c'est qu'elles ne sont pas. La nouvelle « physique » au lieu d'être animée par l'intérêt porté au monde, enseigne à le mépriser et à le fuir. Nous assistons à l'altération dont Ambroise nous montre l'aboutissement.

Après avoir ainsi retrouvé les trois principales disciplines philosophiques dans les trois livres de Salomon, Origène veut en outre montrer que l'auteur inspiré n'a pas oublié le « rationalis locus ». Il en trouve la preuve d'abord dans le titre même des Proverbes, qui invite à chercher sous le sens obvie une signification intérieure[122], et aussi dans plusieurs versets du premier chapitre de ce même livre, où Salomon s'attache à préciser le sens des différents mots et des divers énoncés[123].

C'est ainsi que les premiers versets des Proverbes rapprochent des notions voisines, dont la juxtaposition même fait ressortir les nuances respectives. On apprend ainsi à distinguer « sagesse », « science », « discipline », à ne pas confondre l'habileté dans les paroles et la fourberie. On est ainsi préparé à ne pas se laisser prendre par les subtilités sophistiques[124]. Comme on le voit, cette logique-là a deux aspects, étrangement rassemblés sous une même dénomination. D'une part, elle ressemble fort à cet enseignement élémentaire que les jeunes garçons recevaient chez le « grammaticus », et Origène lui-même nous suggère ce rapprochement : c'est une formation qui convient aux enfants[125]. D'un autre côté, elle s'identifie à la technique de l'exégèse allégorique, qui va au-delà de la signification obvie pour découvrir le sens caché, que ce soit celui des « proverbia » de Salomon ou celui des « proverbia » du Sauveur[126].

Ce qui fait l'unité de cette singulière logique, c'est que, sous ses deux

---

II, p. 43.

aspects, elle constitue la formation de base de l'exégète chrétien tel que le conçoit Origène.

Replacé dans cette perspective, le texte du *De Isaac* d'Ambroise prend une signification beaucoup plus claire. Il y a bien, sous-jacente à cette page, une division quadripartite de la philosophie, celle-là même qu'Origène attribue à « certains d'entre les Grecs » et qui distingue la logique, l'éthique, la physique, l'époptique. Ambroise, pour cette dernière discipline, adopte l'équivalent latin « mystica », au lieu de l'« inspectiva » de Rufin. Mais, dans le prologue d'Origène, comme dans la page du *De Isaac*, la première de ces quatre disciplines, la logique, ou sagesse rationelle, ne jouit pas d'une complète autonomie. Ce n'est pas une science comme les autres, c'est une propédeutique qui ne fait pas nombre avec les « sciences » dignes de ce nom.

Or il apparaît nettement, chez Origène, que ce préliminaire à la philosophie devient simplement la double technique nécessaire à l'interprétation de l'Écriture : la sémantique et l'allégorie.

Sur le sujet de cette discipline préparatoire, Ambroise reste elliptique. On ne trouve pas chez lui la longue description origénienne de ces techniques de base de l'exégète. Ici encore on observe l'évolution du thème : le langage devient plus vague, plus imagé, c'est celui d'un platonisme vulgarisé et dévot. Mais il s'agit toujours de rendre plus pénétrant le regard de l'âme raisonnable, de le préparer par là à la découverte des trois sagesses[127].

5. *Nouvelles variations sur le thème des trois sagesses dans l'« Explanatio psalmi XXXVI ».*

Cette répartition des enseignements de l'Écriture selon les trois parties traditionnelles de la philosophie, Ambroise y revient encore dans une œuvre tardive, cette *Explanatio psalmi XXXVI* qui a dû être d'abord prêchée pendant le carême 395[128]. Cette fois-ci, l'ordre des termes est rigoureusement déterminé et la doctrine morale suit la doctrine mystique comme dans la deuxième séquence origénienne relevée par le P. de Lubac. Mais, ici encore, la tripartition ne fait aucune place au sens « littéral » ou « historique ».

L'évêque de Milan commence par poser en principe que «toute Écriture divine est soit naturelle, soit morale, soit mystique[129] ». Elle est « naturelle » dans la Genèse, « mystique » dans le Lévitique, « morale » dans le Deutéronome[130]. Ambroise reprend ensuite la trilogie salomonienne, mais, afin d'établir une symétrie entre cette seconde séquence et la première, il rejette les Proverbes après l'Ecclésiaste et le Cantique, bouleversant ainsi l'ordre habituel de ces livres. Quant au recueil des Psaumes, selon le τόπος bien connu, il est à la fois, et selon ses composantes, naturel, moral et mystique. Ce qui est intéressant dans ce passage, c'est moins

---

II, p. 43-44.

l'ordre dans lequel se succèdent les trois termes — il est déterminé, croyons-nous, par la suite des trois livres de la première triade — que la manière dont chacun d'entre eux est caractérisé.

Certes, pour l'essentiel, nous retrouvons les thèmes et les définitions que nous avions relevés dans les précédentes analyses. Et cette permanence confirme bien qu'Ambroise se réfère ici à une classification et à des cadres solidement établis dans l'exégèse catholique. Néanmoins des nuances, des différences d'accent méritent d'être notées.

Les « naturalia » tout d'abord ont un contenu beaucoup plus objectif que dans le *De Isaac*, où ils n'étaient envisagés que par rapport à l'itinéraire spirituel de l'âme, qui doit d'emblée les dépasser. Dans ce prologue à l'*Explanatio psalmi XXXVI*, la Genèse est affectée à la doctrine naturelle dans la mesure où elle nous parle à la fois de la création du ciel, de la mer, de la terre, et de la constitution du monde[131]. Mais cette physique invite surtout à lever les yeux : ce sont les créatures célestes — anges, astres, eaux supérieures — qui l'intéressent le plus[132].

Les lignes qui concernent la partie mystique des Écritures confirment cette tendance à l'objectivité : il n'est plus question ici des embrassements de l'âme avec le Verbe. Il s'agit bien de celui-ci, mais dans son rôle de réconciliation, dans l'accomplissement historique de sa fonction sacerdotale, la Passion et la Résurrection prolongées par les sacrements de la foi[133].

En ce qui concerne la doctrine morale, l'*Explanatio psalmi XXXVI* ne réserve pas de surprise ; il s'agit de la distinction des vertus, des préceptes qui concernent la conduite de la vie, par lesquels le Seigneur a guéri nos erreurs, rénové nos mœurs, transformé nos sentiments[134].

La différence d'accent que l'on perçoit, par exemple, entre le développement du *De Isaac* sur les puits et cette page de l'*Explanatio psalmi XXXVI*, vient essentiellement des textes sacrés qui servent de référence : là les livres de Salomon, ici le premier, le troisième et le cinquième livre de Moïse. L'Ecclésiaste et le Cantique orientent tout naturellement vers les perspectives de la vie intérieure, tandis que la Genèse et le Lévitique invitent Ambroise à méditer la création du monde et l'œuvre rédemptrice du Christ.

Si l'on se demande enfin comment jouent le sens littéral et l'allégorie avec les trois termes qu'Ambroise nous présente ici, on constate que les exemples proposés par la « physique et la morale » sont littéraux, tandis que l'allégorie concerne la doctrine mystique retrouvée dans les passages de l'Ancien Testament qui annoncent « de bien des manières » la passion et la résurrection du Christ.

6. *Antécédents philoniens.*

Philon n'ignorait évidemment pas la division tripartite, ce lieu commun

---

II, p. 44.

des écoles de philosophie. On la trouve plusieurs fois mentionnée dans son œuvre, comme en un cadre communément admis, auquel il est naturel de se référer.

C'est le cas au premier livre du *De specialibus legibus,* à propos des différentes espèces d'athées. La quatrième réunit ceux qui attribuent à la raison humaine la création de la culture et des différentes techniques et arts qui la composent. Après avoir évoqué l'ἐγκύκλιος παιδεία, Philon en vient à la philosophie et mentionne tout naturellement ses grandes divisions, en caractérisant brièvement chacune d'entre elles[135]. On remarquera la séquence adoptée : logique, éthique, physique. Le but de la logique, c'est une expression excluant toute cause d'erreur[136]. L'éthique vise la correction des mœurs[137]. La physique a pour objet la connaissance du ciel et de l'univers[138]. Il n'y a rien là que de banal : Philon, au cours d'un exposé dont le centre d'intérêt est ailleurs, évoque en passant un stéréotype appartenant au domaine commun de la culture de son époque.

Dans le *De agricultura,* nous trouvons une allégorie dont Philon rappelle lui-même le caractère traditionnel. La philosophie est comparée à un champ. Les arbres et les plantes seraient la physique, tandis que leurs fruits représenteraient l'éthique. La logique enfin formerait la solide clôture qui protège ces plantations, en écartant tous les énoncés douteux et équivoques[139]. La comparaison elle-même, comme la manière dont elle est expliquée, met fortement en valeur la priorité de l'éthique dans l'ordre des fins : la clôture de la logique sert à protéger les arbres et les plantes, mais ceux ci n'ont de sens que par les fruits qu'ils produisent. La logique est ainsi subordonnée à la physique et à l'éthique[140], mais, entre ces deux dernières, la partie n'est pas égale et c'est finalement l'éthique qui apparaît comme la raison d'être de tout l'édifice philosophique.

Sur ce dernier point, le lieu commun semble bien rencontrer une des convictions les plus solides de Philon, comme en témoigne, par exemple, un passage du *Quod omnis probus liber sit* où l'auteur précise quelles sont les études philosophiques des Esséniens. Ceux-ci, nous dit l'Alexandrin, laissent la logique aux chasseurs de mots, jugeant qu'elle n'est pas nécessaire à l'acquisition de la vertu. Estimant d'autre part que la physique dépasse les forces humaines, ils l'abandonnent aux discoureurs dans les nuées, à l'exception cependant de ce qui concerne l'existence de Dieu et la formation de l'univers[141]. En revanche, ils consacrent tous leurs efforts à l'éthique, « prenant comme moniteurs les lois ancestrales, que l'âme humaine n'aurait pu concevoir sans la possession divine[142]. »

Une « physique », qui est en fait une théologie à laquelle s'ajoute une doctrine de la création, et une éthique omniprésente, c'est bien ce que, dans la pratique, Philon et, à sa suite[143], les exégètes chrétiens

---

II, p. 44.

retiennent du schéma des trois parties de la philosophie quand ils en font l'application à l'Écriture.

On ne s'étonnera point que, chez Philon lui-même, sans parler de ses successeurs, le vocabulaire soit à l'occasion fluctuant. Ainsi, dans le *De mutatione nominum*, après la comparaison du champ et de la clôture[144] l'Alexandrin voit dans le changement du nom d'Abram en Abraham, le signe d'une conversion, d'un passage de la physique, conçue cette fois comme orientée purement vers le monde, à une éthique présentée comme connaissance de Dieu[145].

Il ne faut pas s'exagérer la portée de tels flottements qui n'affectent guère le fond des choses. Dans l'ensemble des textes que nous venons d'évoquer, Philon a indiqué avec beaucoup de conséquence les trois objets qui l'intéressent et qui vont occuper par conséquent ses efforts d'exégète : Dieu, le monde en tant que créé, la vie morale. Il se montre ainsi fidèle, tout au long de son œuvre, au programme des Esséniens, tel qu'il l'a décrit dans son *Quod omnis probus liber sit.*

La tripartition est donc ici plus qu'un schéma que l'on répète à l'occa-sion. Chez Philon, chez les allégoristes chrétiens, elle contribue à orienter et à ordonner l'interprétation de l'Écriture. Encore proche de ses origines scolaires dans l'œuvre du juif d'Alexandrie, elle devient plus subtile, plus mystique aussi chez Origène. Ambroise, qui dépend ici directement de ce dernier, communique à ces catégories la mobilité, la diversité ondoyante, qui lui est propre. Sa pensée s'accommode mal en effet des cadres rigides et des distinctions trop précises. Mais c'est dans le détail des interprétations que ces différences de tempérament et de perspectives vont surtout apparaître.

7. *La double influence — directe et indirecte — de l'exégèse de Philon.*

L'enquête que nous venons de mener a confirmé tout d'abord que cette coexistence du « sens littéral » et du « sens moral », qui semblait faire problème, n'a rien que de naturel dans les catégories exégétiques dont Ambroise a hérité. En effet, alors que le couple lettre-esprit indique en quelque sorte les deux niveaux d'un même texte — ce qui s'offre d'emblée à la surface et le sens qu'il faut extraire par une sorte de forage —, des termes comme « physique » ou « naturel », « moral », « rationnel », ou « mystique » servent seulement à classer les informations fournies par l'Écriture. Il peut donc très bien se faire que la lettre d'un texte soit «mystique», ou que le sens « physique » soit le résultat d'un subtil travail d'extraction. Beaucoup de confusions, semble-t-il, résultent du mélange de ces deux perspectives.

Mais, au-delà du point de détail, important sans doute, dont nous sommes partis, cette double classification nous renseigne sur les pré-

---

II, p. 44.

supposés de l'exégèse d'Ambroise. Non qu'il faille trop en attendre pour l'éclaircissement des mécanismes de l'allégorèse. Au moins chez Ambroise, l'antithèse lettre-esprit est sommaire et indique la nécessité de chercher ce qui est caché plus que la méthode à suivre dans cette exploration. En revanche, la classification tripartite, au sens précis qu'elle a pour Ambroise, nous est extrêmement utile. Elle nous montre quels sont les principaux intérêts du milieu intellectuel, dont l'évêque de Milan est le porte-parole officiel. Elle nous indique en particulier ce qu'il cherche dans l'Écriture et donc ce qu'il va y trouver.

Or, nous avons vu que cette application à la Bible des trois parties de la philosophie remontait à Philon lui-même. C'est-à-dire que, dès le moment où il s'initiait aux catégories exégétiques de son milieu, Ambroise, sans le savoir sans doute, subissait déjà l'influence de l'Alexandrin. Ainsi les cadres dans lesquels il va insérer les emprunts, cette fois délibérés, qu'il fait à l'exégète juif sont eux-mêmes philoniens. C'est là un point capital, qui explique que l'évêque de Milan se soit senti de plain-pied avec des œuvres comme les *Quaestiones in Genesin*, les *Legum allegoriae*, le *De sacrificiis*, le *De migratione*. Sans cela, on comprendrait mal cette imitation si constante et cette assimilation si facile. C'est ce que j'appellerais la double rencontre avec Philon.

Certes, la tripartition philonienne s'est, sur plusieurs points, profondément transformée en trois siècles de christianisation. Philon lui-même n'a pas été toujours fidèle au rigorisme exégétique des Esséniens. Il se défie beaucoup moins qu'eux des spéculations cosmologiques et des jeux dialectiques. Nous verrons Ambroise refuser ces complaisances.

D'autre part, le Christianisme a donné une dimension nouvelle aux « mystica ». L'évêque de Milan va donc ajouter à l'édifice figuratif de son modèle un étage proprement chrétien. Ce sont les deux objets des chapitres qui suivent.

DEUXIÈME PARTIE

Ambroise censeur de Philon

La mise en regard du modèle philonien et de l'imitation d'Ambroise fait très vite apparaître les nombreuses suppressions opérées par l'évêque de Milan. Il est clair que celui-ci a censuré tout ce qui, dans l'exégèse de son devancier, lui a paru incompatible avec le christianisme, plus précisément avec la « foi de Nicée ». Cette censure peut se borner à une pure et simple omission : une partie du texte de l'Alexandrin est en quelque sorte gommée sans qu'aucune allusion soit faite aux énoncés ainsi écartés. Seule une analyse soigneuse du contexte et l'examen des cas analogues peuvent alors permettre d'entrevoir les mobiles et les intentions d'Ambroise. Ailleurs, celui-ci exprime plus ouvertement son désaccord : il formule et condamne explicitement l'opinion qu'il juge dangereuse. Entre la suppression pure et simple et la réprobation motivée, il y a évidemment toute une gamme de réactions possibles. Nous aurons l'occasion d'en relever divers exemples.

Mais ce qui nous retiendra surtout, au-delà de ces diverses formules, c'est la question de fond : quels sont les thèmes, quelles sont les doctrines dont l'évêque de Milan a jugé nécessaire de purifier l'exégèse de Philon ?

On observe à cet égard une indéniable parenté entre le *De Cain* et le *De Noe*. Ce sont en effet les deux traités où Ambroise suit le plus constamment l'Alexandrin. Les occasions d'observer ce qui sépare l'imitation et le modèle y sont donc particulièrement nombreuses. L'examen attentif de ces divergences permet d'entrevoir quels sont les adversaires qui inquiètent l'évêque de Milan et les doctrines qu'il juge dangereuses au moment où il compose ces deux opuscules [1].

Le commentaire allégorique sur la vie d'Abraham — le *De Abraham liber secundus* — doit peut-être à la puissante figure du patriarche sa plus grande unité. Les origines chaldéennes du Père des croyants sont pour Ambroise, comme pour Philon, l'occasion d'aborder le grave problème de la religion cosmique. Il faudra examiner dans quelle mesure l'évêque de Milan s'écarte, sur ce point, des solutions de son devancier. C'est en précisant ces différences et en cherchant à déceler leurs raisons que l'on aura la chance de remonter aux principes respectifs des deux exégèses [2].

II, p. 46.

CHAPITRE III

Philosophie, judaïsme et arianisme
(« De Cain » et « De Noe »)

De tous les traités exégétiques d'Ambroise, le *De Cain* et le *De Noe* passent à bon droit pour les plus proches de leurs modèles philoniens. Dans le premier de ces opuscules, l'évêque de Milan adapte le *De sacrificiis* et les *Quaestiones in Genesin* de l'Alexandrin[1], et c'est encore aux *Quaestiones in Genesin* qu'il emprunte le canevas du *De Noe*. Néanmoins, on a parfois méconnu la souplesse et la liberté de cette imitation. Schenkl va jusqu'à déclarer que, dans le *De Cain*, les idées sont de Philon et les mots seulement d'Ambroise, si l'on excepte quelques digressions édifiantes rehaussées de citations des livres saints[2]. Schenkl ajoute un peu plus loin que sa remarque s'applique davantage encore au *De Noe* de l'évêque de Milan[3]. Cette généralisation hâtive du savant éditeur semble avoir été parfois considérée comme un résultat acquis[4]. En fait, dès que l'on examine attentivement dans leur contexte les parallèles signalés par Schenkl lui-même, on s'aperçoit que l'imitation de Philon par Ambroise, loin d'être servile, se caractérise par une vigilance critique qui ne se dément guère, même si elle semble s'exercer plus encore dans le *De Cain* que dans le *De Noe*. Certes, une très large part du matériel philonien était directement utilisable par l'évêque de Milan, quitte à recevoir des prolongements et des compléments chrétiens. C'est le cas en particulier des allégories moralisantes où se complaisent également l'apologiste juif et l'évêque chrétien. Mais d'autres affirmations de l'Alexandrin ont visiblement suscité les réserves, la méfiance, voire la réprobation d'Ambroise, qui s'empresse alors d'apporter aux énoncés de son prédécesseur les correctifs qu'il juge nécessaire. Pour étudier cette critique implicite qui peut à l'occasion prendre un tour assez vif, le *De Cain* et le

—————
II, p. 47.

De Noe sont des textes particulièrement précieux, dans la mesure même où Ambroise y suit généralement de fort près l'ordre et la démarche de son modèle.

Certes, il faut le rappeler ici, Philon n'est nommé qu'une seule fois dans toute l'œuvre d'Ambroise. Cette mention se trouve, on l'a vu, dans un des plus anciens textes de l'évêque de Milan, le *De paradiso*[5]. Ailleurs, c'est la comparaison des deux textes parallèles, le modèle philonien et l'adaptation d'Ambroise, qui permet de déceler cette critique dont le destinataire n'est pas nommé et qui reste souvent implicite.

Au niveau le plus élémentaire, l'indice peut être un accident de traduction. Dans une phrase latine qui est par ailleurs le calque exact d'un énoncé philonien, une discordance frappe le lecteur. Ce peut être assurément maladresse ou négligence de la part d'Ambroise. Mais c'est parfois un gauchissement significatif plus ou moins spontané, plus ou moins délibéré, qui indique déjà l'émergence d'une inquiétude ou d'un refus. Il est sûr que l'interprétation d'un tel fait doit se faire avec prudence et qu'il faut d'autres indices pour la confirmer.

Il en va de même des suppressions et réductions que la mise en regard des deux textes fait apparaître dans l'adaptation ambrosienne. De cette espèce de lacune ou de coupure dans le tissu philonien, on ne tire que des vraisemblances ; elles prendront de la force si l'on peut montrer que le thème ainsi écarté ou atténué par Ambroise fait ailleurs l'objet de sa défiance ou de son hostilité. Les vraisemblances sont déjà plus fortes dans les cas de substitution, là où Ambroise remplace un développement philonien par un thème qui en tient lieu.

D'autres fois, il est vrai, au lieu de remplacer l'exégèse que propose Philon par des énoncés proprement chrétiens, Ambroise se borne à juxtaposer l'ancien et le nouveau. Même alors, il arrive que la critique se fasse jour. C'est le cas lorsque l'évêque de Milan, après avoir repris les explications de son prédécesseur et modèle, observe qu'une autre interprétation, celle qu'il va exposer, serait meilleure, plus utile ou plus exacte[6]. Ou bien c'est un « nunc autem » qui rappelle que, depuis Moïse, la révélation a fait un progrès décisif, ignoré obstinément par les juifs[7] incrédules. Certes, dans chaque cas, il convient de peser les termes qu'emploie Ambroise afin de discerner ce qui relève de la formule de routine et ce qui traduit au contraire une réelle intention critique.

Enfin, à plusieurs occasions, Ambroise prend nettement le contre-pied de l'opinion qu'il rencontre dans le texte de base que lui fournit l'Alexandrin. Là, aussi, on observe des degrés dans le refus. Il peut être entièrement implicite : l'évêque de Milan se borne à énoncer la contradictoire de l'opinion émise par son prédécesseur[8]. Ailleurs, il signale l'opinion à laquelle il refuse de souscrire[9]. Il arrive qu'il s'en prenne à un « quidam » où l'on reconnaît aisément Philon[10].

II, p. 47.

Si l'on passe maintenant de leur forme à leur contenu, il apparaît que ces modifications, avec les réserves et les critiques qu'elles impliquent, visent, à travers Philon, trois « sectes » avec lesquelles l'évêque de Milan s'est souvent mesuré : les philosophes, les juifs, les ariens. Il semble que, pour examiner le détail des textes, le mieux soit de suivre le fil conducteur de cette triple destination. On verra que, dans ces deux traités, la philosophie fait seulement l'objet de critiques occasionnelles et de réserves latentes, tandis qu'Ambroise y poursuit avec vigueur la polémique traditionnelle contre la Synagogue et s'attache à purifier soigneusement l'exégèse philonienne de tout ce qui pourrait favoriser les ennemis de Nicée.

I — CRITIQUE ET ALTÉRATION DES THÈMES PHILOSOPHIQUES

Il est certain que la sympathie ouverte dont le juif alexandrin fait preuve à l'égard des spéculations helléniques ne se retrouve nullement chez l'évêque de Milan. Celui-ci n'hésite point à glisser dans un développement qu'il emprunte à son modèle quelques remarques acides à l'égard des philosophes. Ici, il dénonce leur fatalisme, qui rend la divinité responsable du péché de l'homme[11]. Ailleurs, il reprend le thème si fréquemment utilisé de la contradiction des opinions philosophiques et souligne qu'en nous instruisant d'emblée de l'insufflation de l'âme, Moïse nous a épargné ces incertitudes et ces incohérences[12].

Dans ces deux premiers cas, nous avons affaire à de simples additions qu'Ambroise ajoute au développement de Philon sans mettre en cause celui-ci. Un autre passage vise l'Alexandrin lui-même qui, dans une de ses *Quaestiones in Genesin* semble reprendre à son compte l'idée de destin[13]. Comme l'a montré Wolfson, ce dernier texte illustre bien la tactique de Philon qui réutilise volontiers certaines notions de philosophie populaire tout en infléchissant leur sens de manière à les rendre compatibles avec sa propre conception du judaïsme[14]. L'évêque de Milan ne pouvait avoir de telles complaisances pour le mot « fatum » trop discrédité dans les milieux chrétiens[15]. Aussi rejette-t-il expressément toute interprétation « fataliste » de Genèse, 6, 13 — « le temps de tout homme est venu devant moi » — condamnant implicitement la concession faite par Philon dans l'exégèse de ce verset[16].

Mais une opposition aussi nette aux ouvertures philosophiques de Philon est exceptionnelle dans le *De Cain* et le *De Noe*. Visiblement, le danger qui préoccupe l'évêque de Milan au moment où il compose ces deux traités ne vient pas de cette direction. On trouve, il est vrai, l'expression de certaines réserves en d'autres passages où il est question de spéculations arithmologiques. Ambroise affiche à leur égard un certain dédain, après s'y être prêté quelques instants, il est vrai.

II, p. 48.

Ainsi répète-t-il, après l'Alexandrin, que, si la mort de Caïn doit être vengée sept fois, c'est que, soustraites au joug de la raison, les sept autres parties de l'âme humaine vont à leur perte[17]. Une fois encore, on surprend chez Ambroise ce souci de ne rien perdre, ce goût de la *copia* qui lui fait emprunter à son modèle tout ce qui ne semble point favoriser quelque erreur dangereuse et actuelle comme l'arianisme.

Mais, visiblement, ces exégèses de nombres à implications philosophiques intéressent très peu l'évêque de Milan. Il ne prend pas toujours la peine d'en dire assez pour qu'elles soient compréhensibles[18]. Sans doute les juge-t-il assez anodines pour les employer comme des ornements qui donnent un certain lustre à son discours, comme des fleurs de rhétorique, un peu desséchées, il faut bien le dire. Un « melius[19] », un « plurimum refert[20] » marquent bien vite le retour aux choses sérieuses, c'est-à-dire au symbolisme proprement biblique — le repos du septième jour — ou à la lettre même de la Genèse.

Même quand ces bornes ne sont pas mises, même quand la réminiscence philosophique n'est pas doublée et dévalorisée par une autre interprétation, plus morale et plus biblique, on observe que ces thèmes, empruntés à la spéculation profane, subissent une sensible altération, comme une usure, en passant de Philon à Ambroise.

Ces glissements, ces inflexions, où il est difficile de tracer une frontière exacte entre l'involontaire et le délibéré, peuvent s'observer dans la substitution d'un simple mot au sein d'une phrase par ailleurs traduite. Ainsi, dans son examen des difficultés de la Genèse, Philon rencontre le précepte donné par Dieu à Noé : « Vous ne mangerez pas la chair dans le sang de l'âme », ἐν αἵματι ψυχῆς [21]. Est-ce à dire que le sang soit la substance de l'âme, demande l'Alexandrin ? Il réplique aussitôt qu'il y a plusieurs parties de l'âme et que l'indication donnée ici par l'Écriture concerne seulement l'âme sensitive qui se distingue de l'âme rationnelle. En effet, « ce qui relève de la *chair*, c'est la sensation et l'affectivité, non point l'intellect et le raisonnement[22] ». Ambroise rend scrupuleusement non seulement la structure de la phrase, mais presque tous les mots, faisant correspondre très normalement non seulement « caro » à σάρξ mais « passio » à πάθος, « mens » à νοῦς, « ratiocinatio » à λογισμός. C'est de la traduction facile et mécanique. Il ne vaudrait pas la peine de s'y arrêter davantage si une inexactitude ne changeait l'éclairage de tout l'ensemble. L'αἴσθησις du texte philonien n'est point rendue par « sensus » comme on s'y attendrait[23], mais par « delectatio », qui ne manque pas de surprendre. Ainsi, alors que Philon, pour désigner le domaine pyschologique relevant de la chair, utilisait un vocabulaire à la fois affectif et sensoriel, les deux mots dont se sert l'évêque de Milan désignent l'un et l'autre le domaine de l'affectivité.

Mais la modification introduite par cet apparent contresens va beaucoup plus loin. Le mot « delectatio », en effet, qui se glisse à la place de « sensus »

II, p. 48.

n'est pas moralement neutre. Dans la parénèse ambrosienne, quand il n'est pas neutralisé par un contexte rassurant, il désigne toujours quelque chose de plus ou moins répréhensible. Prise absolument, la « delectatio », le plaisir, joue dans l'histoire de chacun des hommes le rôle que le serpent, c'est-à-dire Satan, a joué au Paradis vis-à-vis du premier couple[24]. C'est le plaisir qui incline au péché et provoque la dégradation qui en est la suite.

Au voisinage de cette « delectatio », le mot « passio » lui-même est entendu différemment : ce n'est plus seulement le principe interne de souffrance et de plaisir, l'affectivité, c'est la « passion » comme servitude et désordre de l'âme[25]. Du même coup, tandis que la phrase de Philon opposait simplement deux niveaux de la psyché, l'âme sensitive et l'âme raisonnable — l'intellect —, ce que l'auditeur ou le lecteur d'Ambroise perçoit, c'est l'opposition de la concupiscence et de la raison, de la chair et de l'esprit. Saint Paul s'est substitué à Aristote, l'analyse psychologique a fait place à la prédication morale. Et les deux phrases qui, apparemment, ne différaient que d'un mot doivent s'entendre dans deux registres fort distincts : « Ce qui relève de la chair, c'est la sensation et l'affectivité, non point l'intellect et le raisonnement », voici ce que disait Philon. Écoutons maintenant Ambroise : « Dans la chair, en effet, il y a le plaisir et la passion, non point l'esprit et le raisonnement[26] ».

Un autre exemple va nous permettre de constater à nouveau combien Ambroise incline à donner une valeur immédiatement morale et édifiante aux analyses philosophiques de Philon.

Une subtile allégorèse du verset de l'Exode sur le rachat du premier-né de l'ânesse[27] — cet animal est le symbole du labeur — amène Philon à envisager le cas où l'effort qui reste infructueux doit être abandonné. Il ne s'agit point, précise-t-il, de l'effort vertueux. Celui-ci, en effet, a sa valeur en soi-même et non pas dans quelque résultat extérieur. Mais il en va autrement des « arts moyens » et des autres activités nécessaires à l'entretien du corps et à l'abondance des biens extérieurs. De tels efforts, en effet, à la différence de la vertu, ne valent que par leur succès. Si celui-ci fait défaut, ils ne sont absolument d'aucun profit[28].

Cette casuistique se fonde évidemment sur la théorie des « préférables » développée par le stoïcisme orthodoxe de Zénon et de Chrysippe. Sans doute, enseignent ceux-ci, tout ce qui n'est pas la vertu ne saurait être que mauvais ou indifférent. Dans la dernière catégorie rentrent en particulier les richesses et la santé du corps, la vie même. Mais, parmi ces choses indifférentes — ces ἀδιάφορα — certaines sont malgré tout l'objet d'une inclination naturelle à laquelle il serait irrationnel de s'opposer. Ce ne sont pas pour autant des biens, mais seulement des « préférables », des προηγμένα[29].

Cette doctrine célèbre constitue l'arrière-plan de la page de Philon

---

II, p. 48-49.

que je viens de résumer. On n'y trouve pas sans doute le mot ἀδιάφορον, mais l'adjectif μέσος a ici la même signification[30]. L'expression μέσαι τέχναι est caractéristique de la terminologie stoïcienne[31]. Ces « arts moyens », qui n'ont pas de valeur en eux-mêmes mais qui ne sont pas entièrement dépourvues d'utilité, s'ils atteignent le résultat qu'ils poursuivent, font bien partie de ces « préférables » dont le stoïcisme classique avait forgé le concept et le nom.

De son *De Cain*, Ambroise reprend à son compte l'exégèse philonienne d'Exode, 13, 13. « Échanger » le premier-né de l'ânesse contre une brebis, c'est échanger de l'effort contre un résultat. Au contraire, ne pas l'échanger, mais le « racheter », c'est renoncer à un effort qui n'atteint pas son but[32]. L'évêque de Milan suit de près l'interprétation de Philon. Il ne s'en écarte sérieusement que sur un point. Mais c'est précisément celui qui fonde toute la casuistique du préférable développée par l'Alexandrin.

Celui-ci écrit en effet, en parlant des μέσαι τέχναι : « Toutes les (activités) qui sont étrangères à la vertu, *si leur but n'est pas atteint*, sont totalement inutiles. » Cette formule reparaît chez Ambroise, mais altérée et inversée : « Les choses qui asservissent l'âme sont toutes inutiles, *même si l'effet ne fait pas défaut*[33]. »

La théorie des « préférables » que Philon avait reprise à sa manière est donc explicitement rejetée par l'évêque de Milan qui, d'ailleurs, ne parle plus de « ce qui est extérieur à la vertu », mais de « ce qui asservit l'âme ». Ce durcissement a été préparé dans les lignes précédentes. L'usage des choses de ce monde, a souligné Ambroise, ne saurait être durable. Ce qu'on peut en obtenir est donc vide et dénué de vérité, et n'est d'aucun profit pour l'âme, quelque grands efforts que celle-ci ait pu dépenser[34]. Pour rendre ce radicalisme plus convaincant, Ambroise se donne d'ailleurs la facilité de changer les exemples que proposait Philon. Aux soins indispensables du corps et à l'abondance des biens extérieurs, il substitue en effet la gloire militaire dont il juge visiblement que la vanité et les aléas prêtent moins à discussion[35].

Car Ambroise, qu'il ait d'abord prononcé ou écrit ses œuvres d'exégèse, s'y montre avant tout un prédicateur, un évêque qui s'adresse à son peuple. Et son tempérament intellectuel semble s'être admirablement adapté à cette fonction. Son souci premier est d'entraîner les volontés, de remuer un auditoire, un public assez vaste. Ce qui est efficace alors, ce sont les contrastes, les antithèses, l'opposition vigoureuse du bien et du mal. C'est cela qui emporte l'adhésion et non point les nuances, les dégradés, les formules d'équilibre et de juste mesure. Il est donc fort compréhensible qu'Ambroise ait ici remplacé les subtilités de la casuistique philonienne par les simplifications de la littérature édifiante[36].

Mais, du même coup, il montre encore une fois le peu de cas qu'il fait des thèmes philosophiques rencontrés chez l'Alexandrin. La doctrine

---

II, p. 49.

des « préférables » n'est pas en effet un détail secondaire et de peu d'importance. Sans elle, l'éthique stoïcienne, dont s'inspire ici Philon, renoncerait totalement à l'une des ambitions essentielles d'une morale philosophique : l'organisation rationnelle de la vie quotidienne[37].

De même qu'Ambroise simplifie les énoncés moraux de Philon et les dépouille de ce qu'ils pouvaient garder de technicité philosophique au profit de l'édification immédiate, de même il substitue à l'anthropologie de son prédécesseur, étroitement liée à la « physique », une psychologie toute concrète de praticien et non plus de spéculatif.

On lit dans la Genèse que Dieu, après le Déluge, fit cette réflexion : « La pensée de l'homme poursuit le mal avec application depuis la jeunesse » (Gn., 8, 21), et Philon commente successivement chaque mot de ce texte, montrant comment le mal et le mal délibéré n'est point en l'homme un incident superficiel, mais est comme gravé en lui depuis le commencement de son existence[38]. Pour développer ce thème, Philon est amené à forcer la lettre même du verset biblique. Dire « depuis la jeunesse » lui paraît insuffisant et il voit dans ces mots à peu près l'équivalent de « depuis sa petite enfance », comme si ce zèle pour le mal était, dès le début, inhérent à l'homme, était nourri et grandissait avec lui[39].

Lorsqu'Ambroise adapte cette *quaestio* philonienne dans une page de son *De Noe*, le thème du péché qui commence dans le berceau l'amène à évoquer un célèbre passage du Livre de Job : « Qui en effet sera pur de souillure ? Personne. Pas même celui qui n'a vécu qu'un jour sur cette terre[40] ». Ces deux versets connaîtront une singulière fortune au moment de la querelle pélagienne. Augustin les cite 46 fois, dont 42 au cours de la controverse sur la grâce. Il s'en sert le plus souvent pour prouver l'existence du péché originel chez les petits enfants présentés au baptême[41]. Mais déjà Cyprien les avait insérés dans ses *Testimonia*[42], et Ambroise les invoque souvent. Il est vrai que la plupart du temps l'évêque de Milan ne presse point la signification de ces deux lignes et les prend seulement comme une affirmation de l'universalité du péché dans l'humanité[43]. C'est en ce sens qu'il les oppose à l'orgueil des novatiens[44], ou qu'il s'en sert pour mettre en relief l'impeccabilité du seul Jésus-Christ[45]

Le texte du *De Noe* permet justement de mieux entrevoir comment Ambroise se représente ce péché de « l'enfant d'un seul jour ». On s'attend d'abord que cet appel à Job, 14, 4-5, soit, pour l'évêque de Milan, le moyen de prendre à son compte le thème philonien et de faire remonter à la petite enfance le péché que décrit Genèse, 8, 21, entendu alors à la manière de l'Alexandrin : « La pensée de l'homme demeure dans le mal avec application *depuis les langes* ». Or, il n'en est rien. Curieusement, en effet, au moment même où il vient d'introduire les deux versets de Job, Ambroise s'applique à en limiter la portée : oui, sans doute l'enfant d'un jour pèche, mais il pèche autrement que le jeune homme. Le péché de

II, p. 49-50.

ce dernier est délibéré, mais non point le péché de l'enfant, qui n'est que de faiblesse, d'infirmité corporelle. Ainsi se trouvent conciliés, mais non confondus, Job, 14, 4-5, qui fait remonter le péché au premier jour de la vie de tout homme, et Genèse 8, 21, qui en situe l'apparition à l'adolescence[46].

A travers ce qui est, en fin de compte, une réplique d'Ambroise à Philon, c'est encore une fois l'opposition de deux perspectives et de deux tempéraments intellectuels qui transparaît. Le mal qu'envisage ici Philon ne relève pas seulement de l'éthique, il est attaché à la constitution même de la créature. On pense à d'autres textes où l'Alexandrin enseigne que deux principes antagonistes sont immanents à l'univers et à chacun des êtres qui le composent : une force créatrice et une force de dissolution[47]. Tout homme les porte en lui dès sa naissance et non point seulement dès sa jeunesse. Ce qui retient au contraire toute l'attention d'Ambroise, ce sont les problèmes de morale et de psychologie envisagés de la manière la plus concrète. On comprend alors sa mise au point : l'enfant n'est point pécheur comme l'adulte ; il fait des fautes, certes, mais qui n'ont rien de délibéré. C'est la faiblesse de son corps qui le fourvoie[48]. A la « physique » philonienne qui ne l'intéresse guère, l'auteur du *De Noe* a substitué une psychologie pratique où il est visiblement bien plus à son aise et qui s'accorde avec la tradition romaine comme avec les tâches et les soucis de l'épiscopat.

De fait, on ne rendrait compte que très insuffisamment de ces relations complexes qu'il entretient avec Philon si l'on considérait seulement les particularités de l'intelligence et de la personnalité d'Ambroise. Plus déterminante encore est cette communauté dont il est le chef, mais aussi le porte-parole, les institutions où elle se retrouve et une certaine conception du progrès spirituel qu'elle oppose fermement à l'idéal philosophique. Un nouveau texte — tiré cette fois du *De Cain* — nous fait entrevoir tout cela.

Il s'agit encore d'une des conditions que doit remplir un sacrifice pour être agréé de Dieu. D'un verset du Lévitique sur l'offrande d'épis de blé, Philon tire quatre qualités requises pour cette oblation et bâtit là-dessus son allégorèse. Retenons seulement les deux premières de ces exigences : cette offrande doit être « nouvelle », elle doit être « grillée[49] ».

La nouveauté exigée de l'offrande inspire à l'Alexandrin une fort belle méditation sur le bon usage de la tradition. Cette prescription, explique-t-il d'abord, est dirigée contre ceux qui oublient que Dieu n'appartient pas au passé, que tout en lui, au contraire, est jeunesse, nouveauté, apparition instantanée[50]. Sans doute, avoir conscience de cette vérité et refuser d'accorder au temps une efficacité qu'il n'a pas, ce n'est pas pour autant donner congé aux opinions antiques et vénérables[51]. Mais il arrive que, soudain, alors qu'on ne l'attendait ni ne l'espérait, une lumière se

---

II, p. 50.

met à briller, celle de la sagesse qui ne s'apprend pas de l'extérieur. Désormais, pour l'âme devenue clairvoyante, il est vain de prêter l'oreille aux paroles des traditions[52].

Pour préciser encore sa pensée, Philon invoque une autre prescription du Lévitique : « Vous mangerez ce qui est ancien et ce qui est ancien parmi l'ancien, mais vous emporterez aussi l'ancien hors de la présence du nouveau. » En d'autres termes, il ne faut rien ignorer de la science accumulée avec le temps, mais, lorsque Dieu fait lever les jeunes pousses de la sagesse qui s'enseigne elle-même, on doit aussitôt abolir et extirper tout ce qu'on a appris de l'extérieur et qui est par nature promis à l'anéantissement. On ne peut à la fois être l'écolier de Dieu et supporter les instructions des mortels[53]. Encore faut-il que soit consolidé — « grillé » — ce nouvel épanouissement de l'âme. Ce sera l'œuvre d'une raison capable à la fois de fixer les objets contemplés et de briser l'élan irrationnel de la passion[54].

Il semble que Philon ait mis dans ce développement beaucoup de lui-même, non seulement son aspiration à une révélation intérieure, s'adressant immédiatement à l'âme sans passer par le canal des traditions, mais aussi le goût qu'il garde quand même pour toute cette culture diverse et multiple que les siècles ont accumulée et rendue vénérable : « Il faut... avoir commerce avec les écrits des sages... être curieux des hommes et des choses des époques antérieures, car il est suprêmement doux de ne rien ignorer[55]. »

Si Ambroise ne reprend pas à son compte cette exégèse philonienne, il l'a du moins présente à l'esprit quand il lui substitue, terme à terme, une interprétation proprement chrétienne. Après avoir rappelé, d'après le Lévitique, les quatre qualités requises pour l'offrande de grains, l'évêque de Milan, sans répéter, même au titre du sens moral, les explications de l'Alexandrin, propose aussitôt le principe de ce qu'il considère comme l'interprétation définitive : « Mais maintenant, il a été révélé que ces (offrandes) symbolisent ceux qui sont renouvelés par les mystères du baptême[56]. » C'est essentiellement une psychologie du sacrement qu'Ambroise va développer à partir de cette équivalence, au lieu d'envisager, comme Philon le laissait entrevoir, le moment où l'âme n'a plus besoin de la médiation des signes.

Indiquons seulement quelques points où apparaît plus nettement ce qui sépare l'exégèse ambrosienne de celle que proposait l'Alexandrin. L'idée de nouveauté n'est plus l'occasion de rappeler l'éternelle jeunesse du divin, ce perpétuel jaillissement, cette impossibilité de trouver en Dieu du passé. Ambroise remplace cette méditation théologique par des considérations sur la foi toute neuve des baptisés, qui possède la fécondité, l'ardeur et les forces intactes de l'adolescence[57]. Le précepte du Lévitique sur ces anciennes récoltes qu'il faut manger, mais qu'il faut aussi mettre à l'écart pour faire place aux nouvelles n'évoque plus la

II, p. 50.

vision immédiate de l'âme rendant superflue la médiation du ouï-dire :
les nourritures anciennes, ce sont la Loi et les Prophètes — l'Ancien
Testament — les nouvelles, c'est la vérité du corps du Christ remplaçant
l'agneau figuratif, c'est le Nouveau Testament[58]. Ce qui vient dissiper
l'ombre de la Loi, c'est la grâce de la passion du Seigneur, et la lumière
éclatante de sa résurrection[59].

Mais cette illumination n'est plus à entendre au sens purement intérieur
que lui donnait le texte de Philon. On le voit bien lorsqu'Ambroise commente la deuxième condition posée pour les oblations de grains. Le λόγος
immanent à l'âme, que l'Alexandrin faisait intervenir ici, semblable au
feu qui consolide et qui purifie, devient dans le *De Cain* le « verbum domini », la parole du Seigneur[60], identifiée aux Écritures[61].

Rien de plus caractéristique que l'opposition de ces deux schémas. La
philosophie peut avoir quelque emploi aux deux niveaux envisagés par
Philon. Sans doute, les écrits des sages, les exemples des ancêtres, les
maximes et les préceptes du passé désignent d'abord l'antiquité juive.
Mais Philon ne met explicitement aucune borne à cet héritage. Celui-ci
doit donc envelopper aussi cette sagesse hellénique que l'Alexandrin
utilise si souvent. Il est vrai que toutes les moissons anciennes doivent
céder la place à l'illumination intérieure quand celle-ci se produit. Mais
ce qui est dit alors de la nécessité d'un λόγος pour fixer les objets contemplés n'est pas sans évoquer une démarche de type philosophique.

Sur ces deux points, Ambroise ferme soigneusement ce que Philon
laissait ouvert. Les moissons anciennes sont pour lui strictement contenues
dans les limites de l'Ancien Testament, sous la double rubrique : connaissance des patriarches, oracles des prophètes. Quant à l'étape supérieure,
celle de la vérité substituée à la figure, il est bien encore question d'un
« verbum » dont la fonction est de stabiliser et de défendre le progrès
de l'âme, mais c'est maintenant la parole du Seigneur contenue dans
des livres saints. Là où Philon semble faire une large place à la recherche
individuelle et à l'expérience singulière, Ambroise introduit partout la
double référence collective de l'initiation sacramentelle et des Écritures
authentifiées.

II — POLÉMIQUE CONTRE LE JUDAÏSME

L'unique fois où l'évêque de Milan cite le nom de Philon, c'est pour
souligner les limites que son « affectus Iudaicus » avait imposées à son
exégèse[62]. Aux yeux d'Ambroise, Philon d'Alexandrie est bien avant tout
Philon le Juif.

Or, l'évêque de Milan polémique volontiers contre la Synagogue.
Il ne s'agit point seulement de controverse verbale. On sait que l'opposition
opiniâtre d'Ambroise empêcha Théodose de faire rebâtir la synagogue

---

II, p. 50-51.

de Callinicon brûlée par des chrétiens, soit aux dépens de l'évêque local, soit aux frais de l'État[63]. Dans la lettre qu'il envoie à l'empereur sur ce sujet et qui se termine par une discrète menace, Ambroise a des mots très durs. Si le prince met son projet à exécution, dit-il, les juifs pourront graver cette inscription sur leur synagogue reconstruite : « temple d'impiété bâti avec les dépouilles des chrétiens[64] ». « Lieu d'incrédulité, demeure d'impiété, asile de démence », tels sont les qualificatifs que l'on trouve un peu plus loin, dans la même lettre[65].

Dans cette polémique, Ambroise ajoute aux arguments de droit et aux ressorts de l'éloquence les secours de l'allégorèse. L'épisode évangélique de la pécheresse pardonnée chez le Pharisien incrédule fournit à l'évêque de Milan la matière d'une antithèse entre l'Église et la Synagogue où la seconde se trouve naturellement accablée. Au cours de l'affaire de Callinicon, Ambroise utilise deux fois cette interprétation. Il l'esquisse dans sa lettre à Théodose[66]. Il la développe ensuite à loisir dans le sermon qu'il prononce devant l'empereur avant que celui-ci ne se voie contraint de céder[67].

Or, cette exégèse allégorique, si elle lui a été très certainement révélée par l'usage de l'Église, Ambroise en a appris le maniement à l'école de Philon. C'est ce que nous montrent particulièrement bien le *De Cain* et le *De Noe*, qui évoquent parfois le cahier d'exercices. Il sera intéressant d'y voir comment les allusions critiques à la Synagogue viennent se greffer sur les emprunts à Philon le Juif.

Ici encore, on constate un certain dégradé qui fait passer de l'allusion occasionnelle à la critique délibérée. Dans tous les cas, on peut penser, au moins à titre d'hypothèse, que ce n'est point par inadvertance que l'évêque de Milan ajoute ses gloses antijuives aux commentaires de celui dont il a dénoncé précisément l'« affectus judaicus ». La supposition prend de la consistance lorsqu'on se rappelle qu'Ambroise attaque volontiers, de manière plus ou moins voilée, ceux qu'il utilise. On aurait assurément bien tort de voir là une attitude de « mendiant ingrat ». Simplement l'évêque de Milan avait conscience, beaucoup plus que nous, de tout ce qui le séparait des auteurs juifs ou profanes dont il se servait en les transformant. Il tenait sans doute à bien marquer cette distance.

Je citerai d'abord deux textes où Philon n'est proprement ni critiqué ni amendé, mais où son exégèse fournit à Ambroise l'occasion de mettre en cause le judaïsme.

Le premier de ces passages se trouve dans le *De Noe*. C'est une explication de Genèse, 8, 12 : « Après sept jours, la colombe est envoyée une troisième fois et elle ne revient pas. » Au sens littéral, cela montre que l'oiseau a enfin trouvé un coin de terre où poser ses pattes. C'est le signe que les eaux du déluge ont commencé à sécher. Mais c'est le sens allégorique qui intéresse Philon lorsqu'il vient à commenter ce verset dans ses

II, p. 51.

Quaestiones in Genesin (II, 44). Comme presque toujours dans le *De Noe*, Ambroise commence par reprendre assez exactement l'interprétation de l'Alexandrin. Dans tout cet épisode de l'histoire de Noé, la colombe représente, pour l'un comme pour l'autre, la vertu. Le fait qu'elle ne revienne pas auprès du juste apparaît d'abord comme un paradoxe. Pour surmonter cette difficulté, Philon, suivi par Ambroise, invite à voir dans le départ de la colombe un rayonnement, non point une séparation. La vertu du juste irradie vers ceux qui l'entourent sans que lui-même en soit pour autant délaissé. Cependant, si personne n'est disposé à l'apprentissage de la vertu, si personne n'est prêt à recevoir ses rayons bienfaisants, ceux-ci se réfléchissent en quelque sorte et reviennent vers le seul juste. C'est ce qui s'est passé lors des deux premiers envois de la colombe. La troisième fois, tout change. La vertu n'est plus la propriété d'un seul, mais le bien commun de tous ceux qui veulent recevoir l'effusion de la sagesse.

Ambroise suit fidèlement cette ligne d'explication en se bornant à donner plus d'ampleur et plus de chaleur à l'exposé qui reste assez schématique dans la *Quaestio* philonienne. La difficulté posée par l'allégorèse du verset est plus explicite que chez Philon, de même que les étapes de sa solution. Deux *interrogationes* viennent accroître la tension rhétorique et donnent à cette page cette allure de « diatribe » qui convient à l'enseignement de l'évêque[68].

Jusqu'ici Ambroise s'est borné à des aménagements formels. Mais une fois qu'il a exposé l'interprétation philonienne de Genèse, 8, 12, il lui donne un double prolongement. Philon indique, au terme de sa *Quaestio*, que cette colombe enfin posée signifie l'accueil de la sagesse par ceux qui en ont longtemps connu la soif. L'auteur du *De Noe* saisit l'image ainsi suggérée et passe du rayonnement lumineux au jaillissement de la source de la sagesse : il pense tout naturellement à celui qui est la Sagesse et qui a dit « Si quelqu'un a soif, qu'il vienne à moi et qu'il boive. Celui qui croit en moi, ainsi que l'a dit l'Écriture, des flots d'eau vive jailliront de son sein[69]. » Ambroise termine son développement sur Genèse, 8, 12, par ce verset johannique, mais, avant même de le citer, il en tire la substance des réflexions qu'il ajoute au commentaire de son devancier. Le dilemme représenté par le retour ou le non-retour de la colombe change de registre. L'alternative philonienne, d'un moralisme un peu abstrait — accueillir ou ne pas accueillir la « disciplina virtutis », — fait place au personnalisme évangélique : croire ou ne pas croire au Seigneur Jésus.

Les deux premières tentatives où la colombe retourne vers Noé sans avoir pu se poser symbolisent donc pour Ambroise le refus obstiné de la foi chrétienne. Le troisième vol, celui qui réussit puisque la colombe ne revient pas, figure l'ardeur du néophyte qui cesse de refuser l'Évangile.

Ambroise prend comme exemple privilégié de l'endurcissement dans

---

II, p. 51.

l'incroyance, l'attitude du peuple juif. La même période qui commence
par une paraphrase de Philon continue en évoquant cette incrédulité :
« Au contraire, lorsque le déluge des passions a cessé de bouillonner, et
que beaucoup ont mis leur zèle à être cohéritiers de la parole qu'ils ont
entendue et de la doctrine dont ils ont eu connaissance, l'apprentissage
de la vertu cesse d'être le patrimoine d'un seul, pour devenir un bien
commun, et, pour ainsi dire, la coupe de la sagesse est vidée par beaucoup
qui jusque là, alors qu'ils étaient assoiffés, n'avaient pas voulu boire.
De même, le déluge bouillonne maintenant dans le cœur des juifs et
pourtant, alors que l'eau de la doctrine céleste déborde et que la boisson
surabonde, ils ne croient pas qu'il faille boire[70]. »

La suite du passage n'est pas moins instructive. Elle nous montre
les deux attitudes qu'Ambroise adopte à l'égard des coreligionnaires
de Philon, celle du polémiste et celle du convertisseur : « On lit l'évangile,
une force sort de la parole céleste, l'évêque commente dans l'église. Mais
pour éviter de ne pouvoir se faire entendre en étant seul dans l'arche,
il arrive que, même sorti de l'église, en présence de juifs, il exhorte et cite
les Écritures célestes. Eux se bouchent les oreilles de peur que la source
ne les lave même contre leur gré, et que l'eau de la parole du Seigneur
ne se répande sur eux. Si cependant certains ont cru, ils courent à la
source, ils demandent instamment qu'on les instruise, ils désirent avec
ardeur que l'évangile leur soit inculqué. C'est ainsi qu'ils aspirent à être
remplis par la source qu'auparavant ils fuyaient de toutes leurs forces.
Quelle source ? Entends celui qui dit : Si quelqu'un a soif, qu'il vienne
à moi et qu'il boive[71]. »

Ces quelques lignes sont précieuses, car elles montrent bien l'arrière-
plan pastoral de ce dialogue secret d'Ambroise avec Philon que nous
essayons de surprendre sous les mécanismes de l'imitation. En reprochant
à l'Alexandrin son « affectus iudaicus », l'évêque de Milan ne soulève
pas une controverse d'école. Ce qu'il évoque par ces deux mots, c'est
une attitude d'esprit qu'il a fréquemment l'occasion d'observer et à
laquelle il doit parfois s'affronter très concrètement dans la cité même
qu'il a mission d'évangéliser. C'est dans cette perspective qu'il faut
comprendre la vigilance toujours critique dont il fait preuve à l'égard
de l'exégète alexandrin, en qui il voit en même temps un modèle et un
adversaire. Philon lui permet de polémiquer par personne interposée
avec la communauté juive de Milan. Il n'est pas indifférent de savoir
que celle-ci s'associa publiquement aux honneurs rendus par l'ensemble
de la population à l'évêque défunt si l'on en croit le témoignage de Paulin[72]. Ce fut là sans doute un geste de prudence. Mais il n'est pas interdit
de penser qu'il s'y mêlait une certaine estime pour un adversaire d'enver-
gure qui maintint la polémique à un niveau élevé et qui n'eut rien de
l'antisémite borné qu'imaginèrent plus tard des hagiographes médiévaux[73].

Que la controverse reste doctrinale ne l'empêche point d'être souvent

II, p. 51.

fort vive. C'est que le débat entre l'Église et la Synagogue est d'autant plus grave qu'on n'y oppose point révélation à révélation, Écriture sainte à Écriture sainte ; on prétend de part et d'autre à la possession et à l'interprétation légitimes, authentiques et exclusives de la même loi divine transmise par Moïse. C'est ce qu'Ambroise exprime très nettement dans un autre passage du *De Noe*, un développement de polémique antijuive greffé encore une fois sur une page de Philon.

Il s'agit d'expliquer un passage de la Genèse (7, 4). Dieu vient d'annoncer qu'il fera pleuvoir sur la terre quarante jours et quarante nuits. Il indique ensuite la raison d'être de ce déluge : « J'effacerai de la surface de la terre tout ce que j'y ai fait croître » ou, pour serrer d'un peu plus près le texte des LXX : « J'effacerai de la surface de la terre toute la croissance que j'ai faite. » C'est le mot grec ἐξανάστασις que je rends ici, faute de mieux, par croissance. La Vulgate propose : « omnem substantiam, quam feci ». Ambroise use d'une version, qui s'écarte plus nettement des LXX : « omnem resurrectionem carnis ». Mais s'il ne commente pas exactement le même texte que Philon, Ambroise n'en reprend pas moins la double explication proposée par l'auteur des *Quaestiones in Genesin*. Rappelons le schéma de cette exégèse.

Avant de donner son interprétation des paroles sacrées, Philon interroge, avec une emphase qui n'est pas courante dans les *Quaestiones in Genesin* : « En entendant ces mots, ne bondissez-vous pas d'admiration pour la beauté de la pensée[74] ? » Ambroise s'inspire visiblement de cette entrée en matière : « Ô beauté des paroles célestes si on les pèse avec l'intelligence qui convient à une âme pieuse[75] ! » et y revient un peu plus loin : « Il est beau qu'il ait mis le mot *j'effacerai*[76]. »

Cette beauté apparaît si l'on pèse chacun de ces « caelestia verba ». C'est d'abord l'expression « de la surface de la terre » qui retient Philon et, à sa suite, Ambroise. Celui-ci ne fait guère que paraphraser son modèle quand il écrit : « Il dit qu'il effacera la chair non pas de la terre, mais de la surface de la terre. Il fait tomber la fleur, il préserve le racines, il permet que subsiste dans les profondeurs la force de la substance humaine. »

Un fragment grec de la *quaestio* philonienne, conservé par les chaînes et publié par J. Rendel Harris fait bien ressortir la dépendance d'Ambroise :

PHILON, *Quaestiones in Genesin*, II, 15, Harris, p. 21 :

AMBROISE, *De Noe*, 13, 45, p. 442, 20-25 :

Τί φασι οὐκ « ἀπὸ τῆς γῆς » ἀλλ' « ἀπὸ τοῦ προσώπου τῆς γῆς » ; τουτέστι τῆς ἐπιφανείας ἵνα ἐν τῷ βάθει ἡ ζωτικὴ δύναμις τῶν σπερμάτων ὅλων οὖσα φυλάττηται σῶα καὶ ἀπαθὴς παντὸς τοῦ βλάπτειν δυναμένου... Ἀλλὰ

« Deleterum se dicit carnem n o n 'a terra,' sed 'a f a c i e t e r r a e'. Florem d e c u t i t, r a d i c e s reservat : sinit ut in pro- f u n d o substantiae v i r t u s maneat humanae, quae i n s u- perficie laboret, intus inpas-

---

II, p. 52.

τὰ μὲν ἄνω καὶ κατ' αὐτὴν τὴν
ἐπιφανείαν κινούμενα φθεί-
ρει, τὰς δὲ ρίζας βυθίους ἐᾷ
πρὸς γένεσιν ἄλλων.

s i b i l i s perseveret i n m u -
n i s q u e n o x a e ad eorum
substitutionem qui non sint reatu
obnoxii reservetur ».

La seconde expression qu'Ambroise comme Philon se met en devoir
de « peser », c'est le verbe « j'effacerai ». Là encore l'évêque de Milan
reprend l'explication de son prédécesseur qui, insiste sur l'image concrète
impliquée par le mot choisi : effacer, c'est détruire les caractères tout
en conservant le support :

PHILON, *Quaestiones in Genesin*,
II, 15, Harris, p. 21 :

AMBROISE, *De Noe* 13, 45, p. 442, 25-
443, 1 :

Θεοπρεπῶς γὰρ τ ὸ « ἐ ξ α λ ε ί ψ ω »
ὥ σ π ε ρ τῶν ἀπαλειφομένων τὰ μὲν
γράμματα ἀπαλείφονται, αἱ δ έ λ -
τ ο ι δὲ διαμένουσιν

« Pulchre autem posuit 'd e l e b o'
t a m q u a m l i t t e r a r u m a p i c e s,
qui d e l e n t u r sine fraude
l i b r o r u m et sine inminu-
tione t a b u l a r u m ».

cf. ibid., fragm. Wendland, p. 54 :

... τὰς δὲ δ έ λ τ ο υ ς ἢ β ί β λ ο υ ς
διαμένειν.

L'explication que l'auteur du *De Noe* donne de cette image est également
empruntée à la *quaestio* de l'Alexandrin : « Il effacera comme des lettres
la génération d'hommes superflue à cause de son impiété, mais il conservera la substance et l'usage du genre humain, à la manière des tablettes
qui subsistent, afin que la semence restante se multiplie ».

La comparaison avec un autre fragment grec montre qu'ici encore
Ambroise suit de très près le texte de Philon :

PHILON, *Quaestiones in Genesin*,
II, 15, Wendland, p. 54 :

AMBROISE, *De Noe*, 13, 46, p. 444,
2-6 :

'Ε ξ ο ὖ π α ρ ί σ τ η σ ι ν ὅ τ ι τ ὴ ν
μ ὲ ν ἐ π ι π ο λ ά ζ ο υ σ α ν γ έ ν ε -
σ ι ν δ ι ὰ τ ὴ ν ἀ σ έ β ε ι α ν ἀ π α -
λ ε ί ψ ε ι δ ί κ η ν γ ρ α μ μ ά τ ω ν,
τ ὴ ν δὲ χ ώ ρ α ν κ α ὶ τ ὴ ν ο ὐ σ ί α ν
τ ο ῦ γ έ ν ο υ ς τ ῶ ν ἀ ν θ ρ ώ π ω ν
δ ι α φ υ λ ά ξ ε ι πρὸς τὴν αὖθις
σποράν.

« Q u o d e c l a r a t u r q u o d
superfluam hominum nati-
vitatem propter impieta-
tem eius deleverit specie
litterarum, substantiam
autem et conversationem[77] generis servarit humani velut
perpetuitate tabularum, ut ex ea
semen reliquum pullularet ».

On voit qu'ici l'imitation va plus loin que la paraphrase et tend à devenir purement et simplement traduction. Or, c'est précisément au cours
de ce développement où le texte de Philon transparaît si nettement

II, p. 52.

qu'Ambroise insère une digression qui traduit bien l'ambiguïté de son attitude à l'égard de l'exégète juif. Cet *excessus* coupe brutalement le tissu philonien au milieu de l'explication du verbe « delebo ». La suite originelle des idées se retrouve sans faille si l'on passe directement, dans l'édition Schenkl du *De Noe*, de la page 443, ligne 1 à la page 444, ligne 2 : «...comme des caractères qui sont effacés sans que le livre soit endommagé, sans que rien soit retranché aux tablettes. L'encre est effacée, mais le bois demeure. Cela montre qu'il effacera comme des lettres la génération d'hommes superflue à cause de son impiété, mais qu'il conservera la substance et l'usage du genre humain, à la manière des tablettes qui subsistent ». La couture est alors invisible, le développement a retrouvé son cours normal, on ne quitte point la *Quaestio in Genesin* :

PHILON, *Quaestiones in Genesin*, II, 15, Wendland, p. 54 :	AMBROISE, *De Noe*, 13, 45-46, p. 443, 1 ; p. 444, 2 sq. :
... τὰ μὲν γράμματα ἀφανίζεσθαι, τὰς δὲ δέλτους ἢ βίβλους διαμένειν. Ἐξ οὗ παρίστησιν ὅτι τὴν μὲν ἐπιπολάζουσαν γένεσιν διὰ τὴν ἀσέβειαν ἀπαλείψει δίκην γραμμάτων.	« Atramentum deletur, sed lignum manet. Quo declaratur quod superfluam hominum nativitatem propter impietatem deleverit specie litterarum...

On voit qu'entre les deux phrases du texte de droite la continuité est aussi parfaite qu'entre les deux phrases du texte grec. Et pourtant, dans le *De Noe*, toute une page vient s'insérer entre « manet » et « quo declaratur ». Il s'agit d'une digression consciente et délibérée puisqu'Ambroise prend soin d'indiquer le moment où il revient au thème principal et de rappeler celui-ci au lecteur[78].

Or, loin d'être une parenthèse que l'on pourrait à la rigueur sauter, cet *excessus* renferme l'essentiel de ce qu'Ambroise veut dire sur Genèse, 7, 4. On y trouve en effet le prolongement chrétien de l'exégèse avancée par l'Alexandrin.

Du point de vue de la forme, c'est un ensemble de variations sur l'antithèse qui est au cœur de la *quaestio* philonienne : ce qui est détruit et ce qui est préservé pour de nouvelles fructifications. Deux passages des Épîtres aux Corinthiens jouent le rôle essentiel dans cette réinterprétation. C'est d'abord I Corinthiens, 15, 42, texte classique sur la résurrection de la chair, qui semble bien avoir été curieusement suggéré à Ambroise par la traduction de verset de la Genèse qu'il avait sous les yeux : « Delebo omnem resurrectionem carnis. » Amalgamant le verset paulinien et le verset de la Genèse, l'évêque de Milan passe de la perspective du passé à celle du futur. Le déluge annonciateur d'une nouvelle germination est maintenant compris comme la destruction de la corruption de la chair faisant place à l'incorruptibilité[79].

Par un de ces glissements d'image familiers à l'évêque de Milan, ce

---

II, p. 52.

n'est plus la profondeur du sol, où les racines sont préservées, qui est opposée à la surface de la terre, où les fleurs sont coupées, l'antithèse est maintenant celle de la terre et des cieux : « J'effacerai la résurrection de la chair de la suface de la terre, afin d'écrire dans les régions célestes ceux qui ressuscitent[80]. » Ambroise a décidément quitté l'histoire des origines, où se situait l'interprétation philonienne pour lui substituer les prémonitions de l'eschatologie chrétienne.

Cela nous conduit à la seconde partie de l'*excessus* qui renferme justement une vigoureuse dénonciation de ce littéralisme exégétique qu'Ambroise reproche aux juifs, et plus spécialement à Philon.

Après la métaphore de la végétation, c'est maintenant celle de l'écriture effacée qui préside au développement d'Ambroise. On a vu que Philon l'avait tirée du verbe ἐξαλείψω, en Genèse, 7, 4, et qu'il s'en était servi pour expliquer tout le verset. Ambroise en fait le point de départ d'une nouvelle chaîne d'associations qui aboutit à un second texte paulinien.

L'accroissement de la tension rhétorique montre l'importance que l'auteur du *De Noe* veut donner à ce passage. C'est d'abord une solennelle invocation : « Que soient effacés, Seigneur, mon Seigneur, que soient vite effacés les caractères tracés par le fer, pour que soient écrits les caractères tracés par le Christ. Que la résurrection terrestre soit abolie, pour que surabonde la grâce céleste[81]. »

Par une espèce de chiasme, la seconde phrase de cette prière rappelle le thème qui vient d'être traité, tandis que la première annonce le développement qui va suivre : l'opposition entre deux espèces d'écriture auxquelles correspondent deux compréhensions des « Écritures célestes ».

Une nouvelle apostrophe vient préciser les intentions d'Ambroise : « Viens, Moïse, prépare ton sein, reçois la Loi, reçois des caractères que désormais la miséricorde divine ne détruise point. Reçois des tables que le Seigneur fixe pour l'éternité. Puisses-tu ne pas les briser toi-même[82]. »

Ambroise évoque ici l'épisode célèbre raconté aux chapitres 32 et 34 de l'Exode. Irrité contre l'idolâtrie dont le peuple juif s'était rendu coupable en son absence, Moïse a brisé les tables de la Loi écrites par le doigt de Dieu. Mais le Seigneur, dans sa miséricorde, lui ordonne de tailler deux tables de pierre semblables aux premières et lui dicte les paroles de l'alliance[83]. Selon une autre tradition, les secondes tables auraient, elles aussi, été écrites par Dieu lui-même[84].

Déjà Jérémie avait intériorisé cette seconde tradition de la Loi : la nouvelle alliance ne sera pas comme la première, que les juifs ont rompue au Sinaï. Car c'est dans les cœurs que Dieu écrira désormais ses commandements[85]. Paul fait allusion à ce passage célèbre lorsqu'il écrit aux fidèles de Corinthe : « Vous êtes une lettre du Christ, rédigée par mes soins, écrite non avec de l'encre, mais avec l'esprit du Dieu vivant, non

---

II, p. 52.

sur des tables de pierre mais sur des tables de chair, sur vos cœurs[86] ».

Tout naturellement les « secondes tables » sont devenues pour les chrétiens le symbole du Nouveau Testament. La majorité des Pères a donc préféré penser qu'elles avaient, elles aussi, été écrites par le doigt de Dieu. En dépit de certaines interprétations subtiles, réserver ce privilège à l'Ancien Testament semblait en effet donner l'avantage à Moïse sur Jésus, ce qui était évidemment inacceptable. Nous connaissons le détail de la discussion par saint Augustin qui s'y attarde assez longuement dans la *Quaestio* 166 *in Exodum,* et dans la quinzième de ses *Quaestiones in Deuteronomium*[87].

La page du *De Noe* que nous examinons se situe dans cette perspective. Cette opposition entre l'extérieur et l'intérieur, entre les caractères tracés avec l'encre et la plume et les caractères tracés par le doigt de Dieu, c'est-à-dire en fin de compte entre la lettre et l'esprit, Ambroise ne l'enferme naturellement pas dans la sphère de la religiosité privée. Cette antithèse s'incarne pour lui en deux collectivités, l'Église et la Synagogue, qu'il définit comme deux types de compréhension des Écritures.

Ou plutôt ce n'est pas la même Écriture qu'on lit de part et d'autre. Les juifs prétendent bien posséder les secondes tables, mais ils ne les possèdent pas[88]. Ils affirment qu'ils lisent les caractères que Dieu a écrits, mais ils ne les lisent pas. Ce qu'ils ont sous les yeux, c'est seulement ce que le fer a tracé. Ils voient l'encre, ils ne voient pas l'esprit, à l'inverse de l'Église qui ignore l'encre et connaît l'esprit[89].

Et Ambroise fait allusion au texte de la seconde *Épître aux Corinthiens* que nous venons de citer : « Paul sait écrire non pas avec de l'encre mais avec l'esprit du Dieu vivant. O peuple juif, sacrilège et stupide ! Un homme écrit avec l'esprit de Dieu et un homme élevé dans la Loi, et ils veulent que Dieu écrive avec de l'encre et non avec l'esprit[90] ! »

Ce qui n'est pas le moins digne d'attention, c'est la manière dont ce morceau de polémique antijuive s'insère dans le schéma exégétique philonien. L'Alexandrin explique Genèse, 7, 4, aux deux niveaux qui constituent le cadre habituel de son exégèse. Selon la lettre, le déluge est un moyen pour Dieu d'exterminer une génération impie tout en préservant l'avenir du genre humain. Selon le sens « plus profond », le déluge symbolise la grâce du Père, qui lave l'âme de ses souillures[91].

On a vu qu'Ambroise reprenait à son compte le premier sens de Philon. Il en va de même pour le second : « Selon le sens plus profond le déluge est le type visible de la purification de l'âme ». Et l'évêque de Milan s'inspire encore de l'Alexandrin dans l'explication de ce symbolisme. Les bonnes pensées nettoient la souillure de l'antique concupiscence, comme les flots purs viennent clarifier et adoucir des eaux troubles et amères[92].

Mais Ambroise ne se contente point de paraphraser son modèle. Nous

---

II, p. 52-53.

avons vu, en effet, qu'il ajoute aux deux sens philoniens deux interprétations nouvelles, proprement chrétiennes et plus précisément pauliniennes : le déluge symbolise la mort et la résurrection finale, le déluge
figure l'élimination des juifs, remplacés par un nouveau peuple élu, que
définit sa capacité de lire les Écritures comme Écriture divine. On pourrait dire que, de ces deux interprétations ajoutées par Ambroise, la
première est eschatologique, la seconde ecclésiale. Ce qui les relie, c'est
le thème de la vie qui s'oppose d'une part à la terre, lieu de la corruption
— « Je les effacerai du livre de la terre, pour les inscrire dans le livre
de la vie[93] » — et d'autre part à la matérialité du texte : « Paul sait
écrire non avec de l'encre, mais avec l'esprit du Dieu vivant[94]. »

On s'attendrait qu'Ambroise ait placé ces interprétations nouvelles
à la suite des deux sens indiqués par Philon. C'est un schéma en effet
qui est familier à l'évêque de Milan et qui met bien en valeur la transcendance du sens chrétien. Dans le cas présent, on retrouverait facilement
la gradation « physice », « moraliter », « mystice ». Mais la solution
qu'adopte en fait Ambroise est tout autre. Il semble laisser la primauté
au second sens de Philon qui vient couronner l'exégèse de Genèse, 7, 4,
et qui est explicitement présenté comme « le sens plus profond[95] ».
Bien plus, l'interprétation chrétienne n'est même pas donnée pour elle-
même, nettement séparée des deux autres. Elle n'apparaît que dans
une digression qu'Ambroise prend soin de clore en annonçant qu'il va
revenir « ad superiora ». Cette apparente inadvertance mérite quelque
attention et peut suggérer, semble-t-il, trois remarques.

La première, c'est qu'il y a sans doute plus de logique qu'il ne semble
d'abord dans la solution adoptée par Ambroise. Les deux exégèses chrétiennes qu'il apporte et la première explication qu'il trouve chez Philon
présentent en effet un trait commun : toutes les trois sont en relation
avec l'histoire. Le sens littéral de Philon concerne le passé de l'humanité,
le sens « ecclésial » le présent, et le sens eschatologique l'avenir. Il est
donc à ce titre plus normal de les regrouper en les distinguant nettement
du « sensus altior » qui ne regarde que l'âme individuelle. On pourrait
dire, en employant un instant un langage moderne, étranger, on l'a vu,
à Ambroise, que les trois premières interprétations relèvent de la typologie
judéo-chrétienne, tandis que la quatrième représente l'allégorèse hellénistique. En mêlant ces deux plans, la gradation « physice », « moraliter »,
« mystice » représenterait ici la substitution d'un schéma artificiel et
mécanique à la suite naturelle des idées.

Ce qui reste anormal c'est que les deux interprétations chrétiennes
ne soient pas détachées, présentées pour elles-mêmes, et n'apparaissent
que dans une digression qui vient un instant interrompre l'exposé du sens
« secundum litteram ». Cette maladresse est un des traits qui pourraient
inviter à avancer la date relative du *De Noe* et à voir dans ce traité un

---

II, p. 53.

des premiers essais exégétiques d'Ambroise, encore marqué par l'inexpérience du débutant.

Il est vrai que la tension rhétorique compense dans une certaine mesure l'hésitation que trahit le plan. La digression est particulièrement riche en figures. Les *isocola* y sont fréquents et soignés, comme ce *tricolon* dont le troisième membre est en même temps le premier élément d'un *dicolon* complexe aux variations subtiles : « Praepara gremium, / legem accipe, // suscipe apices, // quos iam misericordia divina non deleat, / suscipe tabulas, / quas dominus statuat in aeternum[96] ». Les antithèses triomphent et se combinent, rendues moins monotones par le chiasme[97]. Ambroise fait appel à ces instruments du pathétique que sont l'*interrogatio*[98], l'*obsecratio*[99], l'*obiurgatio*[100]. Mais ce sont surtout les deux apostrophes qui donnent à cette page son singulier relief. Ambroise en renforce l'effet par une double *iteratio* initiale, accompagné d'un passage soudain à la première personne du singulier[101]. L'apostrophe à Moïse en reçoit un accent personnel qui se mêle à la polémique antijuive et la rend plus pressante[102]. Ce « je » est d'autant plus efficace qu'avant cet *excessus* chrétien c'est le « nous » didactique qui est de rigueur[103] et que, lorsqu'il reprend le thème principal et suit à nouveau le fil de l'exégèse philonienne, Ambroise revient à la première personne du pluriel[104].

Ce texte précise donc très utilement le témoignage des lignes que nous avons précédemment analysées. Il montre bien comment se superposent le dialogue exégétique avec Philon et la controverse avec le judaïsme, l'un et l'autre étant enracinés dans l'activité épiscopale d'Ambroise. Il nous révèle les points forts de cette polémique : si la désobéissance du peuple élu est dénoncée au passage[105], c'est sur le front biblique que l'auteur du *De Noe* fait porter l'essentiel de son attaque. Que Moïse ait été choisi comme témoin de l'accusation est extrêmement significatif et jette une nouvelle lumière sur les sentiments ambivalents que l'évêque de Milan nourrit à l'égard de l'exégèse philonienne. Cette ambiguïté se traduit dans la gaucherie de la construction. On dirait que la réinterprétation chrétienne n'a pas encore réussi à se situer par rapport à l'héritage judéo-héllénique transmis par l'Alexandrin. Néanmoins les intentions d'Ambroise sont claires. L'accent rhétorique est mis indiscutablement sur ce qui a la forme d'une digression, mais constitue en fait l'essentiel de ce que veut exposer l'évêque de Milan : le sens eschatologique et le sens ecclésiologique. L'interprétation historique du verset de la Genèse est ainsi fortement renforcée au dépens de l'allégorisme moral hellénisant, qui perd du même coup beaucoup de l'importance relative que lui avait donnée Philon.

La construction est plus claire dans une autre addition antijuive à l'exégèse philonienne. On la trouve dans le *De Cain*, traité assez voisin du *De Noe* pour la méthode et l'allure générale.

II, p. 53.

Il s'agit d'expliquer un mot du verset Genèse, 4, 2, tel qu'on le lit dans les LXX et dans la version latine que commente Ambroise : « Et il ajouta l'enfantement d'Abel[106]. »

Contrairement au sens obvie de l'original — « Ève enfanta de nouveau » —, Philon et Ambroise à sa suite font de Dieu le sujet de la phrase : « Dieu ajouta l'enfantement d'Abel ». Le mot qui fait problème, c'est évidemment le verbe. Pour l'expliquer, Philon analyse le concept d'addition. Ses explications doivent être replacées dans la perspective de l'arithmologie antique, où chaque nombre possède une individualité, une originalité qui transcende l'opération qui l'a fait apparaître. On peut dire, en ce sens, qu'ajouter une unité, c'est faire un saut qualitatif, c'est passer d'une essence à une autre. Cette conception, dont nous sommes fort éloignés, est la base de l'exégèse que propose ici Philon : en ajoutant une unité à un nombre, on le détruit ; additionner c'est donc retrancher ; ajouter Abel, c'est retrancher Caïn[107]. On voit bien alors que le sens littéral de ces deux naissances successives ne tient plus. Pour Philon, ce que représentent ici Caïn et Abel, ce sont deux conceptions de l'homme, l'une qui attribue tout à l'esprit créé, l'autre qui fait tout remonter à Dieu ; la première est symbolisée par Caïn ; la seconde par Abel[108]. Il est clair que deux conceptions si contraires ne peuvent coexister dans la même âme : lorsqu'Abel y entre, Caïn en est chassé[109].

Ambroise fait sienne cette interprétation. Il l'assimile si bien que c'est chez lui que l'on trouve explicité le principe arithmologique que Philon laissait dans l'ombre : « Quand on ajoute un nombre, il y a un nouveau nombre, le premier est supprimé et le nouveau concept en survenant chasse le premier[110]. »

L'Alexandrin avait résumé en une phrase toute cette allégorèse : « Dieu donc en ajoutant à l'âme l'opinion bonne, Abel, retrancha d'elle l'opinion aberrante, Caïn[111] », formule qu'Ambroise traduit à peu près mot pour mot en laissant seulement tomber la paronomase δόγμα δόξα et en donnant une inflexion moralisante à la seconde épithète : « Dieu donc en ajoutant à l'âme l'opinion bonne, Abel, retrancha l'opinion perverse, Caïn[112] ».

L'exactitude presque frappante de ce décalque rend d'autant plus frappante la rupture que l'évêque de Milan marque aussitôt en annonçant sa propre interprétation de Genèse, 4, 2 : « Quant à moi cependant, conformément à l'Écriture, je vois plutôt dans ce texte le mystère de deux peuples : Dieu en ajoutant à son Église la foi du peuple pieux a retranché l'incrédulité du peuple transgresseur[113]. »

Ce qu'il y a de nouveau dans ce texte par rapport aux deux précédents, tirés du *De Noe*, c'est qu'Ambroise, au lieu d'insérer tacitement dans le canevas philonien une attaque antijuive, compare explicitement les deux interprétations qu'il propose tour à tour, l'interprétation psycho-

---

II, p. 53.

logique, qu'il emprunte à l'Alexandrin, et l'interprétation ecclésiologique, qu'il ajoute.

Encore faut-il préciser la portée de cet « ego magis intellego » pour ne point risquer de trop presser ce qui n'est peut-être qu'une formule de routine, destinée seulement à établir un lien entre plusieurs explications dont on ne veut perdre aucune.

En fait, cette expression, loin d'apparaître comme un stéréotype, est exceptionnelle chez Ambroise. Partout où c'est possible, serait-ce au prix de quelque artifice, l'évêque de Milan cherche à donner l'impression d'une continuité sans à coup entre le commentaire qu'il emprunte à Philon et les éléments chrétiens qu'il y insère. C'est à quoi servent des liaisons dont il ne faut pas toujours trop presser la valeur logique, comme « hoc est[114] », « et ideo[115] », « unde et dominus[116] », « unde et apostolus[117] », « unde bene apostolus[118] ». Un « nec tamen » permet d'opérer discrétement une jonction un peu difficile[119]. Une apparente équivalence est annoncée par un « neque enim aliter[120] », ou un « sicut scriptum est[121] ». Enfin une liaison vague entre le texte-canevas et le prolongement chrétien peut être exprimée par « denique[122] », ou « autem[123] ». Il arrive encore que l'explication philonienne et la typologie néo-testamentaire soient distinguées par l'indication du niveau exégétique : « secundum ingenium... secundum mysterium[124] ». Il est exceptionnel qu'Ambroise prenne soin, comme ici, de s'opposer, plus ou moins complètement, aux assertions de son modèle. Dans ces rares cas, les formules qu'emploie l'évêque de Milan sont soigneusement graduées[125].

Mais peut-être ces formules avaient-elles, en dehors de l'œuvre d'Ambroise, un sens bien établi que l'auteur du *De Cain* n'a fait que reprendre à son compte. Celle qui nous occupe — « ego magis intellego » — a son équivalent assez proche dans un passage du *De lingua latina* où Varron examine une question qui semble avoir encore intéressé les contemporains d'Ambroise : la vraie signification des noms de mois[126]. Parvenu au second mois de l'année, Varron commence par rappeler l'opinion de Fulvius Nobilior et de Iunius Gracchanus, qui faisaient dériver le mot « aprilis » du nom de la déesse grecque Aphrodite. L'auteur du *De lingua latina* observe là-dessus : « Comme je n'ai, quant à moi, jamais trouvé ce nom dans les textes anciens, j'estime plutôt — ' magis puto ' — que ce mois a été nommé avril parce qu'il ouvre —' aperit ' — le printemps[127]. » Il est clair que les deux étymologies évoquées ne peuvent être valables à la fois. Ainsi que le notent J. B. Hofmann et A. Szantyr, « magis » a ici un sens « exluant » et non simplement « modifiant[128]. »

Dans le passage du *De Cain*, l'exclusion signifiée par « magis » ne semble pas aussi complète puisque, dans la pratique exégétique de l'évêque de Milan, le sens ecclésiologique n'exclut pas le sens « moral ». De fait, celui-ci n'est pas absolument rejeté dans le cas présent, et Am-

---

II, p. 53-54.

broise l'énonce à titre d'hypothèse provisoire : « Si l'on rapporte ce texte à l'âme[129]... » S'il paraît finalement l'écarter au profit d'une autre interprétation, c'est que cette dernière est « conforme à l'Écriture » : « Ego tamen hoc loco *secundum scripturam* mysterium magis duorum populorum intelligo. » En quel endroit de l'Écriture peut-on lire que Caïn et Abel sont les types du peuple juif et du peuple chrétien ? Nulle part, semble-t-il. Mais la difficulté disparait si l'on observe que, dans cette page du *De Cain*, à la suite d'ailleurs de Philon[130], Ambroise traite comme pratiquement interchangeables les deux couples de frères Caïn et Abel, Ésaü et Jacob. C'est qu'ils ont à ses yeux la même signification figurative : « Quant à moi, selon l'Écriture, je vois plutôt dans ce passage le mystère de deux peuples... C'est en effet ce que semblent indiquer les mots eux-mêmes lorsque Dieu dit : ' Deux nations sont dans ton ventre et deux peuples sortiront de ton ventre ' (Gn., 25, 23)[131]. » Ainsi le passage d'Écriture qui garantit le sens ecclésiologique de l'épisode de Caïn et Abel, c'est le célèbre verset de la Genèse où Dieu explique à Rébecca le combat que ses jumeaux se livrent en son sein.

Il est clair, en fait, que l'interprétation d'Ambroise est déterminée non point directement par ce verset de la Genèse, mais par le sens que lui ont traditionnellement reconnu les exégètes et les apologistes chrétiens notamment dans les « testimonia » et traités « adversus Iudaeos »[132]. Les origines pauliniennes de cette typologie expliquent son succès[133].

Le couple Caïn et Abel, auquel le Nouveau Testament n'a pas reconnu explicitement la même fonction, ne semble pas avoir joué un rôle aussi important dans la polémique antijuive. Il n'en est pas cependant entièrement absent. On le trouve par exemple dans l'*Adversus Iudaeos* de Tertullien[134], chez l'arien Maximin, contemporain et adversaire d'Ambroise[135], chez Augustin[136].

Avec l'identification du peuple juif à Caïn, la polémique contre la Synagogue dépasse en violence ce que nous avions déjà vu sous la plume d'Ambroise. Il n'est plus seulement question de transgression, d'incrédulité et d'aveuglement, c'est maintenant le « peuple parricide » qu'Ambroise dénonce : « Par Caïn on entend le peuple parricide des juifs, qui a, pour ainsi dire, poursuivi le sang de son Seigneur, de son Créateur et, selon l'enfantement de la vierge Marie, de son frère[137]. »

Mais si remarquable que soit cette exacerbation de la polémique, ce n'est point ce qui importe le plus à la présente recherche. La façon dont cette addition antijuive interfère avec le texte de base doit nous retenir davantage. A la différence de ce que nous venons d'observer dans le passage du *De Noe* sur Genèse 7, 4, il ne s'agit pas ici d'une digression venant suspendre provisoirement et comme à l'improviste le déroulement de la double interprétation philonienne qui reprendrait ensuite son cours comme si rien ne s'était passé. Dans cette page du *De Cain*, l'interprétation qu'Ambroise introduit est nettement posée en face de celle

---

II, p. 54.

de Philon, ou plutôt au-dessus d'elle et, en un sens, contre elle. La démarche gagne ainsi en clarté. Peut-être faut-il voir là le signe que l'évêque de Milan est plus maître de son instrument exégétique que dans le *De Noe*. Ce serait un jalon dans la solution d'un problème de chronologie pour lequel nous avons malheureusement fort peu de données.

Mais une autre explication peut être avancée. Dans la *Quaestio in Genesin*, II, 15, Philon propose une double interprétation historique et morale. Ambroise pouvait être tenté d'intégrer plus ou moins étroitement à ce schéma les deux exégèses qu'il proposait et qui étaient elles-mêmes d'ordre historique. Au contraire, dans le passage du *De sacrificiis* où Philon explique l'addition d'Abel à Caïn, il envisage uniquement le sens moral. L'interprétation que la tradition de l'exégèse chrétienne imposait pour ainsi dire à l'esprit de l'évêque de Milan devait donc se présenter plus ou moins comme l'antithèse de l'explication fournie par l'Alexandrin.

Dans les textes que nous venons d'examiner, Ambroise s'est borné à juxtaposer une exégèse philonienne qu'il conserve, et une nouvelle interprétation, chrétienne cette fois et dirigée en tout ou en partie contre la Synagogue. Nous avons vu que cette juxtaposition pouvait s'opérer selon des agencements divers : insertion au milieu du donné philonien d'un *excessus* rehaussé par les *lumina* de la rhétorique ou énoncé antithétique du thème emprunté à l'Alexandrin et du thème qui implicitement le condamne avec ses coreligionnaires. Un autre passage va nous montrer une intervention plus profonde et plus subtile : le donné philonien n'est pas seulement complété et relativisé, il subit des altérations et provoque des mises au point qui trahissent ce qu'on pourrait appeler une polémique implicite.

Ce texte se trouve lui aussi dans le *De Cain*, quelques pages après les lignes que nous venons d'examiner. Le développement de Philon dont il constitue à la fois l'adaptation et la critique sert de conclusion à la longue dissertation sur le sens spirituel de cette πρόσθεσις, cette addition que représente l'enfantement d'Abel. Nous avons vu que l'auteur du *De sacrificiis* y voit l'allégorie du progrès spirituel, le passage de l'opinion fausse à la connaissance vraie. Pour développer cette idée, il recourt tout naturellement à ces trois archétypes des progressants que sont à ses yeux les trois patriarches Abraham, Jacob, Isaac, le progrès par l'étude, le progrès par l'ascèse, le progrès par une instruction directe de Dieu[138].

Mais, si grand que soient ces trois personnages, et le plus grand d'entre eux est Isaac, ils sont encore soumis à la loi de la soustraction et de l'addition. Un seul homme y échappe et transcende toutes les espèces et tous les genres : Moïse[139]. Philon voit une confirmation de la hiérarchie qu'il propose dans ce que la Genèse dit de la sépulture reçue par les patriarches et par Moïse. Abraham et Jacob sont « ajoutés » à un peuple, Isaac à un γένος[140]. Ainsi les Septante emploient le même verbe, et utilisent le même concept d'addition, pour parler de la naissance d'Abel et de la

---

II, p. 54.

sépulture des Patriarches. Aussi bien c'est une seule réalité qui est signifiée ici et là : le passage au meilleur. Mais, quand il s'agit de Moïse, il n'est plus question d'addition. On ne nous dit point qu'il a été ajouté à son peuple ou à son γένος. Son tombeau n'a pu être retrouvé. Sa sépulture est au delà de toute investigation[141].

C'est ce dernier point qui va nous donner l'occasion de découvrir un nouvel aspect des méthodes suivies par l'évêque de Milan dans son travail d'adaptation. Mais, comme on ne saurait séparer ces lignes sur la sépulture de Moïse de tout le développement qu'elles viennent corroborer, il nous faut d'abord jeter un coup d'œil sur l'aménagement ambrosien des pages qui précèdent.

Il ne fait point de doute que l'auteur du *De Cain* continue ici à travailler sur le canevas que lui fournit le *De sacrificiis*. Il serait inutile d'en administrer à nouveau la preuve détaillée. On la trouve dans l'apparat de l'édition de Schenkl ou mieux encore dans celui de Cohn et Wendland. Rappelons-en simplement les grandes lignes.

Chez Philon et chez Ambroise, la section que nous étudions se subdivise nettement en deux parties dont l'ensemble constitue une sorte de typologie de la vie intérieure. La première est consacrée aux spirituels qui sont soumis à la loi du retranchement et de l'addition. Chez Ambroise comme chez Philon, tout le développement est supporté par cette notion d'ajout qui s'applique aussi bien à la naissance du puîné Abel qu'à la sépulture des saints personnages de l'Ancien Testament, « ajoutés » à leurs pères, aux ancêtres de leur clan, de leur peuple[142]. Comme il est naturel, l'imitation coule moins de source que l'original. En effet le texte des LXX, sur lequel Philon s'appuie, emploie le verbe προστίθημι aussi bien en Genèse, 25, 8 ; 35, 29, et 49, 33, à propos de l'ensevelissement des patriarches, qu'en Genèse, 4, 2, au sujet de la naissance d'Abel. La version latine qu'Ambroise utilise ne lui offre pas les mêmes facilités. On y lit en effet qu'Ève « ajouta d'enfanter », « adiecit parere », mais qu'Isaac fut « placé auprès de sa race », « adpositus ad genus suum[143] ». Certes, le préfixe commun « ad- » permet à la rigueur de maintenir l'équivalence, mais celle-ci n'est plus qu'approximative et trahit l'adaptation imparfaite du latin au grec.

Abraham est « ajouté au peuple de Dieu », Isaac est « ajouté » à sa « race ». Philon joue sur l'opposition du mot λαός, qui désigne un peuple, une multitude, et du mot γένος, qui s'applique à l'idée générique, souverainement une[144]. Ambroise reprend la distinction tout en la vidant du contenu philosophique qu'elle avait chez Philon[145]. Mais l'essentiel, c'est que lui-même et Philon parviennent à la même conclusion exégétique : beaucoup sont « ajoutés » au λαός, au « populus », tandis qu'être ajouté au « genus » est réservé au petit nombre. La seconde formule indique ainsi une plus grande perfection et convient à ceux qui, comme Isaac, n'ont

---

II, p. 54-55.

pas dû leur progrès à un enseignement extérieur ou au labeur de l'ascèse, mais ont été directement instruits par Dieu[146].

La seconde partie de cette typologie de la vie intérieure concerne le spirituel qui est au-delà de la soustraction et de l'addition. C'est Moïse qui en est l'archétype. L'évêque de Milan suit toujours Philon et, comme son modèle, construit ce nouveau développement sur l'allégorèse des quatre textes suivants : Deutéronome, 5, 31, « Mais toi reste ici avec moi[147] », Deutéronome, 34, 5 (LXX), « Moïse mourut... par la parole du Seigneur[148] », Exode, 7, 1, « Je te donne comme dieu à Pharaon[149] » et Deutéronome, 34, 6, « Personne ne connaît sa sépulture[150] ».

Sur ce parallélisme d'ensemble, les divergences ne ressortent que mieux. Elles sont nombreuses. Leur sens, il est vrai, n'apparaît pas tout de suite avec netteté. Comme bien souvent, Ambroise semble d'abord brouiller les pistes, rendre floues les articulations marquées par son prédécesseur. Si l'on prolonge l'examen, les lignes de force de l'adaptation apparaissent avec netteté.

Comme archétypes du premier groupe — le progrès par retranchement et addition — Philon évoquait les trois grands patriarches, Abraham, Jacob, Isaac, l'ordre d'énumération, qui n'est pas l'ordre chronologique, indiquant une perfection croissante. L'évêque de Milan ne cite que deux noms, ceux de David et d'Isaac, sans établir entre eux de hiérarchie. Il reprend bien, nous l'avons dit, l'idée d'une supériorité du « genus » sur le « populus », mais les membres de ce second groupe, représenté par Abraham et Jacob chez Philon, restent confondus dans l'anonymat chez Ambroise. C'est qu'avec ce dernier le centre de gravité s'est déplacé. Ce qui intéresse l'évêque de Milan dans ces personnages de l'Ancien Testament — David, Isaac, Moïse — ce sont moins les degrés de perfection spirituelle qu'ils peuvent symboliser, que leur fonction figurative, les aspects du Christ et de l'Église que chacun représente. Cette hiérarchie minutieuse que Philon avait si soigneusement établie entre eux perdait du même coup sa raison d'être.

Ce changement de perspective se sent très bien dans les lignes que l'auteur du *De Cain* consacre ici à Isaac. Elles s'ouvrent, à l'instar du texte philonien, sur l'idée qu'il est plus parfait d'être ajouté à un « genus » qu'à un « populus ». Mais, alors que l'Alexandrin éclairait aussitôt cette antithèse par la distinction entre ce qui est acquis de l'extérieur avec effort et ce qui est reçu immédiatement de Dieu, Ambroise diffère un moment cette explication pour rappeler les traits essentiels de la vie d'Isaac, né miraculeusement en vertu d'une promesse divine, offert en sacrifice pour la mise à l'épreuve de la piété, époux d'une seule femme. Ce troisième trait nous ramène à l'allégorèse morale de type philonien ; cette épouse est en effet la sagesse[151]. Mais les deux premiers ont une valeur nettement typologique et dans une anticipation très ambrosienne

---

II, p. 55.

préparent l'énoncé décisif. Voici, en effet, ce qu'on lit quelques lignes plus bas :

« De même que, dans Isaac, le type de l'incarnation du Seigneur, ayant transcendé la manière habituelle dont les hommes engendrent, l'a emporté sur les précédents... de même aussi en Moïse la figure du docteur à venir, qui devait enseigner la Loi, prêcher l'Évangile, accomplir l'Ancien Testament, établir le Nouveau, donner une nourriture céleste aux peuples, a dépassé à ce point les prérogatives de la nature humaine qu'il a été gratifié du nom de dieu[152]. »

Rien ne montre mieux que ces lignes combien, sous la permanence apparente des thèmes hérités de Philon, l'inspiration directrice s'est en réalité transformée. Les restes de l'allégorisme moral sont désormais entièrement subordonnés à la typologie chrétienne.

C'est ici que la technique de l'adaptateur va se modifier. Jusqu'ici Ambroise a surtout procédé par addition. En interpolant le texte philonien, il en a modifié profondément l'esprit. Au point où l'auteur du *De Cain* est arrivé, d'autres formes d'intervention vont devenir nécessaires. Dans le paragraphe 9 du *De Cain*, qui répond au paragraphe 10 du *De sacrificiis*, l'évêque de Milan laisse entrevoir ce qui jusque là n'était qu'arrière-pensées.

Philon vient de faire un magnifique éloge de Moïse, placé bien au-dessus d'Abraham, de Jacob et d'Isaac, puisqu'il échappe à la loi de la soustraction et de l'addition. Dieu l'a honoré à l'égal du cosmos[153] et s'il l'a prêté aux êtres terrestres, s'il lui a permis de vivre parmi eux, ce n'est pas à titre de chef ou de roi, mais à titre de dieu[154], au-delà par conséquent du plus et du moins[155]. Enfin, de même que c'étaient leurs sépultures respectives qui avaient permis de situer Abraham, Jacob et Isaac dans la hiérarchie spirituelle, c'est le tombeau de Moïse qui marque définitivement son excellence surhumaine. Ce tombeau a, en effet, la particularité d'être introuvable, d'échapper à toutes recherches : « C'est pourquoi il est dit que nul ne connaît sa sépulture (Deut., 34,6), car qui pourrait concevoir la migration d'une âme parfaite vers celui qui est[156] ? »

Il est clair que ce Moïse cosmique, prêté seulement aux habitants de la terre, non point comme roi ou comme chef, mais comme dieu, revêtu d'une perfection qui n'est susceptible ni de diminution ni d'accroissement, a semblé à Ambroise usurper certaines prérogatives qui n'appartenaient qu'à Jésus. Rappelons l'opinion de Goodenough : « Considéré en lui-même, ce passage ne pourrait avoir qu'un sens : Moïse était une divinité qui ne s'était incarnée qu'en vertu d'un décret particulier de Dieu[157]. »

L'argument que Philon tirait de la sépulture de Moïse ne pouvait qu'aggraver le malaise d'Ambroise. L'Alexandrin donnait en effet pour une preuve de la perfection de Moïse le fait que son tombeau n'ait jamais

---

II, p. 55.

été découvert. Or on sait l'importance que les Évangiles ont attribuée au sépulcre où le corps de Jésus a été déposé, qui a été gardé par les soldats, visité par les saintes femmes.

L'auteur du *De Cain* ne pouvait guère manquer de réagir. Il le fait, comme presque toujours, sans nommer Philon. Au lieu d'énoncer l'objection, il s'attache à la prévenir. Mais en relisant parallèlement, comme nous venons de le faire, le texte qu'il adapte, on s'aperçoit que c'est d'abord au *De sacrificiis* qu'il répond.

Cette réponse est préparée par un réaménagement soigneux de tout le paragraphe consacré à Moïse. Nous avons vu qu'Ambroise en avait emprunté à Philon l'armature, ces quatre citations du Pentateuque autour desquelles tout le développement s'organise. Il faut maintenant préciser que la disposition de ces versets n'est pas exactement la même dans l'original philonien et dans l'adaptation ambrosienne. On peut résumer ces différences dans le tableau suivant :

PHILON, *De sacrificiis*, 3, 8. 9. 10.	AMBROISE, *De Cain*, I, 2, 7. 8. 9.
Dt., 5, 31 (8, p. 205, 7)	Dt., 5, 31 (7, p. 343, 3)
Dt., 34, 5 (8, p. 205, 10)	Ex., 7, 1 (7, p. 343, 15)
Ex., 7, 1 (9, p. 206, 2)	Dt., 34, 5 (8, p. 343, 22)
Dt., 34, 6 (10, p. 206, 4)	Dt., 34, 6 (8, p. 343, 25)
	Dt., 34, 5 (8, p. 344, 11)
	Dt., 34, 6 (9, p. 344, 19)

Ce qui frappe d'abord, c'est que les deux derniers versets — Deutéronome, 34, 5 et 6 — apparaissent deux fois dans le texte d'Ambroise. Cela donne évidemment beaucoup plus d'importance au thème de la sépulture. Chez Philon, il n'en était question que dans les six dernières lignes, ce qui faisait moins du tiers du développement. Ambroise lui réserve plus de la moitié des deux pages qu'il consacre à Moïse, puisque la seconde évocation de Deutéronome, 34, 5, sert à expliquer cette absence de tombeau.

Cette différence quantitative n'est pas la seule qui ressorte de ce tableau. On voit aussi que l'évêque de Milan a modifié l'ordre des citations.

Il est remarquable en effet que Philon ait séparé Deutéronome, 34, 5, qui relate la mort de Moïse, et le verset suivant — 34, 6 — qui évoque la sépulture introuvable. Entre les deux, l'Alexandrin a glissé Exode, 7, 1 : « Je te donne comme dieu à Pharaon ». C'est donc le caractère divin de Moïse qui empêche qu'on ne connaisse son tombeau. C'est précisément cette inférence qu'Ambroise se devait d'affaiblir. Au contraire le verset du Deutéronome, 34, 5, place le problème de la sépulture dans une perspective bien plus favorable aux intentions de l'évêque de Milan. On y lit en effet que Moïse mourut par « la parole de Dieu » ou, selon l'exégèse d'Ambroise, « par le Verbe de Dieu[158] ». En réunissant les deux versets du Deutéronome que Philon avait séparés, Ambroise marquait plus fortement que c'était par le Verbe de Dieu — donc par Jésus — que Moïse avait eu le privilège de ne point connaître la corruption du tombeau[159].

Ambroise ne se borne d'ailleurs pas à intervertir à l'occasion les textes invoqués par Philon en modifiant ainsi les accents placés par son prédécesseur. Pour confirmer le sort particulier réservé à Moïse après sa mort, l'évêque de Milan rappelle, en effet, l'épisode évangélique de la transfiguration, où Jésus se montre entouré de Moïse et d'Élie[160]. La fonction de ce rappel est double. Formellement il s'agit d'apporter une nouvelle preuve du privilège accordé à Moïse après sa mort : « Qui aurait pu découvrir sur la terre les restes de celui dont le Fils de Dieu a montré dans l'évangile qu'il était auprès de lui ? » Mais tout le contexte indique que cette évocation n'est pas sans arrière-pensée. Ambroise, en effet, insiste sur le fait qu'Élie lui aussi était là, Élie dont il est écrit non seulement qu'il n'a pas été enseveli, comme Moïse, mais encore qu'il n'est pas mort. Il est vrai que, si Moïse est mort, il est mort par le Verbe de Dieu ; l'équilibre se trouve ainsi rétabli entre les deux hommes[161]. Mais une telle symétrie brise résolument avec la perspective de Philon qui laissait Moïse seul dans sa perfection surhumaine. Et l'épisode de la transfiguration sert d'autant mieux les intentions d'Ambroise que Moïse et Élie y apparaissent aux côtés de Jésus, comme ses subordonnés.

Après cette préparation soigneuse, Ambroise peut aborder expressément le problème que posent non point les textes bibliques, mais le commentaire philonien : si le fait de ne point avoir de sépulture connue montre la grandeur de Moïse, pourquoi les Évangiles nous donnent-ils tant de précisions sur le tombeau du Christ ?

Dès l'entrée en matière, le début du paragraphe 9, l'auteur du *De Cain* laisse apparaître le souci qui l'anime : « Mais la distance entre le maître et le serviteur est bien observée pour que tu distingues la prérogative qui appartient au maître et la grâce qui est faite au serviteur[162]. »

On pressent alors que, par une sorte de rétorsion, l'absence de sépulture va être le fait du serviteur, tandis que le tombeau dûment attesté et décrit sera le signe du maître. Mais, en opérant ce retournement, Ambroise quitte le plan de l'allégorisme moral où se tenait Philon pour se placer dans la perspective du témoignage historique. Si le tombeau du Christ a été connu et décrit avec soin, c'est qu'il y avait là un indice nécessaire de la résurrection. Ainsi le caractère public de la sépulture de Jésus, loin d'être une preuve d'infériorité, est une marque de transcendance : la rédemption et la résurrection que Moïse attendait, c'est le Christ qui les apporte.

Voici comment Ambroise développe son argumentation. « Quand il

---

II, p. 55-56.

s'agit de Moïse, on lit que personne ne connaît sa sépulture, mais, quand il s'agit du Christ, que sa sépulture a été enlevée de terre. En effet, celui-là, selon le mystère de la Loi, attendait la rédemption pour ressusciter, mais celui-ci, selon le don de l'Évangile, n'attendait pas la rédemption, il la donnait. C'est pourquoi sa sépulture n'a pas été ignorée, mais élevée. La créature n'a pas pu la retenir plus longtemps en son pouvoir, car par lui toute créature s'est hâtée d'être élevée au-dessus des servitudes de la corruption. Donc personne ne connaît la sépulture de Moïse, parce que tous ont appris à connaître sa vie, tandis que nous avons vu la sépulture du Christ. Mais dorénavant, nous ne la connaissons plus, parce que nous reconnaissons sa résurrection. Il a fallu en effet que son tombeau fût connu pour que sa résurrection fût manifestée. Et c'est pourquoi, dans l'Évangile, on nous décrit le tombeau avec une extrême précision, dans la Loi, on ne le cherche pas. En effet, bien que la Loi ait annoncé sa résurrection, c'est le texte de l'Évangile qui nous l'a pleinement attestée[163] ».

Ce texte pose un problème qui ne semble pas encore avoir été résolu. Au verset sur la sépulture de Moïse — Deutéronome, 34, 6 —, l'auteur du *De Cain* oppose un autre texte d'Écriture : « De Moyse legitur quia sepulturam eius nemo scit, de Christo autem ⟨quia⟩ sepultura eius sublata est ». Quel est le passage qu'Ambroise évoque ici ? Les Mauristes[164] renvoient à Isaïe, 53, 8. Schenkl reprend cette référence dans son apparat, mais ne semble pas en être entièrement satisfait, puisqu'il éprouve le besoin d'y adjoindre Marc, 16, 19. Malheureusement, dans aucun de ces deux passages, il n'est question de sépulture. Isaïe, 53, 8 évoque seulement les épreuves traversées par le Serviteur de Yahvé : « In humilitate iudicium eius sublatum est[165]. » Il ne semble pas non plus qu'Ambroise puisse évoquer directement par cette formule Marc, 16, 19, le dernier verset du deuxième évangile : « Et dominus quidem Jesus... assumptus est in caelum ». Ce qu'il faut concéder à Schenkl, c'est que l'idée de la glorification du Christ — résurrection et ascension — imprègne cette page du *De Cain*, toute pleine de réminiscences néo-testamentaires.

En fait, c'est Isaïe, 57, 2, qu'Ambroise évoque ici. Voici en effet ce dernier verset, tel qu'on le lit dans les versions latines préhiéronymiennes : « Sa sépulture a été enlevée du milieu ». Cela suppose une certaine ponctuation du texte des LXX[166], ponctuation qui était d'ailleurs traditionnelle et qui permettait de voir dans Isaïe, 57, 2, une prophétie de la mort, de la mise au tombeau et de la résurrection du Christ, ainsi que Justin l'explique à Tryphon[167]. Ceci n'est pas moins net chez Irénée[168] et Tertullien[169].

Aux références indiquées par l'éditeur de Vienne, ajoutons-en encore deux. « La créature n'a pas pu la (sa sépulture) retenir plus longtemps en son pouvoir » — « quam diutius tenere creatura non potuit » — fait écho, me semble-t-il, au célèbre discours où Pierre annonce la résur-

---

II, p. 56.

rection de Jésus : « Il était impossible qu'il (l'enfer) le retînt en son pouvoir », « Impossibile erat teneri illum ab eo[170]. »

De même, quand Ambroise écrit : « Nous avons vu la sépulture du Christ, mais dorénavant nous ne la connaissons plus », il est facile de retrouver sous cette variation un verset de la deuxième Épître aux Corinthiens : « Nous avons connu le Christ selon la chair, mais dorénavant nous ne le connaissons plus[171]. » Ce passage de la connaissance selon la chair à une vision plus haute s'opère grâce à cette résurrection que la Loi annonçait mais que l'Évangile seul atteste[172], cette résurrection qui était l'attente de Moïse et qui est le don du Christ[173]. Ambroise a bien paré au danger que présentait l'exégèse philonienne de la sépulture de Moïse, il a « sauvegardé la distance entre le maître et le serviteur[174] ».

En lisant cette mise au point, on ne peut s'empêcher de penser que l'évêque de Milan ne s'est point laissé entraîner à un débat purement académique. Le parallèle Moïse-Jésus devait être un des thèmes de ces discussions entre chrétiens et juifs qu'une page du *De Noe* nous a laissé entrevoir[175]. Nous savons que les circonstances particulières de la mort du Législateur ont posé un problème aux exégètes chrétiens. La comparaison avec la sépulture de Jésus pouvait être exploitée en des sens divers. Selon Hippolyte, les apôtres n'ont pas trouvé le corps de Jésus, de même que les juifs n'ont pas trouvé la sépulture de Moïse[176]. Mais la difficulté ressentie par Ambroise a dû être partagée par d'autres. Ce qui nous reste de l'exégèse chrétienne de Deutéronome, 34, 6, semble traduire en effet une certaine perplexité.

Tantôt, à l'instar de Philon, on voit dans le mystère de cette sépulture le sceau final d'une destinée hors de pair et quasiment surhumaine. C'est ce que l'on trouve dans une exégèse recueillie par Procope, dont l'origine n'a, semble-t-il, pas encore été décelée : le jeûne de quarante jours et de quarante nuits montre que le corps de Moïse avait été transformé par l'Esprit et élevé au-dessus de la condition humaine. Il était donc impossible de connaître sa sépulture[177]. Tantôt on pense que, si Dieu a voulu tenir secret le lieu où était enterré Moïse, c'était pour éviter que les juifs ne rendissent au Législateur un culte idolâtre auquel ils n'étaient que trop enclins. On est ici tout près des inquiétudes que traduit la page du *De Cain*. C'est ce que l'on trouve dans une homélie de Chrysostome [178] et dans une autre exégèse recueillie par le commentaire attribué à Procope[179].

Ces mêmes hésitations se cristallisent autour d'un verset célèbre et difficile de l'épître de Jude où l'on voit que l'archange Michel a disputé au diable le corps de Moïse[180]. Les uns veulent que Satan ait cherché à s'opposer à l'ensevelissement du Législateur par l'archange[181]. Une autre opinion, qui semble l'emporter à la fin du Moyen-Age, mais sans doute après un long cheminement, veut au contraire que le diable ait

---

II, p. 56-57.

cherché à donner à Moïse une sépulture publique pour provoquer Israël à l'idolâtrie[182]. Il est clair que les textes de la seconde série, de Chrysostome à Cajetan, recueillent un argument qui a servi dans la polémique anti-juive. La page du *De Cain* nous en apporte un écho modéré sous la forme d'une réplique discrète à Philon.

III — Précautions antiariennes

Mais la controverse avec les juifs n'est pas la plus brûlante qu'Ambroise ait eu à affronter. Pendant de longues années, c'est avant tout la lutte contre l'arianisme qui a marqué son épiscopat. On ne s'étonne donc pas qu'une partie des corrections qu'il apporte à l'exégèse philonienne, dans le *De Cain* comme dans le *De Noe*, relève de cette seconde polémique.

Dès le début du *De Cain*, nous la voyons affleurer. Ève, qui vient de mettre au monde son premier-né, s'écrie : « J'ai acquis un homme par Dieu[183]. » Comme le *De sacrificiis* de Philon ne commence qu'avec la naissance d'Abel, le cadet, Ambroise utilise ici les *Quaestiones in Genesin*. Voici ce qu'il y trouvait : « Est-ce à juste titre qu'il a été dit à propos de Caïn : J'ai acquis un homme par Dieu ? » — « On distingue être par quelque chose, de quelque chose et au moyen de quelque chose. De quelque chose, comme d'une matière ; par quelque chose, comme par une cause, et au moyen de quelque chose, comme au moyen d'un instrument. Or le père et créateur de l'univers n'est pas un instrument, mais une cause. C'est donc s'écarter du jugement sain de dire que les créatures viennent à l'existence au moyen de Dieu, et non par Dieu[184]. »

L'Alexandrin condamne donc la formule employée par Ève, comme incompatible avec la juste notion de la divinité. Ambroise se sépare de lui partiellement, mais nettement. Non point qu'il veuille faire de Dieu l'instrument d'Ève dans l'enfantement de Caïn. Il est évidemment bien d'accord avec Philon pour écarter une telle idée. Mais il se refuse à reconnaître une validité absolue et universelle à cette distinction que l'on fait couramment, dit-il, entre les prépositions et selon laquelle διά ou « per » ne peuvent s'appliquer qu'à un instrument. Selon lui en effet, lorsqu'Ève dit : « Adquisivi hominem per deum », elle veut au contraire affirmer que Dieu est le créateur et l'agent. C'est une formule d'action de grâce, loin d'être la marque d'une suffisance arrogante[185].

Faut-il penser que c'est pour défendre Ève et son orthodoxie qu'Ambroise a eu l'idée de cette rectification ? Tout donne à penser que l'évêque de Milan est animé par un autre souci. S'il avait rejeté la formule « j'ai acquis un homme par Dieu, » surtout s'il l'avait rejetée pour la raison qu'avance Philon, il aurait du même coup concédé implicitement que bien des énoncés et des doxologies employés constamment par l'Église et garantis par saint Paul et par saint Jean attribuaient au Verbe un rôle

---

II, p. 57.

instrumental qui ne pouvait convenir au « deus verus ». Car l'argument était précisément utilisé par les dialecticiens de l'arianisme[186]. Ambroise évitait donc de donner prise à leurs raisons en montrant que cette spécialisation rigoureuse des prépositions est étrangère à l'usage de l'Écriture. Ce faisant, il rejoignait les analyses faites par saint Basile, dans son *Traité du Saint Esprit*[187], comme l'a bien montré Jean Pépin[188].

La vraisemblance de cette interprétation serait sans doute affaiblie si, nulle part ailleurs dans le *De Cain*, l'évêque de Milan ne paraissait soucieux de l'arianisme. En fait cette préoccupation se trahit à plusieurs reprises, dans ce traité comme dans le *De Noe*, au point qu'au moins une fois Ambroise en vient, semble-t-il, à se méprendre sur le sens d'une formule de Philon. Il faut nous arrêter quelques instants à ce texte.

Le chapitre 8 du *De Cain* est consacré à l'idée de célérité dans le service de Dieu. Si le sacrifice de Caïn n'a pas été agréé, c'est d'abord parce qu'il a été offert « post dies »[189]. A ce retard, à cette négligence coupable, le chapitre 8 du *De Cain* oppose donc le zèle et la promptitude de la dévotion. Des exemples bibliques viennent illustrer cette heureuse disposition : Abraham, qui s'empresse de faire préparer le repas de ses trois hôtes[190], Zachée, qui descend précipitamment pour accueillir Jésus dans sa maison[191], les Hébreux, prenant à la hâte le repas pascal[192], Jacob enfin, qui étonne son père Isaac par la promptitude avec laquelle il lui apporte la venaison demandée[193].

On voit que, selon son habitude, l'évêque de Milan saisit l'opportunité de glisser un épisode évangélique dans la série des évocations vétéro-testamentaires qu'il emprunte à Philon. Car, ici encore, l'Alexandrin fournit le fond qu'Ambroise exploite selon sa technique habituelle, la vigilance critique venant interrompre la paraphrase partout où cela semble nécessaire.

Une de ces interventions se produit à propos de l'*exemplum* de Jacob. A son père qu'étonne sa célérité et qui lui demande : « Qu'est-ce que tu as trouvé si vite mon enfant ? », l'« ascète » répond : « Ce que le Seigneur m'a livré en le plaçant devant moi » (Gn., 27, 20). La promptitude de l'homme pieux renvoie à l'instantanéité de l'action divine[194]. Celle-ci apparaît avec une particulière évidence dans la création[195]. C'est ici qu'Ambroise insère une remarque dont on voit mal d'abord la nécessité : « Dieu donne promptement. En effet, il a dit et les choses ont été faites, il a ordonné et elles ont été créées. Car le Verbe de Dieu n'est pas œuvre, comme quelqu'un le dit, mais œuvrant[196]. » J'ai essayé de calquer la seconde phrase, celle qui nous intéresse, sur l'original, que voici : « Verbum enim dei, non, sicut quidam ait, opus est, sed operans. » On pourrait traduire aussi : le Verbe n'est pas créature, mais il crée.

A première vue, on ne voit pas pourquoi évoquer l'instantanéité de l'action divine nécessitait cette mise en garde. Rien apparemment ne

___

II, p. 57-58.

l'appelait. Rien, sinon le texte même de Philon qu'Ambroise continuait à avoir sous les yeux.

Revenons donc au développement de l'Alexandrin. Celui-ci veut montrer le caractère intemporel de la création en s'appuyant sur les termes mêmes dont se sert la Genèse : Εἶπεν... καὶ ἐγένετο, « Il dit... et cela fut fait[197]. » Pour expliquer cette formule, Philon se sert d'abord du concept de simultanéité : « Dieu agissait en même temps qu'il parlait, sans laisser d'intervalle entre les deux[198]. » Mais ce n'est qu'une première approximation, et il cherche une formule plus exacte[199]. Ce sera celle-ci : Ὁ λόγος ἔργον ἦν αὐτοῦ[200]. Si l'on traduit cette phrase en latin, on obtient exactement l'énoncé qu'Ambroise rejette : « Verbum opus eius erat ». Deux choses deviennent claires alors : le « quidam », c'est Philon[201], et, si l'évêque de Milan juge opportune cette mise en garde qui n'apparaissait pas indispensable, c'est qu'il trouve dans son « texte canevas » une formule répréhensible.

Toutes les difficultés ne sont pas dissipées pour autant. Il reste en effet à expliquer pourquoi Ambroise semble ici s'être mépris sur la pensée de Philon. Celle-ci paraît en effet assez claire : il est insuffisant de dire seulement que, lorsque Dieu crée, sa parole et son action sont simultanées ; en fait, elles se confondent, elles sont la même réalité : « Sa parole était son action[202]. »

Ambroise entend tout autrement le mot « opus ». Il y voit non plus l'action, mais le produit de l'action. La formule philonienne signifierait donc « le Logos était une créature ». On comprend que l'évêque de Milan se scandalise. Aussi ne se borne-t-il pas à stigmatiser la formule inadmissible, il lui oppose aussitôt un argument d'Écriture. C'est le verset du quatrième Évangile où le Christ déclare : « Mon père œuvre jusqu'à maintenant, et moi aussi j'œuvre », « pater meus usque modo operatur, et ego operor[203]. » Ce n'est d'ailleurs que la première citation d'une série destinée à prouver que le Verbe, comme le Père, est toujours agissant, préexiste à tout, est présent en toutes choses[204]. C'est, comme on le voit, tout un petit dossier antiarien, que les mots lus dans Philon ont suscité sous la plume d'Ambroise par une sorte de réflexe.

Cela se comprend assez quand on se rappelle que, selon l'arianisme, le Logos était une ἔργον. La formule n'est d'ailleurs pas nouvelle. On la trouve par exemple chez Tatien[205]. Arius la prend à son compte, comme nous l'apprend Athanase[206]. Le patriarche d'Alexandrie la condamne[207]. Il n'y a en effet, selon lui, aucune différence de sens entre les mots κτίσμα, ποίημα et ἔργον. Faire du Logos un ἔργον, ce serait le mettre au rang des créatures[208]. On peut donc résumer ainsi ce que nous apprend la confrontation de ce texte du *De Cain* avec la page correspondante du *De sacrificiis*. La formule « verbum erat opus » qu'il dénonce, Ambroise la lit dans le texte de Philon qui lui sert de modèle. Mais, en même temps,

---

II, p. 58.

l'évêque de Milan se trompe sur le sens que prend le mot ἔργον dans ce passage du *De sacrificiis* : il l'interprète en effet dans la perspective et selon les habitudes de la controverse arienne qui doit être d'une brûlante actualité au moment où il écrit le *De Cain.*

Ce qui rend plus explicable le contre-sens qu'Ambroise paraît bien avoir commis, c'est que la suite du développement de Philon semblait lui donner raison : la thèse de l'Alexandrin sur l'infériorité du Logos par rapport au vrai Dieu s'y exprime très nettement.

Continuant en effet à développer le thème de la promptitude, Philon en vient à citer cet avertissement de Dieu à Pharaon : « Tu vas voir tout de suite si ma parole t'atteindra ou non[209]. » L'Alexandrin y voit la preuve de la rapidité de la Parole divine qui a toujours tout devancé et tout rejoint. Et il continue en remarquant que, si la Parole — le Logos — a tout devancé, combien plus celui-là même qui parle[210]. Cet *a fortiori* ne pouvait convenir à Ambroise qui le remplace par une affirmation redoublée de l'égalité du Père et du Verbe : « Il (le Verbe) est en effet avant toutes choses comme le Père, et en toutes choses comme le même Père, pénétrant toutes choses[211]. »

Mais le désaccord et la préoccupation de l'évêque de Milan ne se traduisent pas seulement par cette insistance déjà remarquable, surtout si on la rapproche de la formule philonienne qu'elle remplace. C'est tout le développement qu'Ambroise réaménage pour en éliminer la moindre saveur arienne. En effet, après le πολὺ μᾶλλον par lequel il était passé de la parole à Celui qui parle, Philon rappelait les attributs divins d'éternité et d'ubiquité. Dieu est antérieur à tout ce qui a un commencement, et il remplit tout, rien n'est vide de sa présence[212]. La gradation annoncée s'explique alors parfaitement : la parole de Dieu est assurément d'une rapidité extrême ; encore se déplace-t-elle. Il n'en va pas de même de Dieu qui, remplissant tout d'emblée, ne saurait se mouvoir d'un point à un autre[213].

Ambroise ne peut évidemment admettre cette inégalité entre le Père et le Verbe-Christ. Aussi est-ce à ce dernier qu'il rattache les attributs de l'antériorité absolue en transformant habilement le développement de Philon. Celui-ci avait appuyé sa démonstration sur un verset de l'Exode où Dieu s'adresse à Moïse et qu'il nous faut traduire très littéralement : « Moi, ici, je me tiens là avant toi[214]. » Avec beaucoup de subtilité, l'Alexandrin trouve, en effet, dans les quelques mots de ce verset les preuves dont il a besoin. Comprenant la préposition πρό au sens temporel et non au sens local, il en tire l'antériorité absolue de Dieu par rapport à tout ce qui a commencé[215]. En second lieu, le rapprochement des adverbes ὧδε et ἐκεῖ, « ici » et « là », lui permet de montrer qu'ici et là pour Dieu se confondent. Il ne se déplace pas d'un point à un autre : en chaque lieu il se tient déjà[216].

II, p. 58.

Le souci d'Ambroise, quand il reprend ces thèmes, c'est toujours d'affirmer implicitement contre Philon l'égalité rigoureuse de Dieu et du Verbe. C'est à cela que sert très précisément le petit dossier scripturaire que nous avons déjà évoqué. C'est ainsi que le *logion* johannique, « nous viendrons et nous ferons chez lui notre demeure » (Io., 14, 23) permet de montrer que là où est Dieu, le Verbe est aussi. Dans l'Évangile également, Ambroise trouve l'équivalent de ce verset — Exode, 17, 6 — d'où Philon tirait sa démonstration des deux attributs par lesquels la divinité transcende l'espace et le temps, mais, cette fois-ci, le verset s'applique au Verbe. Voici ces quelques lignes où le souci de symétrie apparaît si fort : « De même que tu as, dans un autre passage, au sujet de Dieu : ' Moi, je me suis tenu ici avant toi ', de même le Verbe dit : ' Avant que tu te tiennes sous le figuier, je t'ai vu '[217]. » On voit combien la perspective a changé entre le modèle et l'adaptation. Ambroise semble faire peu de cas des jeux subtils de Philon sur ὧδε et ἐκεῖ. Il ne se soucie même pas de citer le verset de l'Exode sous une forme qui lui permette de les reprendre, puisqu'il ne retient que le « hic ». Cet oubli est sans doute calculé, car il est utile à ce qui est le vrai dessein d'Ambroise : établir une symétrie aussi parfaite que possible entre ce qui est dit de Dieu dans l'Exode et ce qui est dit du Verbe en saint Jean.

Aussi bien, l'évêque de Milan dispose d'un autre texte pour établir l'ubiquité du Verbe. Voici comment il argumente :

« C'est aussi du Verbe lui-même, c'est-à-dire du Fils de Dieu, qu'il est dit : ' Au milieu de vous se tient quelqu'un que vous ne connaissez pas '. Partout où sont les saints, en effet, le Verbe de Dieu se trouve au milieu d'eux, dans la poitrine de chacun, remplissant les mers et les terres. Et, tandis qu'il est ici, il est aussi là-bas, non parce qu'il change de lieu, mais parce que tout lieu est rempli de sa présence. Il est partout, en effet, celui qui est à travers toutes choses et en tous, sans laisser aucun lieu exempt de lui. Là où il est présent, il était ; là où il était, il est présent[218]. »

On le voit, Ambroise mêle avec quelque négligence la présence du Verbe dans le cosmos et sa présence dans l'âme des saints. Pour la première, il reprend fidèlement les explications de Philon, et il ne se soucie pas de définir la relation de ces deux modes d'ubiquité. Peu enclin, comme d'habitude, aux précisions techniques, il est avant tout soucieux d'écarter ces formules arianisantes qu'il croit découvrir dans le texte du *De sacrificiis* qu'il a sous les yeux et qui lui sert de canevas. On peut dire que l'évêque de Milan a construit toute cette page en pensant à deux mots de Philon qu'il condamne : ce πολὺ μᾶλλον qui introduisait une intolérable inégalité entre Dieu et son Verbe.

Ailleurs, le texte philonien qu'utilisait Ambroise prêtait encore moins à l'équivoque. L'évêque de Milan y lisait, et cette fois sans méprise ni prévention, la subordination et l'infériorité relative du Logos. Comment n'y aurait-il pas vu une espèce d'anticipation de l'arianisme ? En cela,

---

II, p. 58-59.

d'ailleurs, il ne se trompait pas tout à fait. La tradition platonicienne, toujours encline à hiérarchiser le divin, n'avait pas cessé, après Philon, d'être très influente à Alexandrie. Et c'est là qu'il faut chercher l'ascendance intellectuelle d'Arius, si l'on en croit des travaux récents[219].

Quand il écrit son traité sur Noé, l'évêque de Milan rencontre dans ces *Quaestiones in Genesin* où il puise ses matériaux quelques lignes particulièrement significatives.

« J'ai fait l'homme à l'image de Dieu[220]. » C'est Dieu qui parle. Pourquoi alors ne se dit-il pas, comme il semblerait naturel : « à mon image ». Y aurait-il un autre Dieu ? Voilà le problème auquel Philon a consacré une *Quaestio*. Or, la solution proposée ne pouvait susciter chez Ambroise qu'une vive désapprobation. Voici, en effet, comment l'Alexandrin répond à la difficulté : « L'oracle est formulé avec perfection et sagesse ; car rien de mortel ne peut être à l'image du Très haut et Père de l'univers, mais seulement à l'image du second dieu qui est son Logos. Il fallait en effet que l'empreinte de la raison fût gravée dans l'âme humaine par le Logos divin, puisque le Dieu qui est avant le Logos est supérieur à toute nature rationnelle. Mais il était absolument interdit que ce qui est engendré fût fait à la ressemblance de Celui qui est établi, au-dessus du Logos, dans l'essence la plus parfaite et hors de pair[221]. »

On voit assez ce qu'une telle explication avait d'inacceptable pour l'évêque de Milan. Elle marquait en effet une inégalité essentielle entre le Père et le Logos, le premier transcendant l'ordre rationnel qui est le domaine propre du second. Ce qui est mortel, ce qui a été engendré pouvait seulement être à l'image du Logos dont l'infériorité était ainsi soulignée.

L'évêque de Milan s'attache donc à rectifier la réponse de son modèle. Ici encore il substitue la réciprocité à la hiérarchie : « Beaucoup sont troublés parce qu'il a dit : ' J'ai fait l'homme à l'image de Dieu ' et non ' à mon image ', puisque lui-même est Dieu. Mais comprends qu'il y a le Père et qu'il y a le Fils. Et, bien que toutes choses aient été faites par le Fils, nous lisons cependant que le Père a fait toutes choses et les a faites par le Fils, ainsi qu'il est écrit : ' J'ai fait toutes choses dans la Sagesse ' (Ps., 103, 24). Si donc c'est le Père qui parle, il a créé à l'image du Verbe ; si c'est le Fils qui parle, il a créé à l'image de Dieu le Père[222]. »

Ces éclaircissements sont, comme on le voit, assez laborieux et cela même trahit leur origine. Moins qu'une explication directe du verset de la Genèse, c'est une réplique à l'explication qu'en donne Philon, une réfutation implicite de l'Alexandrin à la lumière de la théologie nicéenne. La controverse n'est pas mineure, et la suite du texte d'Ambroise en indique bien la portée : « Et c'est pourquoi il montre qu'il y a en l'homme une nature intime et familière avec Dieu, c'est-à-dire en l'homme raisonnable, selon qui nous sommes créés à l'image de Dieu[223]. »

II, p. 59.

Le schéma de Philon, préfigurant celui d'Arius, avait pour conséquence, et en partie aussi pour but, de mettre Dieu, le premier Dieu, Dieu au sens plein du mot, à l'abri de tout anthropomorphisme, plus exactement de tout psychologisme. Ce n'est pas le premier souci de la théologie que représente l'évêque de Milan. Ce que recherche d'abord celle-ci et ce qu'elle obtient, c'est la conviction réconfortante qu'il y a entre Dieu et l'homme cette proximité, voire cette intimité que rend possible une certaine ressemblance.

Il n'est d'ailleurs pas indifférent que la *Quaestio in Genesin* à laquelle répond ici Ambroise nous ait été conservée non seulement dans la traduction arménienne, mais encore, et cela est exceptionnel, par une citation qu'en fait Eusèbe dans sa *Préparation Évangélique*. Au chapitre vii de cet ouvrage, l'évêque de Césarée entreprend d'exposer la « philosophie des Hébreux », bien supérieure, dit-il, à celle des Hellènes et adoptée par les Grecs et les Barbares qui sont passés au Christianisme[224]. Cette référence à la « philosophie des Hébreux » donne à Eusèbe l'occasion de développer une doctrine trinitaire d'un subordinatianisme évident. N'y voit-on pas les rapports entre les trois personnes divines illustrées par la hiérarchie descendante que forment le ciel, le soleil et la lune[225] ? Philon est justement l'un des témoins que produit Eusèbe pour accréditer une « philosophie des Hébreux » qui préfigure si bien l'arianisme. Il était inévitable que la réaction d'Ambroise, l'un des champions de Nicée, fût exactement opposée.

On pourrait penser que la doctrine philonienne des puissances n'éveillait pas chez Ambroise la même suspicion que celle du Logos, qui venait dangereusement interférer avec l'essence même du dogme chrétien. Et, de fait, sur ce nouveau thème, la vigilance de l'évêque de Milan semble moins inquiète. Malgré tout, son enthousiasme est visiblement assez faible pour ces hiérarchies de médiateurs, et il passe aux mesures de protection dès que les spéculations de Philon sont susceptibles d'évoquer quelque thèse arianisante[226]. Même quand l'évêque de Milan semble accepter, au moins à titre d'interprétation *ad libitum*, une exégèse où Philon introduit les puissances, ce n'est ni sans réserves ni sans altérations significatives.

Commençons par examiner un passage où Ambroise semble reprendre purement et simplement à son compte le thème philonien des δυνάμεις. C'est un texte du *De Noe*, qui se fonde sur la *Quaestio in Genesin*, II, 16, de l'Alexandrin.

Voici le verset qui fait l'objet de cette *quaestio* : « Noé fit donc tout ce que lui avait recommandé le Seigneur Dieu[227]. » Arrivant aux derniers mots, Philon s'interroge sur l'emploi des deux noms divins et sur l'ordre dans lequel ils apparaissent. Il explique alors que « Seigneur » renvoie à la puissance destructrice et « Dieu » à la puissance créatrice. Puisque, dans le déluge, la destruction précède la recréation, l'ordre suivi convient

_____

II, p. 59.

parfaitement ; en revanche, lorsqu'il s'agit de l'œuvre des six jours, c'est le mot « Dieu » qui a très justement la préférence[228].

Ambroise ne voit apparemment pas d'inconvénient à ce qu'on adopte cette exégèse. Voici en effet ce qu'il écrit quand, dans son *De Noe*, il en vient à commenter ce verset :

« Avant nous cependant certains ont proposé l'interprétation suivante. En disant en ce passage ' Seigneur ' et ' Dieu ', (Moïse) aurait désigné la double puissance de celui qui va punir et qui va pardonner. C'est parce qu'il commence ici par punir les pécheurs qu'il serait nommé d'abord ' Seigneur '. C'est parce qu'ensuite il pardonne, pour que fructifie la semence dont le juste doit sortir, qu'il serait ensuite nommé ' Dieu '. Tandis qu'au moment où il va créer le monde, il est appelé ' Dieu ' : ' Au commencement Dieu a fait le ciel et la terre. Et Dieu a dit : que la lumière soit '[229]. »

On voit qu'Ambroise reprend fidèlement les étapes de la démonstration de Philon. L'adhésion pourtant ne semble point absolument sans réserve. C'est du moins ce que plusieurs indices donnent à penser.

Tout d'abord, cette interprétation, la seule que propose Philon, n'a pas suffi à Ambroise, qui commence par en proposer une autre marquée par des préoccupations doctrinales plus actuelles. Selon cette première explication, la double appellation, le « Seigneur Dieu », montre que la consigne exécutée par Noé a été donnée par le Fils et par le Père. Ambroise prend donc ici « Dieu » et « Seigneur » comme les dénominations personnelles du Père et du Fils. Il précise que les deux termes sont à entendre dans une sorte de simultanéité, puisque « Dieu est dans le Seigneur et le Seigneur est en Dieu[230] ».

Si l'on compare un instant l'interprétation qu'introduit ainsi Ambroise et celle qu'il trouve dans Philon, on doit bien convenir qu'elles sont très différentes. La première suppose entre les deux mots à expliquer une simultanéité rigoureuse : le Père et le Fils commandent si l'on peut dire ensemble et à la fois. La formule pourrait donc s'inverser sans dommage puisqu'il y a immanence mutuelle de ses deux termes. Au contraire, dans la seconde explication, celle de Philon, l'ordre des mots est essentiel et ne peut être changé sans que le sens lui-même devienne tout autre, puisqu'il s'agit d'énoncer non plus une simultanéité, mais une succession dans le temps.

A travers ces différences herméneutiques, ce sont deux théologies qui sont confrontées. L'une, celle que présente Ambroise lorsqu'il parle en son nom propre, affirme l'égalité parfaite du Fils et du Père, et met donc en relation directe la divinité suprême et l'histoire. L'autre, celle de Philon, suppose un système de puissances intermédiaires permettant une certaine communication entre le premier Dieu et le monde du devenir.

II, p. 59.

On peut alors se demander si Ambroise s'est contenté de juxtaposer en un maladroit assemblage ces deux éléments de provenances et de styles si divers, ou s'il a, plus ou moins délibérément, altéré l'un pour réduire le désaccord.

Ce qui apparaît d'abord, c'est qu'il ne met pas du tout ces deux exégèses sur le même pied. La première, il l'énonce sans aucune réserve, comme le sens que le lecteur doit découvrir dans ce passage. En revanche, il marque nettement ses distances vis-à-vis de la seconde explication. Sans doute il ne la condamne pas, mais il prend soin de l'attribuer à des « aliqui ante nos » et de l'énoncer tout entière au style indirect. C'est d'autant plus remarquable que cette prudence est rare. Nous avons vu que la plupart du temps l'évêque de Milan ne manque pas de juxtaposer sans crier gare des exégèses fort diverses de contenu et d'origine. A la rigueur une référence aux différents « sens » permet de recueillir sans exclusive ce qui paraît d'abord incompatible.

Mais au moins, une fois cette précaution prise, Ambroise va-t-il se faire l'interprète exact de l'explication que Philon propose ? Pas tout à fait. Comme nous l'avons vu, Philon rapporte le mot « Seigneur » à la puissance destructrice et le mot « Dieu » à la puissance créatrice[231]. Même, si dans d'autres passages, la « puissance destructrice » est appelée « puissance punitive », la perspective de Philon est essentiellement physique : il s'agit de ces deux forces divines, antagonistes et complémentaires qui, par leur action conjuguée, assurent le devenir[232].

Si nous revenons maintenant aux lignes du *De Noe*, nous voyons que l'antithèse s'est transformée : ce qu'Ambroise oppose, ce n'est plus, comme son prédécesseur, la destruction et la création, c'est le châtiment et le pardon : « vindicaturi et ignoturi geminam... potestatem ». Par une pente qui est caractéristique de l'évêque de Milan, on est passé de la physique à l'éthique.

Ce n'est point la seule altération importante qu'Ambroise fait subir aux thèses de son prédécesseur. La forme grammaticale de l'énoncé présente elle aussi des changements révélateurs. Faisons donc un instant abstraction de la fonction exacte attribuée aux puissances ; supposons pour la commodité de l'exposé que Philon et Ambroise aient utilisé la même antithèse — par exemple celle de la justice et du pardon — et comparons ces deux formules : d'une part, « la puissance punitive et la puissance miséricordieuse », d'autre part, « la double puissance de celui qui punit et qui fait miséricorde ». On voit que le premier énoncé tend de lui-même à hypostasier ces puissances, à leur conférer quelque subsistance propre, quelque autonomie au moins relative. Le second, au contraire, coupe court à ces possibilités ou, si l'on veut, à ces tentations, en attribuant directement au même sujet, qui représente Dieu lui-même, l'acte de punir et l'acte de pardonner. De par la structure même des deux

---

II, p. 60.

énoncés, on a d'un côté un réalisme, de l'autre un nominalisme des puissances. Le premier schéma est celui de Philon, le second celui d'Ambroise.

On le voit, même lorsque ce dernier semble le moins en défiance à l'égard de la conception philonienne des δυνάμεις, il ne s'y livre pas pour autant. La distance où il la tient et les modifications qu'il lui impose n'en font guère qu'un supplément anodin, qui ne peut plus compromettre les choses sérieuses, en l'occurence l'affirmation de l'égalité du Père et du Fils. Au delà même du point de doctrine qui est en cause, on a ici un excellent exemple de la manière dont Ambroise en use avec Philon. Il utilise tout ce qu'il peut dans l'héritage de son devancier, même ce qui lui paraît mineur ou de peu d'intérêt. Peut-être cette espèce d'avarice s'explique-t-elle en partie par ce goût antique de la *copia*, si fort que Cicéron allait jusqu'à faire de celle-ci une vertu majeure du philosophe[233]. Mais, en même temps, la vigilance de l'évêque de Milan reste toujours sur le qui-vive et, au moment même où il semble s'être laissé surprendre par une idée un peu risquée, il a eu l'art de n'en retenir que l'écorce.

Ailleurs, l'accueil qu'Ambroise réserve aux spéculations de Philon sur les puissances est plutôt moins généreux. Certes, on ne peut rien tirer d'un silence comme celui que l'on remarque dans le *De Noe* à propos d'une autre occurrence de « dominus deus » dans le récit de la Genèse : « le Seigneur Dieu de Sem » (Gn., 9, 26). Ambroise signale la double appellation, mais, au lieu de s'y arrêter comme Philon qui voit là le « pouvoir bienfaisant » et le « pouvoir royal », l'évêque de Milan passe à l'explication du mot suivant[234].

Cette omission trahit-elle un manque d'intérêt ? Ou bien Ambroise, qui écrit un traité continu et non des *questions* séparées, a-t-il jugé que l'expression avait déjà été expliquée et qu'il n'avait pas à y revenir ? Il serait téméraire de faire fond sur des hypothèses entre lesquelles nous n'avons aucun moyen de trancher.

Plus significatif est le cas où Ambroise reprend bien un développement que Philon consacre aux puissances, mais en en réduisant l'importance, en le banalisant. Au chapitre 39 du *De sacrificiis*, Philon, engagé dans une interprétation des villes lévitiques où doivent chercher refuge les meurtriers involontaires[235] et voulant expliquer cette paradoxale cohabitation, se prépare à aborder un point de doctrine à la fois important et délicat : l'existence en Dieu d'une puissance punitive dont ces assassins malgré eux sont précisément les ministres. L'Alexandrin cherche d'abord à aiguiser l'attention de ses lecteurs en utilisant le langage de l'initiation : « Mais on répète aussi, dans le secret, une interprétation telle qu'il ne faut la faire entendre aux anciens qu'après avoir bouché les oreilles des jeunes ». Puis, c'est la proclamation solennelle de la doctrine : «Parmi toutes les puissances excellentes de Dieu, il en est une qui, à elle seule,

---

II, p. 60.

égale en considération toutes les autres, la puissance législative — Dieu est en effet législateur et source des lois, lui dont dépendent tous les législateurs particuliers — et cette puissance est, par nature, divisée en deux : d'un côté, elle fait du bien à ceux qui ont une conduite droite, de l'autre, elle châtie ceux qui commettent des fautes. Le lévite est le ministre de la première division[236]. » Ambroise, qui va s'attarder aux exécutants humains des sanctions divines, conserve bien l'idée des deux puissances, mais ce n'est plus guère qu'une transition. Non seulement il laisse de côté le préambule initiatique par lequel Philon soulignait l'importance de cette doctrine, mais encore l'exposé lui-même est dépourvu de toute emphase. Ce n'est plus qu'un sec résumé : « A cela s'ajoute qu'il y a en Dieu comme deux genres principaux de puissances, l'un au titre duquel il pardonne, l'autre au titre duquel il punit[237]. » Et Ambroise d'ajouter aussitôt que les péchés sont pardonnés par le Verbe de Dieu, dont le lévite est l'exécutant[238]. A vrai dire, peut-on même parler de résumé ? De la doctrine enseignée par Philon dans son *De sacrificiis* il ne reste qu'une formule vide.

Ici encore, Ambroise modifie la division envisagée par Philon : ce qu'il pose en face de la punition, ce n'est plus la récompense, c'est la rémission des péchés. Et cela se comprend parfaitement : les réalités ecclésiastiques de son temps et en particulier la dignité dont il est lui-même revêtu amènent naturellement l'évêque de Milan à insister sur la fonction réconciliatrice du « sacerdos » et, par association, du lévite.

Il y a sans doute plus grave pour l'économie de la doctrine proposée par Philon. L'Alexandrin évoquait tout un système de puissances : la bienfaisance et la punition n'étaient que les subdivisions de l'une d'entre elles, la puissance judiciaire. Ambroise néglige la classification que suppose son modèle et se contente d'une formulation des plus vagues : « Duo quaedam... principalia... genera virtutum ». Et, cette fois aussi, c'est Dieu qui est le sujet direct du verbe « pardonner » et du verbe « punir » : « duo... genera virtutum, unum quo remittit, aliud quo vindicat ».

On entrevoit déjà que cette doctrine des puissances, à laquelle Philon donnait tant d'importance et qu'il voulait parer des attraits de l'ésotérisme, n'existe plus dans l'adaptation d'Ambroise qu'à l'état de survivances verbales. Mais une dernière modification va le montrer avec encore plus de clarté. Après avoir distingué la δύναμις qui répand des bienfaits et celle qui distribue des punitions, l'auteur du *De sacrificiis* indiquait que le lévite était le ministre du premier de ces deux départements. On a vu ce que cette dernière affirmation devenait chez Ambroise : « Les péchés sont remis par le Verbe de Dieu, dont le lévite est l'agent et l'exécutant. » La technique de la double traduction permet à Ambroise de rendre très exactement l'ὑπηρέτης de Philon. Mais le Verbe de Dieu se

II, p. 60.

substitue inopinément à la puissance bienfaisante, comme l'énoncé direct et précis remplace le cliché.

Un autre parallèle va nous faire mieux entrevoir ce que la théorie philonienne des puissances pouvait avoir d'inquiétant pour l'évêque de Milan.

Au chapitre 15 du *De sacrificiis*, Philon évoque le célèbre épisode des trois hôtes accueillis par Abraham au chêne de Mambré. C'est une nouvelle illustration de cet empressement dont l'absence est le premier défaut du sacrifice de Caïn.

Voici donc que trois hommes se tiennent debout devant Abraham qui est assis à l'entrée de sa tente. Il est midi. Le patriarche lève les yeux, voit les étrangers, accourt au devant d'eux. Il les invite à faire halte, à se rafraîchir. Il fait apporter de l'eau pour leurs pieds. Tantôt il s'adresse à eux au pluriel, tantôt au singulier, comme s'il ne parlait plus qu'à l'un des trois seulement. Puis il se hâte vers Sara : que celle-ci prenne trois mesures de farine et prépare des galettes cuites sous la cendre[239].

On voit comment cette page de la Genèse est propre à illustrer le thème de la promptitude et du zèle. Aussitôt que les hôtes paraissent, on court, on se hâte, on s'empresse[240]. Et Philon commence en effet par louer la hâte, l'empressement, la diligence dont Abraham donne ici l'exemple[241]. Mais, aussitôt après, l'Alexandrin s'attache à expliquer les mystères de cet épisode. Les trois visiteurs, les mesures, le pétrissage, les galettes cuites sous la cendre vont être interprétés tour à tour.

On se rappelle que le texte de la Genèse présente une remarquable oscillation entre l'un et le trois. On commence par nous annoncer une apparition de Dieu[242] et ce sont trois voyageurs qu'Abraham aperçoit. Dans le petit discours qu'il leur tient, il semble s'adresser d'abord à une seule personne, puis à plusieurs : « Seigneur, si j'ai trouvé grâce auprès de toi, ne passe pas auprès de ton serviteur sans t'arrêter... vous vous rafraîchirez sous le chêne, j'apporterai du pain et vous mangerez...[243] » A la fin de l'épisode, le patriarche reste seul avec le Seigneur, les deux autres voyageurs ayant gagné Sodome[244].

Cette alternance du « tu » et du « vous » suggère à Philon l'image d'un souverain, escorté de deux gardes[245]. Ces trois voyageurs ne sont donc pas égaux. Mais qui sont ces gardes ? Les deux puissances les plus élevées, nous dit Philon, la Souveraineté et la Bonté[246].

Vient ensuite l'explication des trois mesures. Dieu n'est pas mesuré ; c'est lui qui mesure toutes les réalités, les corporelles et les incorporelles. C'est vrai aussi, d'une façon moindre et dérivée, pour les deux puissances. A leur niveau s'établit une spécialisation : chacune a son domaine propre, au sein duquel elle apporte règle et délimitation. La Bonté règle et délimite tout ce qui est bon. La Souveraineté — ἀρχή — maintenant nom-

---

II, p. 60.

mée ἐξουσία — Autorité — règle et délimite tout ce qui est subordonné[247]. On reconnaît dans ces deux gardes du corps la puissance créatrice et la puissance royale que, dans d'autres textes, Philon place au sommet de la hiérarchie des δυνάμεις, immédiatement au-dessous du Logos[248].

Ces trois mesures sont pétries et mêlées. Et Philon précise : dans l'âme. En effet si Dieu peut apparaître à celle-ci dans sa Bienfaisance et dans sa Souveraineté, il peut aussi se manifester sans elles, dans son absolue transcendance[249].

La cuisson sous la cendre rappelle enfin que l'initié aux grands mystères est soumis à la loi du secret. C'est le cas de ceux qui ont été instruits de la doctrine des puissances. Encore une fois les allusions à l'initiation viennent marquer au lecteur de Philon l'importance de ce qu'on lui confie[250].

L'influence de cette page est perceptible dans le *De Cain* d'Ambroise, mais sous des remaniements particulièrement importants. Il faudrait ici parler de réaction et de réplique, non pas d'imitation.

Dans le *De Cain* comme dans le *De sacrificiis*, l'épisode des trois visiteurs divins est introduit pour l'exemple de promptitude dans l'offrande donné par Abraham à cette occasion. De plus, Ambroise, comme Philon, au lieu de s'arrêter à ce sens moral, le seul qui soit dans le droit fil du développement principal, entreprend de traduire le symbolisme du passage, le nombre des voyageurs, les mesures, la farine. C'est dans ces explications que les divergences apparaissent.

A bien y regarder, la modification apportée par Ambroise se réduit à un seul point, décisif il est vrai, toutes les autres différences de détail n'étant que conséquences ou confirmation. L'interprétation que Philon donnait du nombre des voyageurs était, on l'a vu, hiérarchique. C'était le roi et ses deux gardes du corps. Plus schématiquement, c'était un plus deux, les deux manifestant toujours le un, mais à un niveau inférieur, et le un pouvant être saisi en soi-même, pur de toute multiplicité. Ambroise refuse cette arithmétique sacrée et en propose une autre : « Il voit trois, il adore un seul... Trois mesures, une farine[251]. » L'analyse deux plus un est remplacée par l'équivalence trois = un. Aux images de descente et de hiérarchie, s'est substituée l'idée de réciprocité, d'égalité rigoureuse entre les trois visiteurs. On commence à pressentir pourquoi. Ne serait-ce pas en effet qu'Ambroise, habitué qu'il était à voir dans cette théophanie une manifestation trinitaire, devait inévitablement rejeter l'explication proposée par Philon ? A vrai dire, les choses ne sont pas si simples.

En lisant dans le *De sacrificiis* la version philonienne de la théophanie de Mambré, l'évêque de Milan ne pouvait certes manquer de la confronter avec ce qu'il savait déjà de cet épisode célèbre. Les allégories de l'Alexandrin venaient ainsi interférer avec l'exégèse chrétienne de la vision.

II, p. 60.

Mais, à l'époque d'Ambroise, y a-t-il encore dans l'Église une interprétation commune et en quelque sorte canonique des trois visiteurs d'Abraham ? Il semble en tout cas que l'ancienne explication soulève des difficultés qui vont provoquer son déclin. La réponse que donne l'évêque de Milan aux vues de Philon pourrait même représenter le tournant décisif qui a fait passer d'une interprétation christologique à une interprétation trinitaire. On ne saurait bien comprendre la réaction d'Ambroise au texte de l'Alexandrin si on ne la replace pas dans ce développement dont voici une brève esquisse.

Au IIe et au IIIe siècle, on expliqua l'apparition au chêne de Mambré selon la grille christologique qui servait pour l'ensemble des théophanies de l'Ancien Testament. Le fait qu'Abraham passe inopinément du « vous » au « tu » en s'adressant à ses hôtes retint évidemment l'attention. On comprit que le patriarche distinguait parmi les trois voyageurs un interlocuteur privilégié, les deux autres étant des subalternes que l'hôte mêlait à la conversation par courtoisie. On partit de là pour découvrir dans les trois mystérieux personnages le Christ escorté de deux anges.

On se servait de l'épisode ainsi compris contre le judaïsme traditionnel. On en tirait en effet la distinction personnelle de Dieu et du Logos, ainsi que la divinité de ce dernier. Cela impliquait toute une doctrine des théophanies. Le Père, disait-on, est absolument invisible et échappe à toute localisation. Le Logos, au contraire, peut se montrer aux regards, ici où là. Toutes les apparitions divines de l'Ancien Testament devenaient donc autant de preuves de la conception chrétienne du Verbe. C'est ce que Justin s'attache à démontrer au juif Tryphon qui tenait que les trois visiteurs étaient trois anges[252]. Cette interprétation christologique semble aller de soi pour Tertullien[253] et Origène[254]. Novatien, cependant, prend soin de souligner que c'est bien le Christ, et non le Père, qui est apparu[255]. On s'appuyait aussi sur certains détails comme l'eau qu'Abraham fait préparer à ses hôtes pour qu'ils se lavent les pieds. On comprenait parfois que c'était le patriarche qui leur avait rendu lui-même ce service[256]. Cela paraissait une préfigure de la Cène. Le Christ faisait en quelque sorte l'apprentissage de l'incarnation[257].

Il faut bien admettre qu'une telle vue des choses implique un certain subordinatianisme. Entre le Père, qui transcende absolument le sensible, et le Fils, qui peut apparaître aux regards, il n'y a pas d'égalité. Cette vision hiérarchique s'exprime parfois crûment comme chez Théophile d'Antioche[258]. Mais, ailleurs, pour être moins explicite, elle est malgré tout décelable ; c'est le présupposé commun de ces interprétations christologiques des théophanies. Il apparaît nettement dans certaine page d'Irénée de Lyon[259] et dans des expressions comme l'« autre dieu », chez Justin[260] ou le « second seigneur après le Père », chez Eusèbe[261].

Avec l'évêque de Césarée, nous touchons à la grande crise doctrinale

---

II, p. 60-61.

qui finira par remettre en question cette exégèse classique des anciennes
théophanies et notamment de l'apparition au chêne de Mambré. Sans
doute, ce subordinatianisme plus ou moins affirmé n'avait rien pour
effrayer un conservateur arianisant comme Eusèbe. Il ne gêne pas davantage les Pères du synode de Sirmium de 351, qui affirment que c'est bien
le Christ, et non le Père, qui a reçu l'hospitalité d'Abraham[262].

Mais les nicéens déclarés n'allaient-ils pas se débarrasser d'une exégèse
qui compromettait l'égalité du Père et du Verbe ? En fait, l'interprétation
christologique était si bien établie que les adversaires même résolus
de l'arianisme semblent s'en être d'abord accommodés, quitte à y chercher
des arguments pour leur thèse. C'est ce que font Hilaire[263], Grégoire
d'Elvire[264], et Ambroise lui-même lorsqu'il écrit son *De Fide*[265]. Comme,
d'ailleurs, la crise arienne n'épuise point toutes les énergies et que les
anciennes polémiques continuent, on n'est pas étonné qu'au milieu
du ive siècle la théophanie de Mambré, dans son interprétation traditionnelle, soit encore utilisée par Cyrille de Jérusalem pour défendre
contre les juifs la convenance de l'Incarnation : c'est le même Seigneur qui a
mangé chez Abraham et qui a mangé chez nous[266]. Longtemps encore, les
foules chrétiennes qui se pressent à Mambré y chercheront le souvenir
d'une apparition du Christ et non d'une manifestation de la Trinité[267].

A la longue, cependant, le triomphe des nicéens devait entraîner une
réinterprétation de l'épisode. Il devenait clair, en effet, que les tenants de
l'arianisme pouvaient tirer argument de l'ancienne explication christologique[268]. Aussi une nouvelle exégèse, trinitaire cette fois, commence à
être proposée. C'est précisément celle que, dans le *De Cain*, Ambroise
substitue à l'interprétation de Philon. Cette nouvelle version de la théophanie de Mambré va trouver sa forme classique avec Augustin : les
trois visiteurs parfaitement égaux sont trois anges[269], mais ceux-ci servent
à manifester le mystère des trois personnes divines. C'est donc bien la
Trinité qui s'est révélée à Abraham[270].

L'idée ancienne, selon laquelle c'est le Christ escorté de deux anges
qui est apparu au patriarche, ne va pas disparaître pour autant[271].
Mais les exégèses de Genèse, 18, que la crise arienne a vu s'affirmer
ont également droit de cité[272]. Le commentaire de Procope donne de ces
diverses interprétations une brève liste qui va nous permettre de situer la
position d'Ambroise. Le compilateur rappelle en effet qu'on a vu dans ces
trois voyageurs, soit trois anges, soit Dieu et deux anges, soit la Trinité[273].
La seconde interprétation n'a compté dans l'Église que sous sa variante
christologique. Retenons donc ces trois types de solution : trois anges, le
Christ accompagné de deux anges — ou de Moïse et d'Élie[274] —, la Trinité.

La première et la troisième de ces exégèses ne sont pas inconciliables.
Nous venons de voir qu'Augustin les combine comme l'expression
visible et sa signification invisible. La deuxième interprétation, en

---

II, p. 61-62.

revanche, semble incompatible avec les deux autres : il faut en effet choisir entre l'égalité parfaite des trois visiteurs ou la subordination de deux d'entre eux au troisième. La singularité d'Ambroise sur ce point, c'est qu'il associe, apparemment sans gêne, l'inconciliable en affirmant, tour à tour, ou à la fois, les deux dernières explications, comme s'il nous faisait assister à l'émergence d'une nouvelle interprétation. Nous allons voir que l'influence de Philon pourrait ne pas être absolument étrangère à cette innovation.

L'évêque de Milan connaît et utilise à l'occasion l'explication traditionnelle. C'est même celle dont il se sert exclusivement dans son grand ouvrage théologique contre l'arianisme, le *De fide*. Elle est au principe d'une argumentation développée dans un chapitre du livre II. L'hôte apparu près du chêne de Mambré déclare un an plus tard à Abraham : « J'ai juré par moi-même[275]. » En s'appuyant sur l'Épître aux Hébreux, Ambroise souligne que seul celui qui n'a personne au-dessus de lui peut prêter un tel serment. L'interprétation traditionnelle est donc retournée contre le subordinatianisme[276].

Au livre premier, la théophanie de Mambré est rapprochée de la transfiguration du Christ. Ici comme là, l'adoration ou l'obéissance ne s'adresse qu'à l'un des trois personnages qui apparaissent : « Abraham en vit trois et n'en adora qu'un seul. » Pierre vit aussi Moïse et Élie, mais n'interrogea que le Christ[277]. Et c'est peut-être parce que l'apôtre proposa naïvement de dresser trois tentes qu'il fut aussitôt repris par la voix du Père : « C'est celui-ci qui est mon Fils bien-aimé », « celui-ci » c'est-à-dire ni Moïse, ni Élie. Pierre était ainsi invité à ne pas mettre ses compagnons de service sur le même plan que le maître[278]. Ambroise est encore plus net au livre II : « Ce n'est pas le Père qui est apparu à Abraham, et ce n'est pas au Père que ce dernier a lavé les pieds, mais en ce (personnage) est la figure de l'homme à venir[279]. »

Ailleurs, cependant, l'évêque de Milan ignore cette exclusive. Une page de son *De Abraham* offre l'intérêt particulier de faire coexister les deux exégèses qui nous ont paru inconciliables. Ambroise y commente en effet l'apparition de Mambré à deux niveaux de profondeur. Commençant par l'interprétation du « mysterium », il fait voir dans les trois voyageurs la Trinité se manifestant dans l'unité de la divinité[280]. Mais, quand il en vient à expliquer les situations et les conduites, le « moralis locus », l'auteur du *De Abraham* retrouve sans embarras l'explication traditionnelle : c'est le Seigneur avec deux anges qui ont visité le patriarche[281].

Cette rapide enquête nous a donc amenés à écarter une hypothèse qui pouvait d'abord sembler digne de quelque crédit. Les corrections apportées par Ambroise à l'allégorèse philonienne de Genèse, 18, ne sont pas l'effet d'une interprétation trinitaire qui aurait été largement acceptée à l'époque où est écrit le *De Cain*. C'est l'ancienne exégèse christologique de cette

---

II, p. 62-63.

théophanie qui est alors très généralement enseignée. Ambroise lui-même la connaît et l'utilise. Il faut donc tenter d'expliquer pourquoi ce n'est pas celle qu'il introduit ici, pourquoi il n'en fait même pas la moindre mention, contrairement à la solution moyenne qu'il adopte dans le *De Abraham*. Ajoutons que l'évêque de Milan n'a pu être choqué par l'inégalité que Philon suppose entre les trois visiteurs : cette inégalité était la base même de cette explication christologique traditionnelle. Mais ces conclusions négatives vont peut-être laisser entrevoir, maintenant, les vraies raisons du refus qu'Ambroise oppose à la version philonienne de la théophanie de Mambré. Si ce n'est ni l'idée d'une apparition divine, ni la hiérarchie des personnages qui ont fait difficulté, il ne reste plus comme possible pierre de scandale que l'interprétation des deux « gardes du corps ».

Ce sont, pour Philon, deux des puissances suprêmes[282], deux des puissances de Dieu[283]. Or, vouloir les reconnaître en ces deux hommes qui accompagnaient le Seigneur, n'était-ce pas supposer qu'elles se distinguaient substantiellement à la fois de Dieu et l'une de l'autre ? C'est du moins ce qu'Ambroise devait comprendre et qu'il ne pouvait accepter. Une telle idée, en effet, était incompatible avec les conséquences logiques du « consubstantiel » nicéen. Cela était fort bien vu à l'époque d'Ambroise. Citons, par exemple, ce texte de Grégoire d'Elvire : « Le Fils est nommé force (« virtus »), parce qu'il est vraiment de Dieu et toujours avec Dieu et que toute la puissance (« potestas ») du Père réside en lui[284]. » Rappelons, au passage, que l'évêque de Milan rend la δύναμις philonienne tantôt par « virtus[285] », tantôt par « potestas[286] ». Vers la fin de la vie d'Ambroise, Augustin rappelle, dans son *De doctrina christiana*, que, pour les trois personnes de la Trinité, il y a « même éternité, même incommunicabilité, même majesté, même puissance[287] » et non pas seulement égalité de puissances.

Ce point de la doctrine trinitaire a même été officiellement précisé par un canon du concile romain de 382, déclarant hérétique celui qui ne confesserait pas une seule puissance du Père, du Fils et du Saint Esprit[288].

Or Ambroise semble bien avoir collaboré à la préparation de ce texte qui s'inscrivait explicitement dans la perspective de Nicée. Lui-même a évoqué cette doctrine de l'unité de puissance à propos de l'apparition de Mambré. Voici ce qu'il écrit dans le second *Discours sur la mort de Satyre* : « Abraham a vu la Trinité dans une image, il a couronné l'hospitalité par la piété ; il en a accueilli trois, il en a adoré un, et tout en sauvegardant la distinction des personnes, il les nommait un seul Seigneur ; faisant à tous trois l'honneur d'un présent, il marquait en même temps l'unité de puissance[289]. »

Un autre texte est encore plus explicite. Il est tiré du *De Spiritu sancto* : « Abraham non plus n'a pas ignoré l'Esprit Saint. En effet, il a vu trois et il a adoré un seul, parce qu'il y a un seul Dieu, un seul Seigneur et

─────────

II, p. 63.

un seul Esprit. Il y a unité d'honneur parce qu'il y a unité de puissance[290]. »

Le raisonnement d'Ambroise est clair. « Tres vidit et unum adoravit » ne veut pas dire ici, comme dans une formule analogue d'Origène signalée par Faller : « il n'a adoré que l'un des trois[291] », mais signifie au contraire : il a adoré les trois comme un seul. C'est l'ὁμοούσιος de Nicée qui se traduit extérieurement par l'« unitas honoris ». Or celle-ci, selon l'évêque de Milan, implique que la puissance du Père, la puissance du Fils et la puissance de l'Esprit ne sont qu'une seule et même puissance. On comprend alors qu'Ambroise ait décelé dans ce Dieu philonien escorté de ses deux puissances une théologie trinitaire fondée sur la subordination.

Cette interprétation venait d'autant mieux à l'esprit que la façon même dont Philon désignait ces deux puissances n'était pas sans évoquer la deuxième et la troisième personne de la Trinité chrétienne. Le nom de Souveraineté convenait au Christ[292], et le nom de Bonté était une des appellations de l'Esprit[293]. Il semble donc bien que, si Ambroise introduit ici une exégèse trinitaire, c'est parce que celle-ci lui a été suggérée par le texte même de Philon. Il s'agissait alors, pour l'auteur du *De Cain*, de répondre à un schéma trinitaire erroné par une réaffirmation de la foi de Nicée, plus exactement de ce qu'elle était devenue après un demi-siècle de controverses, d'explications et d'approfondissements. La technique d'Ambroise est apparemment fort simple : elle est fondée sur la substitution.

De fait, quand on lit la page du *De Cain* sur la théophanie de Mambré, on ne découvre point la moindre allusion à ces puissances qui chez Philon faisaient le fond de l'explication. Leur absence sans doute n'est qu'apparente : elles sont là malgré tout, comme la thèse qu'Ambroise repousse sans la nommer en lui opposant de vigoureuses professions de la foi nicéenne.

Tout de suite après le texte même de la Genèse qu'il va commenter, Ambroise reprend la vieille formule : « Tres videt, unum adorat. » L'ambiguïté de la seconde phrase — « un des trois », ou « les trois comme un seul » — est levée par ce qui suit immédiatement les mots « unum adorat » : « Il offre trois mesures de farine, car, même si Dieu est sans mesure, c'est lui qui contient la mesure de toutes choses. » Ici, Ambroise a coupé les lignes que Philon consacrait aux mesures imposées par les deux puissances. Les trois mesures, au lieu d'être destinées respectivement à chacun des trois hôtes, sont maintenant offertes à Dieu tout simplement. De même qu'elles sont rassemblées dans une seule offrande, de même les trois apparitions sont réunies dans une seule adoration. C'est ce que le parallélisme invite à comprendre et ce que viennent par ailleurs confirmer les textes du *De excessu Satyri* et du *De Spiritu sancto* que nous venons de citer.

Un nouveau détail du récit va permettre à Ambroise de préciser sa

---

II, p. 63.

pensée : ces trois mesures de farine ne sont présentées que lorsqu'elles sont mêlées au point d'être indissociables. L'auteur du *De Cain* trouve là une pierre d'attente pour la construction de son allégorie trinitaire. Il présente d'abord le thème : « C'est donc à la Trinité, parfaite en chacune des personnes, que le saint patriarche offrait un sacrifice dans le secret de son esprit, c'est-à-dire de la farine spirituelle[294]. »

L'idée de cette farine et de son pétrissage par Sara inspire alors à Ambroise une analogie évangélique sur laquelle nous reviendrons. Après ces trois lignes, nous trouvons curieusement comme un vestige de l'interprétation ancienne, christologique. Pour prouver celle-ci, on invoquait cette parole du Christ en Saint Jean : « Abraham a vu mon jour et s'est réjoui ». Grégoire d'Elvire, par exemple, expliquait là-dessus qu'il ne pouvait s'agir que de la théophanie de Mambré : c'est là que non seulement Abraham avait *vu* le Christ en l'un des trois passants, mais qu'il s'était *réjoui* dans le repas qu'il avait partagé avec ses hôtes[295]. Mais Ambroise ne reprend ce *logion* évangélique que pour le faire concourir à l'interprétation trinitaire substituée à l'ancienne exégèse. Voici, en effet, comment il enchaîne : « Afin que tu saches qu'Abraham aussi a cru au Christ, celui-ci déclare : ' Abraham a vu mon jour et il s'est réjoui. ' Et celui qui croit au Christ croit aussi au Père et celui qui croit parfaitement au Père croit au Fils et à l'Esprit Saint. Il y a donc trois mesures, mais une seule farine. En d'autres termes, ce fut un seul sacrifice qui a été offert à l'adorable Trinité, avec une égale mesure de dévotion et la plénitude de piété qui convenait[296]. » On voit que la mention du Christ est aussitôt réintroduite dans le mouvement circulaire des énoncés sur la Trinité. On ne peut manquer d'évoquer ici ceux du prétendu symbole d'Athanase, que l'on a souvent voulu attribuer à l'évêque de Milan[297].

Les deux puissances ont donc disparu de cette exégèse, refoulées et comme exorcisées par des énoncés très semblables à ces formules de foi que les conciles du ive siècle opposent aux hérésies. Et pourtant ces puissances ne sont pas entièrement absentes, et c'est là peut-être le plus remarquable. On les trouve, transformées il est vrai, à la page précédente du *De Cain*, dans l'exégèse d'un autre épisode de la vie d'Abraham, plus célèbre encore que la triple apparition : le sacrifice d'Isaac. C'est là une addition d'Ambroise : pour illustrer l'empressement et le zèle qui doivent caractériser le sacrifice du juste, Philon n'empruntait à la biographie du patriarche que l'accueil réservé aux trois passants. L'évêque de Milan fait précéder cet exemple d'un épisode chronologiquement bien postérieur, puisque la théophanie de Mambré a précisément pour message précis la future naissance de ce même Isaac. L'addition ambrosienne se comprend fort bien, le sacrifice d'Isaac étant la figure la plus frappante du sacrifice du Christ.

Or il se trouve que, lorsqu'il conduit son fils à l'endroit où doit avoir

---

II, p. 63.

lieu l'immolation, Abraham est accompagné de deux serviteurs. Voilà ce qu'Ambroise écrit à ce propos : « Deux puissances de la foi l'accompagnaient, certain qu'il était du pouvoir de Dieu et assuré de sa bonté. » Qu'il y ait là une reprise soigneusement altérée de ce que dit Philon des trois passants de Mambré, la mise en regard des deux textes ne permet point d'en douter :

Philon, *De sacrificiis*, 15, 59, p. 225,18 - 226,1 :

Ambroise, *De Cain*, I, 8, 29, p. 364, 15-16 :

Ὁ θεὸς δορυφορούμενος ὑπὸ δυεῖν τῶν ἀνωτάτω δυνά- μεων ἀρχῆς τε αὖ καὶ ἀγα- θότητος...

« Duabus quoque fidei vir- tutibus comitantibus..., de potestate dei certus et de bonitate securus. »

On a vu que « virtus » était l'un des mots par lesquels Ambroise rendait δύναμις. Quant au substantif ἀρχή, le sens en est précisé peu après dans le texte de Philon par l'équivalent ἐξουσία. Le parallélisme est donc patent : dans les deux textes, on retrouve le maître et les deux serviteurs qui l'escortent, et ces derniers sont ici et là mis en corrélation avec le pouvoir et la bonté de Dieu.

Les modifications introduites par Ambroise n'en ressortent que mieux. C'est à Abraham maintenant que les deux puissances servent de gardes du corps. Ce ne sont plus les puissances de Dieu, mais les puissances — les « vertus » — de la foi du patriarche. Celle-ci a, en effet, un double aspect : elle est certitude du pouvoir de Dieu et confiance en sa bonté. Encore une fois, Ambroise a substitué au réalisme des puissances une simple dualité de points de vue. Ce qui était chez Philon une thèse à la fois théologique et cosmologique est ramené par l'évêque de Milan au plan de la psychologie religieuse. Ce glissement est, on le sait, caractéristique du tempérament intellectuel d'Ambroise. Il en fait ici un usage subtil et très délibéré. Ainsi déplacé et travesti, le thème philonien a perdu tout ce qui le rendait dangereux. L'évêque de Milan a d'ailleurs bien soin de compléter presque aussitôt cette brève analyse psychologique de la foi par une première allusion au dogme trinitaire. Commentant les trois jours de route d'Abraham, il écrit en effet : « Celui qui sacrifie à une seule splendeur doit croire qu'il n'y a qu'une seule lumière de la Trinité[298]. »

Un dernier trait de cette réinterprétation ambrosienne doit encore être signalé. C'est à Sara qu'Abraham avait demandé de pétrir la farine destinée aux galettes cuites sous la cendre. Philon voit dans la femme du patriarche le symbole de cette vertu de promptitude qui est le sujet même de tout le développement. Ambroise substitue à ces considérations l'exégèse d'un *logion* évangélique. Assimilant broyage et pétrissage, l'évêque de Milan passe en effet de Sara à ces deux femmes que l'avène-

---

II, p. 63.

ment du Fils de l'homme trouvera en train de moudre et dont l'une sera prise et l'autre laissée[299]. Ambroise propose alors deux explications parallèles, l'une collective, l'autre individuelle : « L'Église sera prise, la Synagogue sera laissée, ou bien l'âme bonne sera prise, la méchante sera délaissée[300]. » Faut-il voir là le simple souci de ne laisser inemployée aucune occasion favorable à un propos édifiant, fût-il plus ou moins artificiellement rattaché au développement principal ? Je croirais plutôt qu'Ambroise applique ici une tactique que nous avons déjà observée : attaquer le judaïsme au moment où il sent le besoin de marquer ses distances vis-à-vis de Philon tout en continuant à utiliser ce dernier. Ce qui est certain, nous l'avons vu, c'est qu'Ambroise reproche implicitement à l'exégète juif des thèses déjà ariennes ou arianisantes. Et cela n'a rien de très surprenant. Cette notion de judéo-arianisme est un thème dont les controversistes nicéens ont usé et abusé. M. Meslin a fait grief de cet « argument de basse polémique » à Lucifer de Cagliari[301]. Il est vrai que ce dernier n'était pas trop délicat dans le choix de ses arguments, voire de ses injures. Mais le fougueux évêque de Sardaigne ne saurait être tenu pour seul ni même pour principal responsable d'un cliché aussi rebattu. Athanase reprochait déjà aux « ariomanes » d'avoir choisi de rester juifs[302]. Basile reprend le thème à son compte. Selon lui, Eunomius est exaspéré comme les juifs à l'idée que le Christ est égal au Père[303]. Pour l'évêque de Césarée, Eunomius est même encore plus impie que les juifs qui ont du moins compris que se dire Fils, c'est s'affirmer égal au Père[304]. L'argument a d'ailleurs été en quelque sorte canonisé par le concile romain de 382, dont nous avons rappelé les liens avec Ambroise[305].

Ce dernier n'a pas manqué de faire sienne à plusieurs reprises cette assimilation[306]. Cela va de l'allusion scripturaire[307] jusqu'à des identifications doctrinales précises, celle-ci par exemple : les ariens, comme « leurs parents » les juifs, ne veulent pas que Dieu s'adresse au Fils quand il dit : « Faisons l'homme[308]. »

Ambroise reproche encore aux Ariens d'interpréter les Écritures « more iudaico », ce qui les conduit jusqu'à affirmer qu'autre est la puissance du Père, autre celle du Fils, autre celle de l'Esprit, et à nier par suite l'égalité des personnes divines[309]. Ce dernier texte explique particulièrement bien la réaction de l'évêque de Milan à cette irruption des deux puissances dans la théophanie de Mambré. Les lignes où Philon présente cette interprétation devaient être, aux yeux d'Ambroise, un cas particulièrement flagrant de ce judéo-arianisme qu'il imaginait[310].

A vrai dire, il ne faut pas imputer trop vite à Ambroise ni même à Athanase tout ce qu'une telle assimilation a de forcé et d'artificiel[311]. N'est-ce pas Eusèbe lui-même qui avait souligné et rapproché sa théologie trinitaire et son subordinatianisme de la « philosophie des Hébreux », se glorifiant même de cete parenté[312] ? Les controversistes nicéens

---

II, p. 64.

n'avaient eu qu'à remplacer le mot noble « Hébreu » par l'adjectif infamant « judaïque » pour retourner l'argument[313]. Le plus important pour nous, c'est que l'évêque de Césarée ait donné pour garant de cette assimilation imprudente ce même Philon le Juif chez qui Ambroise poursuit avec tant de vigilance toutes les formules qui pourraient servir aux ennemis de Nicée.

CHAPITRE IV

La religion cosmique (De Abraham II)

I — Abraham et l'aruspicine :
l'interprétation de Genèse, 15, 7-11

« (Le Seigneur dit à Abraham) : ' C'est moi qui suis ton Dieu, qui t'ai
fait sortir du pays des Chaldéens, pour te donner cette terre, pour que
tu l'aies en héritage '. Abraham répondit : ' Seigneur Dieu, à quoi connaî-
trai-je que je l'aurai en héritage ? ' Et le Seigneur Dieu lui dit : ' Prends-
moi une génisse de trois ans, une chèvre de trois ans, un bélier de trois
ans, une tourterelle et une colombe. ' Prenant tous ces animaux, il les
divisa par le milieu, et mit les deux parties qu'il avait coupées vis-à-vis
l'une de l'autre. Mais il ne divisa pas les oiseaux. Des oiseaux descendirent
sur les corps qui étaient divisés. et Abraham s'assit auprès de ceux-ci[1]. »

Cet épisode, d'allure quelque peu mystérieuse, devait donner une
riche matière aux spéculations et aux commentaires. Quelques détails
allaient orienter certains esprits vers une interprétation qui peut surprendre le lecteur peu habitué aux virtuosités exégétiques des contemporains de Philon ou d'Ambroise. Abraham cherche à connaître l'avenir,
il est en quête d'un signe qui lui permettra de s'assurer de la certitude
d'un événement futur. Dans sa réponse, Dieu rappelle au patriarche
qu'il vient du pays des Chaldéens, terre classique de la divination. Dans
ce contexte, l'ordre d'ouvrir par le milieu trois animaux sacrifiés ne
pouvait avoir, aux yeux de certains, qu'un seul but : permettre d'observer
les entrailles des victimes pour y trouver les indices cherchés. Munie de
l'orchestration convenable, l'interprétation pouvait avoir quelque attrait.
Il est clair qu'elle devait en revanche paraître scandaleuse à un juif
ou à un chrétien de stricte observance, d'autant plus que ses tenants
s'en servaient pour discréditer les livres de Moïse. Philon le sait et il

II, p. 65.

s'en indigne. Le souci de laver les Saintes Écritures de toute complaisance pour l'extispicine préside à l'exégèse qu'il donne de ces quelques versets au troisième livre des *Quaestiones in Genesin*[2]. Ambroise lui emboîte le pas et le suit même de fort près. Ainsi, quand l'évêque de Milan reconnaît que les expressions « Abraham divisa les corps et s'assit auprès d'eux » sont du langage de l'aruspicine, cette concession apparemment personnelle n'est en fait que l'écho des *Quaestiones in Genesin*[3].

Mais, lorsqu'Ambroise affirme s'être aperçu du scandale de ceux qui voient dans cette page de la Genèse la description d'une cérémonie d'aruspicine[4], faut-il penser qu'ici aussi il ne fait que répéter son prédécesseur ? Ou bien l'objection se rencontrait-elle encore à l'époque où écrit l'auteur du *De Abraham* ? Il est difficile de trancher. Ce que l'on doit reconnaître, c'est que la pratique même de l'extispicine était loin d'appartenir à un passé révolu. Ce mode de divination continuait à avoir nombre d'adeptes au ive siècle, comme le montrent en particulier les textes juridiques qui le concernent[5]. En 319 et 320, Constantin prend des mesures sévères contre l'aruspicine pratiquée pour le compte des particuliers[6]. En 357, Constance prohibe, sous peine de mort, toutes les pratiques divinatoires[7]. La mesure est levée par Julien, qui, du vivant même de Constance, et avant d'avoir publiquement rejeté le christianisme, s'était adonné à l'aruspicine[8]. Sous ce prince, toutes les pratiques divinatoires, et notamment l'extispicine, sont entièrement libres[9]. Les aruspices étrusques sont officiellement consultés sur le déroulement des campagnes impériales, comme le sont aussi les philosophes[10]. S'il arrive à Julien de ne pas tenir compte des avertissements divinatoires, lorsque ceux-ci viennent à la traverse de ses plans[11], il ne s'en montre pas moins très amateur de présages de toute sorte. Les sacrifices d'animaux, condition de l'extispicine, sont extrêmement nombreux sous son règne et sur son initiative, au point, ajoute ironiquement Ammien, que l'on eût pu craindre une pénurie de bétail si ce prince était revenu vivant de sa campagne contre les Perses[12].

La mort de l'Apostat ne mit pas fin à ces pratiques. On voit encore un sacrifice suivi de l'inspection des entrailles offert, très officiellement, semble-t-il, en faveur de Jovien, dont le règne va pourtant marquer la revanche de l'Église[13]. Ce qui frappe surtout, c'est la résistance de l'aruspicine privée. Alors que, sous Valentinien Ier et Valens, les rites maléfiques[14] et l'astrologie[15] sont déclarés passibles de la peine capitale, l'aruspicine est expressément exceptée des mesures répressives, pourvu qu'elle ne soit pas pratiquée dans le dessein de nuire[16]. C'est en 385, pendant l'épiscopat d'Ambroise, que l'inspection des entrailles est définitivement interdite, sous peine des plus graves supplices, par une constitution portant les noms de Gratien, de Valentinien II et de Théodose[17]. En 392 enfin, Théodose l'inclut explicitement dans la proscription de toutes les cérémonies et pratiques du paganisme[18].

II, p. 65-66.

Ces quelques textes montrent suffisamment que le problème de l'aruspicine se pose encore à la fin du ıvᵉ siècle et que la discussion menée par Philon au sujet du sacrifice raconté en Genèse, 15, 9-11 est toujours d'actualité lorsqu'Ambroise la reprend à son compte, dans son *De Abraham*.

11 — LA « QVAESTIO » DE PHILON
SUR LES VICTIMES DU SACRIFICE ET LE REMANIEMENT AMBROSIEN

Une fois encore, les modifications qu'Ambroise apporte aux développements qu'il remploie ne se bornent pas à quelques infléchissements et corrections de détail. C'est, au contraire, un véritable remaniement, dont le trait le plus frappant est sans doute l'introduction d'une importante digression sur la vision du char de Dieu qui nous est rapportée au premier chapitre d'Ézéchiel. Mais cet apparent hors d'œuvre est lui-même supposé, préparé et expliqué par tout un jeu de suppressions, de déplacements et de substitutions qui mérite d'être examiné en détail.

Philon a consacré plusieurs *Questions* à cet épisode de l'histoire d'Abraham. La plus longue, la *Quaestio in Genesin*, III, 3, porte sur les animaux que Dieu ordonne à Abraham de sacrifier. C'est par elle que nous commencerons en rappelant les grandes lignes du développement philonien, avant d'examiner le parti qu'Ambroise en a tiré.

Après avoir caractérisé le groupe des victimes — elles sont cinq, trois animaux terrestres, et deux oiseaux ; les premiers ont trois ans, ce qui est un nombre parfait ; on compte parmi eux deux femelles et un mâle[19] —, Philon évoque ceux qui veulent voir dans ce sacrifice un rite d'aruspicine, et s'attache à montrer que leur interprétation est contredite par l'ensemble de l'Écriture[20]. Ayant expliqué pourquoi il fallait refuser cette exégèse calomnieuse, l'Alexandrin se met en devoir de lui en substituer une autre. Tout naturellement, le sens littéral pouvant prêter à la suspicion, il recourt à l'allégorie. Il explique alors le texte selon le schéma habituel : le sens physique d'abord, le sens moral ensuite. Au premier niveau, Philon voit dans les animaux terrestres trois éléments, deux passifs, la terre et l'eau, représentés par les femelles, le troisième actif, signifié par le mâle, le bélier[21]. Avec les deux volatiles, on sort du monde sublunaire : la colombe symbolise les planètes, la tourterelle les étoiles fixes. C'est l'occasion pour l'Alexandrin d'évoquer certains thèmes chers à la tradition platonicienne, le char ailé du *Phèdre*, la musique des sphères, le chant des sirènes. Ce premier niveau de l'allégorèse se termine sur l'interprétation « physique » de l'âge des trois quadrupèdes, trois ans. Philon nous explique que chaque élément se partage en trois domaines. La terre, en effet, se divise en continents, îles et péninsules, l'eau, en mers, en fleuves et en lacs ; quant à l'air il connaît trois espèces de saisons : l'été, l'hiver, les saisons équinoxiales[22].

II, p. 66.

Vient ensuite l'interprétation « morale », celle qui a trait à l'homme. Dans ce nouveau registre, la génisse, la chèvre et le bélier représentent respectivement la chair, les sens et la raison, tandis que la colombe symbolise la raison pratique et la tourterelle la raison théorique.

Telles sont les grandes lignes de cette *question* 3 qui sert indubitablement de canevas aux développements correspondants du *De Abraham*. L'évêque de Milan part du même point que Philon, l'accusation d'aruspicine et le refus qu'il faut lui opposer. Il suit son modèle, et souvent de très près, dans l'interprétation des trois animaux terrestres, qu'elle soit physique ou morale. On n'observe ici qu'une seule modification notable : l'énumération des séries de trois est réservée pour plus tard ; elle sera utilisée à propos de la division des victimes. En revanche l'interprétation « physique » de la colombe et de la tourterelle est supprimée. Quant à l'exégèse morale des deux oiseaux, ses éléments se retrouvent dans la page d'Ambroise mais altérés et comme masqués. Au lieu d'apparaître en tant que telle, comme une division nette du développement, elle n'est plus que le point de départ d'un glissement qui prépare l'intervention décisive de la vision d'Ézéchiel. Ce sont ces emprunts, mais surtout ces corrections et ces refus qu'il convient maintenant de reprendre et d'analyser avec quelque détail pour en mesurer la portée et en saisir, s'il se peut, les motifs et les intentions.

Contre ceux qui veulent voir dans le rite observé par le Patriarche une pratique divinatoire, Philon met en avant l'unité de la loi mosaïque. C'est un organisme vivant : on ne peut en comprendre les parties en les séparant de l'harmonie d'ensemble[23]. Ambroise s'inspire visiblement de cet argument tout en le ployant à ses propres fins. Lui aussi impute aux tenants du rite divinatoire une myopie exégétique, incapable de saisir le vrai sens d'un passage qu'elle sépare de son contexte naturel. Mais ce contexte qu'il invoque, ce n'est plus la législation mosaïque envisagée comme un tout cohérent auquel Philon en appelait, c'est la question posée par Abraham avant le sacrifice et la réponse qui va lui être donnée. Si l'on en tient compte, souligne Ambroise, on pourra s'apercevoir que rien ici ne s'oppose à l'espérance et à la foi chrétiennes[24]. L'évêque de Milan se montre donc, dans ce cas précis, beaucoup plus soucieux de suivre le mouvement même du texte que ne l'est l'auteur des *Quaestiones in Genesin*. Abraham avait demandé à quel signe il connaîtrait qu'il possèderait un jour le pays où il se trouvait[25]. Le rituel qui lui est alors prescrit par Dieu, au lieu de mener à l'inspection des entrailles, donne déjà la réponse par son symbolisme même. Cette réponse, remarquera plus loin Ambroise, Jésus l'a formulée plus clairement quand il a dit : «Bienheureux les pacifiques, parce qu'ils possèderont la terre[26].»

Ce symbolisme qui doit livrer la clé du passage, Ambroise le déchiffre d'abord selon la *traditio naturalis*[27], et c'est l'un des cas assez rares où il s'attache à ce niveau de signification, qu'il mentionne, comme on l'a

---

II, p. 66.

vu, dans ses exposés préliminaires de théorie exégétique, mais qu'il sacrifie ordinairement, dans la pratique, à la *doctrina moralis* et à la *mystica*. La génisse — ou le veau —, animal voué à la charrue, a une affinité particulière avec la terre[28]. La chèvre est d'un naturel vif et remuant. Ambroise souligne ici, après Philon, que le nom grec de l'animal — αἴξ — vient de ἀΐσσειν, s'élancer impétueusement. C'est pourquoi la chèvre est le symbole de l'eau telle qu'elle se manifeste dans le gronde-ment des fleuves et les flots de la mer[29]. L'air, qui nous enveloppe et nous vivifie, est figuré par l'impétueux bélier, qui nous donne sa toison bienfaisante[30]. Les deux premiers éléments, les plus matériels, sont symbolisés par des femelles, mais l'air, qui apporte la vie et cause la germination, est à juste titre représenté comme le mâle qui met en mouve-ment les *genitalia* des terres avec lesquelles il s'accouple[31]. Ici encore, Ambroise suit de près son modèle tout en donnant une expression plus concrète au symbolisme sexuel, qui reste plus abstrait chez Philon, si l'on en juge par la version arménienne[32].

Mais soudain, dans le *De Abraham*, l'exposé de la *traditio naturalis* tourne court, et Ambroise passe à la *traditio moralis* en omettant l'inter-prétation physique que Philon donnait de la colombe et de la tourterelle. Or c'est là une mutilation importante puisque, dans les *Quaestiones in Genesin*, l'interprétation des deux oiseaux vient couronner l'allégorie cosmologique du sacrifice en la faisant passer des zones sublunaires aux régions célestes. La colombe, de naturel familier, représente pour Philon les planètes encore relativement proches de nous, tandis que la tourterelle, animal solitaire, fuyant non seulement la foule mais encore l'accouple-ment, figure les étoiles fixes. Si Ambroise a laissé ainsi inachevée l'allé-gorie physique qu'il a empruntée à son prédécesseur, ce n'est pas accident ou distraction. Nous verrons en effet qu'il fait un peu plus loin la critique des thèmes passés tout d'abord sous silence.

Cette rupture apparaît d'autant moins fortuite qu'on en trouve l'équi-valent dans le développement consacré à l'interprétation morale. Après avoir repris le symbolisme indiqué par Philon pour la génisse et la chèvre, censées représenter respectivement la chair et les sens[33], Ambroise change soudain de registre au cours de l'exégèse du bélier, juste avant de passer à la colombe et à la tourterelle. A partir de là, il va s'écarter progressivement du modèle philonien. La comparaison avec la version latine des *Quaestiones*, traduite de l'arménien par Aucher, fait assez bien ressortir le travail d'adaptation et de déformation auquel s'est livré ici l'auteur du *De Abraham*.

PHILON, *Quaestiones in Genesin*, III, 3, A 174 :	AMBROISE, *De Abraham*, II, 8, 52, p. 605, 10 - 606, 1 :
« Verbo (aut rationi) vero cognatus aries est ; primum quia mas est ;	« In ariete vero verbi ac sermonis nostri habetur similitudo, quod

II, p. 66-67.

secundo quia operarius est ; et
tertio quia mundi et firmamenti
est causa : puta, aries per vestimentum, ratio (vel verbum) autem
in ordine vitae. Quidquid enim
non est inordinatum atque absur-
dum, illico rationem prae se fert. »

sit vehemens, sicut et sermo noster efficax operationis et quaedam ornatus nostri et tegminis
causa sit. Aries per usum vestium
ordine quodam gregem ducens,
sicut ordo quidam vitae ususque
nostri verbo explicatur. Arbitror
autem quod illud verbum magis
intellegere debeamus, quod est
verbum dei, cum quo aries iste
habere videatur non mediocrem
cognationem, quod verbum nos
vero tegmine sui vestivit velleris et
in domo introducit aeternae salutis
qui se pro nobis immolandum
obtulit, qui tamquam ovis ad
victimam ductus est et sicut aries
coram tondente sine voce sic non
aperuit os suum (Is. 53, 7). Ex quo
ordinem quendam substantiae habemus et sacrae redemptionis, quod
per ipsum conditi et redempti
sumus. »

Bien que la perte du texte original oblige à une grande réserve quant
au détail, cette mise en regard est dans l'ensemble fort instructive,
d'autant plus que le texte d'Ambroise vient confirmer dans une large
mesure la fidélité de la version arménienne[34]. Ambroise marque nettement
le tournant de son exposé par les mots : « Arbitror autem quod illud
verbum magis intellegere debeamus... » Ce qui précède relève de la
psychologie communément reçue. L'auteur du *De Abraham* l'accepte,
sans vouloir y attacher grande importance. Ce qui suit, c'est l'interprétation proprement chrétienne, qu'il invite à préférer. A vrai dire, après
aussi bien qu'avant, on retrouve le donné philonien mais déformé,
retravaillé et comme éclaté.

Le texte même de Philon se situe sur plusieurs plans. Le λόγος - bélier
y est en effet présenté à la fois comme la raison, qui est, avec la chair
et les sens, une des trois parties de l'homme[35], comme le verbe divin,
cause de l'univers[36], mais aussi, comme le langage humain. Il semble
bien, en effet, que cette dernière signification soit impliquée en particulier
par l'image du vêtement. Philon nous dit ailleurs que c'est là le symbole
de la parole dont l'homme se sert pour se défendre, notamment en
réfutant les arguments sophistiques, pour couvrir ses parties honteuses
en s'excusant, et aussi pour s'orner et s'embellir. Cette interprétation
est longuement développée dans une page du *De somniis*[37] et un passage du *Quis rerum diuinarum heres sit* où Philon commente longuement
ce même épisode de la Genèse : le vêtement fourni par le bélier y est
interprété comme le langage qui permet notamment à l'homme de se protéger des raisonnements captieux[38]. Certes cette exégèse n'est pas explicite

---

II, p. 67.

dans le texte de la *Quaestio in Genesin* tel qu'il nous est conservé dans
la version arménienne. Mais peut-être celle-ci a-t-elle laissé tomber
quelques précisions contenues dans l'original grec. C'est en effet ce que
suggère l'imitation d'Ambroise : « ...sicut et sermo noster... quaedam
ornatus nostri et tegminis causa sit[39]. »

L'évêque de Milan va exploiter l'idée de la fonction cosmogonique
du Logos, mais en passant de la sagesse profane au dogme chrétien.
Cependant le thème philonien n'est pas repris tout de suite. Il semble
d'abord écarté ; il est en fait mis en réserve. C'est ce que l'on pourrait
nommer la technique de l'utilisation différée. Au lieu d'énoncer directement l'idée qu'il trouve dans sa source, l'évêque de Milan y conduit
par un détour au terme duquel elle apparaît dans une perspective différente, dans un enchaînement nouveau. Ce sont habituellement des
associations de textes bibliques qui permettent cette espèce de mouvement
enveloppant.

Il faut donc trouver les images charnières qui permettront d'introduire
les citations opportunes, celles qui mèneront, par une voie sinueuse
mais sûre, là où l'on veut conduire le lecteur. Dans le cas présent, Ambroise
se sert du symbole du vêtement. Si l'on peut à la rigueur l'entendre de
la parole humaine, n'est-il pas préférable d'y découvrir le Verbe de Dieu
qui nous a revêtus de sa toison protectrice[40] ? Le bélier est aussi celui
qui marche en tête du troupeau[41]. Aussi Philon rattache-t-il à la figure
du bélier, l'idée de l'ordre dans la vie. Tout ce qui n'est pas désordonné,
explique-t-il, est précédé par le λόγος[42]. Ambroise reprend ce thème
en l'appliquant d'abord à la parole humaine — « le bélier guide le troupeau selon un certain ordre, de même un certain ordre de notre vie et
de notre conduite est exposé par la parole[43] » — et ensuite au Verbe
de Dieu qui nous introduit dans la maison du salut éternel[44]. Enfin le
bélier est le type de la victime choisie et docile, et c'est là une nouvelle
ressemblance avec le Verbe de Dieu qui s'est immolé pour nous, comme
l'indique expressément le prophète Isaïe[45].

C'est toute une doctrine de la rédemption qui se dessine ainsi à travers
le triple symbolisme qu'Ambroise, à la suite de Philon, découvre dans
la figure du bélier. Que le chrétien soit *revêtu* par le Christ[46], que les
péchés soient couverts par la miséricorde[47], ce sont des thèmes pauliniens bien connus. Quant au rapport de cause à effet entre l'immolation
sanglante de Jésus et l'entrée des hommes dans un lieu de salut auparavant inaccessible, c'est l'un des motifs caractéristiques de l'Épître aux
Hébreux[48]. Ambroise peut maintenant introduire le thème du Verbe
créateur, qui lui était suggéré par la *Question* de Philon, mais qui se
trouve, grâce à ce délai et à ce nouveau contexte, placé dans une lumière
proprement chrétienne.

Outre ce déplacement, le motif philonien subit d'autres altérations.
L'Alexandrin s'attache à l'efficacité cosmique du Verbe « mundi et

---

II, p. 67-68.

firmamenti causa ». Pour expliquer les cheminements symboliques par lesquels Philon passe du bélier au démiurge, il faut penser peut-être non seulement à la puissance génésique de l'animal, mais encore à son rôle céleste. Au *dies natalis* de l'univers, selon une opinion rapportée par Macrobe, c'est la constellation du Bélier qui était au zénith. De là vient la primauté de ce signe dans le zodiaque et le fait qu'il soit apparu dans la lumière primordiale, comme le « chef du monde[49] ».

Quoi qu'il en soit de ces éventuels arrière-plans, c'est la création de l'univers que Philon mettait en avant dans ce passage des *Quaestiones in Genesin*. Mais, dans la transposition qu'il en fait, Ambroise ne s'intéresse qu'à la création de l'homme. Il n'est plus question de cosmogonie. Ce qui retient toute l'attention, c'est l'humanité qui trouve dans le Verbe à la fois le principe de son existence et le principe de sa rédemption[50]. Dans cette double causalité, sur le plan de la nature et sur celui de la vie morale, Ambroise retrouve deux des divisions traditionnelles de la philosophie : la physique et l'éthique. Quant à la troisième, qui forme une partie de chacune des deux autres, la « species rationabilis », en d'autres termes la *logique*, elle ne dépend pas moins du Verbe, du *Logos*. C'est un enchaînement que nous avons déjà rencontré. Seule l'utilisation d'un vocabulaire purement latin laisse implicite l'étroite relation qui unit le *Verbum* et la *species rationabilis*[51].

Ainsi Ambroise, bien que le schéma de la triple sagesse lui soit plus familier, adopte ici une division binaire de la philosophie. Une fois encore, la suite des idées ne s'explique pleinement que comme une réaction au canevas philonien. Dans les *Quaestiones in Genesin*, la colombe et la tourterelle venaient symboliser les deux *espèces* de la raison, représentée dans sa totalité par le bélier. Il faut distinguer, selon l'Alexandrin, la raison qui analyse les objets du monde sensible et celle qui s'applique aux idées incorporelles du monde intelligible. La première *species rationis*, dont le domaine est la physique, est figurée par la colombe familière, la seconde par la tourterelle, avide de solitude[52]. C'est à cette distinction qu'Ambroise substitue celle de la philosophie naturelle et de la philosophie morale. La première correspond bien — au moins quant à sa matière — à la physique de Philon. Mais Ambroise veut ignorer la science des intelligibles dont l'Alexandrin parle ensuite : il met à sa place la morale. Ce choix est caractéristique. Nous l'avons déjà observé à propos des différents domaines de l'Écriture et de leur correspondance avec les traditionnelles parties de la philosophie[53]. Une physique réduite à une cosmogonie, une morale où les fondements métaphysiques sont remplacés par l'autorité des Livres saints, une « logique » enfin qui couronne ou plutôt pénètre l'une et l'autre et qui n'est autre chose que la révélation de l'œuvre du *Logos* rédempteur, nous reconnaissons-là la topographie et les frontières des intérêts philosophiques d'Ambroise[54]. En somme, entre l'univers sensible, qui n'est intéressant que par sa cause, et la

---

II, p. 68.

rédemption accomplie dans la chair, cette pensée n'accepte le barrage d'aucune de ces réalités consistantes et résistantes que sont, pour la tradition platonisante, le monde des intelligibles ou la sphère des fixes. Ce refus explique une bonne partie des corrections que l'évêque de Milan impose au donné philonien.

Même sur les disciplines dont il reconnaît la légitimité, Ambroise ne s'attarde pas. Pendant quelques secondes, le lecteur a le sentiment que, conformément à la logique du développement philonien, le symbolisme de la colombe et de la tourterelle — leurs correspondances respectives avec les deux « species philosophiae » — va être explicitement formulé. Il n'en est rien. En une phrase, par ce glissement dont on rencontre chez lui bien des exemples, Ambroise passe de l'allégorie épistémologique de Philon à des symboles de l'histoire évangélique : « La philosophie aussi fonde dans le Verbe ses deux espèces, la physique et la morale — la (philosophie) rationnelle est en effet une partie de l'une et de l'autre —, la physique, quant à la création du monde, qu'elle attribue au Verbe, la morale selon la justice et l'harmonie du vivre, qui (reçoit) du Verbe sa vie et sa règle. *C'est pour ce motif* que, huit jours après l'accouchement de la Vierge Marie, on porta notre Seigneur Jésus à Jérusalem, pour le présenter au Seigneur conformément à la loi et pour offrir en sacrifice un couple de tourterelles ou deux petits de colombes, *car* dans la colombe il y a la grâce du Saint-Esprit, dans la tourterelle la naissance (qui est le fruit) d'une conception immaculée ou la chasteté d'un corps intact[55]. » Le raisonnement, en partie exprimé dans cette page, en partie seulement suggéré, semble être à peu près celui-ci : puisque c'est le Verbe qui est à la fois la cause de notre existence et celle de notre rachat et qu'il se trouve par cela même au fondement de la philosophie naturelle comme de la philosophie morale, la seule chose qui importe c'est son incarnation qui s'accomplit par la grâce de l'Esprit et la conception virginale.

Ce n'est pas la première fois, dans ces pages du *De Abraham*, que les récits concernant la naissance du Christ, en particulier la scène de l'Annonciation, viennent coïncider, par surimpression, avec cette rencontre d'Abraham et de son Dieu. Déjà l'interrogation du Patriarche : « Comment saurai-je que j'hériterai de cette terre[56] ? » avait été rapprochée par Ambroise de la question posée à l'ange par la Vierge : « Comment cela se fera-t-il, puisque je n'ai pas connu d'homme[57] ? » Chez Abraham, qui a renoncé à l'art divinatoire des Chaldéens, comme chez Marie, à qui l'on prédisait un enfantement en dehors des lois de la nature, la demande d'un signe ou d'une explication n'excluait aucunement la foi, mais, tout au contraire, la supposait[58]. Mais surtout les deux promesses ont le même objet : Jésus, le Verbe, l'héritier d'Abraham, le fils de Marie. Plus loin Ambroise prendra soin de souligner une nouvelle fois ce parallèle. Expliquant l'effroi qui saisit Abraham après le sacrifice

---

II, p. 68.

des cinq animaux, il commence, à la suite de Philon[59] par une brève théorie de l'horreur sacrée qui accompagne les révélations prophétiques, puis invoque le trouble qu'éprouva Marie à l'approche de l'ange[60].

Les métamorphoses de la colombe et de la tourterelle, dans cette page du *De Abraham*, ne sont pas terminées pour autant. De transposition en déplacement, elles vont permettre à Ambroise de lancer de nouvelles attaques contre la cosmologie platonisante. « C'est donc avec raison », explique-t-il, « que la tourterelle et la colombe sont, après le bélier, requises pour le sacrifice, afin que tu comprennes que la chasteté inaltérée et la grâce de l'esprit adhèrent au Verbe[61] ». Ambroise indique ensuite que les oiseaux peuvent symboliser « le vol des mérites célestes[62] ». Le nombre deux, qui avait joué jusqu'ici un rôle symbolique important, est désormais oublié. Ils sont assurément plus de deux les oiseaux que l'auteur du *De Abraham* mentionne ensuite, ceux qui, selon la parabole évangélique, viennent habiter dans l'arbre issu du grain de sénevé[63]. Cette gracieuse évocation évangélique précède immédiatement celle de la vision, grandiose et compliquée, qui ouvre le livre d'Ézéchiel. La disparate, l'impression de rupture de ton qu'éprouve facilement ici le lecteur moderne, n'existait sans doute pas pour Ambroise. En effet, se fondant sur la mention du royaume des cieux, il procède dans l'*Expositio evangelii Lucae* à une majestueuse transfiguration de l'arbuste potager et n'hésite pas à voir dans les volatiles qui viennent s'y abriter les puissances et les anges des cieux, aussi bien d'ailleurs que les hommes auxquels une conduite spirituelle a permis de prendre leur vol[64]. Or cette idée du vol des mérites ou du vol des vertus se retrouve dans la page du *De Abraham*. Le rapprochement de ces deux textes permet de mieux comprendre comment, dans le second, l'allégorie du grain de sénevé prépare directement l'évocation de la vision d'Ézéchiel qui va faire l'objet d'un important développement.

III — Ézéchiel contre Platon :
le char du « Phèdre » et le char de Yahvé

Ambroise ne cite pas *in extenso* le récit du prophète. Il en indique d'emblée les traits qui vont servir de points d'appui à sa démonstration : les cieux ouverts, théâtre de la vision, les quatre roues, les quatre animaux, le bruit des ailes semblable à celui des grandes eaux ou au tumulte d'un camp[65]. Chacun des quatre animaux a auprès de lui une roue[66]. Un peu plus loin une citation du verset 21 ajoute un renseignement capital : les animaux et les roues qui leur sont en quelque sorte associées se déplacent d'un même mouvement, et, lorsque les premiers s'élèvent de terre, les secondes les accompagnent[67]. Dans cette imagerie compliquée, on a depuis toujours reconnu un char.

II, p. 68-69.

C'est ce qui permet à Ambroise de lancer son attaque contre les philosophes qui, affirme-t-il, ont plagié dans leurs livres cette page du prophète. Platon en particulier, quand il fait du ciel un char ailé se borne à démarquer Ézéchiel[68]. Le texte platonicien visé ici est *Phèdre*, 246 e, comme Schenkl l'indique dans son apparat. Cela implique-t-il qu'Ambroise, au moment où il écrit le *De Abraham*, a cette page du philosophe sous les yeux, ou du moins se souvient d'une lecture qu'il en aurait faite antérieurement ? Schenkl le pensait. A ses yeux, ces lignes du *De Abraham*, ainsi qu'un passage du *De Isaac*[69], supposaient que l'auteur avait lu le *Phèdre*[70]. Il est vrai, et Schenkl le relevait déjà, que le bige du dialogue platonicien est devenu chez Ambroise un quadrige. Wilbrand[71] s'appuie sur cette différence pour conclure qu'Ambroise n'utilise pas ici Platon lui-même, mais puise à une autre source. Or nous trouvons l'assimilation des quatre animaux de la vision aux quatre parties — ou mouvements — de l'âme à la fois dans le *De Abraham*, dans la première *homélie* consacrée par Origène à Ézéchiel et dans le commentaire de ce prophète par Jérôme. Wilbrand en conclut qu'Ambroise ne connaît cette page du *Phèdre* qu'à travers Origène.

Que rien ne prouve une lecture directe du dialogue par l'auteur du *De Abraham*, on peut l'accorder à Wilbrand. Il semble même assuré que, lorsqu'Ambroise écrit le chapitre que nous examinons, il n'a pas cette page du *Phèdre* sous les yeux et que, s'il la lue auparavant, il en a gardé un souvenir assez vague. Sinon aurait-il cru pouvoir convaincre Platon de contre-sens en rappelant que, contrairement au philosophe, Ézéchiel n'avait pas identifié le ciel à un oiseau, mais avait placé des oiseaux dans le ciel[72] ? C'est précisément ce qu'on lit dans le *Phèdre*[73]. En réalité, la source de l'auteur du *De Abraham* sur ce point n'est ni Platon, ni Origène ; la lecture, certaine quant à elle, des *Quaestiones in Genesin*, suffit à expliquer cette mention du philosophe[74].

A ce qu'il prend pour la doctrine platonicienne du char céleste, Ambroise oppose deux *arguments* d'Écriture, tirés l'un et l'autre de cette page d'Ézéchiel. Le premier s'appuie sur la lettre même du récit : le char ailé décrit par le prophète est dans le ciel, il n'est donc pas le ciel. Le second, plus développé, fait appel à l'interprétation allégorique : dans Ézéchiel, source supposée du *Phèdre*, les véhicules volants ont une signification psychologique et non pas cosmologique ; ils ne représentent rien d'autre que les quatre mouvements de l'âme.

Telle est la tactique, telles sont les armes que l'évêque de Milan utilise pour combattre la thèse de « Platon le socratique » à laquelle Philon avait imprudemment fait appel. Qu'Ambroise n'ait pas imaginé son exégèse de la vision d'Ézéchiel sur le champ, pour les besoins de la cause, c'est bien certain.

L'idée que les développements d'Ézéchiel sur le char de Yahvé ont servi de modèle à ce que Platon dit, dans le *Phèdre*, du char de Jupiter

---

II, p. 69.

se trouve déjà dans la *Cohortatio ad Graecos* du Pseudo-Justin[75], opuscule
que l'on peut dater de la seconde moitié du IIIe siècle[76]. Mais ici, le char
platonicien est bien dans le ciel ; il n'est pas identifié au ciel, comme chez
Philon et Ambroise. Un peu plus haut, l'auteur de la *Cohortatio* explique
que Platon a emprunté à Moïse l'idée de l'exemplaire selon lequel Dieu
crée le monde, mais ajoute que le Grec n'a pas bien compris le texte
qu'il imitait[77]. C'est le schéma polémique utilisé par Ambroise : le philosophe est accusé d'avoir joint le contresens au plagiat.

Quant à l'interprétation psychologique des quatre vivants d'Ézéchiel,
on la retrouve chez Origène et Jérôme avec, dans une large mesure, le
même vocabulaire technique, ces termes grecs qu'Ambroise a introduits
tels quels dans son développement.

Ces ressemblances suggèrent naturellement que l'évêque de Milan
a puisé dans Origène. Ce n'est pas si sûr. Au-delà de la parenté évidente
des trois interprétations, il apparaît vite qu'elles se séparent sur des
points décisifs. Alors que Jérôme fait en quelque sorte cause commune
avec Origène dont il dépend visiblement, Ambroise adopte souvent des
solutions fort différentes.

Un détail du texte d'Ézéchiel qui donnait une riche matière aux
allégoristes était l'aspect très particulier des quatre animaux ailés
apparus au prophète : « Ils avaient une face d'homme, et tous les quatre
avaient une face de lion à droite, et tous les quatre avaient une face
de taureau à gauche, et tous les quatre avaient une face d'aigle[78]. »
Comme dans le cas des victimes immolées par Abraham, l'exégète se
devait évidemment d'indiquer la signification de chacune des espèces
représentées. Les interprétations anthropologiques de ce bestiaire que
l'on trouve chez Origène, Jérôme et Ambroise s'accordent à voir dans
l'homme la raison, le λογικόν, dans le lion l'irascible, le θυμικόν, et
dans le bœuf, le concupiscible, l'ἐπιθυμητικόν[79]. C'est évidemment,
comme Jérôme le souligne expressément, une reprise de la tripartition
qui remonte à Platon[80]. L'aigle vient donc en surnombre, et c'est à son
sujet que les interprètes risquent de se partager. Origène y voit l'esprit
qui préside à l'âme, tout en étant intérieur à l'homme[81]. L'exégèse dont
Jérôme se fait l'écho y découvre la συνείδησις, cette étincelle de la
conscience qui, même en Caïn, ne s'est pas éteinte. Placée au-dessus
des trois autres parties de l'âme, à l'instar de l'aigle, elle a pour fonction
de corriger leurs errements. Mais on s'aperçoit un peu plus loin que
Jérôme y voit une simple explication de cet esprit intérieur à l'homme
dont parle saint Paul[82]. Que Jérôme suive ici Origène n'a rien pour
surprendre. Tout son *Commentaire sur Ézéchiel* trahit la même dépendance. Certaines divergences doivent cependant être expliquées. Jérôme
a-t-il librement utilisé les *Homélies* de son prédécesseur ? Est-ce le
commentaire de ce dernier qu'il a mis à contribution ? Les deux hypothèses ne s'excluent d'ailleurs pas. Baehrens, qui a étudié une série de

---

II, p. 69-70.

parallèles particulièrement significatifs semble pencher pour l'utilisation du *Commentaire* sans écarter l'idée d'un recours au moins occasionnel aux *Homélies*[83]. On ne s'étonne donc pas de retrouver la même interprétation anthropologique des animaux d'Ézéchiel chez Origène et chez Jérôme. Ce qui caractérise celle-ci, c'est qu'elle combine la division paulinienne — corps, âme, esprit[84] — avec la tripartition de l'âme selon la *République*[85]. Jérôme en appelle explicitement à la triade paulinienne quand il rapproche de I Cor., 2, 11, évoqué par Origène — « Qui sait en effet ce qu'il y a en l'homme, sinon l'esprit de l'homme, celui qui est en lui », — la prière finale de la première Épître aux Thessaloniciens : « Que votre esprit, votre âme, et votre corps soient gardés intacts au jour du jugement. » On a donc — le corps étant laissé de côté — une division quadripartite. Cette christianisation aboutit pratiquement à dessaisir la raison de sa fonction d'ἡγεμονικόν pour attribuer celle-ci à l'esprit[86]. Ainsi l'homme résume-t-il et reflète-t-il la division de l'univers en régions infernales, terrestres, célestes et supracélestes[87]. Il va de soi que cet esprit, dont l'extériorité par rapport aux trois autres parties de l'âme est si nettement affirmée, n'a rien de commun avec le πνεῦμα des Stoïciens.

Ce n'est pas dire pour autant que, dans le texte original de cette *Homélie sur Ézéchiel*, Origène ait donné au πνεῦμα le nom technique d'ἡγεμονικόν. G. Capitaine[88] et M. Waldmann[89] l'ont cru sans s'accorder, par ailleurs, dans leurs conclusions. Capitaine identifie, en effet, le νοῦς et le πνεῦμα[90] tandis que Waldmann voit dans le « spiritus praesidens animae » une quatrième puissance de l'âme[91]. Mais l'un et l'autre s'appuient sur un fragment grec de l'*Homélie* d'Origène, tel qu'on peut le lire chez Lommatzsch, dont le texte est reproduit par Migne[92]. Or, il se trouve que la phrase qu'ils invoquent est une interpolation[93]. Jacques Dupuis le souligne avec raison[94] ; peut-être cependant le souci de marquer la cohérence systématique des différents textes d'Origène, lui fait-il un peu oublier qu'un λογικόν constamment soumis au contrôle et à la correction d'un « spiritus praesidens » ne mérite plus guère le nom d'« hégémonique ». Cette subordination est particulièrement soulignée par Jérôme, qui pourrait, sur ce point aussi, se borner à refléter, comme Baehrens incline à le croire, le *Commentaire* d'Origène. Toute la théorie des parties de l'âme, chez Platon, revenait finalement à montrer que c'est au λογιστικόν qu'il appartient de commander, puisqu'il est sage et chargé de veiller sur l'âme tout entière[95]. Au contraire, l'exégèse des quatre animaux rapportée par Jérôme souligne que, si la colère ou le désir peuvent nous vaincre, la raison peut parfois nous tromper par des faux-semblants. Il faut donc un guide pour ces trois égarés[96].

Ainsi Origène et Jérôme représentent visiblement une tradition commune dans l'exégèse des quatre vivants d'Ézéchiel : les trois premiers de ces êtres correspondent aux trois parties de l'âme selon Platon, et

II, p. 70-71.

la quatrième figure, celle de l'aigle, reste à part, au-dessus des autres. Elle ne se confond pas avec la première, quoi qu'en ait pensé Capitaine, elle n'est pas une quatrième puissance de l'âme, comme le veut Waldmann. Dans cette tradition, en effet, l'âme reste tripartite[97]. La quatrième puissance, διορατικόν dans l'*Homélie* d'Origène, συνείδησις dans le *Commentaire* de Jérôme, a chez l'un et chez l'autre la même signification fondamentale. C'est l'esprit qui aide l'âme raisonnable[98], qui la contrôle et la corrige, qui connaît ce qui est en l'homme, car il lui est intérieur, et dont la fonction, particulièrement soulignée par Jérôme, est résumée par l'image de l'étincelle de la conscience[99].

Le schéma que l'on trouve chez Ambroise est très différent, si l'on excepte l'interprétation symbolique des trois premiers êtres vivants. Ici le διορατικόν a perdu sa situation d'exception : il n'est plus extérieur à l'âme, il en est l'un des quatre mouvements[100]. Il n'est même pas le plus important. Le λογικόν garde en effet une prééminence sans partage : « Ratio praemissa est ut reliqua rationem sequantur[101]. » Le διορατικόν se trouve ainsi dans une position subordonnée au même titre que le θυμικόν et l'ἐπιθυμητικόν. Du coup, ni l'*Homélie* d'Origène ni le *Commentaire* de Jérôme ne peuvent nous renseigner sur le sens précis que, dans cette page du *De Abraham*, Ambroise donne au mot διορατικόν.

IV — ΔΙΟΡΑΤΙΚΟΝ

L'adjectif διορατικός, dont nous n'avons que des exemples tardifs, semble avoir été rarement employé, si l'on met à part les écrivains chrétiens. Les références aux auteurs profanes que nous fournissent le *Thesaurus* de H. Estienne et le dictionnaire de Liddell et Scott peuvent se compter sur les doigts de la main. L'épithète désigne, dans ces textes, l'acuité visuelle, mais prise au sens métaphorique, c'est-à-dire la perspicacité, l'intuition, qui va du discernement dans la vie quotidienne, comme chez Lucien[102], à la faculté de contempler ce qui est par nature — les intelligibles — comme chez Maxime de Tyr[103]. Philon applique l'épithète διορατικός au peuple de voyants qu'est Israël[104]. Il ne s'agit plus, dans ce dernier cas, de l'intuition des intelligibles, mais de la vision de Dieu. Le nom même d'Israël signifie en effet « celui qui voit Dieu[105] ».

L'adjectif διορατικός semble beaucoup plus fréquent chez les écrivains ecclésiastiques. Il s'applique le plus souvent au regard intérieur, à la pénétration de l'intelligence, ou au don de perception et de discernement spirituel que reçoivent parfois les hommes ou certains d'entre eux. On trouve, en ce sens des expressions comme ἡ ψυχή... τοῦ ἀληθοῦς διορατική[106], ψυχαὶ νοεραὶ καὶ διορατικαί[107], ὁ διορατικὸς τὴν ψυχήν[108], οἱ διορατικώτερον ἔχοντες τὸν νοῦν[109]. Saint Nil déclare que les baptisés sont devenus διορατικώτεροι[110].

II, p. 71.

Il peut s'agir d'un discernement que nous dirions purement intellectuel. C'est ainsi que Grégoire de Nysse ironise sur le regard qui serait assez pénétrant et perspicace — ὀξὺς καὶ διορατικός — pour percevoir quelque différence entre la vie du Père et la vie du Fils [111]. Mais διορατικός a généralement une saveur plus proprement religieuse. Il peut correspondre alors à « contemplatif » ou à « spirituel », au sens que le xviiᵉ siècle dévôt donnait à ce dernier mot. C'est le cas chez Didyme l'Aveugle qui semble avoir affectionné cet adjectif [112]. Διορατικός peut en particulier s'appliquer à un voyant dont l'âme purifiée est gratifiée d'intuitions surnaturelles comme ce fut le cas d'Élisée [113]. Dans la traduction grecque des *Dialogues* de saint Grégoire, faite au viiiᵉ siècle par les soins du pape Zacharie, la même épithète est appliquée à saint Benoît au moment où celui-ci devine le poison qui a été caché dans du pain qu'on vient d'offrir [114]. Un des privilèges des διορατικοί, c'est l'aptitude à scruter les Écritures [115]. Dieu enfin, dont la présence est symbolisée, dans le livre de Zacharie, par la pierre aux sept yeux, est appelé par Didyme ὁ ὅλος ἐξ ὅλων διορατικὸς ὑπάρχων [116].

On retrouve la même variété d'acceptions dans l'emploi par les Pères du substantif διορατικόν. Il peut désigner, chez l'homme, une certaine intuition des réalités spirituelles [117], aussi bien que l'acuité contemplative des séraphins [118], sans oublier la faculté divinatoire des démons [119], ni, à l'autre extrême, en Dieu lui-même, une vision indépendante de tout organe corporel [120].

Mais le sens propre, base de toutes ces métaphores, est attesté lui aussi chez les Pères, aussi bien pour l'adjectif [121] que pour le substantif [122]. Il est particulièrement intéressant que Chrysostome, dans une numération d'αἰσθήσεις, ait placé le διορατικόν à côté de l'odorat et du toucher [123] après avoir utilisé, quelques lignes plus haut, le couple ἡγεμονικόν et διορατικόν pour désigner les deux facultés cognitives qui ont leur siège dans la tête et qui ont respectivement pour organes les yeux du corps et les yeux de l'âme [124].

Mais, dans ces différents passages, le mot διορατικόν n'est pas intégré à une classification quadripartite comme celle du *De Abraham*, II, 8, 54. C'est dans un autre texte de l'évêque de Milan — quelques lignes du *De virginitate* [125] — que l'on retrouve le même groupe de quatre termes. Ambroise vient de consacrer au char de l'âme de longs développements où les souvenirs du *Phèdre* sont nombreux [126]. Ici encore, c'est Ézéchiel qui est censé avoir fourni aux auteurs profanes l'idée du char ailé [127]. Or Ambroise se sert, pour interpréter les quatre vivants, des mêmes termes grecs que dans le *De Abraham*. Mais, cette fois, il prend soin d'ajouter des équivalents latins : au λογιστικόν correspond la *prudentia*, au θυμητικόν la *fortitudo*, à l'ἐπιθυμητικόν la *temperantia*, enfin au διορατικόν la *iustitia* [128]. Les quatre animaux deviennent alors la représentation des quatre vertus [129].

II, p. 71-73.

Le *De virginitate* explique-t-il la page du *De Abraham* en donnant la clé du mot διορατικόν, qui désignerait alors la justice, venant s'ajouter aux trois autres vertus[130] ? Il n'en est rien. En effet, dans le *De Abraham*, les quatre animaux sont uniquement interprétés comme les « mouvements » de l'âme[131]. Quant aux vertus, elles sont représentées par les quatre ailes dont est muni chacun de ces êtres mystérieux[132].

En outre, quelle que soit l'ambiguïté de sa phrase, lorsqu'Ambroise écrit dans le *De Virginitate* : « Nam in omni sapienti viro prudentes Graeciae esse memoraverunt logisticon, thymeticon, epithymeticon, dioraticon : Latini vero prudentiam, fortitudinem, temperantiam atque iustitiam[133] », il ne prétend pas proposer une traduction proprement dite. Car, en fait, l'équivalent exact des quatre termes grecs, il l'a donné d'avance au paragraphe précédent : « In homine *rationabilis*, in leone *impetibilis*, in vitulo *concupiscibilis*, in aquila *visibilis* per figuras animalium species *affectionis* expressa est[134]. » C'est à partir de ces quatre *affectiones* qu'il passe à la considération des quatre vertus, par la technique de glissement qui lui est familière. Ainsi la justice est rapportée au διορατικόν, au *visibile*, parce que, placée pour ainsi dire sur un lieu élevé, son regard porte loin et voit davantage l'intérêt général que son propre profit[135].

La comparaison avec un autre texte ambrosien qui mentionne le διορατικόν sera sans doute plus décisive. Certes le mot y apparaît seul, sans les trois autres termes qui l'accompagnent dans les deux passages que nous venons de comparer. Mais cet inconvénient est largement compensé, puisqu'il s'agit d'un développement qui se trouve lui aussi au second livre du *De Abraham*, peu après la page que nous essayons d'élucider. L'auteur du *De Abraham*, qui suit à nouveau le canevas philonien, y explique un autre détail du sacrifice des cinq animaux : Abraham coupe par le milieu les quadrupèdes immolés[136]. C'est pour Philon, et du même coup pour Ambroise, l'occasion de faire appel à la méthode de la division binaire chère au platonisme[137]. Après l'avoir appliquée au corps, les deux exégètes montrent qu'elle vaut aussi pour l'âme et d'abord pour la partie supérieure de celle-ci, qu'Ambroise nomme précisément διορατικόν. Ce mot se trouvait-il déjà dans le texte même de Philon ? La traduction arménienne des *Quaestiones in Genesin* donne à penser le contraire, mais la perte de l'original grec ne permet aucune réponse certaine. Le διορατικόν, lisons-nous dans le développement d'Ambroise, se divise lui aussi en deux. Il comprend en effet une partie rationnelle et une partie irrationnelle. Ce sont comme les deux yeux de l'âme [138]. La partie rationnelle et la partie irrationnelle se subdivisent à leur tour. La première comprend la raison et le langage[139]. Pour la seconde, le schéma de Philon et celui d'Ambroise diffèrent quelque peu. Le premier s'en tient strictement à la logique de la dichotomie. Dans la partie irrationnelle, il distingue des sens philosophes, qui permettent le bien vivre, et des sens non-philosophes, qui servent simple-

---

II, p. 73-74.

ment au vivre. Chacun de ces groupes est une paire : la première réunit la vue et l'ouïe, la seconde, l'odorat et le goût. Le toucher, qui troublerait cette belle symétrie, a un statut spécial : il se mêle en effet à chacun des quatre autres sens[140]. Ambroise reprend ces thèmes, et jusqu'à un certain point ces divisions, mais souligne beaucoup plus l'opposition entre les sens supérieurs et les sens inférieurs. Les seconds sont en effet rejetés hors du διορατικόν, le goût et l'odorat étant liés moins aux activités perceptives qu'aux fonctions inférieures de la respiration et de la nutrition[141]. Disons, pour résumer, qu'Ambroise désigne ici par διορατικόν l'ensemble des facultés de connaissance chez l'homme, qu'elles soient intellectuelles, comme la raison et le langage, ou sensibles, comme la vue et l'ouïe.

Revenons maintenant quelques pages plus haut dans le De Abraham, à l'explication des quatre animaux d'Ézéchiel. La notion de διορατικόν, telle que nous venons de l'établir, s'applique-t-elle également ici ? Rappelons que les quatre termes grecs qui fournissent la clé de l'allégorie, comprennent, à côté du θυμικόν et de l'ἐπιθυμητικόν, le λογικόν et le διορατικόν. Comme le λογικόν tient à peu près la place de ce que nous venons de nommer, à la suite d'Ambroise, la partie rationnelle du διορατικόν, il faut que le mot διορατικόν ne désigne plus ici que la sensibilité ramenée aux deux sens supérieurs, la vue et l'ouïe[142]. C'est au moins ce que l'on est amené à conclure si l'on suppose qu'entre les deux emplois du mot διορατικόν, dans ce chapitre du De Abraham, il existe une certaine cohérence. C'est là une hypothèse qu'il n'y a pas lieu d'écarter a priori. Cependant, pour qu'elle soit confirmée, il faut que la division quadripartite qu'elle oblige à poser ait quelque consistance, en particulier qu'on en retrouve ailleurs l'analogue, même si c'est dans un vocabulaire assez différent.

Il est bien connu — et les doxographes ne manquaient pas de le répéter — que la division de l'âme en λογιστικόν, θυμικόν, ἐπιθυμητικόν est caractéristique du platonisme[143]. On retrouve cette division classique dans les abrégés de la doctrine platonicienne comme ceux d'Albinus[144], d'Apulée[145], de Saloustios[146]. Ambroise connaît cette formule tripartite. On la rencontre, associée de manière peu platonicienne, il est vrai, au mot adfectiones, dans un passage de son Expositio evangelii Lucae[147]. Seibel[148], qui cite ce texte, estime que l'omission du διορατικόν vient de ce qu'Ambroise avait ici à expliquer un verset évangélique mentionnant le nombre trois[149]. Mais c'est là poser la question à l'envers. Ce qui fait problème, c'est la formule quaternaire, évidemment composite, et non pas la ternaire, qui appartient au platonisme le plus classique, tout en débordant ses frontières — on la trouve notamment chez Philon[150] — et remonte à la République[151].

Cette division ne fait pas intervenir les sens. Ceux-ci ont leur place, au contraire, dans la dichotomie proposée par le deuxième successeur

II, p. 74-75.

de Platon à la tête de l'académie, Xénocrate. Celui-ci — si l'on en croit une doxographie reprise par Théodoret — distinguait, en effet, deux parties en l'âme, l'αἰσθητικόν et le λογικόν[152]. Aristote remarque qu'on ne peut pas davantage identifier l'αἰσθητικόν avec l'irrationnel qu'avec le rationnel[153]. Il en fait donc, sinon une partie séparée, au moins une des fonctions de l'âme[154]. Les doxographes retiennent que le Sta-girite distinguait dans l'âme cinq ἐνέργειαι : le désir, la nutrition, les sens — l'αἰσθητικὴ ἐνέργεια — la motricité et la pensée[155]. Les sens figurent également dans les classifications que propose le Portique. Ils forment cinq des huit parties de l'âme distinguées par Zénon[156], division attribuée par Aetius aux stoïciens en général[157]. Mais cette division en huit, enre-gistrée elle aussi par les doxographes, a largement franchi les limites de l'école stoïcienne entendue au sens strict. L'éclectisme philosophique va assurer sa fortune. Le schéma de Zénon reparaît plusieurs fois chez Philon[158], coexistant ainsi avec le ternaire platonicien.

Mais il est simplifié par Panétius qui fait de la parole une simple fonction de l'ἡγεμονικόν et exclut de la ψυχή la puissance génératrice qu'il rattache au domaine de la φύσις végétative[159], ramenant ainsi les fonctions de l'âme de huit à six[160], les cinq sens et la raison. On n'est alors plus très loin de la division binaire avancée par Xénocrate puisque, dans la vulgarisation du stoïcisme, les cinq sens forment parfois une seule des parties de l'âme, sous le nom d'αἰσθητικόν. C'est ainsi que Galien résume sur ce point la position traditionnelle du Portique, celle qui remonte à Zénon, en déclarant que les Stoïciens distinguent quatre « parties » de l'âme, le λογικόν, l'αἰσθητικόν, le φωνητικόν et le σπερματικόν[161]. Panetius supprimant les deux derniers termes, il reste donc le λογικόν et l'αἰσθητικόν qui, pour l'essentiel, correspondent, si notre hypothèse sur le διορατικόν est exacte, à deux des mouvements de l'âme dénombrés par Ambroise dans son *De Abraham*. Il manque encore, il est vrai, les deux autres, ceux qui forment avec le λογικόν la division ternaire indiquée dans la *République.*

Bien des textes prouvent qu'entre le schéma de Platon, celui d'Aristote et celui de Zénon, des combinaisons se sont opérées, dont le quadrige d'Ambroise pourrait être un reflet tardif[162]. Nous trouvons chez Plutarque un bon exemple de ces listes composites des facultés de l'âme. Dans son dialogue *De E apud Delphos*, un des interlocuteurs, le jeune Plutarque lui-même, interprète la lettre mystérieuse comme le signe du nombre cinq, dont il exalte les vertus en faisant valoir d'une part la singulière dignité de sa structure arithmétique, d'autre part son importance dans l'univers et dans l'homme[163]. C'est en particulier le nombre des parties de l'âme qui sont, nous dit l'auteur, le θρεπτικόν, l'αἰσθητικόν, l'ἐπιθυμητικόν, le θυμοειδές et enfin le λογιστικόν[164]. On retrouve la même liste, toujours à propos de l'éloge du nombre cinq, dans le dialo-gue *De defectu oraculorum*[165], à cela près que θρεπτικόν est remplacé

II, p. 75.

par φυτικόν sans que le sens de la division soit changé. Si l'on met à part, comme le faisait par exemple Panetius[166], la puissance végétative, on retrouve la formule même du *De Abraham*, avec cette seule différence que Plutarque suit l'ordre ascendant — le terme le plus noble doit correspondre au nombre cinq — tandis que l'homme, premier nommé dans la vision d'Ézéchiel, imposait à Ambroise de commencer par la faculté proprement humaine, le λογιστικόν.

V — « PARTES » OU « MOTUS ANIMAE » ?

S'ils ne nous révèlent pas le cheminement exact qui a mené des analyses de la *République* au quadrige du *De Abraham*, par une suite de simplifications, de contaminations et de syncrétismes, les rapprochements qui précèdent montrent du moins quel était le contexte doxographique de cette page d'Ambroise. A la différence de l'interprétation anthropologique du tétramorphe, que l'on trouve dans l'*Homélie* d'Origène et le *Commentaire* de Jérôme, la formule retenue par l'évêque de Milan semble s'inscrire entièrement dans les perspectives de la culture profane, sans aucune ouverture sur les horizons pauliniens.

Si l'on veut, malgré tout, qu'Ambroise dépende ici d'Origène, on a le choix entre deux hypothèses. La première, c'est que l'évêque de Milan a corrigé son modèle, ce qui, de soi, n'a rien d'invraisemblable, mais semble, dans le cas précis, assez peu plausible. Le changement irait ici, en effet, dans le sens d'une déchristianisation dont le mobile n'apparaît pas. Or l'évêque de Milan, toujours soucieux d'édifier, saisit au contraire chaque occasion d'ajouter à ses emprunts juifs ou profanes quelque élément néo-testamentaire. L'autre hypothèse, c'est que l'auteur du *De Abraham* démarque une page perdue d'Origène. Ce n'est point une supposition entièrement gratuite, puisque le commentaire consacré par ce dernier à Ézéchiel n'a pas été conservé. Cette solution se heurte pourtant à des difficultés sérieuses.

Tout d'abord, si l'on en croit les analyses de Baehrens[167], le commentaire perdu d'Origène a largement inspiré celui de Jérôme. Or on a vu que ce dernier ouvrage est à la fois très proche de l'homélie origénienne, que Jérôme a lui-même traduite, et très éloigné de notre page du *De Abraham*. En second lieu, privée du couronnement paulinien, l'interprétation des mouvements de l'âme qu'on lit chez l'évêque de Milan n'a plus aucune saveur proprement origénienne. A cela s'ajoute — et c'est la troisième objection — que l'interprétation proposée par Ambroise ne semble guère porter la marque du bibliste fort averti qu'était le maître d'Alexandrie.

Si nous reprenons, en effet, la page du *De Abraham*, nous voyons qu'elle repose sur un contresens exégétique. Nous y lisons que les quatre mouve-

---

II, p. 75.

ments de l'âme décrits par le prophète sont comme quatre chevaux, puisqu'il y a, dans la vision, quatre vivants, l'homme, le lion, le veau et l'aigle[168]. C'est-à-dire qu'Ambroise se représente les quatre vivants à la manière des sculpteurs qui ont figuré les quatre évangélistes au portail de nos cathédrales, suivant d'ailleurs en cela une des exégèses patristiques du premier livre d'Ézéchiel[169]. Mais, dans le texte même du prophète, il en va tout autrement. L'homme, le lion, le bœuf et l'aigle ne sont pas des individus séparés, ce sont quatre visages d'un même être. Le char de Yahvé est bien mû par quatre animaux, mais ce sont quatre monstres tétramorphes[170]. Le spectacle que décrit Ézéchiel prêtait certes, par sa complexité même, à cette simplification. Elle est déjà opérée au quatrième chapitre de l'Apocalypse[171], et c'est sans doute cette page que l'auteur du *De Abraham* a dans l'esprit quand il s'imagine l'homme, le lion, le veau et l'aigle comme autant d'animaux distincts[172]. Cependant l'Apocalypse ne pouvait, dans l'argumentation d'Ambroise, se substituer définitivement à la page d'Ézéchiel, puisque c'est seulement chez le prophète qu'il est question d'un char et puisqu'il fallait faire état d'un texte antérieur à Platon.

Origène et Jérôme, en revanche, restent plus fidèles à l'imagerie d'Ézéchiel : c'est bien chacun des trois vivants qui, chez eux, est muni de plusieurs faces, réunissant ainsi en lui l'homme, le lion, le bœuf et, dans une certaine mesure, l'aigle[173]. Cette particularité décide d'ailleurs de l'interprétation finalement proposée par Jérôme ; plutôt que les évangélistes eux-mêmes, comme le voudraient certains, il voit dans les quatre mystérieuses figures les symboles des réalités évoquées au début de chaque évangile : la naissance du Christ, la prophétie, et le sacerdoce forment une unité organique que transcende le mystère trinitaire[174]. Il est remarquable que Jérôme, qui pense ici à l'Apocalypse[175], résiste néanmoins à la simplification de l'image et maintient fermement l'aspect polymorphe des animaux d'Ézéchiel.

Si Ambroise, au contraire, a substitué en partie à la description du prophète celle qu'il pouvait lire dans l'Apocalypse, c'est, en fin de compte, pour des raisons qui n'ont rien à voir avec la Bible et qu'il faut chercher dans la page de Philon dont il s'attache, sans le dire, à combattre le philosophisme. Dans le char du *Phèdre*, évoqué par l'Alexandrin, chacun des chevaux possède un caractère fort différent de l'autre. Cela inclinait Ambroise, qui allait utiliser la psychologie de Platon contre sa cosmologie, à voir dans l'homme, le lion, le bœuf et l'aigle autant de coursiers distincts : « quattuor equi ».

Le vocabulaire accompagne ces métamorphoses de l'image et cela donne lieu à d'intéressantes variations. Quand il indique le symbolisme des divers visages de chaque animal, Origène parle tout naturellement de l'âme tripartite, utilisant le vocabulaire même du platonisme[176]. De son côté Jérôme, dans son *Commentaire sur Ezéchiel*, attribue

---

II, p. 75-76.

au λογικόν, au θυμικόν et à l'ἐπιθυμητικόν des localisations séparées dans le corps humain, ce qui est conforme à la tradition platonicienne issue du *Timée*[177]. En revanche Ambroise met en valeur une autre donnée du texte d'Ézéchiel : chacun des quatre vivants va droit devant lui, suivant ainsi sa propre direction[178]. L'évêque de Milan parle en effet, non pas de *quattuor partes*, mais de « *quattuor motus* animae »[179]. La formule surprend d'abord dans ce contexte. Elle semble désigner, en effet, moins les différentes facultés que les diverses passions qui agitent l'âme[180]. Ce sont précisément les quatre « affectiones » élémentaires que l'auteur du *De Virginitate* voulait reconnaître dans les quatre chevaux du char de l'âme[181]. Il est vrai que « mouvements de l'âme » est plus général que « passions de l'âme ». La seconde expression correspond au grec πάθη[182] qui, nous dit l'auteur des *Tusculanes*, sert à désigner les mouvements de l'âme malade qui n'obéit pas à la raison[183]. C'est une définition classique chez les stoïciens, notamment chez Chrysippe[184]. D'autre part, la liste des quatre passions fondamentales que propose Ambroise dans le *De virginitate* s'écarte de la division popularisée par le stoïcisme[185]. La tristesse y est, en effet, remplacée par la colère, qui, selon la psychologie du Portique, n'est qu'une espèce du désir[186]. Les quatre « affectiones », qui sont les « chevaux » du char de l'âme, s'appellent donc « ira, cupiditas, voluptas, timor »[187]. Ainsi composé, le groupe des quatre passions coïncidait partiellement avec la division platonicienne de l'âme, au moins pour un esprit plus soucieux d'exhortation morale que de spéculation. Le principe est alors identifié à ce qu'il produit, le θυμικόν à la colère, l'ἐπιθυμητικόν au désir. A partir de ces deux éléments communs, Ambroise glisse facilement d'un système à l'autre. Ainsi peut-il passer, dans le *De virginitate*, des quatre passions aux quatre facultés, puis aux quatre vertus[188]. Ce moralisme d'ailleurs était en quelque sorte inhérent à la division ternaire proposée par la *République*, comme le souligne Porphyre, qui lui préfère, du point de vue proprement psychologique, la division aristotélicienne[189]. Cependant, quels que soient les cheminements qui peuvent l'expliquer, la formule « motus animae » — alors qu'on attendrait « partes », plus conforme au contexte platonicien — prend une saveur stoïcisante. On pense notamment à Chrysippe accentuant le monisme psychologique du Portique : dans ce que ses prédécesseurs — et Zénon lui-même — nommaient les parties de l'âme, il ne veut voir que les différentes manières d'être, les conversions du seul ἡγεμονικόν[190]. Mais, si Ambroise a finalement préféré la formule « motus animae », ce n'est sans doute pas pour ce qu'elle impliquait de connotations philosophiques, c'est en raison de l'antithèse qu'elle permettait d'établir entre les mouvements du ciel et les mouvements de l'âme. Ici encore c'est l'intention polémique qui est déterminante.

II, 76-77.

VI — La musique des sphères

Un autre détail de la vision prophétique prend une importance particulière dans l'optique d'Ambroise. Après avoir interprété du point de vue cosmique la colombe et la tourterelle, où il voyait les planètes et la sphère des fixes, Philon ajoute que c'étaient là des oiseaux chanteurs et qu'ils symbolisaient par ce trait la musique harmonieuse produite par le mouvement des astres[191]. Or la vision céleste qui ouvre le livre d'Ézéchiel comporte aussi un élément sonore : les battements d'ailes des quatre vivants faisaient comme un bruit de grandes eaux et, quand les animaux se déplaçaient, on entendait un tumulte semblable à celui d'un camp[192]. Lorsqu'Ambroise mentionne pour la première fois la page d'Ézéchiel, dans ce chapitre du *De Abraham*, c'est même sur ce point qu'il insiste le plus[193]. C'est que ce verset du prophète lui permet de dénoncer un autre emprunt et une autre méprise de l'auteur du *Phèdre* : cette idée d'une musique céleste, le philosophe l'a tirée elle aussi du prophète mais en la déformant. En effet, plus avide de gloire et d'ostentation qu'attaché à la vérité, Platon a attribué cette harmonie au mouvement des astres alors que, selon Ézéchiel, elle résulte du battement des quatre ailes que sont les quatre vertus, et qu'elle est ainsi le chant non des astres, mais de la vie[194]. Ambroise saisit l'occasion de relever avec quelque sévérité l'excessive complaisance pour l'enseignement des philosophes dont témoignent selon lui les écrits d'Origène, qui a, en particulier, repris à son compte cette idée de l'harmonie sonore produite par le mouvement des planètes[195].

Ce n'est pas la seule occasion où Ambroise s'en prend à cette *philosophorum traditio*. Il l'attaque, avec plus de précisions, dans une page de l'*Exameron*[196] dont P. Courcelle a donné une analyse détaillée, montrant qu'en plus des réminiscences du Songe de Scipion, le passage offrait de nombreux parallèles avec le *Commentaire* de Macrobe. L'évêque de Milan utiliserait donc trois sources dans ce passage : Basile, Cicéron et Macrobe, ce qui permettrait de fixer un nouveau *terminus ante quem* à l'opuscule de ce dernier[197]. Cette conclusion a été combattue par M. Fuhrmann[198] et par A. Cameron qui fait état d'arguments prosopographiques pour placer Macrobe vers le milieu du vᵉ siècle[199]. Sans vouloir entrer directement dans ce débat, je ferai cependant à son propos une remarque qui concerne la présente recherche. Un des points de l'argumentation de M. Fuhrmann, c'est que les trois sources proposées par P. Courcelle ne suffisent pas en tout état de cause à expliquer la page d'Ambroise. Celui-ci, en effet, rapporte un argument qui ne se trouve ni dans Basile, ni dans Cicéron, ni dans Macrobe, mais qui aurait été avancé par les défenseurs de l'harmonie des sphères : « Ils ajoutent encore que si le son n'en parvient pas à la terre, c'est pour éviter que les hommes, captivés par son charme et sa douceur — effet du mouve-

---

II, p. 77-78.

ment rapide dont sont animés les cieux — ne délaissent, de l'Orient à l'Occident, les occupations et les travaux qui leur sont propres, et que tout ici-bas ne demeure dans l'inaction, l'esprit humain se trouvant en quelque sorte hors de soi et transporté vers cette musique céleste[200]. » On trouve sans doute dans cette phrase des similitudes verbales avec Macrobe, et P. Courcelle les a relevées[201]. Mais l'idée elle-même, cette forme particulière de réponse à l'objection classique, aucune des trois sources invoquées ne l'a fournie à Ambroise. Or celui-ci la présente comme un argument avancé par les « philosophi[202] ». Il n'est pas vrai-semblable qu'il l'ait forgé lui-même. Il faut donc faire appel à une source inconnue. Tel est le raisonnement de Fuhrmann, qui remarque en même temps que l'argument rapporté par Ambroise ne semble attesté nulle part ailleurs[203]. On avait déjà pensé que ce développement sur l'harmonie des sphères devait venir des exégètes de la Genèse dont Ambroise, aux dires de saint Jérôme[204], s'était inspiré, pour composer son *Exameron*. M. Klein y voyait un emprunt au commentaire perdu d'Hippolyte, sans d'ailleurs apporter de preuves[205]. Schenkl penchait, quant à lui, pour l'*Hexaemeron* — également perdu — d'Origène[206]. M. Fuhrmann reprend à son compte cette seconde hypothèse[207] que P. Courcelle juge dénuée de preuves[208].

Il est exact que les partisans de l'harmonie des sphères utilisent en général d'autres arguments que celui dont Ambroise fait mention pour expliquer que nous n'entendions rien de ces accords célestes. Ils invoquent soit l'habitude qui émousse les perceptions jusqu'à les supprimer, soit l'insuffisance des oreilles humaines. Ces deux explications semblent avoir été les plus fréquemment avancées[209]. Ajoutons celui de l'éloignement, que l'on trouve dans les *Allégories d'Homère* d'Héraclite[210]. Mais, contrai-rement à ce que suppose M. Fuhrmann, on rencontre dans un texte au moins l'idée qu'une intervention providentielle empêche l'harmonie céleste d'être entendue de la terre, de peur que les hommes, méprisant les soins les plus nécessaires, ne finissent par périr ; c'est précisément un passage de cette *Quaestio in Genesin* qu'Ambroise a lue avec une attention critique en écrivant le chapitre VIII de son deuxième livre *De Abraham*[211]. Ambroise doit sans doute à ce texte de Philon l'argument finaliste qu'il prête aux partisans de la musique des sphères. L'hypothèse que je propose serait évidemment renforcée si, comme incline à le croire J. R. Palanque, le *De Abraham* pouvait être daté de 382-383[212]. En préparant l'*Exameron*, trois ans plus tard[213], Ambroise aurait utilisé tout naturellement cette page de Philon qui, comme nous l'avons vu, l'avait frappé. Malheureusement la datation du *De Abraham* est des plus aléatoires, comme le reconnaît J. R. Palanque lui-même[214]. Ce qui est, en revanche, bien établi, c'est qu'Ambroise connaissait les *Quaestiones in Genesin* lorsqu'il a composé l'*Exameron* puisqu'il les avait très large-ment exploitées dans des traités plus anciens, le *De paradiso*, le *De Cain*, et le *De Noe*[215]. Le recours à un texte perdu d'Origène, que suggéraient

---

II, p. 78-79.

Schenkl et Fuhrmann pour expliquer l'origine de cette phrase d'Ambroise, semble par conséquent inutile.

En tout cas, le refus qu'Ambroise oppose au thème de la musique des sphères est commun à la page du *De Abraham* et à celle de l'*Exameron*. Plus encore que dans l'*Exameron*, où on pourrait le croire imposé par l'autorité de Basile, c'est dans le *De Abraham* que ce refus apparaît significatif. Dans ce dernier cas, en effet, l'évêque de Milan prend le contre-pied du texte qui lui sert de canevas.

Il convient alors de rechercher ce qui a motivé l'hostilité d'Ambroise à une doctrine où il aurait pu, à l'exemple de Philon, ne trouver que matière à développements édifiants et à élévations poétiques. Pour cela, il n'est pas inutile de rappeler brièvement les origines du thème de l'« harmonie des sphères » et, plus encore, sa portée et sa signification pour la pensée religieuse du paganisme finissant.

Si l'on en croit Jamblique, Pythagore aurait eu le privilège unique et divin de percevoir cette musique, insaisissable pour l'oreille des autres hommes. Le maître aurait lui-même fait état de cette aptitude singulière. C'est sur le modèle des sons harmonieux produits par le déplacement des corps célestes qu'il aurait composé les mélodies qu'il faisait entendre à ses disciples pour calmer leurs passions ou réveiller leur torpeur, thérapeutique de l'âme, visant à ordonner les mouvements de celle-ci sur la marche régulière des astres[216]. On a la même indication, sous une forme un peu plus brève, dans le *De vita Pythagorae* de Porphyre[217]. Mais ce n'est ni Jamblique, ni Porphyre, ni leur source commune — très vraisemblablement Nicomaque de Gérasa[218] — qui ont imaginé de rattacher au pythagorisme le thème de l'harmonie céleste. Cette attribution, devenue un lieu commun à l'époque hellénistique, est déjà attestée dans le *De caelo* d'Aristote[219]. On trouve en même temps dans ce traité un résumé classique de la doctrine que le Stagirite s'apprête d'ailleurs à réfuter : le déplacement de corps fort grands, comme les astres, ne peut manquer de causer un son très puissant. Inégalement distants du centre de gravitation, ces astres se meuvent à des vitesses diverses, dont les rapports se trouvent être ceux des notes d'un accord musical. De là provient l'harmonie céleste. Les pythagoriciens avaient en outre répondu à l'objection qu'on ne pouvait manquer de leur faire : d'où vient que cette musique nous soit inaudible ? Ils répliquaient à cela que les hommes sont devenus incapables de percevoir ces sons par l'effet de l'accoutumance[220].

Mais le dogme pythagoricien de la musique céleste doit avoir précédé l'élaboration mathématique résumée dans le *De caelo*. Il semble bien, en effet, qu'on en perçoit l'écho dans l'un des aphorismes mystérieux qui forment ce que l'on a appelé le « catéchisme des acousmatiques[221], » et aussi, sous une forme plus développée et plus explicite, dans le mythe d'Er de la *République*, où Platon reprend un certain nombre de thèmes

---

II, p. 79.

pythagoriciens. Selon cette tradition plus ancienne, la musique du ciel n'est point l'effet du mouvement des planètes et des étoiles fixes : elle n'est rien d'autre que le chant des sirènes[222].

Cette remontée aux origines du thème est nécessaire pour bien en percevoir la nature, les implications et la force suggestive, mais il est clair que c'est sous la forme qu'il a prise à une époque beaucoup plus basse qu'Ambroise l'a rencontré et combattu. L'harmonie des sphères était devenue en effet l'une des composantes de cette religion cosmique qui a fini par constituer le fonds le plus solide du paganisme déclinant. Ce qu'elle impliquait de croyance à l'ordre et à sa beauté du monde, à la sympathie réciproque des diverses parties de l'univers, pouvait satisfaire même des adversaires endurcis de la tradition pythagorico-platonicienne comme les stoïciens. Plutarque, malgré son aversion déclarée pour les thèses du Portique, n'hésite pas à confirmer par un propos de Zénon de Cittium l'idée que l'univers est semblable à un instrument de musique, en raison de l'harmonieuse concertation de ses parties[223]. Cicéron, dans sa *République*, où le songe de Scipion tient la place du mythe d'Er dans la *République* de Platon, reprend le thème et le popularise dans l'Occident latin où de nombreux commentateurs vont en faire l'exégèse[224].

Celle-ci doit sans doute beaucoup au pythagorisme hellénistique[225], où les interprétations et les apports du platonisme se sont mêlés à la tradition ancienne de la secte. C'est ainsi que l'on fait spécialement appel au *Timée* pour préciser et développer la notion d'harmonie céleste. En effet, ce dialogue fournit, d'une part, les bases mathématiques de la théorie[226] et en suggère, d'autre part, les applications spirituelles. Ces dernières sont notamment évoquées dans les pages consacrées à la finalité des sens supérieurs, la vue et l'ouïe : « Ayant contemplé les mouvements périodiques de l'intelligence dans le ciel, nous les utiliserons, en les transportant aux mouvements de notre propre pensée, lesquels sont de même nature, mais troublés, alors que les mouvements célestes ne connaissent pas de trouble... Imitant les mouvements divins qui ne comportent absolument aucune erreur, nous pourrons stabiliser les nôtres, qui ne cessent point d'errer... Pour la voix et l'audition, notre raisonnement sera encore le même : les dieux nous en ont fait présent pour la même cause et en vue de la même fin[227]. »

Si le thème de la musique des sphères affleure ici en quelque sorte sans être exprimé, ses composantes éthiques se trouvent en revanche clairement énoncées : parenté du ciel et de l'esprit de l'homme, appel à régler les mouvements facilement troublés du second sur les mouvements toujours harmonieux du premier. C'est ce pythagorisme fortement marqué par les spéculations platoniciennes, ou, si l'on veut, ce platonisme orienté dans ses choix et ses intérêts par les préoccupations morales et religieuses

---

II, p. 79.

des pythagoriciens, qui caractérise une partie importante de l'œuvre philonienne, celle où l'on retrouve précisément l'idée de l'harmonie cosmique.

Celle-ci, en effet, a été souvent développée au début de notre ère, à une époque où l'activité de l'intellect avait besoin d'être soutenue par les « consolations sensibles », et où l'on ne se satisfaisait guère de spéculer sur le Logos si on ne pouvait en même temps le toucher et l'entendre. Dès le premier siècle, le thème a été repris aussi bien par Plutarque que par Philon. Ce dernier n'a vu aucune difficulté à l'intégrer à sa philosophie religieuse. A vrai dire, les textes profanes eux-mêmes rendaient cet accueil aisé. Si certains d'entre eux semblaient à la limite identifier harmonie et divinité[228], d'autres soulignent au contraire que Dieu est à l'harmonie cosmique ce que l'artisan est à son œuvre[229].

Le thème de la musique des sphères apparaît donc à plusieurs reprises chez Philon. Dans le *De vita Mosis*, c'est sous la forme d'une brève allégorie « physique » : le chandelier à sept branches représente les six planètes avec, au milieu d'elles, le soleil qui assure l'harmonie de l'heptacorde céleste, salué comme τὸ μουσικὸν καὶ θεῖον ὄργανον[230]. Les applications spirituelles ne pouvaient laisser le dévot exégète indifférent. Dans un passage du *De opificio mundi*, décrivant l'ascension de l'âme et sa participation au mouvement des planètes, il joint aux réminiscences du *Phèdre* l'idée de la musique céleste[231]. Dans le *De virtutibus*, c'est Moïse qui chante la louange de Dieu en présence de la terre et du ciel, des hommes et des anges, et participe dans l'éther à la ronde du soleil, de la lune et des étoiles, se montrant ainsi capable, bien qu'attaché à un corps corruptible, d'accorder son chant à celui de l'instrument divin que constituent le ciel et l'univers tout entier. Le législateur d'Israël tient donc ici la place que la tradition rapportée par Jamblique attribue à Pythagore. Sans doute Philon ne dit-il pas expressément que Moïse perçoit la musique céleste. Mais cela est impliqué par le développement : les anges doutent qu'un homme encore lié à un corps mortel puisse accorder son chant à l'harmonie cosmique ; or Moïse participe dans l'éther à cette ronde des astres, et le chant qu'il règle sur ces mouvements doit servir de modèle aux hommes qui l'entendent[232].

Une autre composante du thème, la parenté entre le ciel, partie supérieure de l'univers, et la raison partie supérieure de l'homme, se trouve longuement développée dans les pages qui ouvrent le premier des deux livres du *De somniis* qui nous sont parvenus[233]. C'est, en même temps, de tous les textes que je viens de citer, le plus proche de celui de la *Quaestio in Genesin*, III, 3.

Dans le *De somniis*, Philon distingue, comme Posidonius[234], trois espèces de rêves d'origine divine. Les premiers résultent d'une initiative immédiate de Dieu[235]. Ceux de la troisième catégorie sont le fait d'une âme qui se met elle-même dans un état extatique[236]. Ce sont les rêves

---

II, p. 79-80.

de la deuxième espèce qui vont nous retenir. Ils se produisent lorsque l'âme humaine, ayant acordé ses mouvements à ceux de l'âme de l'univers, semble arrachée à elle-même par des transports divins, et devient ainsi capable de prévoir quelque chose de l'avenir[237]. Pour illustrer cette deuxième espèce de rêve prophétique, Philon a choisi le songe de l'échelle céleste, que Jacob a fait peu après avoir quitté le puits du serment, le quatrième des puits forés par son père, Isaac[238]. C'est sur ces données que Philon élève sa construction allégorique. Quatre, c'est le nombre des parties du monde, les quatre « éléments[239] ». L'homme lui aussi est quadriparti, puisqu'il est composé du corps, de la sensation, du langage, de l'intellect[240].

Le symbolisme de la tétrade se combine avec celui du puits. Le puits c'est la connaissance, qui, par nature, ne se tient pas à la surface des choses mais se plaît au contraire dans la profondeur, qui aime à se cacher et ne peut être trouvée qu'après beaucoup d'efforts et à grand'peine[241]. Or, dans les deux séries qu'envisage Philon, c'est le quatrième terme qui est proprement le caché, le mystérieux, voire l'insondable. Car c'est le quatrième puits qui est nommé « serment ». Or le serment intervient précisément là où la connaissance se perd. Ce qui est de soi incertain et douteux, c'est ce que le serment vient confirmer[242]. On peut connaître dans une certaine mesure la terre, l'eau, l'air, mais, dès qu'il s'agit du ciel, se pressent les questions sans réponse[243]. On peut dénombrer les dimensions et les mouvements du corps ; on n'ignore pas qu'il est le réceptacle de l'âme ; les organes des sens et les qualités sensibles ne sont pas absolument inconnaissables, et nous pouvons dire quelques choses de la voix, de sa hauteur, de ses accords, de sa fonction d'organe de la raison. En revanche, l'intellect, le νοῦς ἡγεμών, échappe à nos prises et, dès qu'on l'envisage, les problèmes insolubles se multiplient[244]. Le quatrième terme — le ciel dans l'univers, l'intellect dans l'homme — est toujours inconnaissable, et c'est sans doute pourquoi Moïse déclare la quatrième année « sainte et digne de louange[245] ». Le second qualificatif permet à Philon d'introduire une nouvelle et essentielle similitude entre le ciel et l'esprit de l'homme. L'un et l'autre sont affectés à la louange divine. L'homme se distingue en effet de tous les animaux par le privilège de rendre un culte à Celui qui est. Quant au ciel, il fait retentir une mélodie perpétuelle, produite par le mouvement des astres[246]. Si elle parvenait à nos oreilles, cette harmonie provoquerait en nous une fureur sacrée ; nous nous abstiendrions des nourritures et des boissons les plus indispensables, et nous serions comme des gens qui, l'instant d'après, vont devenir immortels[247]. Cette musique a été entendue par Moïse lorsque, devenu incorporel, il n'a rien mangé ni rien bu pendant quarante jours et autant de nuits, comme il est rapporté[248]. Le ciel, cet archétype des instruments de musique, ne semble donc doué d'une telle harmonie que pour accompagner les hymnes qui s'élèvent à la louange du Père de l'univers.

II, p. 80.

On le voit, quand Philon, dans les *Quaestiones in Genesin*, évoque, à propos des oiseaux du sacrifice, l'harmonie des sphères, il ne s'agit pas là simplement d'une clause de style, d'un ornement poétique utilisé en passant. C'est, au contraire, le rappel d'un thème que l'Alexandrin a parfaitement intégré à sa vision religieuse de l'univers.

Le parallélisme avec les pages du *De somniis* que nous venons d'évoquer est particulièrement frappant, puisque, ici et là, l'énumération hiérarchique des parties de l'univers et de l'homme aboutit à reconnaître au sommet une correspondance entre le ciel et la raison, ordonnés tous les deux à la louange divine. Un rapprochement de détail n'est pas moins significatif. L'idée que cette musique céleste provoquerait chez les mortels, dont elle viendrait à frapper les oreilles, des transports furieux, une nostalgie passionnée et mortelle qui détournerait les hommes de tous les soins nécessaires à leur conservation, se retrouve dans la *Quaestio in Genesin* et y justifie même, nous l'avons vu, le fait que la Providence empêche ces sons de parvenir jusqu'à la terre. La mention des sirènes est ici remarquable. Elle rappelle, bien sûr, le mythe d'Er, dans la *République*[249], et aussi, indirectement, une formule célèbre du « catéchisme des acousmatiques »[250]. Sans doute, chez Philon, ce n'est pas le chant des sirènes qui constitue la musique céleste. Celle-ci résulte du mouvement des astres[251]. Si les sirènes sont encore présentes, c'est seulement à titre de comparaison. Mais celle-ci est fort significative. Évoquant l'épisode classique de l'Odyssée, Philon ne reprend pas l'interprétation moralisante de la tentation sensible. Les sirènes sont seulement ici le symbole du risque mortel que fait courir aux hommes la perception d'une harmonie insolite et fascinante.

VII — LA « DOCTRINE DES CHALDÉENS »

Cette interprétation, qui semble s'intégrer parfaitement au système philonien, Ambroise la repousse énergiquement. Au paragraphe 54 du *De Abraham*, II, il cite pourtant un verset de psaume qui aurait pu orienter dans un sens strictement monothéiste — et très proche de Philon — cette doctrine de l'harmonie des sphères : « Caeli enarrant gloriam dei[252]. » Cette citation est assez inopinée : elle est censée, en effet, venir à l'appui de la réfutation du mythe platonicien et de l'idée que ce n'est pas le ciel qui est ailé, mais les êtres qui l'habitent. « Ce que le prophète a affirmé, ce n'est pas que le ciel était un oiseau, c'est qu'il y avait des oiseaux dans le ciel. Et David dit également : ' les cieux racontent la gloire de Dieu ', soit qu'il s'agisse des puissances célestes, soit que le Créateur soit annoncé, lorsque le bel élément est contemplé. Mais c'est l'âme que décrit le prophète, elle dont les mouvements sont comme quatre chevaux...[253] » Le verset du psaume s'intègre mal au mouvement général du développement. Ambroise anticipe,

---

II, p. 80-81.

semble-t-il, ce qu'il va dire de la musique des sphères. Et cela montre bien que c'est essentiellement cette idée qui lui paraît dangereuse dans la conception d'un ciel ailé. Aussi précise-t-il aussitôt, comme on vient de le voir, les deux sens admissibles que peut avoir ce verset ; ils excluent l'un et l'autre le thème de la musique des astres.

Le lecteur se demande alors pourquoi ce thème, qui pouvait aisément recevoir un tour poétique et édifiant, suscite chez Ambroise cette vive animosité. Celui-ci ne le dit pas et se contente de rendre plus acerbes les sarcasmes dont s'accompagnaient souvent les critiques de l'harmonie des sphères. On peut chercher la réponse dans deux directions. La première est la modification apportée par le dogme chrétien à la religion philonienne. Le juif d'Alexandrie n'a pas hésité, nous l'avons vu, à assimiler Moïse à Pythagore, au moins quant à la perception de la musique céleste[254]. Certes, la transcendance du Dieu de la Bible est soigneusement sauvegardée, et Philon est foncièrement étranger au panthéisme stoïcien[255]. Mais la médiation qu'il envisage, celle du législateur du judaïsme, est uniquement révélatrice : Moïse transmet à son peuple une réplique, ici musicale, de l'ordre éternel dont il a eu la perception. Cette conception ne pouvait évidemment satisfaire le chrétien Ambroise, qui voyait dans la médiation du Christ l'établissement d'un ordre nouveau.

Une seconde explication peut être cherchée dans l'environnement doctrinal de l'harmonie des sphères. Cette croyance n'existait pas en effet à l'état isolé. Dès le début, elle était solidaire d'une certaine cosmologie d'ensemble et, ce qui est plus lourd de conséquences, d'une certaine forme de religiosité. Au cours des siècles, elle avait noué des associations plus ou moins profondes, plus ou moins stables, avec d'autres doctrines dont il devenait difficile de la séparer. Liée ainsi à un ensemble, elle en partageait aux yeux des polémistes les vertus ou les venins.

Au nombre de ces « liaisons dangereuses », on peut mettre la combinaison qui s'opérait parfois entre la croyance à l'harmonie des sphères et les pratiques magiques. Les néo-pythagoriciens avaient beaucoup donné dans ces dernières. La doctrine de la transmigration des âmes entraînait facilement la croyance aux démons et celle-ci était la base de la magie[256]. Dans l'*Asclepius*, l'un de ces traités hermétiques où l'on trouve le reflet épuré de pratiques théurgiques beaucoup plus crues, une page assez étrange enseigne comment fabriquer un dieu[257]. Il s'agit d'abord d'attirer quelque âme de démon ou d'ange dans une statue, ensuite de l'y retenir. A cet effet, pour faire prendre patience à l'être divin ainsi obligé de séjourner chez les hommes, il convient de reconstituer autour de lui l'ambiance qui lui est familière. Aussi les sacrifices seront-ils accompagnés par des hymnes imitant cette harmonie que l'esprit entendait dans son séjour céleste[258].

Mais la liaison avec l'astrologie était sans doute plus dangereuse en raison du prestige dont jouissait cette discipline aux allures scientifiques.

II, p. 81.

Non que l'harmonie des sphères ait été essentiellement liée au rigoureux déterminisme qu'implique l'astrologie. Plutarque par exemple pourra professer celle-là et attaquer celui-ci[259]. Ni les démonstrations qui doivent fonder l'une et l'autre thèse, ni les objections qu'on leur oppose ne font exactement appel aux mêmes principes. Le passage de l'une à l'autre était cependant facile. Dans le mythe d'Er, c'est Anankè, ce sont les Parques, qui président à la musique des sphères, et la liberté humaine est renvoyée au moment du choix qui précède la réincarnation de l'âme. De fait, des traités astrologiques ont été attribués à Pythagore[260]. Nigidius Figulus, que Cicéron présente comme le rénovateur du pythagorisme, s'adonne à l'astrologie[261]. La croyance au déterminisme astral est très probablement à la base de la doctrine pythagoricienne de l'éternel retour[262]. Philon lui-même témoigne de cette affinité : l'astronomie, les recherches sur l'horoscope et les spéculations sur la symphonie de l'univers forment une sorte de discipline commune dans laquelle se sont distingués les Chaldéens[263].

Philon revient à plusieurs reprises sur ce qu'il appelle, dans le *Quis rerum divinarum heres sit*, la Χαλδαϊκὴ μετεωρολογία[264]. Si l'on s'attache à dégager une doctrine de ces divers passages, il apparaît que l'Alexandrin adopte à ce sujet une position bien plus nuancée que celle que tiendra Ambroise. Il est vrai que, dans un premier groupe de textes, la condamnation paraît absolue. Le thème dominant y est celui de la conversion : la Chaldée symbolise l'erreur à aquelle le juste échappe grâce à l'intervention divine. La *theoria mathematica*[265] est, en ce cas, l'objet d'appréciations particulièrement sévères. Dans le *De praemiis*, Philon stigmatise « les sciences du charlatanisme chaldéen ». Les quitter revient à cesser d'être un sophiste pour devenir un sage[266]. « Chaldaïser », selon le *De mutatione nominum*, c'est attribuer au ciel une causalité autonome ; se détourner de la doctrine chaldéenne, c'est, en revanche, découvrir que ce même ciel est régi par un pouvoir souverain[267]. Le même thème est repris dans le *Quis rerum divinarum heres sit* avec plus de précisions. Philon y distingue nettement les deux aspects de l'erreur des Chaldéens : tout d'abord ils font du monde non pas l'œuvre d'un dieu, mais un dieu ; ensuite ils considèrent l'heur et le malheur, le bien et le mal comme de pures conséquences des mouvements des astres[268]. La bonne migrat'on, c'est de passer de l'astronomie à la « physiologie », de la conjoncture incertaine à la conception bien établie, et finalement du créé à l'incréé, du monde à son fabricateur et père[269].

La mention de la φυσιολογία nous amène à une autre série de développements, bâtis sur un schéma moins simple. La discipline chaldéenne n'y est plus seulement considérée comme une erreur qu'il faut quitter ; elle est en même temps une étape sur la voie d'un progrès. Parfois, en effet, cette science des astres, dont Abraham était imbu, est loin de faire l'objet d'appréciations aussi désobligeantes de la part de Philon.

II, p. 81.

Sans doute le Patriarche doit-il dépasser ce niveau de connaissance, mais il s'agit plutôt, semble-t-il, d'une accession au meilleur que d'une conversion du mal au bien. Ainsi dans le *De Cherubim*, à la différence du texte que l'on vient d'évoquer, la science des astres est-elle considérée comme la partie la plus excellente de la φυσιολογία[270]. Il est vrai qu'il n'est question, dans ces lignes, ni de Chaldée ni de Chaldéens. Néanmoins c'est bien la première formation qu'Abraham a reçue de ces derniers qui est ici évoquée. L'appellation πατὴρ μετέωρος est, de ce point de vue, particulièrement significative. Simplement, n'insistant ici que sur les aspects les plus positifs de cette discipline, Philon n'éprouve pas le besoin de citer un nom qui en soulignerait les attaches compromettantes. Il ne faudrait d'ailleurs pas exagérer la signification de ce silence. Dans un texte très proche, en effet — une page du *De gigantibus* —, Philon rattache expressément aux Chaldéens cette étude des astres qui fut pendant un temps l'occupation d'Abraham. La doctrine des Chaldéens apparaît ici comme ayant une valeur relative et une bonté moyenne : « Aussi longtemps qu'Abraham demeura dans le pays et la doctrine des Chaldéens, il fut, conformément à son nom d'Abram, qui n'avait pas encore été changé, un homme du ciel, consacrant sa recherche à la nature supérieure et éthérée, et philosophant sur les événements et les causes et sur toutes les autres questions du même genre ». Abram signifie en effet « père qui tend vers le haut ». Cela convient bien au père qui inspecte toutes les réalités élevées et supra célestes, au « père du composé », à « l'esprit qui se hausse jusqu'à l'éther et encore par-delà[271] ».

Mais Philon ne s'est pas contenté d'affirmer tantôt l'erreur et l'impiété de la science des astres, tantôt la valeur relative de cette même discipline, donnant ainsi l'impression d'oublier ici ce qu'il avait écrit ailleurs. Il lui arrive, en effet, de tenter comme une synthèse de ces deux attitudes. Déjà dans ses textes les plus sévères, l'idée d'une conversion de l'erreur à la vérité n'exclut pas totalement celle d'un progrès de l'imparfait au parfait[272]. Dans une *Quaestio* consacrée à l'explication de Genèse, 15, 7 — « Je suis le Seigneur Dieu qui t'ai fait sortir du pays des Chaldéens pour te donner cette terre en héritage » — l'Alexandrin admet que les recherches astronomiques des Chaldéens n'ont été ni infructueuses ni négligentes, tout en soulignant que « la doctrine chaldéenne » est source de beaucoup d'impiété en attribuant à la créature les pouvoirs qui sont ceux du Créateur et en incitant ainsi les hommes à rendre à la première le culte qui n'est dû qu'au second[273]. Mais le témoignage le plus riche de ces ambiguïtés philoniennes à l'égard de l'« opinion chaldaïque », nous le trouvons dans le *De congressu*. Il y est question de Nachor, frère d'Abraham, de son épouse Melcha, et de sa concubine Rouma[274]. Une fois de plus, l'exégèse que propose Philon se réclame de l'onomastique. Nachor signifie « repos de la lumière », Melcha, « reine », Rouma, « celle qui voit quelque chose[275] ». Nachor, en effet, participe à la lumière de la sagesse, puisqu'il est frère d'Abraham[276]. Mais c'est

II, p. 81-82.

une lumière en repos, immobile, inactive. Or on souhaite l'immobilité de ce qui est mauvais, non de ce qui est bon. Si la lumière est ainsi inefficace en Nachor, c'est qu'à la différence de son frère, Abraham, il est resté fixé au pays des Chaldéens, qu'il ne s'est pas séparé de l'astronomie et continue à mettre la créature au-dessus du Créateur, le monde au-dessus de Dieu, ou plus exactement à tenir le monde pour le dieu souverain et non pour l'œuvre du dieu souverain[277].

Mais c'est Melcha qui incarne cette astronomie où les Chaldéens se sont distingués et qui est la reine des sciences, de même que le ciel a été dit, non sans raison, le roi du monde sensible[278]. De naissance libre, Melcha est bien supérieure à la concubine Rouma, qui voit seulement « quelque chose » et qui représente les sceptiques, ceux qui, au lieu de s'adonner à l'étude du monde sensible ou des réalités intelligibles, s'occupent à de misérables arguties[279]. Ce qui semblait ambiguïté, voire incohérence, s'explique ainsi par la position médiane de la science des Chaldéens. Bien supérieure aux jeux des sophistes et des sceptiques, qui se payent de mots, elle a pour objet ce qu'il y a de plus excellent dans le sensible. On ne doit pourtant point s'y fixer sous peine de ne détenir qu'une lumière sans emploi, comme Nachor. Car ceux qui contemplent le ciel visible, l'ordre harmonieux des étoiles, la musique de leurs mouvements, ceux-là n'occupent encore que la seconde place. La première revient à Israël, la race capable de voir l'être véritable[280]. On comprend alors que l'erreur chaldéenne apparaisse souvent, sous la plume de Philon, plutôt comme une imperfection que comme une perversion, plutôt comme un défaut que comme un refus. Nachor ne tourne pas le dos au Créateur ; on pourrait dire qu'il a seulement la vue courte. Ou plutôt, pour rester dans le droit fil des images philoniennes, il reste immobile alors qu'il faudrait aller plus loin.

Cette appréciation balancée de l'astronomie et des erreurs qu'elle entraîne n'est pas particulière à Philon. On a très heureusement rapproché de ces pages du *De congressu* un développement du livre de la Sagesse où l'on observe la même sévérité mêlée de quelque indulgence à l'égard d'une religion astrale qui se trouve à mi-chemin du culte du vrai Dieu, alors que l'adorateur d'idole représente, si l'on peut dire, l'erreur absolue[281].

L'attitude de Philon à l'égard de la « doctrine chaldaïque » apparaît ainsi beaucoup plus complexe que celle d'Ambroise. On s'en rend mieux compte si l'on examine un instant comment l'un et l'autre se représentent la première migration d'Abraham.

Il semble que Philon ait, sur ce point, comme oscillé entre deux schémas. Dans le *De somniis*, il joue, jusqu'à un certain point, le jeu du scepticisme. Après avoir énuméré plusieurs problèmes insolubles concernant la grandeur du soleil, l'éclat de la lune, la nature des autres astres, la « sympathie » qui les unit entre eux ou les relie aux phénomènes terrestres[282], Philon demande à son lecteur pourquoi, lui qui n'est qu'un habitant de la terre,

---

II, p. 82.

il prétend parcourir les nuages et prendre l'éther dans sa main. Que l'homme cesse d'appliquer ses raisonnements là où ils n'ont pas de prise, qu'il cesse de s'occuper de ce qui ne le concerne pas. Qu'il rentre plutôt en lui-même, qu'il commence par explorer sa propre maison, c'est-à-dire la nature et le fonctionnement de ses cinq sens. C'est là quitter la Chaldée pour Harran ; ce dernier mot signifie, en effet, les cavernes et symbolise les organes des sens[283]. L'auteur du *De somniis* développe ensuite le *topos* du « connais-toi toi-même » en se référant explicitement à Socrate[284]. Mais certains, comme Abraham, vont plus loin : ils abandonnent les cavernes du sensible pour parvenir à la connaissance de celui qui est véritablement[285].

C'est un cheminement sensiblement différent qui est décrit dans le *De migratione*[286]. Le jugement porté sur la doctrine des Chaldéens comporte cette fois des distinctions particulièrement explicites. La sympathie qui unit les parties de l'univers est conforme à l'enseignement de Moïse[287]. Il n'en va pas de même pour la théologie chaldéenne à laquelle on ne peut concéder que le monde ou l'âme du monde soit le dieu suprême, pas plus qu'on ne peut chercher les causes premières des affaires humaines dans les astres et leurs mouvements[288]. Pour convaincre les esprits qui chaldaïsent, Philon use d'arguments et d'exhortations tout à fait semblables à ceux que nous venons de rencontrer dans le *De somniis*. Ici encore retentit l'appel à descendre du ciel pour se connaître soi-même[289]. Cependant cette étude de la sensation, symbolisée par Harran, a une nouvelle orientation. Le texte du *De somniis* avait une saveur tout empiriste : il s'agissait de renoncer à des spéculations sur le cosmos dépassant la portée de l'esprit humain, de reporter l'attention sur les organes des sens et leur fonctionnement, de se connaître soi-même pour travailler alors à acquérir le bonheur dont l'homme est capable[290], une migration ultérieure pouvant ensuite conduire les meilleurs à la connaissance de l'être véritable. C'est une suite d'abandons sans retour. Il y a apparemment dans ces étapes successives une discontinuité radicale. Il en va différemment dans le *De migratione*. Le stade intermédiaire — le séjour à Harran — est relié organiquement aux deux autres. Se connaître soi-même, ce n'est plus seulement apprendre à mesurer ses désirs et à utiliser ses moyens. C'est découvrir par introspection que l'esprit dépasse les organes qu'il dirige et dont il se sert, ce qui permet de conclure analogiquement que Dieu gouverne l'univers en le contenant sans y être contenu, et ainsi le transcende non plus seulement par la pensée, mais par l'être même, comme il convient à la divinité[291]. La cosmologie se trouve donc moins oubliée que purifiée des opinions chaldéennes, et la connaissance de soi prépare déjà à la connaissance du Père de l'univers[292].

Cet itinéraire, qui mène des spéculations astrales de la Chaldée à la connaissance de soi, pour tirer ensuite de celle-ci une meilleure compréhen-

---

II, p. 82.

sion de l'univers et de la transcendance du dieu créateur, on le retrouve dans le *De Abrahamo*. Philon y enseigne le même passage du microcosme au cosmos : si le premier possède un νοῦς ἡγεμών, le second, la plus excellente des créatures, ne saurait être dépourvu d'un roi qui, lui aussi, échappe aux regards[293]. C'est en prenant son point de départ tout près et non très loin, c'est en réfléchissant à partir de soi et non à partir de l'univers, que l'on pourra finalement se convaincre que ce dernier implique, au-dessus de lui, un premier dieu, invisible, dont il est l'œuvre[294].

Ce développement doit d'autant plus retenir notre attention qu'Ambroise, lorsqu'il interprète la sortie de Chaldée dans son *De Abraham*, II. pourrait faire écho au passage correspondant de ce même *De Abrahamo*, Les deux textes présentent en effet des analogies assez notables qu'une mise en regard fera mieux apparaître.

Philon, *De Abrahamo*, 15, 69-70, *CW*, IV, p. 16-17 :

Χαλδαῖοι... τὴν ὁρατὴν οὐσίαν ἐσέμνυνον τῆς ἀοράτου καὶ νοητῆς οὐ λαβόντες ἔννοιαν, ἀλλὰ τὴν ἐν ἐκείνοις τάξιν διερευνώμενοι κατά τε τὰς ἡλίου καὶ σελήνης καὶ τῶν ἄλλων πλανήτων καὶ ἀπλανῶν περιόδους καὶ κατὰ τὰς τῶν ἐτησίων ὡρῶν μεταβολὰς καὶ κατὰ τὴν τῶν οὐρανίων πρὸς τὰ ἐπίγεια συμπάθειαν τὸν κόσμον αὐτὸν ὑπέλαβον εἶναι θεόν, οὐκ εὐαγῶς τὸ γενόμενον ἐξομοιώσαντες τῷ πεποιηκότι. Ταύτῃ τοι τῇ δόξῃ συντραφεὶς καὶ χαλδαΐσας μακρόν τινα χρόνον, ὥσπερ ἐκ βαθέος ὕπνου διοίξας τὸ τῆς ψυχῆς ὄμμα καὶ καθαρὰν αὐγὴν ἀντὶ σκότους βαθέος βλέπειν ἀρξάμενος ἠκολούθησε τῷ φέγγει καὶ κατεῖδεν, ὃ μὴ πρότερον ἐθεάσατο, τοῦ κόσμου τινὰ ἡνίοχον καὶ κυβερνήτην ἐφεστῶτα καὶ σωτηρίως εὐθύνοντα τὸ οἰκεῖον ἔργον, ἐπιμέλειάν τε καὶ προστασίαν καὶ τῶν ἐν αὐτῷ μερῶν ὅσα θείας ἐπάξια φροντίδος ποιούμενον·

Ambroise, *De Abraham*, II, 3, 9, p. 570, 24 - 571, 22 :

« Chaldaei enim mundum... superiorem deum dicunt ut etiam... stellarum cursu ferri adserunt ea quae terrena sunt et quodam coerceri vinculo. Unde et deos stellas appellaverunt, eo quod eas dominatum quendam habere supernum credant, quia quaedam stellis ad terrena conpassio est. Oportuit autem eos aestimare quia qui conpatitur non etiam imperatorium ius nec dominatum quasi deus possit habere in ea quorum aegrescit conpassione, cum sit et ipse mortalis et corruptibilis. Mundus quoque cum sit factus, utique ipse deus non est, sed operator conditorque eius. Ergo quamdiu mens Chaldaeicis erroribus inflectitur, non videt deum, quem in his quaerit quae videntur, non in his quae non videntur. ' Quae autem videntur temporalia sunt ' ; nam ' quae non videntur aeterna '. Sed non temporalis deus ; non igitur videtur. Non ergo mens ea videt deum, quae disciplinam Chaldaeorum sequitur. Unde nec Abraham primum videbat, quomodo autem poterat videre eum supra quem alterum esse arbitrabatur ? Ubi vero ad aliam demigravit non regionem, sed veram religionem paratam humilitati

___

II, p. 82.

> — hoc enim significat Chanaan —,
> tunc deum v i d e r e c o e p i t
> et eum cognoscere esse deum,
> cuius invisibili virtute advertit
> omnia r e g i et g u b e r n a r i.
> Hoc ergo scriptura docet quia
> Abraham stellarum observatione
> demigrans deum vidit. »

Le fait que la page d'Ambroise ait en propre deux objections, qui viennent couper le résumé de la doctrine des Chaldéens — les phrases « oportuit autem eos aestimare... » et « quae autem videntur » —, n'infirme en rien l'affinité des deux textes. Il ne prouve même rien contre l'hypothèse qui ferait du second une adaptation du premier. On sait avec quelle facilité Ambroise assortit ses emprunts de gloses et d'additions de toutes sortes. Cependant les correspondances littérales que présentent ces deux passages ne sont sans doute pas assez nombreuses pour que l'on puisse affirmer avec certitude qu'il y a entre eux une dépendance directe. Celle-ci serait sans doute suffisamment établie si le *De Abrahamo* était un de ces traités philoniens qu'Ambroise a largement mis à contribution. Or il n'en est rien. L'éditeur de Philon, Leopold Cohn, n'a relevé, outre le parallèle que nous étudions, qu'un rapprochement de quelques lignes. Encore est-il assez peu convaincant[295]. Aussi Karl Schenkl, l'éditeur du *De Abraham* d'Ambroise, n'a-t-il pas indiqué cette page du *De Abrahamo* dans son *apparatus fontium*. Néanmoins la parenté des deux textes reste assez frappante. Le mode de présentation du thème principal, la manière dont est formulée l'idée de « sympathie » entre le ciel et les phénomènes terrestres[296], l'antithèse du visible et de l'invisible, qui permet à Ambroise d'introduire une citation paulinienne littérale bien qu'implicite — « quae autem videntur temporalia sunt... quae non videntur aeterna[297] » —, l'expression de l'aveuglement initial d'Abraham, au terme la découverte d'un Dieu guide et conducteur de toutes choses, tout cela indique une parenté réelle entre les deux développements, l'appartenance à une même tradition, et ne s'explique guère si la page d'Ambroise ne dépend pas, au moins indirectement, de celle de Philon.

Il n'y a pas lieu, pour autant, d'exclure la possibilité d'autres réminiscences ou d'autres emprunts. La formule « superior deus », assez remarquable dans le contexte et sous la plume d'Ambroise, n'est pas sans évoquer le πρῶτος θεός que l'on trouve à deux reprises, également au sujet de l'erreur des Chaldéens, dans le *De migratione* de Philon[298]. Mais par ailleurs, malgré la communauté de thème, les pages du *De migratione* n'offrent pas de parallèle précis avec le passage correspondant du *De Abraham* d'Ambroise. Cette contre-épreuve donne d'autant plus de poids aux similitudes relevées entre celui-ci et le *De Abrahamo*.

Appartenance de ces deux textes à une même tradition exégétique,

---

II, p. 82.

dépendance indirecte très probable du second à l'égard du premier et même emprunt direct possible, cette certitude et ces vraisemblances invitent à relever avec une particulière attention, dans l'interprétation d'Ambroise, les modifications apportées à ce que l'on peut nommer l'archétype philonien. Il est nécessaire, pour cela, de revenir d'abord au texte biblique qui leur sert de base commune.

Selon la Genèse, la migration d'Abraham se fit en deux étapes : de Ur des Chaldéens à Harran, avec son père Térah, puis de Harran en Chanaan. L'étape intermédiaire est fortement marquée en Genèse, 11, 31 : « Térah prit son fils Abram, son petit-fils Lot fils de Harân, et sa bru Saraï, femme d'Abram. Il les fit sortir d'Ur des Chaldéens pour aller au pays de Chanaan, mais arrivés à Harran ils s'y établirent. » Cependant, en dépit de cette insistance sur l'installation à Harran, ce verset indique bien que ce qui constitue la migration d'Abraham et de son clan, c'est le passage de Chaldée en Chanaan. C'est ce que souligne avec force Genèse, 15, 7, où l'on voit Yahvé s'adresser en ces termes à Abraham qui se trouve en Chanaan : « Je suis Yahvé qui t'ai fait sortir d'Ur des Chaldéens, pour te donner ce pays en possession ». Les données bibliques permettaient donc deux schémas de l'itinéraire d'Abraham : le premier insistant sur l'étape de Harran ; le second, plus mystique, se bornant à définir la migration par le point de départ et le lieu de destination. Philon, dans le *De Abrahamo*, donne l'exemple de la première formule ; Ambroise, dans le *De Abraham* II, utilise la seconde. Mais, dans ces deux développements allégoriques, les choix portent beaucoup moins sur l'événement historique que sur les réalités morales auxquelles celui-ci renvoie.

Nous l'avons vu, selon le *De Abrahamo*, l'âme passe de Chaldée à Harran lorsqu'elle renonce à la science des astres pour se livrer à l'étude de ses propres sens et de leur fonctionnement. Le cosmos n'est oublié qu'un moment, puisque ce détour psychologique permet ensuite de mieux le comprendre en découvrant le Créateur dont il dépend, comme les sens dépendent de l'esprit qui les commande[299].

Dans le développement correspondant du *De Abraham* II, Ambroise explique que le patriarche n'a pas gagné une nouvelle *région*, mais est passé à la vraie *religion*, celle qui est préparée pour l'humilité, que désigne étymologiquement le mot Chanaan. C'est alors qu'Abraham a commencé à voir Dieu et à reconnaître que c'était par son invisible pouvoir que tout était conduit et dirigé : « Ubi vero ad aliam demigravit non regionem sed veram religionem paratam humilitati — hoc enim significat Chanaan —, tunc deum videre coepit et eum cognoscere esse deum, cuius invisibili virtute advertit omnia regi et gubernari[300]. » Dans ces quelques lignes on retrouve certains éléments caractéristiques du développement philonien. L'humilité n'est-elle pas la vertu de celui qui renonce à scruter le ciel et ses problèmes, qui dépassent la portée de l'esprit humain ? La mention de la vision divine accordée à Abraham

_____

II, p. 83.

est, ici comme là, appelée par le texte même de la Genèse ; enfin l'on reconnaît l'idée du Dieu guide et conducteur de l'univers. Mais, à part celui de la vision de Dieu, ces thèmes ne se retrouvent dans la page d'Ambroise qu'à l'état de sèches évocations, on dirait volontiers de traces. Ainsi déracinés, privés de la cohérence que leur assurait l'étape empiriste de Harran, ces *topoi* changent de sens. L'humilité n'est plus le fait de borner ses recherches à la connaissance de soi ; le mot n'évoque plus, pour le lecteur non prévenu, que ce sentiment général de notre faiblesse qui nous dispose à l'acceptation docile de la « vera religio ». Et, dans sa généralité vague, la formule « cuius invisibili virtute... omnia regi et gubernari » a laissé tomber toute référence précise au ciel et aux astres, objets des recherches chaldéennes ; le raisonnement par analogie grâce auquel Philon remontait du microcosme au macrocosme et à Dieu s'est perdu dans l'indétermination de cet « omnia ». Ainsi déracinées, ainsi usées, les formules qui articulaient la dialectique à trois temps du *De Abrahamo* ne servent plus, dans la page ambrosienne, qu'à une antithèse édifiante assez banale.

Cette simplification est due essentiellement au rejet de l'étape intermédiaire. De fait, toute l'orientation intellectuelle ou plutôt spirituelle d'Ambroise devait l'empêcher d'accorder grand crédit à cette étude empirique et rationnelle prônée par Philon. Il devait même la trouver dangereuse, lui qui était imbu de la rhétorique exacerbée chère à la spiritualité du temps et qui développait volontiers le *topos* de la fuite hors du sensible. Aussi, là où il évoque le séjour d'Abraham à Harran — séjour qu'il n'ignore évidemment pas —, il donne toujours à l'étymologie qui lui vient de Philon — les cavernes — un tour nettement péjoratif ; ce sont les diverses passions[301], voir les retraites obscures où se terre la conscience coupable[302]. Dans le *De fuga saeculi*, Ambroise montre une fois encore son peu de goût pour l'idée d'une expérience nécessaire de la vie sensible. Philon, dans son *De fuga et inventione*, développait la nécessité d'une telle expérience comme propédeutique à la vie contemplative. Tel était, selon lui, le sens de cette fuite à Harran conseillée à Jacob par Isaac et Rébecca. Et, pour Philon, ce séjour devait être long, cette expérience approfondie. En adaptant le traité de l'Alexandrin, Ambroise s'attache à réduire, par différents moyens, l'importance de ce passage par les cavernes de Harran. Il ne s'agit plus d'un séjour, mais d'une traversée, le temps d'une crise d'adolescence où l'évêque de Milan souhaite visiblement que l'on ne s'attarde point[303].

Comme on le voit dans la page du *De Abraham* II que nous examinons, cette suppression de l'étape intermédiaire entraîne une aggravation du jugement porté sur la science des Chaldéens. Chez Philon, celle-ci apparaissait erronée et se voyait condamnée comme telle, mais l'objet sur lequel elle portait, l'intérêt qui l'animait, les problèmes qu'elle posait, n'étaient pas définitivement rejetés puisque, grâce à la halte

---

II, p. 83.

anthropologique de Harran, on retrouvait tout cela, dans une lumière plus vraie certes et avec de meilleures réponses, au terme de la migration. Chez Ambroise, cette subtile dialectique a fait place à une antithèse brutale. Comme le second terme représente la vérité, la « vera religio », le premier ne peut être que l'erreur absolue. Sans doute faut-il faire la part de la vision en noir et blanc vers laquelle tend spontanément l'orateur ou le propagandiste, soucieux de s'adresser à une large audience et de ne point se borner à un cercle limité de gens avertis, plus disposés à apprécier les nuances et les distinctions. Mais si, sous le regard d'Ambroise, la science des Chaldéens sombre, pour ainsi dire, dans une condamnation sans circonstances atténuantes, si l'évêque de Milan n'a plus pour elle ces moments d'indulgence et cette secrète sympathie qu'elle trouvait malgré tout chez Philon, peut-être faut-il chercher à ce fait d'autres explications que les seules tentations de la catéchèse. C'est du moins ce que suggère toute cette série de textes où Ambroise, avec beaucoup de conséquence et de ténacité, exprime son aversion pour les spéculations cosmologiques.

VIII — Le cinquième corps

Cette aversion pour la philosophie cosmique se trahit encore à propos d'un autre détail du récit de la Genèse : un des rites que devait observer le patriarche consistait à partager en deux les quadrupèdes. On sait l'interprétation malveillante que ce détail avait suscitée. Les oiseaux quant à eux devaient échapper à cette division[304]. Pourquoi cette exception ? Philon consacre à ce problème la *Quaestio in Genesin*, III, 6. Le principe de sa réponse est toujours le même : ces oiseaux représentent d'abord le ciel et les astres et c'est à ce niveau qu'il faut expliquer allégoriquement tout ce qui les concerne. Or, selon une cosmologie éclectique, où s'étaient fondus entre autres des éléments pythagoriciens et aristotéliciens, le ciel était justement formé d'un cinquième élément ou d'un cinquième « corps » qui avait la particularité d'être simple et partant indivisible. C'est sur cette doctrine que Philon fonde son allégorèse : « Cela désigne la cinquième essence animée d'un mouvement circulaire et dont est fait le ciel, à ce que disaient les anciens. Car les quatre éléments, ainsi qu'on les appelle, sont plutôt des mélanges que des éléments... Ainsi, par exemple, la terre renferme aussi un composant aquatique et un aérien, un autre encore que l'on nomme igné... Et l'eau, si claire et si pure qu'elle soit, contient toujours quelques parts de vent et de terre. Et dans chacun des autres, il y a des mélanges. La cinquième substance seule est créée pure et sans mélange, et, pour cette raison, elle n'est pas de nature à être divisée. Aussi est-il dit fort justement : ' Il ne divisa pas les oiseaux '. En effet, à la manière des oiseaux, il est naturel aux corps célestes — les planètes et les étoiles fixes — d'être dans les hauteurs

---

II, p. 83.

et de ressembler aux deux oiseaux purs — la tourterelle et la colombe — qui n'admettent ni partage ni division, puisqu'ils appartiennent à la cinquième substance simple et sans mélange. Cette nature qui ressemble d'une manière plus spéciale à l'unité est donc indivisible[305]. »

Ambroise, qui continue à s'appuyer sur le texte philonien, réagit immédiatement à ces quelques lignes et en prend exactement le contre-pied. Ce qui est intéressant, c'est que, cette fois-ci, il laisse beaucoup mieux voir les motifs qui inspirent sa protestation : « Donc le Créateur a divisé ces (éléments,) mais notre âme, qui, à la manière des oiseaux, portée par les ailes des différentes vertus et de sa force propre, s'envole plus haut que le ciel, il ne l'a pas divisée, car elle adhère à la Trinité qui divise tout et qui seule est indivise. Aussi les philosophes veulent-ils que la substance supérieure de ce monde, qu'ils appellent l'éther, ne soit pas constituée par le mélange des autres éléments. Mais ils affirment que cette substance resplendissante, et brillant d'un grand éclat, qui n'admet en elle ni la saleté de la terre, ni l'humidité des eaux, ni la nébulosité de l'air, ni même le rouge éclat du feu, est formée d'une cinquième essence et, comme l'âme ailée de ce monde, est plus rapide et plus pure que les autres parties, car celles-ci sont mélangées et agglomérées. Mais nous autres, nous estimons que rien n'est indemne ni exempt du mélange de matière, à l'exception de cette unique substance de l'adorable Trinité qui, véritablement pure et simple, est d'une nature sans altération ni mélange[306]. »

Cette belle page, animée par un élan encore sensible, suit en gros la même démarche en deux étapes que la digression sur Ézéchiel analysée plus haut. Ambroise commence à présenter ce qu'il considère comme la juste doctrine. Si l'âme n'est pas divisée, c'est seulement en vertu de son union avec l'indivisible Trinité. Puis il passe à l'erreur où sont tombés les philosophes en attribuant cette indivisibilité à la substance dont est formé le ciel ainsi que l'âme du monde. Ce qui est nouveau, c'est que les philosophes, s'ils sont contredits, n'essuient pas ici de sarcasmes comme ceux que leur a valu, quelques pages plus haut, leur croyance en la musique des sphères. Bien plus, quand il exprime leur erreur, Ambroise ne le fait pas sans un certain lyrisme. Il semble que toute cette période soit ennoblie par son point d'aboutissement : la nature pure, simple, authentique et sans mélange de l'adorable Trinité, à qui est finalement rapportée cette pureté singulière que la pensée profane avait voulu revendiquer pour l'éther. Le ton poétique, le parallélisme des membres de phrase, le rythme qui va s'amplifiant, tout indique qu'Ambroise arrive ici à l'un des centres vitaux de son traité.

Pour placer dans une juste perspective et la *Quaestio* de Philon et la réaction qu'elle a provoquée chez Ambroise, il est nécessaire de rappeler à grands traits la signification et le rôle de cette « cinquième substance » avec laquelle on a souvent identifié l'éther.

II, p. 83.

Historiquement, ces deux expressions ne sont pas interchangeables. On a spéculé sur l'éther bien avant que la doctrine de la « quinta usia » ait pris forme. Avant Aristote, l'éther ne se distingue pas radicalement des autres éléments. C'est parfois le feu, parfois l'air, quand il est limpide. A l'idée d'une qualité propre — une plus grande pureté par exemple — se joint celle d'une localisation particulière. C'est en découvrant l'inégalité des distances respectives des astres à la terre qu'Anaxagore aurait été amené à distinguer entre l'air et l'éther. Aristote lui reproche d'ailleurs de confondre ce dernier élément avec le feu[307]. Mais, pour le philosophe de Clazomène, ni l'éther ni l'air ne sont des éléments au sens propre du terme ; ce sont plutôt des mélanges de semences, d'homéoméries, selon des proportions et des dosages divers[308]. Dans le *Phédon*, la terre, représentée comme une sphère, selon la doctrine pythagoricienne, est creusée par des espèces de bassins sur la pente desquels vivent les hommes. A ce niveau, l'air, mêlé d'eau et de vapeur, est trouble, mais plus haut, quand on atteint la surface convexe du globe, c'est le ciel pur, l'éther[309]. Dans le *Timée*, l'éther est expressément défini comme un air plus limpide[310].

L'idée de l'éther comme cinquième élément apparaît avec l'*Epinomis*. Mais le feu garde encore sa position supérieure : c'est dans la zone ignée que se meuvent les astres. L'éther occupe une région intermédiaire[311]. C'est, semble-t-il, avec le Περὶ φιλοσοφίας d'Aristote, que la notion de ce qu'on appellera le « cinquième corps » se constitue définitivement. Le Stagirite inverse en effet l'ordre enseigné par l'*Epinomis* : la position supérieure dans le cosmos est maintenant attribuée à l'éther et non plus au feu. C'est par conséquent dans l'éther que se meuvent les astres et c'est d'éther qu'ils sont constitués[312], privilège qu'ils partagent avec les âmes humaines[313]. Non sans déformation, Cicéron, dont l'œuvre semble bien refléter à plusieurs reprises le Περὶ φιλοσοφίας, a fait connaître cette doctrine aux lecteurs romains[314]. Deux thèses, deux importantes innovations cosmologiques d'Aristote dominaient, semble-t-il, la partie positive du traité — le troisième livre, si l'on suit les analyses de Bernays[315] — : l'univers n'a pas eu plus de commencement qu'il n'aura de fin[316], et il y a un cinquième élément, animé d'un mouvement circulaire et perpétuel, simple, céleste, divin. Ces deux thèses ne sont pas indépendantes : la seconde sert à garantir la première. C'est cette connexion essentielle qui amène Aristote à modifier quelque peu, semble-t-il, sa conception du cinquième élément dans les exposés classiques du *De caelo* et des *Meteorologica*[317]. Il ne lui attribue plus la chaleur, comme il semble l'avoir fait tout d'abord[318], et insiste sur l'erreur qu'a commise Anaxagore en identifiant l'éther avec le feu. En effet, si les astres eux-mêmes et la zone où ils vivent étaient ignés, le cosmos n'aurait pu échapper à la destruction. Il en va tout autrement si étoiles et planètes trouvent à la fois leur milieu et leur substance dans un éther qui n'est ni froid

---

II, p. 83-84.

ni chaud, puisqu'il échappe aux oppositions qui caractérisent les quatre autres éléments[319].

La croyance à un univers indestructible est ainsi au cœur des spéculations sur la cinquième substance. Pour assurer l'éternité du cosmos, Aristote avait besoin d'un élément à la fois indivisible et animé de ce mouvement circulaire qui n'a en lui-même aucune raison de prendre fin. Cet élément fut donc conçu comme la parfaite antithèse des quatre autres, qui n'existent qu'à l'état de mélanges, de composés voués par là même à une destruction qu'effectue le mouvement rectiligne par lequel terre, eau, air et feu tendent à rejoindre leurs lieux propres respectifs, vers le centre ou en sens contraire. Du même coup était fondée en raison l'opposition fondamentale entre la régularité céleste et le désordre sublunaire[320]. Ainsi, c'est avec Aristote que la théorie de l'éther comme élément distinct des quatre autres, comme « premier » ou « cinquième corps », se constitue définitivement avec les traits qui resteront classiques jusqu'à l'époque d'Ambroise.

Ce n'était pas une innovation absolue. Il est remarquable que le Stagirite, qui par ailleurs souligne l'originalité de sa thèse sur la non-génération de l'univers, ait au contraire cherché à relier sa doctrine du cinquième élément aux prémonitions des siècles passés[321].

Quel que soit le degré de probabilité de telles filiations, il est essentiel pour la présente recherche que la doctrine de la cinquième substance ait pu être assez tôt rattachée à l'ensemble philosophique et religieux du pythagorisme, et qu'elle en soit, depuis lors, restée partie intégrante. Cela devait assurer son crédit auprès de Jamblique comme auprès de son disciple, le restaurateur malchanceux du paganisme, l'empereur Julien.

Il n'est pas moins intéressant de constater la consistance et la permanence d'un thème dont on a pu suivre les antécédents jusqu'à l'ἄπειρον d'Anaximandre, jusqu'à l'air d'Anaximène et de Diogène d'Apollonie[322], et qui a trouvé son expression élaborée dans la notion du cinquième élément : il s'agit toujours d'une « substance » indestructible, douée d'un mouvement perpétuel et assurant par là au cosmos une durée infinie. Certes, en toute rigueur, l'éternité du monde n'empêche pas de le considérer comme créé. J. Pépin l'a souligné à propos du Περὶ φιλοσοφίας et s'est attaché à montrer, à partir des « traces » de ce traité perdu, encore sous l'influence du *Timée*, qu'Aristote devait y défendre l'idée d'un monde à la fois créé et infini dans le temps[323]. Mais ce fut là, en toute hypothèse, un moment transitoire dans la pensée du Stagirite. En fait, le thème de la cinquième substance conduit à attribuer à l'univers un principe intérieur de perennité, en le soustrayant ainsi à l'arbitraire ou à la grâce de la divinité[324].

C'est bien cette idée d'une éternité dont le monde serait assuré grâce à l'un de ses constituants qu'Ambroise juge inacceptable lorsqu'il écarte

---

II, p. 84.

résolument la doctrine de la « quinta essentia ». Mais ici encore il est nécessaire, pour mieux comprendre cette réaction, de voir comment Philon a
plus ou moins intégré le *topos* qui semblera inacceptable à l'évêque de Milan, et de se demander alors si des attitudes aussi opposées ne s'expliquent
pas en partie par la signification qu'avait prise l'éther pendant les trois
siècles qui séparent les deux exégètes.

A vrai dire la cinquième substance n'est pas un thème central pour
Philon. Souvent, en effet, il l'ignore et s'en tient au classique schéma quaternaire que les stoïciens avaient repris et opposé à l'innovation aristotélicienne : la terre, l'eau, l'air et le ciel-feu. Aussi, lorsqu'il ajoute à ces
quatre éléments une cinquième « partie élémentaire » du cosmos, dont
serait alors formé le ciel — le feu ne semblant plus assez pur pour cette
fonction —, on a un peu l'impression d'une affirmation de circonstance,
appelée soit par la source que suit présentement l'Alexandrin[325], soit
par les impératifs de ces correspondances arithmologiques dont il fait
un si fréquent usage.

Ce peut être d'ailleurs une simple mention. Dans le *De somniis*, l'hypothèse d'un cinquième corps, dont le ciel serait constitué, et qui n'aurait
aucune part aux combinaisons des quatre éléments, figure dans une liste
de questions insolubles qui ne sont énumérées que pour rabattre l'orgueil
de l'esprit humain et pour le ramener à la mesure du « connais-toi toi-
même »[326].

Ailleurs, il est vrai, Philon prend le thème à son compte et l'utilise
dans ses interprétations. Ainsi l'or pur dont est fait le candélabre du
sanctuaire[327] est, selon lui, le symbole du ciel. En effet, explique-t-il,
alors que toutes les autres parties de l'univers sont faites d'un mélange
de terre, d'eau, d'air et de feu, le ciel est constitué par cette unique forme
supérieure que les « modernes » appellent cinquième substance[328].

Une page du *De plantatione* classe les espèces animées par rapport
aux parties de l'univers qu'elles habitent. Les animaux de terre ferme
vivent sur la terre, les nageurs dans l'eau, les animaux ailés dans l'air,
les πυρίγονα dans le feu, les étoiles enfin, considérées par les philosophes
comme des êtres vivants et raisonnables, dans le ciel, qui forme une
cinquième zone cosmique[329].

On retrouve cette même topographie dans le *De gigantibus*[330], mais,
cette fois-ci, la référence à la cinquième substance est encore plus précise :
les étoiles qui peuplent le ciel sont en effet des âmes entièrement pures
et divines, et elles sont animées du mouvement circulaire qui convient
à l'esprit.

Philon n'ignore pas non plus une des composantes essentielles du
thème de la « cinquième substance » : la parenté de l'âme humaine avec
le ciel. Ainsi, devant expliquer cette parole de Dieu à Abraham — « tu
t'en iras vers tes pères[331] » —, l'Alexandrin se demande quels sont ces

---

II, p. 84-85.

pères et énumère quelques interprétations déjà proposées. On ne peut raisonnablement penser que Dieu invite Abraham à retourner en cette terre des Chaldéens dont il l'a fait sortir[332]. Certains ont alors pensé que ces « pères » étaient le soleil, la lune et les autres astres, de qui dépendraient tous les événements terrestres. D'autres ont voulu y voir les idées archétypes, modèles intelligibles et invisibles de toutes les choses sensibles, vers lesquels émigre la pensée du sage[333]. Jusque-là, Philon ne s'est pas attardé. Ces deux opinions, il se borne à les citer sans exprimer ni adhésion ni désaveu. Il va s'arrêter davantage à la dernière. D'autres encore, continue-t-il en effet, ont interprété ces pères comme les quatre puissances primordiales à partir desquelles le monde a été constitué — la terre, l'eau, l'air et le feu[334], et en lesquelles retournera tout ce qui a pris naissance. Comme tous les mots s'analysent en leurs éléments, les lettres de l'alphabet, ainsi nous nous décomposerons ; ce qui est sec retournera à la terre, l'humide à l'eau, le froid à l'air, le chaud au feu. Philon prend alors la parole en son propre nom afin d'éviter la méprise d'une interprétation matérialiste. Ce qui vient d'être dit, précise-t-il, ne vaut que pour les choses corporelles. Le père vers lequel retourne la race intellectuelle et céleste de l'âme, c'est l'éther. Il y aurait en effet, selon l'enseignement des anciens, une cinquième substance, douée d'un mouvement circulaire, différant des quatre autres par son excellence, dont proviendraient les astres et le ciel dans son ensemble, et dont on doit par conséquent poser que l'âme humaine aussi est un fragment[335]. Ce texte est riche en aperçus sur la manière dont l'Alexandrin se représente l'éther, ainsi que sur la fonction qu'il lui attribue. L'éther est pour lui une cinquième substance — πέμπτη οὐσία — plutôt qu'un cinquième élément : il ne forme en effet avec les quatre autres ni mélange ni combinaison.

Aussi l'éther ne fait-il pas partie des choses corporelles, des σωματικά. C'est lui dont sont constitués le ciel, les astres, les âmes humaines, qui en sont comme des fragments et doivent à sa pureté de ne pas subir la dissolution, à laquelle le corps est voué. On suit bien, dans ces lignes, la démarche de Philon. Là où il s'engage vraiment en son propre nom, c'est sur l'incorruptibilité de l'âme. Les doctrines philosophiques de la cinquième substance, il en use comme d'un argument efficace à l'appui de la thèse qui lui tient à cœur[336].

Si Philon accueille ainsi, sans hésitation sérieuse, le thème de la cinquième substance, c'est qu'il est sans doute convaincu de l'avoir rendu inoffensif par la place même qu'il lui attribue. Le quatrième livre des *Quaestiones in Genesin* nous offre à ce sujet un développement particulièrement intéressant, dont quelques lignes nous ont été conservées en grec par Jean Lydus. Il s'agit des trois mesures de farine avec lesquelles Sara doit confectionner un gâteau pour les trois mystérieux visiteurs d'Abraham. Philon commence par rappeler le symbolisme classique de la triade : le début, le commencement et la fin. Il appuie cette inter-

---

II, p. 85.

prétation, qui fait de trois le nombre de la perfection, par une citation d'Homère, puis par un rappel des spéculations pythagoriciennes. Cette plénitude, cet achèvement, il les retrouve dans les trois mesures de l'univers. « La première, c'est la mesure selon laquelle est constitué le monde incorporel et intelligible. La seconde, c'est la mesure selon laquelle le ciel sensible est formé, participant à la cinquième et plus divine substance, immuable et inaltérable. La troisième, c'est la mesure selon laquelle ont été créées, à partir des quatre puissances, les choses sublunaires admettant le devenir et la corruption[337]. » On remarquera au passage que l'expression αἱ τέσσαρες δυνάμεις qui étonne Marcus[338] confirme un usage philonien déjà attesté par le texte du *Quis rerum divinarum heres sit* que nous venons d'examiner.

Ce qui suit ne nous est conservé que dans la version arménienne. Philon met en relation ces trois niveaux de réalité avec sa théorie des pouvoirs de Dieu. Le monde intelligible est rapporté à la cause suprême, la cinquième substance, visible et animée d'un mouvement circulaire, à la puissance créatrice, les êtres sublunaires à la puissance royale[339]. Ainsi Philon, tout en conservant une cinquième substance, incorruptible et animée du mouvement parfait, a placé celle-ci dans une position doublement subordonnée : au-dessous du monde intelligible et dans la sphère d'action de la puissance créatrice.

On se demande alors pourquoi, ainsi intégré au monothéisme biblique, le *topos* de la cinquième substance n'aurait pu être accueilli par Ambroise à peu près sous la forme dont Philon lui fournissait le modèle. C'est qu'entre temps la cinquième substance s'était trop compromise avec une religion cosmique qui avait fini par se poser officiellement en antithèse du christianisme sous l'empereur Julien, alors que le futur évêque de Milan arrivait à l'âge d'homme.

De fait, en lisant les discours doctrinaux de l'empereur philosophe, on s'aperçoit que le cinquième corps y est souvent évoqué. Certes Julien lui-même, en fidèle du platonisme, ne peut situer l'éther que tout au bas de la hiérarchie des dieux[340]. Pour lui, et cela encore est très traditionnel, ce cinquième corps n'est qu'un « corps apparent », impassible[341] et immuable[342].

Grâce à cette dernière propriété, le cinquième corps est, pour l'empereur, le garant le plus direct de la consistance d'un monde à la fois inengendré et éternel. Julien s'explique là-dessus avec la plus grande netteté dans le second de ses grands exposés théologiques, le *Discours sur Hélios-Roi*. « Ce monde divin, écrit-il, parfaitement beau, qui s'étend du sommet de la voûte céleste jusqu'aux extrémités de la terre... a existé sans acte créateur de toute éternité, et il existera dans l'avenir à jamais, sous la tutelle ininterrompue du seul cinquième corps[343]. » C'est en effet à la force unificatrice du cinquième corps que le ciel qu'il enveloppe — et

---

II, p. 85-86.

par conséquent l'univers entier — doit de garder sa cohérence et d'échapper à la désintégration[344].

IX — L'ÂME EST-ELLE IMMORTELLE ?

Si Ambroise avait été seulement l'emprunteur pressé et quelque peu distrait que l'on suppose souvent, rien n'aurait dû l'empêcher de reprendre des lieux communs auxquels Philon avait donné une apparence anodine voire édifiante[345], et qui se prêtaient admirablement aux amplifications oratoires et aux ornements poétiques. Nous voyons mieux maintenant pourquoi l'évêque de Milan ne s'est pas abandonné à cette pente. Il ne lui suffit pas qu'un dieu suprême soit placé au-delà du cosmos — on retrouve cet aménagement de la théologie solaire dans les spéculations d'un Julien —, l'idée même qu'une créature puisse avoir en elle-même, de par un de ses éléments constituants, le principe de sa permanence, lui paraît inacceptable. Aussi est-ce dans le passage qu'il consacre à l'éther que nous trouvons le vrai motif de son refus.

De cette différence d'attitude, on peut, semble-t-il, proposer au moins deux raisons. La première est d'ordre historique. Au fond, la théologie solaire du paganisme tardif avait fait droit à la requête de Philon. En se mêlant avec le néo-platonisme, elle avait dû concéder qu'il fallait chercher le dieu suprême en dehors d'elle, au-delà de l'univers sensible, au-delà même de ses parties les plus élevées et les plus nobles, et de sa composante la plus subtile. Et nous avons vu que, tout en faisant de l'éther le principe immédiat de l'éternité cosmique, Julien prend bien soin de souligner sa position subordonnée. Mais cette purification restait ambiguë. D'une part, cette cosmolâtrie tempérée, dans la mesure même où elle tenait compte des aspirations au suprasensible qui caractérisaient l'époque, se montrait une concurrente d'autant plus sérieuse pour le christianisme. Ayant échappé à tout reproche de matérialisme, l'empereur Julien pouvait d'autant mieux opposer la notion de cinquième corps à la croyance au monde créé. D'autre part, cette théologie cosmique réformée restait malgré tout profondément marquée par ses origines « chaldéennes ». C'était un autre soleil qu'elle projetait dans le monde intelligible, et elle tirait de l'astrologie orientale à la fois son attrait religieux et ses justifications scientifiques[346]. Aussi les contre-attaques chrétiennes n'ont pas manqué, et ce n'est pas seulement Ambroise qui s'est attaché à discréditer le *topos* de la « quinta usia ».

Dans sa première *Homélie sur l'Hexaéméron*, Basile mentionne les discussions des philosophes sur la substance du ciel et rappelle les arguments opposés par les tenants du cinquième corps à ceux qui ne reconnaissent que quatre éléments. Fidèle à une tactique que nous avons déjà observée chez lui à propos de la musique des sphères, l'évêque de Césarée

---

II, p. 86.

oppose le mépris à ces opinions et les laisse se détruire mutuellement[347]. Dans son deuxième *Discours théologique*, Grégoire de Nazianze, dont on sait par ailleurs l'animosité à l'égard de Julien, attaque ceux qui imaginent un cinquième corps immatériel, voire incorporel, et veulent que Dieu en soit formé, supposant ainsi qu'il est entraîné par un mouvement circulaire alors que c'est lui qui donne le mouvement à tous les êtres[348].

Dans une page de son *Contra Iulianum* où il développe l'argument des contradictions des philosophes, en insistant sur celles qui opposent Platon et Aristote, Cyrille d'Alexandrie ne manque pas de mentionner le thème du cinquième élément. Pour Platon, explique-t-il, le ciel est formé de quatre éléments que l'âme a pour fonction de maintenir réunis ; pour Aristote, le ciel n'est pas composé, il est constitué entièrement par le cinquième corps qui ne se mélange pas aux quatre autres[349]. De même, Platon enseigne que le monde est créé et soumis à la corruption, tandis qu'Aristote le considère comme étranger aussi bien à la génération qu'à la mort[350]. L'argument est à deux fins. Il montre les divisions internes de cette philosophie dont Julien se réclamait. En même temps, Cyrille indique sa préférence pour Platon et Pythagore, plus proches de la vérité parce qu'élèves des Égyptiens et donc, par leur intermédiaire, disciples de Moïse[351].

La seconde raison que l'on peut avancer pour expliquer l'opposition d'Ambroise est d'ordre plus strictement doctrinal. Le thème de la cinquième substance n'était pas de soi incompatible avec la croyance en un Dieu supérieur au monde visible et créateur de l'univers. Aussi Philon avait-il pu l'utiliser. Un accomodement était en revanche beaucoup plus malaisé, sinon impossible, avec la sotériologie qu'enseignait le christianisme et dont Ambroise souligne fortement les traits : d'une part le monde sensible doit être détruit pour faire place aux réalités à venir, d'autre part l'âme humaine elle-même n'a de consistance et de durée que grâce à une intervention divine constamment renouvelée.

Il faut ici préciser et nuancer une des conclusions provisoires à laquelle l'examen de la « digression exégétique » sur Ézéchiel nous avait conduits. Observant comment Ambroise se servait en quelque sorte de Platon contre Platon, nous avions souligné que l'évêque de Milan utilisait assez facilement ce que la philosophie populaire comportait de psychologique et de moral, mais se montrait constamment hostile à toutes les spéculations cosmologiques. Or c'est à travers la psychologie elle-même que passe la frontière dont nous cherchons à préciser le tracé. Ambroise utilise volontiers ce qui est proche de l'éthique, comme la classification des parties de l'âme, l'analyse des passions, la description de leur lutte avec la raison. Tout cela se prêtait aux applications pratiques. Il écarte résolument, en revanche, cette psychologie qui est en fait une « physique » de l'âme et qui s'exprime dans la théorie du cinquième corps, substance de l'esprit humain aussi bien que de la partie la plus noble du cosmos.

II, p. 86.

C'est ce qui apparaît nettement dans le *De Abraham* II, à propos des oiseaux que le patriarche ne doit point partager. L'évêque de Milan, on l'a vu, souligne, contre la thèse de la « quinta essentia », que, pour les chrétiens, seule la Trinité est exempte de composition matérielle. Et l'extension de cette remarque est bien précisée par ce qu'il a dit, quelques lignes plus haut, de l'âme humaine. Celle-ci est par nature divisible et donc susceptible de destruction. Si, de fait, elle n'est pas divisée, c'est qu'elle adhère à la Trinité[352].

Ce qui est divisible est évidemment corruptible, destructible. Ambroise souligne fortement, dans une page parallèle de l'*Exameron*, que le but des partisans de la cinquième substance c'est d'attribuer au ciel, qui en serait formé, une éternité qui en réalité n'appartient qu'à Dieu[353]. Aussi les arguments d'Écriture qu'il leur oppose visent très précisément ce point : « ... opera manuum tuarum sunt caeli. Ipsi peribunt, tu autem permanes, et omnia sicut vestimentum veterescent, et tanquam amictum mutabis eos et mutabuntur, tu vero ipse es et anni tui non deficient[354] » et « Caelum et terra praeteribunt, mea autem verba non praeteribunt[355]. »

Il s'agit du même débat dans la page du *De Abraham* que nous examinons, comme le montre bien la citation paulinienne qui conclut avec solennité le paragraphe sur la « quinta essentia » : Dieu qui « seul possède l'immortalité et habite une lumière inaccessible[356] ».

Aussi bien cette page a-t-elle de quoi surprendre. Prise à la lettre, elle semblerait indiquer que seule l'âme qui adhère à Dieu, l'âme fidèle, échappe à la corruption. Cependant, cette affirmation s'éclaire quand on voit en elle un écho atténué d'un thème qui avait été classique dans l'apologétique chrétienne, celui de la mortalité naturelle de l'âme.

Dans le prologue de son *Dialogue avec Tryphon*, Justin avait retracé, sous une forme autobiographique et dramatique, un itinéraire intellectuel et spirituel menant de la philosophie au christianisme. Le jeune Justin, qui croit avoir trouvé la vérité dans le platonisme, expose ses convictions philosophiques à un mystérieux vieillard. Celui-ci l'arrête sur le problème de l'âme. C'est en partant de ce point qu'il va montrer à Justin l'insuffisance de sa philosophie et la nécessité de la dépasser. Le jeune platonicien croit que l'âme connaît Dieu par affinité, étant elle-même une portion de l'Être suprême, partant divine et immortelle[357]. Le vieillard entreprend de réfuter cette doctrine et finit par prouver que, comme le monde, comme les corps qu'elles ont pour fonction d'animer, les âmes sont engendrées et par conséquent ne sont pas immortelles[358]. Ce n'est pas à dire qu'elles meurent. Ce serait une trop bonne aubaine pour les méchants. Celles qui se sont montrées dignes de Dieu ne meurent pas ; quant aux autres, elles sont châtiées tant que Dieu veut qu'elles existent et qu'elles soient châtiées[359]. Impressionné par les paroles du vieillard, Justin cherche alors à concilier ces deux affirmations antagonistes — l'âme est mortelle mais ne meurt pas — au moyen du *Timée*, où Platon indique

II, p. 86.

que le monde, bien que de soi sujet à la corruption, y échappe en vertu du vouloir divin[360]. Mais le vieillard refuse le concours des philosophes et met fin au débat par un argument qui prend le contre-pied d'une des démonstrations du *Phédon* : l'âme vit, mais elle n'est pas la vie, elle y participe seulement et n'y participera plus quand Dieu cessera de le vouloir[361]. Ce qui a échappé à Platon et à Pythagore, c'est qu'il ne peut y avoir qu'un être inengendré et par conséquent qu'un être immortel[362]. Ce n'est point là une opinion propre à Justin. On rencontre cette même négation de l'immortalité naturelle de l'âme chez les autres apologistes, chez Tatien[363], chez Irénée[364], chez Théophile d'Antioche[365]. On la retrouve au ive siècle, dans l'attaque systématique menée par Arnobe contre les « viri novi », où le thème du « Deus solus immortalis » annonce déjà celui de la « Trinitas sola indivisa » du *De Abraham* d'Ambroise[366].

Une thèse connexe apparaît chez certains de ces auteurs : l'âme n'est pas simple, elle comporte une certaine matérialité. Tatien est particulièrement net : « L'âme de l'homme », explique-t-il, « est formée de nombreuses parties, et non pas d'une seule. Elle est, en effet, composée de telle sorte qu'elle se manifeste au moyen du corps. Elle ne peut pas davantage apparaître sans le corps que la chair ne peut ressusciter sans l'âme[367]. » La même notion d'une âme comportant une certaine corporéité se retrouve chez Irénée, comme le montrait déjà Dom Massuy[368]. Pour l'évêque de Lyon, on ne peut dire l'âme incorporelle que si on la compare aux « corps mortels »[369]. Seul l'esprit divin peut être dit « incompositus et simplex[370] ». Cette idée que l'âme n'est, si l'on peut dire, que relativement incorporelle continuera à être soutenue à l'occasion. Elle apparaît même chez Origène, et, au ve siècle encore, Claudianus Mamertus jugera utile de la combattre[371].

Ainsi, lorsqu'il déclare que l'âme n'est pas « exempte de composition matérielle » et qu'elle ne reste indivisée et n'échappe donc à la mort que parce qu'elle adhère à la Trinité — « mentem... non divisit quia trinitati adhaeret... soli indivisae » —, Ambroise évoque toute une tradition antiphilosophique de l'apologétique chrétienne. Il n'est donc pas surprenant qu'au moment où il s'attaque à la théologie cosmique, l'évêque de Milan retrouve ces thèmes, sous la forme discrète qui convient à son siècle, à son milieu et à l'habitude qu'il a d'utiliser des formules idéalistes en guise de lieux communs édifiants.

Mais s'agit-il là d'un simple développement occasionnel, relevant plus de l'amplification rhétorique que d'une réelle inquiétude doctrinale ? Il ne le semble pas, et cela n'est pas sans importance, car, si nous sommes en présence d'une réaction constante d'Ambroise, d'une conviction chez lui bien arrêtée, nous découvrons du même coup un des points où il doit nécessairement s'opposer à Philon, qui s'en tient, quant à lui, à la thèse platonicienne d'une âme rationnelle incorruptible.

II, p. 86-87.

Envisageons d'abord l'aspect strictement cosmique du *topos* de la cinquième substance. L'aversion que ce type de spéculation inspire à Ambroise est confirmée par un autre texte important. On le trouve dans l'*Exameron* au cours de l'explication des premiers mots de la Genèse : « In principio fecit deus caelum ». C'est Basile qui, cette fois, sert à Ambroise d'inspirateur[372]. L'évêque de Césarée, on l'a vu, est hostile à la « quinte essence ». Ambroise n'a donc point ici à corriger son modèle et peut se contenter de le démarquer. De fait, quand il expose l'argumentation des partisans de la « quinta natura » — développement absent du *De Abraham* —, l'évêque de Milan ne fait guère que traduire le texte correspondant de Basile. Une seule variation mérite peut-être d'être relevée. Basile, au moment où il se fait le porte-parole des tenants du cinquième corps, déclare que celui-ci n'est ni du feu, ni de l'air, ni de la terre, ni de l'eau. Ambroise modifie sensiblement l'énoncé : selon lui, à ce corps éthéré ne se mêleraient ni le feu, ni l'air, ni l'eau, ni la terre[373]. Là où Basile exprimait la thèse elle-même — l'existence d'un cinquième élément irréductible aux quatre autres —, Ambroise n'en énonce plus qu'un corollaire : ce cinquième élément ne se mélange pas aux autres. Or cette formule un peu maladroite n'est pas sans évoquer une ligne du développement du *De Abraham* : « Unde philosophi superiorem mundi huius substantiam, quam aethera vocant, non ex ceterorum elementorum volunt admixtione constare[374]. » Comme ce dernier passage est construit à partir d'une *Quaestio in Genesin*, il n'est pas impossible qu'au moment où Ambroise composait son *Exameron* des réminiscences philoniennes soient venues interférer avec le modèle offert par Basile.

Mais beaucoup plus révélatrice est la manière dont Ambroise termine son explication du « fecit caelum ». L'évêque de Césarée, on l'a vu, répondait par un dédain affiché aux philosophes qui spéculaient sur la substance du ciel. Il avait déjà averti son auditeur que s'interroger sur l'οὐσία de chaque créature ne servait en rien à l'édification de l'Église[375]. Répondre aux arguments des partisans de la « quinte essence » serait perdre son temps à un bavardage aussi vain que le leur. Mieux vaut laisser les philosophes s'entre-détruire[376]. Ambroise s'écarte résolument de cette attitude distante. Après avoir exposé, à la suite de Basile, l'hypothèse de la « quinta natura », il ne se borne pas à une réplique par prétérition, comme celle qu'il trouvait chez son modèle. La doctrine lui paraît sans doute assez dangereuse pour mériter une réfutation en forme. Il suffira d'en donner ici un bref schéma. La première partie de l'argumentation porte sur le principe général de l'indestructibilité du ciel. Un texte de l'Ancien Testament[377] et une citation du Nouveau[378] viennent marquer par des antithèses insistantes l'opposition entre le caractère éphémère du ciel et de la terre et la permanence du Seigneur et de ses paroles[379]. La seconde partie de la discussion vise la théorie de la cinquième substance, en tant que justification particulière de l'éternité du cosmos, Ambroise se sert ici d'un argument purement rationnel : l'addition d'une partie entière-

II, p. 87.

ment hétérogène, loin d'ajouter à la solidité d'un corps, ne peut que le rendre plus fragile[380]. En troisième lieu, la primauté du ciel sur la terre est mise en cause par deux versets de psaumes évoquant la création. Le premier — « principio terram tu fundasti, domine, et opera manuum tuarum sunt caeli[381] » — nomme d'abord la terre, ensuite seulement le ciel, inversant ainsi l'énoncé de la Genèse. Le second les confond sous une seule désignation : « Dixit et facta sunt[382]. » D'après Ambroise, David veut ainsi empêcher qu'on attribue au ciel le privilège d'une substance divine[383]. Sous l'artifice de l'argumentation scripturaire, on perçoit l'intention résolue de ruiner la hiérarchie ciel-terre qui était le fondement de toute la cosmologie antique. On voit ainsi l'importance de la discussion ajoutée par Ambroise à la notice de Basile sur le cinquième corps. Qu'il l'ait empruntée à Hippolyte, comme l'ont pensé M. Klein et J. Pépin[384], ou qu'il l'ait tirée, au moins en partie, de son propre fonds, l'important est qu'Ambroise ne se soit pas contenté sur ce point, comme il le fait ailleurs, de simples aménagements au texte de Basile. Cela renforce l'idée que nous avait déjà suggérée la critique implicite de Philon, en *De Abraham*, II, 8. La théologie cosmique semble bien être pour Ambroise, non pas un simple prétexte à développements rhétoriques occasionnels mais un adversaire réel contre lequel il cherche des armes efficaces.

Mais, si l'on passe à l'aspect psychologique de l'attaque contre la cinquième substance, on peut se demander s'il n'y a pas là une notation doctrinale isolée dans l'œuvre de l'évêque de Milan. L'idée d'une composition de l'âme et donc de sa possible mortalité, qui transparaît dans ces lignes du *De Abraham*, n'est-elle pas en effet contredite par de nombreux passages où Ambroise fait sienne la psychologie du *Phédon*, quitte à l'agrémenter de suppléments chrétiens ? Ce qui est en jeu ici est, encore une fois, la portée réelle du désaveu qu'Ambroise inflige tacitement à Philon, qui s'en tient, quant à lui, à la thèse platonicienne d'une âme raisonnable incorruptible[385].

Si l'on passe en revue les principaux textes où Ambroise s'attache à traiter *ex professo* du problème de l'âme, on observe vite la juxtaposition — plutôt que la synthèse — de deux traditions, la première dérivant du *Phédon*, l'autre enracinée dans l'apocalyptique judéo-chrétienne. Mais, à vrai dire, ces deux composantes jouent un rôle fort inégal dans la pensée d'Ambroise.

Dans le *De Excessu fratris* est mentionnée la consolation que les païens tirent de l'immortalité de l'âme, mais l'évêque de Milan regrette qu'ils y aient mêlé les erreurs de la métempsychose et ne lui accorde qu'une importance fort réduite en face du vrai réconfort chrétien, celui que procure la croyance à la résurrection[386].

Dans le *De bono mortis*, Ambroise reprend à sa manière les thèmes du *Phédon*[387] : la mort est un bien et le juste s'exerce à mourir, mais sans attenter à ses jours[388] ; plusieurs arguments prouvent que l'âme est im-

---

II, p. 87-88.

mortelle[389] ; après leur mort, les âmes sont placées dans différentes demeures, selon leurs mérites[390]. L'immortalité de l'âme occupe donc une place importante dans cette exhortation chrétienne. Ambroise y apporte un certain nombre de preuves d'Écriture[391], mais les fait précéder d'une argumentation philosophique. Là où l'âme est présente, la vie est présente ; quand l'âme se retire, la vie se retire ; l'âme est donc la vie, et, comme un contraire ne peut recevoir son contraire, l'âme ne peut recevoir la mort ; elle ne meurt donc pas[392]. On reconnaît là un résumé assez élémentaire d'une des démonstrations du *Phédon*, celle qui se fonde sur la théorie des contraires[393] ; l'exemple caractéristique de la neige et du feu est repris[394] ; la mention de la survie des âmes dans l'Hadès, qui clôt l'argument chez Platon, est renvoyée par Ambroise après les preuves d'Écriture, au début du développement sur les demeures qui reçoivent les âmes séparées[395]. Il ne devrait pas y avoir ici d'hésitation : le raisonnement emprunté au *Phédon* conclut évidemment à une immortalité qui tient à la nature même de l'âme. Ambroise précise même que, si l'âme qui pèche meurt — évocation d'Ézéchiel, 18, 20[396] —, il ne faut pas entendre par là qu'elle se dissout, mais qu'elle meurt à Dieu parce qu'elle vit au péché[397]. Le thème de la mort spirituelle, bien des fois repris par Ambroise sous la forme du *topos* origénien des trois morts[398], sert ici à épauler la doctrine platonicienne de l'immortalité. Et pourtant, l'idée qu'Ambroise vient de développer dans les lignes qui précèdent immédiatement rend un son tout différent. C'est parce qu'elle fuit les liens corporels, terrestres et mortels pour adhérer au Dieu bon, invisible et immortel que l'âme elle-même n'est pas mortelle, étant devenue semblable à ce qu'elle désire : « Ergo anima *quae adhaeret illi* invisibili bono *deo* atque *immortali*, et ipsa corporea haec fugit et terrena et mortalia derelinquit *fitque illius similis quod desiderat* et in quo vivit et pascitur. Et *quia immortali intendit*, non est ipsa mortalis[399]. » Ce texte évoque pour nous, en la précisant, la formule révélatrice du *De Abraham*, II, 8, 58, « mentem autem nostram non divisit, quia trinitati adhaeret... soli indivisae ».

Peut-être y a-t-il encore dans ces lignes du *De bono mortis* quelque souvenir du *Phédon*. Socrate montre, en effet, les transformations contraires que subit l'âme selon qu'elle se tourne par la sensation vers ce qui n'est jamais le même, ou qu'elle s'élance vers ce qui ne change pas et qui est immortel. Mais, dans le *Phédon*, ce qui est en jeu pour l'âme, ce n'est point son immortalité — elle est acquise de par sa parenté naturelle avec l'immortel —, c'est seulement l'ivresse ou la lucidité[400]. Si les lignes d'Ambroise que je viens de citer conservent, comme il est probable, quelque écho de cette page de Platon, il faut convenir que le thème philosophique a fait place à une psychologie d'inspiration toute différente et de soi incompatible avec l'argument des contraires qui suit immédiatement. Le *De bono mortis* est d'ailleurs caractérisé par l'insertion des réminiscences du *Phédon* dans un développement dont l'inspiration

---

II, p. 88.

et la démarche sont radicalement étrangères à la philosophie, à celle
du moins qui se réclame du socratisme.

Ambroise ne semble pas gêné par cette juxtaposition d'éléments
disparates, voire incompatibles. Dans le *De fide*, en revanche, l'aporie
est soulignée, et finalement résolue d'une manière qui nous écarte résolument du platonisme. Ambroise observe que saint Paul, bien qu'il
n'ignore pas que l'âme et les anges sont immortels, n'en affirme pas
moins que « Dieu seul possède l'immortalité ». C'est que l'immortalité
de la nature divine n'est pas l'immortaité de notre nature. Il ne faut
pas comparer ce qui est fragile à ce qui est divin. Seule la substance divine
ne saurait mourir[401]. Un instant, il semble que l'on va une fois encore
glisser vers le thème de la mort spirituelle et qu'ainsi le dilemme à peine
entrevu va rester sans solution. En effet, Ambroise invoque à nouveau
le fameux verset, « anima quae peccat ipsa morietur »[402]. Mais l'exemple
des anges, qui suit immédiatement, ramène à la question posée et permet
d'esquisser une réponse. Ce n'est point par nature qu'ils sont immortels,
c'est par la volonté du Créateur. Et rien ne sert d'objecter que Gabriel,
que Raphaël, qu'Uriel ne meurent point[403]. Ambroise alors généralise :
toute créature, même si elle ne pèche ni ne meurt, est capable de corruption et de mort ; elle n'a point l'immortalité par nature mais par éducation
ou par grâce. Il faut donc distinguer « l'immortalité qui est un don »
et « l'immortalité qui est toujours, sans possibilité de changement »[404].

Une lettre à Orontianus apporte un important complément à ce dossier.
Le correspondant d'Ambroise lui avait demandé si la substance de l'âme
était céleste[405]. Dans sa réponse, Ambroise commence par écarter les
différentes thèses sur l'âme qu'avaient recueillies les doxographes :
l'identification avec le sang, le feu ou l'harmonie, qui est le fait du « bas
peuple philosophique », la définition de l'âme comme « ce qui se meut
soi-même et n'est pas mu par autrui », défendue par la « lignée patricienne
de Platon », enfin cette cinquième espèce d'élément, l'entéléchie[406]
introduite par la subtilité d'Aristote[407]. Pour désabuser complètement
de ces chimères philosophiques l'esprit de son correspondant, Ambroise
l'engage à lire le « livre d'Esdras », c'est-à-dire, pour nous, le *Quatrième
livre d'Esdras*. Certes, dans cette apocalypse juive qui veut répondre
par des révélations et des visions à l'angoissant problème de la fidélité
divine, rendu plus aigu par la ruine de Jérusalem, on chercherait en
vain la discussion de ces thèses d'école sur l'essence de l'âme. Aussi
Ambroise ne dit-il pas qu'Esdras les réfute, mais que, tout en les méprisant,
l'inspiré donne la vraie réponse, fondée sur la révélation : l'âme est bien
d'une substance supérieure[408].

Pour brève qu'elle soit, cette indication est particulièrement significative. Ambroise attache une grande importance au *Quatrième livre
d'Esdras* qu'il considère comme écriture canonique et qu'il cite à plusieurs
reprises[409]. Il estime particulièrement les enseignements sur la vie d'outre-

---

II, p. 88-89.

tombe qu'il découvre dans cette apocalypse. Il en tire tout le développement sur le sort des âmes séparées entre la mort et le jugement, qui, dans le *De bono mortis*, prépare la péroraison. Ambroise y trouve un nouvel exemple de sa fameuse théorie du plagiat : c'est dans *Esdras* que Platon aurait trouvé l'idée que les âmes des défunts sont réparties dans des lieux correspondant à leurs actes, où elles trouvent la punition de leurs crimes et la récompense de leurs vertus[410], vérité à laquelle il aurait malheureusement mêlé — encore une fois — de vaines fables, ici les rêveries de la métensomatose[411]. On voit que l'auteur du *De bono mortis* ne met pas en doute la fiction chronologique selon laquelle les révélations rapportées par le *Quatrième livre d'Esdras* auraient eu lieu la trentième année après la ruine de Jérusalem par les Chaldéens, soit en 557 av. J.C.[412], ce qui assurerait évidemment leur antériorité par rapport à Platon.

Mais, ce qui est beaucoup plus significatif, c'est la manière dont Ambroise répond, ou plutôt ne répond pas, à la question d'Orontianus. Celui-ci l'avait interrogé sur la substance de l'âme, problème proprement philosophique dont on trouvait dans les doxographies les solutions classiques. Ambroise les écarte toutes, mais ce n'est pas pour en proposer une nouvelle. C'est au Pseudo-Esdras qu'il renvoie son correspondant. Or le problème de la « substantia animae » ne semble pas avoir effleuré l'auteur de cette apocalypse juive qui devait connaître une si singulière fortune chez les chrétiens. Ce qui occupe le Pseudo-Esdras, c'est la nécessité de répondre au doute que des catastrophes répétées faisaient naître au sein du peuple d'Israël. La réponse — et le réconfort — c'était le tableau du jugement où, parmi des manifestations spectaculaires, terrifiantes ou merveilleuses, Dieu récompenserait les justes de leur fidélité et les dédommagerait de leur malheur, tandis que les tortures auxquelles seraient soumis les impies satisferaient définitivement un besoin d'équité et de vengeance trop longtemps déçu[413]. Cette solution générale soulevait à son tour des questions particulières. On s'interrogeait, par exemple, sur le sort de ceux qui mourraient avant le jour du jugement. Seraient-ils frustrés de la revanche finale ? On sait que de semblables problèmes se sont posés aux premières générations chrétiennes et l'on a encore la réponse de saint Paul dans la première Épître aux Thessaloniciens[414]. Selon l'auteur du *Quatrième livre d'Esdras*, les âmes des justes et des injustes seront placées dès leur décès dans des « prompturaria » où elles commenceront à être punies ou récompensées en attendant le jugement général[415]. Parmi les sept degrés de la récompense des justes, repris explicitement par Ambroise dans son *De bono mortis*, notons le sixième : leur visage se mettra à briller d'un éclat semblable à celui du soleil et des étoiles, mais incorruptible[416]. Cela montre assurément l'éminente dignité de l'âme humaine et sa future supériorité sur les astres eux-mêmes : c'est la réponse d'Ambroise à Orontianus, réponse que viendront appuyer, nourrir et préciser, des textes pauliniens sur l'attente de l'âme et de

---

II, p. 89.

toute la création, notamment des créatures célestes, soumises pour un temps à la vanité mais promises au repos dans la gloire des fils de Dieu[417]. A une question sur l'essence de l'âme, Ambroise répond donc par l'histoire des âmes. Résoudre le problème de l'immortalité revient pour lui à imaginer la période transitoire qui sépare le décès de l'individu et le jugement général. On est passé de la métaphysique à l'apocalypse. En ceci d'ailleurs, l'évêque de Milan confirme ce que disait Basile à propos de la nature du ciel : la recherche des essences est inutile à l'Église[418].

Ainsi le refus qu'oppose Ambroise au thème du cinquième élément comme substance de l'âme, loin de n'être qu'une réaction accidentelle ou l'occasion d'un développement édifiant saisie un peu à l'aventure, semble bien exprimer une attitude intellectuelle caractéristique de l'évêque de Milan.

A travers les méandres et les subtilités déroutantes de cette allégorèse ambrosienne du sacrifice d'Abraham à Béthel, une double cohérence nous est apparue. Elle concerne d'abord les remaniements apportés par Ambroise aux *Questions* philoniennes qui lui servent de canevas. L'ensemble de ces corrections, de celles du moins qui ne sont pas de pure forme, vise une doctrine bien précise, réunissant en un tout cohérent quelques thèses classiques. Il s'agit d'une « religion cosmique » dont le principe essentiel est la parenté entre l'âme humaine et les astres, formés du même élément, cette cinquième substance simple et indestructible qui leur donne d'avoir en eux-mêmes le principe de leur perennité. L'harmonie des sphères constitue en quelque sorte la traduction esthétique de cette théorie[419].

En second lieu, le refus d'Ambroise nous a paru conforme à certains partis pris intellectuels dont il fait preuve de manière constante, à des occasions très différentes et dans des secteurs fort divers de son œuvre. C'est là une observation fort importante, car elle explique en partie qu'au moment où il suit Philon le plus constamment, Ambroise exerce toujours une vigilance critique à l'égard de son modèle.

Ce que refuse l'évêque de Milan, c'est avant tout l'idée que quelque créature pourrait trouver en elle-même la cause de sa consistance et de sa durée. Aussi s'oppose-t-il fermement à ces réalités intermédiaires entre Dieu et le corruptible que sont la cinquième substance, le ciel indestructible et le monde des idées. Comme ce sont là des thèses essentielles de la philosophie popularisée à son époque, ses attaques constantes contre les « nugae philosophorum » n'ont rien qui doivent surprendre.

La correction qu'Ambroise a apportée à la seconde allégorèse des deux oiseaux offerts par Abraham, telle qu'il la trouvait dans Philon, prend maintenant tout son sens. Non seulement l'évêque de Milan exclut du programme philosophique tracé par l'Alexandrin ce qui en représentait le niveau supérieur — la contemplation des intelligibles — mais encore

---

II, p. 89.

cette sagesse qui n'a désormais pour objet que la création du monde et l'art du bien vivre[420] n'est plus pour lui, ce qu'elle était pour Philon, l'exercice naturel de la partie rationnelle de l'âme. Elle est révélation du Christ-Logos[421].

Ici encore la censure précède l'attaque. La philosophie est d'abord mise à l'écart grâce à une sorte de maquillage du texte philonien. Un peu plus loin, elle est expressément mise en accusation. Les termes mêmes dont se sert alors Ambroise méritent d'être relevés. Platon se voit reprocher de s'être attaché plutôt à la renommée et à l'éclat qu'à la vérité, « famam magis et pompam quam veritatem secutus[422]. » On se rappelle que Cicéron, dans sa quatrième *Tusculane*, reprochait aux péripatéticiens d'emprunter à la « rhetorum pompa » et leur opposait les analyses judicieuses et pénétrantes des stoïciens[423]. La thèse d'un univers sans commencement ni fin semble avoir fourni une matière particulièrement favorable à ces amplifications oratoires, comme le suggèrent quelques lignes du même Cicéron dans ses *Academica*[424]. Ambroise reprend donc ici un sarcasme traditionnel dont les adversaires de la cosmologie aristotélicienne, épicuriens ou stoïciens, avaient sans doute fait grand usage.

Plus décisive, aux yeux de l'évêque de Milan, est l'arme que lui fournit saint Paul, ces trois lignes de l'Épître aux Colossiens, par lesquelles il conclut son attaque : « Videte ne quis vos depraedetur per philosophiam et inanem seductionem secundum traditionem hominum, secundum elementum huius mundi et non secundum Christum. » Ce célèbre « verset antiphilosophique » avait déjà beaucoup servi à l'apologétique chrétienne[425]. Mais ce *locus classicus* s'adaptait merveilleusement au dessein d'Ambroise. Dans son attaque contre la philosophie cosmique, l'auteur du *De Abraham* pouvait-il espérer meilleur mot d'ordre que cette antithèse inspirée entre « l'élément de ce monde » et le Christ ?

On voit maintenant toute l'ampleur de la modification apportée par Ambroise au schéma philonien. L'Alexandrin avait voulu exorciser l'image d'un Abraham adepte de l'aruspicine. Il avait cherché appui auprès des philosophes et avait construit, à l'aide de leurs spéculations, une exégèse destinée à supplanter celle qu'il jugeait inadmissible.

Ambroise répudie cette alliance de la Bible et de la philosophie, qu'il juge contre nature. Philon n'est pas nommé. Cependant la critique de son attitude transparaît assez dans la symétrie sur laquelle Ambroise insiste : « Quod eo scripsi, ut et ab aruspicinae et a philosophiae traditione sacrificii istius interpretationem secernerem[426]. »

Ce renversement d'alliances était sans doute un signe des temps. Julien, qui avait pratiqué avec un zèle maladif les deux disciplines, se faisait toujours accompagner d'aruspices et de philosophes, qu'il consultait même sur la conduite de ses campagnes[427].

II, p. 89.

TROISIÈME PARTIE

Ambroise christianise Philon

Ce n'est pas assez, pour Ambroise, de purifier l'exégèse philonienne de ses éléments suspects ou nocifs. Après ce traitement préparatoire, l'essentiel reste à faire. Il faut passer de l'esquisse au tableau, de l'allusif à l'explicite, de la pénombre à la pleine lumière ; il faut placer l'Ancienne Loi — et Philon qui s'y est arrêté — dans la vérité du Nouveau Testament.

Cette christianisation a été parfois obtenue grâce à des moyens extrêmement simples : la modification d'un seul détail peut permettre à Ambroise de situer l'exégèse de l'Alexandrin dans une perspective toute nouvelle. Le De Cain nous fournira un remarquable exemple de cette forme élémentaire de christianisation[1].

Mais l'évêque de Milan ne se borne évidemment pas à ces corrections ponctuelles. Son génie combinatoire se donne libre cours dans des modifications beaucoup plus étendues, dans la transposition subtile de développements entiers. On peut alors parler d'une véritable *retractatio* chrétienne se réalisant souvent par étapes successives. Ce procédé apparaît dès le De paradiso, avec l'interprétation des quatre fleuves de l'Éden[2].

Cependant l'exemple le plus complexe et le plus achevé — du moins avant le De fuga — se trouve sans doute dans le De Cain. Ce sont les pages où l'évêque de Milan raconte à son tour le débat de Volupté et de Vertu. Nous y observerons les surprenantes métamorphoses d'un apologue classique qui conservait encore chez l'Alexandrin la plupart de ses caractères traditionnels[3]. L'analyse de ces bouleversements nous permettra peut-être de remonter aux principes qui opposent les deux exégèses et les deux mondes spirituels qui s'y reflètent.

CHAPITRE V

Les sandales enlevées

L'un des reproches que, selon Philon et Ambroise, méritait le sacrifice de Caïn, c'est son manque de promptitude. Pour souligner cette déficience, les deux exégètes recourent d'autant plus volontiers aux exemples contraires que ni l'un ni l'autre ne craignent les digressions. Or la Pâque, célébrée à la hâte par les Hébreux, offrait un *exemplum* de choix pour illustrer cette sainte précipitation. Ambroise ne manque pas de l'exploiter en prenant ici encore le texte de l'Alexandrin pour point de départ. La dépendance est évidente, mais elle ne va pas sans quelques modifications assez instructives.

Voici le commentaire d'Ambroise, conformément au texte que nous donne Schenkl : « Et c'est pourquoi nos pères mangeaient la Pâque en se hâtant, les reins ceints, ⟨ ne ⟩ débarassant ⟨ pas ⟩ leurs pieds des liens de leurs sandales et déposant pour ainsi dire le poids du corps afin d'être prêts au passage ; la Pâque du Seigneur, c'est en effet le passage des passions aux exercices de la vertu, et on l'appelle Pâque du Seigneur parce que, alors, dans cette figure de l'agneau, c'était la vérité de la Passion du Seigneur qui était annoncée, tandis que maintenant c'est son don qui est célébré[1]. »

Voici maintenant le « texte-canevas » philonien, dans la toute récente traduction française d'Anita Measson : « Car il nous a été ordonné de célébrer la Pâque, c'est-à-dire le passage des passions à la pratique de la vertu, ' les reins ceints ', ce qui signifie : prêts pour le service, ayant pris sur nous le poids de la chair, je veux dire ' nos sandales ', bien et solidement campés sur ' nos pieds ', tenant ' à la main ' l'éducation comme ' un bâton ' pour mener à bien, sans risque de faux-pas, toutes nos entreprises au cours de notre vie ; et enfin de nous restaurer ' à la hâte ' (Ex. 12, 11). En effet, ce passage n'est pas affaire de mortels

---

II, p. 93.

puisqu'on l'a appelé la Pâque de Celui qui est inengendré et incorruptible ;
et cette expression convient parfaitement, car il n'existe rien de beau
qui ne vienne de Dieu ou ne soit divin[2]. »

Il est aisé de souligner les rapports étroits entre les deux morceaux.
Certaines expressions sont littéralement traduites. Τὸ Πάσχα, τὴν ἐκ
παθῶν εἰς ἄσκησιν ἀρετῆς διάβασιν est très exactement rendu par ces
mots : « Pascha enim domini transitus est a passionibus ad exercitia
virtutis. »

I — UNE NÉGATION SUSPECTE

La première question qui se pose à propos de ces quelques lignes,
c'est celle de l'exactitude du texte proposé par l'éditeur du Corpus
de Vienne, Karl Schenkl. L'attention du lecteur est évidemment tout
de suite attirée par ce « non » entre crochets obliques que l'on trouve
à la ligne 35. Ce « non » n'est attesté par aucun des manuscrits colligés
par Schenkl, comme l'indique l'apparat lui-même dans lequel on lit
« non *addidi* ». Pourquoi Schenkl a-t-il jugé cette addition nécessaire ?
A-t-il eu raison de compléter ainsi le texte ? Ces deux questions nous
amènent déjà au cœur de notre problème.

En effet, en corrigeant cet endroit du *De Cain et Abel*, Schenkl supprime
une divergence entre l'adaptation d'Ambroise et l'original philonien.
Si l'on accepte la leçon des manuscrits, « calciamentorum exuentes
vinculis », on admet en effet que l'évêque de Milan prend ici le contre-pied
de ce qu'il lit dans Philon, selon qui les Hébreux célébrant la Pâque
étaient chaussés[3]. C'est d'ailleurs ce qu'indique le texte de l'Exode qui
prescrit la tenue dans laquelle le repas pascal doit être pris[4] : les reins
ceints, les sandales aux pieds, le bâton à la main, le repas pris à la hâte
— μετὰ σπουδῆς —, tout cela est bien le fait du voyageur qui est sur le
point de prendre la route et, par conséquent, de l'homme qui se prépare
à la διάβασις.

Ambroise pense bien à cet épisode célèbre puisqu'il écrit : « Et ideo
patres nostri *festinantes* manducabant pascha. » Or, si nouveau dans
l'épiscopat qu'on le suppose, en admettant que le *De Cain* ait été écrit
peu de temps après le *De paradiso*[5], il est difficile de penser qu'il ignore
les détails d'un texte aussi essentiel. C'est sans doute ce qui a poussé
Schenkl à transformer « exuentes » en « non exuentes ». Il semblerait
alors qu'il faille lui donner raison, et d'ailleurs il n'a pas été le premier
à croire à la nécessité d'une correction à cet endroit.

Et pourtant, cette intervention de l'éditeur, si légitime qu'elle paraisse
d'abord, se heurte à de sérieuses difficultés si l'on y regarde de plus près.
Reprenons, en effet, le membre de phrase où Philon évoque les ὑποδήματα.
Nous y trouvons non seulement l'idée que les Hébreux célébraient la

---

II, p. 93.

Pâque en ayant leurs sandales aux pieds, mais que celles-ci symbolisaient le poids du corps, et que, par conséquent, porter des sandales, c'était assumer ce fardeau corporel. Le rapport entre le symbole et le symbolisé est parfaitement cohérent.

Il ne l'est plus du tout, en revanche, dans le texte d'Ambroise, si du moins nous le lisons avec les yeux de Karl Schenkl : « Pedes suos calciamentorum non exuentes vinculis et tamquam onus corporeum deponente, ». « Nos pères » continuent bien, si je puis dire, à porter leurs sandales, mais cette fois ils déposent le poids du corps au lieu de l'assumer. Faut-il penser qu'Ambroise corrigeant Philon sur le sens spirituel, n'est pas allé jusqu'au bout de la cohérence dans le symbolisme, gêné qu'il était par la lettre même de l'Exode ?

Il faut du moins reconnaître que, si on lit « exuentes », conformément aux manuscrits, et non plus « non exuentes », le texte du *De Cain* redevient parfaitement logique. On peut ajouter que, si ces sandales le gênaient, Ambroise aurait pu tout simplement les passer sous silence, de même qu'il n'a pas fait mention du bâton de voyageur que l'on trouve et dans le verset de l'*Exode* et dans le texte de Philon.

Que ces difficultés ne soient pas imaginaires, c'est ce que montre assez l'embarras manifeste de plusieurs éditeurs d'Ambroise. Amerbach et Érasme se contentent, pour notre passage, de reproduire la leçon des manuscrits. En 1569, on lit encore dans le texte publié par Jean Gillot, à Paris, chez Guillaume Merlin : « Succincti lumbos et pedes suos calciamentorum exuentes vinculis : et tamquam onus corporeum deponentes[6]. » Mais tout change quelques années plus tard, exactement en 1580, avec l'édition de Rome, due au cardinal Montalto. Doué du génie de l'action, le futur pape Sixte Quint ne semble guère avoir eu les qualités du philologue[7]. On sait quelles seront les mésaventures de sa Vulgate.

Son édition d'Ambroise fut préparée dans une retraite provisoire, due à la disgrâce encourue auprès du pape Grégoire XIII, auquel l'ouvrage est dédié. La préface déjà n'est pas sans jeter d'inquiétantes lumières sur les principes autoritaires de l'éditeur. Nous y lisons en effet : « Obscura explicuimus, manca supplevimus, adiecta reiecimus, transposita reposuimus, depravata emendavimus, omnia demum ut germanam Ambrosii phrasim redolerent, eiusque dignitati atque gravitati responderent sedulo curavimus[8]. » Les œuvres de l'évêque de Milan ont eu beaucoup à souffrir de cet interventionnisme. La collection des *Epistulae* en particulier a été complètement bouleversée, et il a fallu quatre siècles pour que l'on renonce aux classifications arbitraires et que l'on revienne à l'ordre des manuscrits.

Le zèle du cardinal Montalto n'a pas épargné notre passage, qui devient dans l'édition de Rome : « Succincti lumbos tamquam corporeum onus deponentes, et pedes suos calceamentorum induti vinculis et baculos

---

II, p. 93-94.

in manibus tenentes[9]. » Le cardinal a sans doute jugé qu'il était contraire à la « dignité » et à la « gravité » d'Ambroise d'ignorer ou de contredire un passage si célèbre de l'Exode. De plus, il semble avoir bien vu qu'il y avait quelque incohérence à associer l'idée de fardeau corporel déposé à celle des pieds prisonniers des sandales. Aussi a-t-il déplacé les mots « tamquam onus corporeum deponentes » pour les joindre à « succincti lumbos » : dominer le désir sexuel, n'est-ce pas en un sens être libéré du poids du corps ?

Plus timides, meilleurs philologues, les Mauristes Du Frische et Le Nourry ont reculé devant cette transposition, dont ils signalent en note qu'elle est propre à l'édition de Rome[10]. Ce qui est étrange et fâcheux, c'est que, sans aucune explication et sans invoquer l'autorité d'aucun manuscrit, ils ont conservé la substitution de « induti » à « exuentes ». C'est cette leçon, à la fois infidèle et inconséquente, qui a prévalu pendant deux siècles et qui a notamment été répandue par Migne.

Schenkl a voulu sans doute traiter avec moins d'arbitraire la tradition manuscrite. Comme il était paléographiquement invraisemblable qu'un « induti » ait donné un « exuentes », l'éditeur du Corpus de Vienne a supposé l'omission fautive d'un « non ». Il est donc resté, quoi qu'il en eût, dans la problématique du cardinal Montalto, et son texte est encore moins cohérent que celui des Mauristes. L'expression « calciamentorum non exuentes vinculis » est non seulement étrangement contournée, elle suggère de plus une libération qui ne s'accomplit pas, ce qui est fort singulier lorsqu'il s'agit des participants au repas pascal.

Ces déboires des éditeurs, qui s'obstinent depuis quatre siècles à corriger une tradition manuscrite unanime, sans parvenir à s'accorder entre eux, viennent confirmer la conclusion que nous avait suggérée la comparaison de ce passage avec son modèle philonien : le texte d'Ambroise devient parfaitement harmonieux si on lit, sans la négation : « calciamentorum exuentes vinculis ».

Mais, comme l'argument contraire, tiré du texte de l'Exode, reste impressionnant malgré tout, il faudrait essayer de mieux comprendre par quels glissements et sous l'influence de quelles habitudes de pensée ou de quelles images familières, l'évêque de Milan a pu commettre ce qui nous paraît un contresens biblique.

II — Le thème du « TRANSITVS » et ses variations

A ce point de l'enquête, il peut être utile de porter notre attention sur la fin de la phrase dont seuls quelques mots nous ont, jusqu'ici, retenus : « Pedes suos calciamentorum exuentes vinculis et tamquam onus corporeum deponentes, *ut essent parati ad transitum.* » Ambroise

---

II, p. 94.

affirme donc que le fait de ne pas porter, ou — si l'on suit Montalto et ses successeurs — de porter des chaussures, prépare au « transitus ». Tout est simple évidemment si l'on s'en tient au sens littéral : on se chausse pour partir en voyage. Mais ce qui préoccupe l'auteur du *De Cain*, comme il l'indique aussitôt, c'est le sens moral, qui est celui de Philon, « transitus a passionibus ad exercitia virtutis », et le sens « mystique », « in typo illo agni veritas dominicae passionis adnuntiabatur ». Or, le lien symbolique entre pieds nus et « transitus » est un des thèmes préférés d'Ambroise.

Le mot « transitus » revient fréquemment dans l'œuvre de l'évêque de Milan et avec une signification précise, quasi technique. En première approximation, on peut dire qu'il désigne le mouvement qui fait passer l'âme du charnel au spirituel.

Il arrive que le terme soit utilisé de manière assez abstraite, sans l'accompagnement d'une image particulière, sans aucune référence à un épisode de l'histoire biblique. C'est le cas, par exemple, dans une phrase de l'*Expositio psalmi CXVIII* où Ambroise exhorte à suivre l'appel du Christ, en passant des choses du monde à celles de l'éternité et en apprenant à nous gouverner nous-mêmes[11]. Parfois, Ambroise n'envisage que le point d'arrivée : « ad vitam aeternam transire[12] ». Dans une page du *De sacramentis*, le baptême est présenté comme le moyen de la justification qui n'est pas autre chose que le « transitus » du péché à la grâce[13].

Dans tous ces cas, la valeur métaphorique est comme usée ; elle n'est plus guère perceptible. Mais le dernier, au moins, des textes que nous venons de citer fait évidemment allusion à un « transitus » historique, comme l'indiquent le contexte baptismal et d'autres endroits du *De sacramentis*. Ce qui est ici sous-jacent, mais ailleurs explicite, c'est l'évocation de ce que l'on pourrait considérer comme le « transitus » par excellence : l'événement pascal[14].

A la fin d'Exode, 12, 11 — où l'on voit comment les Hébreux doivent prendre le repas rituel qui commémore leur libération d'Égypte — on lit ces mots dans les LXX : Πάσχα ἐστὶν κυρίῳ. Le substantif πάσχα, simple transcription de l'hébreu, appelait une interprétation. Josèphe[15] avait proposé assez heureusement ὑπερβασία. c'est-à-dire le fait de passer au-dessus, de passer outre : l'ange exterminateur était passé sans s'arrêter devant les maisons des Hébreux, frappant uniquement les familles égyptiennes. Philon, lui, pense à un autre épisode, la traversée de la Mer Rouge, et propose comme équivalent à πάσχα les mots διαβατήρια[16] et διάβασις[17].

Il pouvait ainsi relier à un épisode célèbre de l'histoire biblique un thème majeur de philosophie populaire : le progrès spirituel. Le passage du *De sacrificiis* qu'Ambroise a adapté est un des exemples de cet emploi de διάβασις.

II, p. 94.

Le mot et la notion devaient faire fortune chez les Pères grecs[18] et passer dans la littérature chrétienne latine sous la traduction « transitus ».

On trouve chez Ambroise toute une série de textes dans lesquels le thème du « transitus » est rattaché explicitement au fait de la traversée de la Mer Rouge. A l'interprétation morale héritée de Philon s'ajoute alors l'exégèse « mystique », proprement chrétienne. Le vrai « transitus » s'accomplit par le baptême qui fait « passer » de la passion et du péché à la vertu et à la grâce[19], et qui engloutit la faute, comme furent jadis engloutis Pharaon et son armée[20]. Tout revient, en fin de compte, à assumer le « transitus » par excellence, la passion du Christ[21].

Mais le symbolisme du « transitus » dans l'œuvre d'Ambroise ne se réduit pas à la typologie pascale, et le mot suggère une pluralité de correspondances bibliques. C'est d'autant plus facile que l'évêque de Milan — ou la traduction latine qu'il utilise — rend par « transitus » ou « transire » plusieurs mots grecs.

Si l'interprétation pascale du « transitus » correspond au groupe διαβαίνειν, διάβασις, διαβατήρια, διάβημα[22], « transire » peut représenter aussi le verbe περᾶσαι, pour lequel d'ailleurs Ambroise propose une autre traduction qu'il juge plus exacte : « transfretare ». Voici en effet ce qu'il écrit, en commentant le verset 10 du Psaume 45 (Ἀνταναιρῶν πολέμους μέχρι τῶν περάτων τῆς γῆς, « faisant disparaître les guerres jusqu'aux extrémités de la terre ») : « Dépasse donc le monde, pour que tu commences à être au-dessus du monde ; περᾶσαι, c'est en effet dépasser ou, pour presser davantage le mot, traverser en naviguant[23]. » Une telle indication est précieuse pour interpréter, par exemple, cette phrase, qui conclut presque un traité dont le sujet touche de près, au thème du « transitus », le *De fuga saeculi* : « Naviguez comme en traversant le monde, sans y errer comme les navires de Tharsis, afin que ce soit vers les ports intelligibles que vous dirigiez votre course et transportiez les richesses de la mer[24]. »

Quant au substantif περάτης, on le devine à l'arrière-plan de ce passage du *De Abraham* : « Abraham est appelé *transitus*. L'homme sage est donc proposé à notre imitation, afin que l'esprit qui, en Adam, s'était donné tout entier au plaisir et aux attraits corporels, émigre dans la forme et la beauté de la vertu[25]. » Il est très probable, en effet, que la première phrase fait allusion à Genèse, 14, 13 (LXX), où le patriarche est appelé Ἀβρὰμ ὁ περάτης (hébr. : « Abram l'hébreu »). Certes, on attendrait plutôt, comme équivalent latin, « transitor » ou « transiens » que « transitus ». Le glissement des deux premiers termes au troisième est cependant possible. C'est ainsi que, dans un *onomasticon*, l'étymologie proposée pour Ἑβραῖος est διάβασις, au lieu de περάτης[26].

« Transire » peut encore traduire διέρχεσθαι. L'accent est mis alors

---

II, p. 94-95.

sur les obstacles que l'on doit franchir et non plus seulement sur le point de départ et le terme du mouvement. C'est ainsi qu'Ambroise se sert du verset 12 du Psaume 65 — Διήλθομεν διὰ πυρὸς καὶ ὕδατος, « Transivimus per ignem et aquam[27] » — et du verset 4[b] du Psaume 123 — Χείμαρρον διῆλθεν ἡ ψυχὴ ἡμῶν, « Torrentem pertransivit anima nostra[28] » — pour expliciter un des aspects du « transitus » : les épreuves et les passions qu'il faut traverser[29].

Il arrive enfin que, dans les bibles latines, « transire » soit l'équivalent de παρέρχεσθαι. Nous rencontrons ici un nouveau texte qui est fréquemment invoqué par Ambroise et qui intéresse particulièrement la présente recherche puisqu'il associe étroitement l'image du dépassement et celle des sandales enlevées. Il s'agit de l'épisode du buisson ardent où les Pères voyaient l'un des sommets de la révélation de l'Ancien Testament.

Moïse fait paître les moutons de son beau-père Jéthro. En les conduisant à travers le désert, il parvient jusqu'à l'Horeb, la montagne de Dieu. Là, il est frappé par un spectacle étrange : un buisson qui brûle sans se consumer. Intrigué, il se dit alors — et ici il convient de citer le texte des LXX qui va servir de base aux spéculations de l'évêque de Milan — : Παρελθὼν ὄψομαι τὸ ὅραμα τὸ μέγα τοῦτο[30], ce qui devient dans la version d'Ambroise : « Transiens videbo hoc visum magnum[31]. »

Évidemment le sens littéral — Moïse pense qu'en s'avançant il verra mieux cet étrange phénomène — ne retient pas Ambroise, et, pour suivre l'exégèse que celui-ci développe, on doit traduire à peu près ainsi : « En passant outre, je verrai cette grande vision ». On devine alors le magnifique motif que ce verset, ainsi entendu, offrait à une exégèse allégorique de style platonisant : « transiens videbo » — ce raccourci est couramment utilisé par l'évêque de Milan — « en dépassant, je verrai » ; en dépassant le sensible, le charnel, le monde, les yeux de mon intelligence s'ouvriront, je verrai enfin, parce que je verrai le réel. De fait, dans bien des passages, Ambroise se livre à des variations sur ce thème[32].

Mais, en général, il interprète Exode, 3, 3, en lui adjoignant Exode, 3, 5, c'est-à-dire la réponse de Dieu à la démarche de Moïse qui s'avance pour voir : Λῦσαι τὸ ὑπόδημα ἐκ τῶν ποδῶν σου, « Solve calciamentum pedum tuorum[33]. » On voit l'importance de ce second verset pour compléter le symbolisme que nous venons d'évoquer : non seulement le sensible est comme un écran qu'il est nécessaire de dépasser si l'on veut enfin voir, mais il est un lien qui empêche ce dépassement nécessaire et dont il faut d'abord se débarrasser.

Ce thème est brillamment développé dans un texte particulièrement oratoire du *De fuga saeculi* : « Passe outre, comme Moïse, afin de voir le Dieu d'Abraham, d'Isaac et de Jacob, afin de voir une grande vision... Mais, si tu veux voir, dénoue les sandales de tes pieds, dénoue tout lien d'injus-

---

II, p. 95-96.

tice, dénoue les liens du siècle, laisse tes sandales, car elles sont terrestres. Aussi Jésus a-t-il envoyé en mission ses apôtres sans sandales, sans or et sans argent, sans monnaie, pour qu'ils n'emportent avec eux rien de terrestre. Ce n'est pas pour ses sandales, mais pour la rapidité et la beauté de ses pieds que celui qui cherche le bien est loué par l'Écriture, quand elle dit : « ' Qu'ils sont beaux les pieds de ceux qui annoncent la paix, de ceux qui annoncent les biens '. Dénoue donc les sandales de tes pieds, afin qu'ils soient beaux pour annoncer la bonne nouvelle. Il a dit ' dénoue ' et non ' attache '. Dénoue, afin de passer outre, et tu découvriras que cet impie, qui sur terre t'étonnait, n'est rien, ne peut rien. Passe outre, c'est-à-dire fuis de cette terre où est la méchanceté, où est la cupidité[34] ».

Nous retrouvons ici le thème connexe de la fuite du siècle qui préside à la structure compliquée du *De fuga saeculi*. Ce que nous retiendrons pour le moment de cette page, c'est la présence d'une sorte de groupe exégétique qui combine dans une interprétation commune Exode, 3, 3, Exode, 3, 5, et deux versets du Psaume 36 : « Vidi impium superexaltatum et elevatum ultra caedros Libani et transivi et ecce non erat[35] ».

III — « Pedes exvere vincvlis » : la condition du dépassement

Quand on examine la série des variations ambrosiennes sur le thème que définit le couple Exode, 3, 3, et Exode, 3, 5, on constate que l'impératif λῦσαι — « solve » — donne lieu à des métaphores et à des développements assez stéréotypés. On y retrouve constamment la *iunctura* « exuere vinculis » ainsi que la connexion des « calciamenta », des sandales, avec ce qui est terrestre, charnel, corporel, c'est-à-dire exactement ce que nous offre notre passage du *De Cain*.

Dans la dernière phrase du *De paenitentia*, Moïse, désireux de s'approcher pour obtenir la connaissance du mystère céleste et invité, pour cela, à retirer ses sandales, fournit le dernier *exemplum* de ce repentir dont l'évêque de Milan vient de présenter la défense et l'illustration[36].

La parabole des vignerons homicides permet à Ambroise de combiner de manière assez surprenante l'annonce du jugement, une évocation virgilienne des pieds qui foulent le pressoir, « coturnis direptis[37] », et l'épisode de Moïse devant le buisson ardent[38]. Voici comment il introduit le dernier de ces thèmes : « En effet, le lieu où nous nous tenons est une terre sainte. C'est pourquoi il faut délier nos sandales, afin que notre pied spirituel soit débarrassé des liens de l'enchaînement charnel en gravissant le tribunal du séjour sacro-saint[39]. »

Dans le *De Isaac vel anima*, Ambroise se sert du même vocabulaire et des mêmes clichés pour commenter un demi verset du Cantique des Cantiques : « Exi tu in calcaneis gregum et pasce haedos tuos in taber-

_____

II, p. 96.

naculis pastorum[40]. » Ici, et le cas n'est pas exceptionnel, l'interprétation d'Ambroise se situe à l'opposé de celle d'Origène[41]. Ce dernier voit dans Cantique, 1, 8 — « Si non cognoveris temet ipsam, o pulchra in mulieribus, egredere tu in vestigiis gregum, et pasce haedos tuos in tabernaculis pastorum » — l'expression d'une alternative : ou bien, ô la meilleure (ou la plus belle) des femmes, tu te connais toi-même, ou bien, toi qui as pourtant des facultés spirituelles hors du commun, tu es réduite à te joindre au troupeau, et, pire encore, à marcher sur ses talons, c'est-à-dire la dernière, et à faire paître non des brebis, mais des boucs[42].

Ambroise, quant à lui, rapporte le « nisi cognoscas te » à ce qui précède, c'est-à-dire aux interrogations inquiètes de l'âme à la recherche du bien-aimé disparu. Il lui est répondu que celui qu'elle désire continuera à se dérober, à moins qu'elle ne se connaisse elle-même[43]. La seconde partie du verset 8, « Exi tu in calcaneis », énonce alors, pour l'évêque de Milan, la condition nécessaire de la connaissance de soi : sortir sur les talons, c'est-à-dire sans sandales, c'est-à-dire pieds nus[44]. Quant au génitif « gregum », assurément peu favorable à une telle exégèse, Ambroise l'interprète à l'aide d'un symbolisme assez contourné ; « in calcaneis gregum » signifie selon lui : les talons nus, comme il convient aux conducteurs des troupeaux, c'est-à-dire aux chefs des peuples[45]. Et la garde des boucs, elle-même, qu'Origène estimait dégradante, symbolise maintenant la maîtrise des passions charnelles acquise par celui qui s'est débarrassé de ses sandales[46]. Il est clair qu'ici l'image de Moïse au mont Horeb a fini par éclipser celle de l'épouse du Cantique.

La sortie qu'évoque ce verset était interprétée par Origène comme l'oubli de sa propre dignité, la dispersion, la descente au niveau du vulgaire. Ambroise y voit, au contraire, le dépassement du sensible et la libération qui en résulte. On pourrait suivre ces deux utilisations opposées de la même image dans toute la littérature spirituelle : la sortie entendue comme distraction et déchéance nous mènerait jusqu'à certains textes de Pascal, tandis que la sortie signifiant la libération du sensible trouverait des illustrations particulièrement frappantes dans les traités de Ruysbroeck comme dans les poèmes et les commentaires de saint Jean de la Croix.

Nous retrouvons, dans cette page du *De Isaac*[47], les trois composantes du thème que nous examinons : l'acquisition d'une certaine connaissance, le mouvement de dépassement — ici plus exactement de sortie —, le dépouillement du sensible, symbolisé par les sandales qu'on enlève : « exuta vinculis pedem », « le pied débarrassé de ses liens », « nudo exserta vestigio », « dégagée, les pieds nus », « ut carnalia integimenta non sentias », « afin que tu ne sentes pas les enveloppes charnelles », « vestigium mentis tuae corporalia vincula non inplicent », « afin que les liens corporels n'enlacent pas le pied de ton intelligence ». Un peu plus bas, se référant toujours à Exode, 3, 5, Ambroise nous dit que

---

II, p. 96-97.

Moïse, devant appeler le peuple au royaume de Dieu, a reçu l'ordre
d'enlever d'abord les dépouilles de chair et de s'avancer « nudo spiritu
vestigioque mentis[48] ».

Dans son *Expositio evangelii Lucae*, l'évêque de Milan commente
ainsi l'ordre donné par le Christ aux Apôtres de n'emporter en mission
ni besace ni sandales[49] : « On fait habituellement les unes et les autres
avec le cuir d'un animal mort, mais le Seigneur Jésus veut qu'il n'y ait
en nous rien de mortel. De même, il dit à Moïse : ' Détache les sandales
de tes pieds, car le lieu où tu te tiens est une terre sainte '. Il reçoit donc
l'ordre de détacher ses sandales mortelles et faites de terre, au moment
où il est envoyé pour libérer son peuple[50]. » Ambroise explique ensuite
que cette mission supposait une âme inaccessible à la crainte. Or Moïse,
qui avait entrepris spontanément de défendre ses frères, avait ensuite
pris peur et s'était enfui d'Égypte en abandonnant l'œuvre commencée.
Et le commentaire continue ainsi : « C'est pourquoi le Seigneur qui
avait mis ses sentiments à l'épreuve et vu la faiblesse de sa nature a estimé
qu'il fallait débarrasser des liens mortels le pied de son âme et de son
intelligence[51]. »

IV — La célébration pascale : figure et réalité

Cet ensemble de textes montre bien que la phrase qui faisait difficulté
dans le *De Cain*, 1, 8, 31 — «Manducabant pascha ... pedes suos calciamentorum exuentes vinculis et tamquam onus corporeum deponentes, ut
essent parati ad transitum » — relève du thème « transiens videbo » et
apparaît dans cette perspective non seulement absolument cohérente,
mais typiquement ambrosienne. Tout perd son sens, au contraire, si l'on
veut, avec Schenkl, introduire une négation et lire : « non exuentes ».

Il reste cependant l'obstacle du célèbre texte de l'Exode prescrivant
de manger la Pâque, sandales aux pieds. La dernière pièce de notre
dossier, le commentaire de l'envoi des Apôtres sans bourse ni sandales,
semblerait même confirmer la difficulté. On y voit, en effet, Ambroise
opposer aux prédicateurs de l'Évangile, qui doivent aller pieds nus,
les Hébreux, qui avaient reçu l'ordre de manger la Pâque chaussés de
leurs sandales. Mais l'évêque de Milan ne voit là que l'infériorité des
Hébreux, encore obligés de protéger leurs pieds des attaques des serpents
alors que les Apôtres ne craignent plus ni morsures ni venins, comme
le prouve bien l'épisode de Paul et de la vipère dans l'île de Malte : « Si
quelqu'un s'inquiète de la raison pour laquelle en Égypte il leur avait été
ordonné d'être chaussés pour manger l'agneau, alors que les Apôtres
sont envoyés sans sandales pour prêcher l'Évangile, celui-là ne doit pas
oublier que, lorsqu'on est en Égypte, on doit encore craindre les morsures
du serpent — il y a en effet beaucoup de venins en Égypte — et que

---

II, p. 97.

celui qui célèbre la Pâque en figure peut être vulnérable, tandis que celui qui est ministre de la vérité émousse les venins au lieu de les craindre...[52] »

On voit que, pour résoudre l'apparente contradiction, Ambroise invoque ce que l'on pourrait nommer les deux niveaux de la Pâque : la célébration figurative — « in typo » — exige le port des sandales, la célébration « en vérité » se fait les pieds nus. Cette distinction permettait à la souplesse de l'exégèse allégorique un certain nombre de transpositions et d'anachronismes qui parfois nous étonnent. C'est en particulier le cas dans notre passage du *De Cain*. Rien n'autorise donc plus à rejeter la leçon des manuscrits. Ici encore, l'évêque de Milan a discrètement contredit son modèle. On est évidemment tenté de se demander si cette exégèse d'Exode, 3, 5, introduite ici par Ambroise, ne vient pas elle-même, au moins indirectement, d'un autre texte de Philon. On peut là-dessus faire quatre observations.

Tout d'abord, la version arménienne, qui nous conserve à peu près tout ce que nous avons des *Quaestiones in Exodum* de l'Alexandrin, commence seulement avec le commentaire d'Exode, 12, 2. Le premier livre de ces *Quaestiones* est perdu, au moins en grande partie. D'un autre côté, il apparaît que Philon n'a commenté ni l'ensemble du livre de l'Exode, ni même tous les versets des chapitres auxquels il s'est arrêté[53]. En second lieu, lorsque, dans le *De vita Mosis*, Philon explique l'épisode du buisson ardent[54], il laisse de côté le verset 5. De plus, dans le seul texte connu où l'Alexandrin commente Exode, 3, 5, il ne retient de ce verset que les deux phrases « Ne t'approche pas d'ici ... car le lieu où tu te tiens est une terre sainte[55] », négligeant ainsi l'entre-deux, c'est-à-dire précisément l'ordre de se déchausser. Une dernière constatation inclinerait, elle aussi, à répondre négativement à la question posée. Tandis que, chez Ambroise, l'image du lien est associée à plusieurs reprises à celle des sandales enlevées, on n'observe point cette connexion dans les nombreux passages où Philon évoque les δεσμά, les liens charnels dont il faut se libérer[56], même là où le thème évoqué est celui que l'évêque de Milan exprime grâce à l'allégorèse d'Exode, 3, 3 et 5 : le détachement comme condition de la vision[57].

Il reste à tenter d'expliquer le motif de cette rectification apportée par Ambroise au développement que lui fournissait le *De sacrificiis* et que semblait garantir le texte même de l'Exode. On peut d'abord se demander si l'on est en présence d'un de ces énoncés philoniens qu'Ambroise refuse chaque fois qu'il les rencontre. C'est; on l'a vu, le cas de certaines formules subordinatiennes concernant le Logos. On peut, en second lieu, faire porter l'examen sur le contexte immédiat du passage qui fait problème : l'emprunt à Philon n'a-t-il pas été infléchi par ce qui le précède ou ce qui le suit ?

Tentons la première voie. Si l'on admet que l'exprersion τὸν σάρκινον ὄγκον... περιειληφότες signifie, comme le pense Mlle Méasson, « ayant

---

II, p. 97.

pris sur nous le poids de la chair », c'est-à-dire, en quelque sorte, ayant assumé les devoirs de notre condition charnelle, on observera que Philon insiste souvent sur les nécessités de s'acquitter des obligations de la vie active et qu'Ambroise enseigne plus exclusivement la « fuite du siècle ». On verra par quel ensemble de retouches les éléments du *De fuga et inventione* qui recommandaient l'engagement dans les affaires de ce monde ont été réutilisés dans la perspctive fort différente du *De fuga saeculi*[58].

Mais περιειληφότες est-il bien l'équivalent d'un « induti », comme l'impliquent la traduction d'A. Méasson et la conjecture de Schenkl ? Le *Thesaurus linguae graecae* d'Henri Estienne donne comme sens de περιλαμβάνω « circumplector, complector (proprie de rebus dicitur quas manibus circumplectimur) ». Liddell et Scott proposent « embrace, encompass or surround an enemy, get possession, encase or cover all round, comprehend, include ». C'est toujour l'idée de l'enveloppement — d'un objet ou d'un ennemi — de la saisie, de la prise de possession. Le verbe est singulier pour exprimer simplement que l'on porte des sandales, et τὸν σάρκινον ὄγκον... περιειληφότες pourrait bien signifier « prenant possession du fardeau corporel », c'est-à-dire le maîtrisant.

Or une telle interprétation s'accorde parfaitement avec le curieux commentaire que donne Philon du même détail vestimentaire de la célébration pascale dans ses *Quaestiones in Exodum*. Jouant sur l'expression des LXX, τὰ ὑποδήματα ἐν τοῖς ποσίν — les sandales aux pieds — et l'entendant au sens littéral — les sandales *dans* les pied — il tire de cette apparente absurdité l'idée que ce n'est pas le mort qui doit envelopper le vivant, mais le vivant qui doit envelopper — dominer — ce qui est privé de vie[59]. Ambroise, qui sait à l'occasion tirer partie de cette étrange interversion du contenant et du contenu en en faisant le symbole de la spiritualisation finale du corps réalisée dans la Passion du Christ[60], est donc moins éloigné peut-être de son prédécesseur que ne le suggère d'abord la contradiction des images.

Celle-ci subsiste malgré tout. Peut-être est-ce alors le contexte immédiat qui pourrait permettre de préciser ce qui a pu amener Ambroise à faire correspondre « onus corporeum *deponentes* » à τὸν σάρκινον ὄγκον... περιειληφότας qu'il lisait dans Philon.

Or, dans les lignes qui suivent immédiatement, Ambroise passe semble-t-il de l'étymologie savante πάσχα-διάβασις[61] à l'étymologie populaire et proprement chrétienne πάσχα-πάσχειν[62]. A la Pâque « immortelle » selon Philon[63], l'évêque de Milan substitue l'événement de la passion du Christ, c'est-à-dire une mise à mort[64].

Il semble donc que l'antitype ait réagi sur la figure, amenant ainsi Ambroise à corriger l'image philonienne. Dans la perspective de la Croix, le fait d'enlever ses sandales symbolise tout naturellement le moment

---

II, p. 97-98.

libérateur où l'âme se dépouille du corps. On trouve cette correspondance dans le texte sur l'immortalité de l'âme composé par Ambroise à l'occasion du décès de son frère Satyre. Après avoir évoqué Élie enlevé sur son char[65] et le mystérieux transfert d'Hénoch[66], l'évêque de Milan continue en ces termes : « Il vit en effet celui qui n'a rien qui puisse mourir en lui, qui n'a pas en guise de lien quelque sandale d'Égypte, mais qui l'a enlevée avant de déposer la fonction de ce corps. Et ce n'est pas Hénoch seul qui vit, parce qu'il n'est pas seul à avoir été enlevé, Paul aussi a été enlevé à la rencontre du Christ[67]. »

Nous avons ainsi, dans ces quelques lignes et dans cette retouche à Philon que la plupart des éditeurs ont cru devoir masquer, un exemple caractéristique de trois des procédés d'adaptation d'Ambroise : la surimpression, qui fait coïncider ici deux épisodes de l'Exode et combine leur valeur symbolique ; l'anticipation, par laquelle l'écrivain ou l'orateur annonce le thème qu'il va introduire en infléchissant celui qu'il achève de développer ; enfin la christianisation d'un épisode vétéro-testamentaire qui n'est plus, comme chez l'Alexandrin, le reflet historique d'une réalité supraterrestre, mais l'annonce figurative de ce qui sera vérité en Jésus.

II, p. 98,

CHAPITRE VI

Les quatre fleuves du paradis

Ambroise consacre aux quatre fleuves de l'Éden quelques pages du *De paradiso*, celles qui forment le chapitre trois. Le schéma général de l'allégorèse, la nature des procédés, les techniques d'interprétation, trahissent une forte influence philonienne et il est particulièrement instructif d'inventorier sur cet exemple ce qui rapproche et ce qui sépare l'exégète juif et l'évêque chrétien.

A vrai dire, la comparaison doit porter non sur deux termes, mais sur trois, puisque Philon nous a laissé deux commentaires de ce passage de la Genèse ; l'un se trouve dans les *Legum allegoriae*, l'autre dans les *Quaestiones in Genesin*.

Soulignons d'abord ce qui est commun à ces trois interprétations. C'est essentiellement l'équivalence symbolique décelée entre les quatre fleuves et les quatre vertus principales, prudence, tempérance, force, justice. Ce n'est pas seulement le contenu de l'allégorie, ce sont aussi ses techniques, qui sont communes à Ambroise et à Philon. Nous pensons à l'explication étymologique des noms propres et aux symboles tirés de la nature, deux procédés qui jouent un grand rôle dans ces exégèses des fleuves du paradis.

Mais ce cadre commun rend les différences d'autant plus visibles. Nous découvrirons que les mêmes étymologies peuvent aboutir chez Philon et chez Ambroise à des interprétations opposées, et que les mêmes objets y sont, à l'occasion, affectés de valeurs symboliques tout à fait différentes. Les explications de l'Alexandrin varient même d'un traité à l'autre, en particulier, sur l'ordre des vertus. Si la prudence reste toujours en tête et la justice en fin de liste, le courage précède la tempérance dans les *Legum allegoriae*, mais la suit dans les *Quaestiones in Genesin*. Comme l'ordre des fleuves reste constant, il faut que la technique de l'allégorèse se plie à cette diversité. Quant au *De paradiso*, c'est la seconde séquence que l'on y retrouve.

A vrai dire, les variations d'Ambroise n'affectent guère l'aspect général de la construction philonienne. Dans le corps du développement, en revanche, dans l'introduction et la conclusion, l'évêque de Milan s'éloigne de manière beaucoup plus intéressante de son prédécesseur.

I — LES DEUX EXPOSÉS DE PHILON

Dans les *Legum allegoriae* de Philon, l'interprétation symbolique est donnée immédiatement après la citation des versets de la Genèse, sans que ce dépassement de la lettre soit explicitement justifié : « Par ces fleuves il veut indiquer les vertus particulières[1]. » C'est que cette légitimation a été opérée une fois pour toutes au début de la section concernant le paradis. On la trouve sous une de ses formes les plus classiques : l'impossibilité — ici pour raison de piété — d'accepter le sens littéral : « Puisse... la pensée humaine ne pas être sous l'empire d'une assez grande impiété pour croire que Dieu travaille la terre et plante des jardins ; car il faut aussitôt nous demander avec embarras dans quel but il le ferait. Ce n'est pas pour se donner un lieu de repos agréable et des plaisirs : puisse une telle mythologie ne jamais nous venir à l'esprit. Même le monde entier ne serait pas une place et un séjour digne de Dieu[2]. » Mais, une fois qu'il a ainsi démontré l'obligation de l'allégorie, Philon n'entreprend point de justifier le symbolisme particulier qu'il va substituer à l'impossible sens propre. D'ailleurs, il avait proposé d'emblée cette exégèse figurée, et les réflexions que l'on vient de lire — sous la forme d'une incise — sont destinées à confondre les contradicteurs éventuels, les littéralistes endurcis.

Le genre particulier des *Quaestiones in Genesin* impose une autre démarche. Philon s'y tient beaucoup plus près du sens obvie des récits qu'il commente ; il n'allégorise que là où il y voit une nécessité impérieuse. En outre, le fractionnement de l'exposé l'oblige à traiter chaque question pour elle-même : il va, par exemple, devoir justifier l'allégorèse des fleuves du paradis, sans pouvoir se contenter d'une référence implicite à une décision exégétique prise une fois pour toutes, au moment où commence l'histoire de l'Éden et des premiers hommes.

Mais la démarche reste semblable. Il s'agit de montrer que la résistance du texte à une interprétation littérale oblige plus ou moins l'exégète à passer au plan de l'allégorie. Ici cependant, dans cette *Quaestio* sur les fleuves du paradis, la difficulté du sens propre n'est pas du même ordre que dans les *Legum Allegoriae*.

Elle n'est plus religieuse, elle est géographique. On peut constater que les quatre fleuves dont parle la Genèse ne prennent pas tous leur source dans la même contrée, et que l'Arménie, qui donne naissance à deux d'entre eux, ne renferme pas le paradis dont parle Moïse. Faut-il alors

---

II, p. 99.

penser à un seul fleuve souterrain dont les quatre autres seraient comme
des résurgences plus ou moins distantes les unes des autres[3] ? Mais peut-
être tout cela doit-il être compris comme une allégorie. Dès que cette
hypothèse est suggérée par les difficultés de la lettre, le schéma des
quatre vertus est proposé d'emblée, mais accompagné cette fois-ci d'une
confirmation étymologique. Les interprétations des noms des quatre
fleuves sont, il est vrai, plus implicites qu'énoncées directement comme
telles, au moins dans la version arménienne qui nous reste. Les parallèles
textuels ne laissent pourtant aucun doute sur les arguments dont Philon
s'autorise. Voici ce qui concerne le premier des quatre fleuves : «...pruden-
tiae videlicet Phison dictae secundum parsimoniam[4]. » Cette phrase
quelque peu énigmatique ne s'éclaire que par l'étymologie de style proprement philonien qui explique le nom hébreu transcrit Φεισών par le grec
φείδεσθαι, ménager, épargner[5]. On retrouve la même exégèse, explicite
cette fois, dans les *Legum Allegoriae* : « Une des quatre espèces de vertus
est la prudence, qu'il a nommée Phison, parce qu'elle *épargne* et garde
l'âme des mauvaises actions[6]. » Le Géon représente la tempérance.
Celle-ci en effet maîtrise les plaisirs du ventre et du bas-ventre, dont les
objets sont évidemment terrestres[7]. Cette phrase prend tout son sens
par l'*annominatio* Γηών-γήϊνος, ou Γηών-γῆ. De fait, l'étymologie
Γειών = ἀπὸ τῆς γῆς se trouve dans certains *onomastica*[8], et, se fondant sur ce passage de l'hébreu au grec, Wutz a présumé son origine
philonienne[9], ce que notre texte vient de confirmer. La connexion entre
le troisième fleuve et la vertu de force n'a rien de mystérieux. Le nom
même de Tigre suggère encore pour nous le fauve dont la colère est
redoutable. Or, c'est précisément à la domination sur l'irascible que
préside la troisième vertu[10]. Enfin, explique Philon, l'Euphrate signifie
la justice : celle-ci est en effet ce qui réjouit le plus la pensée de l'homme[11].
Un passage parallèle des *Legum allegoriae* nous permet de retrouver la
paronomase qui existait à coup sûr dans le texte grec des *Quaestiones* :
« ' Le quatrième fleuve ', dit-il, ' est l'Euphrate '. ' Euphrate ' signifie
' production de fruits ' : il est symboliquement la quatrième vertu, la
justice, qui réellement est féconde et réjouit la pensée[12]. » L'étymologie
se retrouve chez Ambroise : « Plerique Euphratem ἀπὸ τοῦ εὐφραίνεσθαι
dictum putant, hoc est a laetando, eo quod hominum genus nullo magis
quam iustitia et aequitate laetetur[13]. »

Il convient maintenant d'examiner la fonction exacte de ces étymologies
dans l'interprétation que propose Philon des quatre fleuves du paradis.
S'interroger sur la valeur philologique de ces rapprochements serait
commettre un anachronisme inutile pour la présente question. Il importe
seulement ici de savoir si Philon entend s'appuyer sur ces équivalences
onomastiques pour démontrer en quelque sorte l'analogie des quatre
fleuves et des quatre vertus. En fait, ces correspondances sont bien
trop vagues pour jouer un tel rôle. Dire que la justice réjouit l'esprit de
l'homme, ce n'est là donner ni son essence, ni même l'une de ses propriétés.

II, p. 99.

La caractéristique reste fort insuffisante : en réalité c'est l'identification justice-Euphrate qui éclaire l'étymologie, ce n'est pas l'étymologie qui fonde l'identification, elle ne peut tout au plus que la confirmer après coup par cette convenance virtuelle. La même remarque vaut aussi bien pour la deuxième et la troisième vertu.

C'est bien pire pour la première. Ici les données de l'étymologie proposée ne sont pas seulement insuffisantes, elles sont fallacieuses. A laquelle des vertus en effet s'applique tout naturellement cette notion d'usage modéré que Philon croit découvrir dans le nom du Φεισών ? A la tempérance encore plus qu'à la φρόνησις.

Le manque de nécessité de ces correspondances est tel que Philon n'a pas de scrupule à les modifier. Si la prudence occupe la première et la justice la dernière place, dans les *Allegoriae* comme dans les *Quaestiones*, il n'en va pas de même pour les deux vertus intermédiaires. La force se trouve au troisième rang, comme nous l'avons vu, dans les *Quaestiones*, au second dans les *Allegoriae*, où elle est par conséquent symbolisée par le Géon. La paronomase Γηών-ἀπὸ γῆς est alors remplacée par une étymologie fondée sur l'hébreu : « Symboliquement ce fleuve est le courage : le mot Géon se traduit en effet *poitrine* ou *frappant de ses cornes*. L'un et l'autre signifient le courage[14]. » Quant à la force bestiale que suggère le nom du Tigre, ce n'est plus l'irascible qu'elle évoque, c'est la brutalité sauvage du désir que la tempérance doit dompter[15].

II — LA « RETRACTATIO » D'AMBROISE

1. *L'origine des quatre fleuves.*

On voit que, dans aucun de ces deux développements parallèles, l'étymologie ne fonde l'exégèse. Le caractère flou de la première, ses variations, ne permettent même pas de lui maintenir le rôle de véritable confirmation que nous avions d'abord cru pouvoir lui attribuer. Ce n'est pas ici un instrument de démonstration ou de découverte des symboles, c'est plutôt un moyen d'exprimer des correspondances déjà établies, que Philon n'éprouve pas, semble-t-il, le besoin de justifier.

Ce besoin, nous le trouvons, en revanche, chez Ambroise. Après avoir cité les cinq versets de la Genèse qui décrivent ce que l'on peut appeler l'hydrographie de l'Éden, l'évêque de Milan passe à des considérations géographiques analogues à celles que Philon développe dans les *Quaestiones in Genesin*. Il s'agit d'identifier sur la carte du monde les quatre fleuves dont parle la Genèse. Puis, par une rupture soudaine, cet exposé « ad litteram » fait place à une question qui suppose l'interprétation allégorique du passage : « Sed quemadmodum fons dicitur sapientia dei ? »

II, p. 99-100.

C'est que, avant même d'aborder les versets concernant les quatre fleuves, Ambroise a évoqué leur source commune, alors que Philon dans les *Allegoriae* commence par énumérer les quatre vertus pour passer ensuite à la γενικὴ ἀρετή dont elles sont issues[16]. Toute l'exégèse des quatre fleuves, dans le *De paradiso*, est commandée par ce prélude, qui annonce la citation de Genèse, 2, 10-14, et qui n'a d'équivalent ni dans les *Allegoriae*, ni, bien entendu, dans les *Quaestiones* de Philon.

On y retrouve, au point de départ, les préoccupations apologétiques dont il a été question au premier chapitre et qui nous sont apparues comme l'une des sources de l'allégorisme ambrosien. A ceux qui se choquaient de la présence du diable dans le jardin d'Éden, l'auteur du *De paradiso* a déjà concédé, au moins à titre de choix possible, la signification purement psychologique d'Adam et d'Ève aussi bien que du serpent. Dieu n'ayant donc pas introduit une créature mauvaise au paradis, la cause la plus visible de scandale est écartée. Mais il reste une difficulté : cet homme, dont les trois acteurs du drame de l'Éden personnifient les tensions intérieures, apparaît bien fragile dans sa complexité, ce qui met une nouvelle fois en cause la responsabilité du Créateur. La réponse d'Ambroise, qui prévient en quelque sorte l'objection, c'est que l'homme était muni des secours divins que symbolise la source qui arrosait le paradis : « Est etiam νοῦς tamquam Adam, est et sensus tamquam Eva. Ac ne haberes quod ad infirmum retorqueres naturae vel ad obnoxiam in tolerandis periculis condicionem, considera quae habeat anima ista subsidia. Erat fons qui inrigaret paradisum[17]. »

On remarque que la version suivie par Ambroise est ici infidèle aux LXX : d'après le grec, comme dans l'hébreu, ce qui sort de l'Éden pour arroser le paradis c'est, littéralement, un fleuve, non une source : Ποταμὸς δὲ ἐκπορεύεται ἐξ Ἐδὲμ ποτίζειν τὸν παράδεισον. Ce demi-verset est ainsi rendu dans la Vulgate : « Et fluvius egrediebatur de loco voluptatis ad inrigandum paradisum. » Nous savons par Ambroise lui-même que, sur ce point, les versions latines dont il avait connaissance se divisaient. Il remarque en effet, dans la page du *De paradiso* que nous examinons : « Et fons legitur et fluvius legitur, qui inrigat paradisi lignum fructuosum[18]. » Ce que nous pouvons encore connaître des anciennes versions latines de la Genèse confirme ce témoignage. Les traducteurs ont rendu le ποταμός des LXX tantôt par « flumen[19] », tantôt par « fluvius[20] » ; d'autres fois, ils ont choisi le mot « fons », substituant ainsi l'idée de source à celle de fleuve[21].

Or on sait que l'attention donnée au texte de la Bible, à l'époque des premières traductions latines comme à celle d'Ambroise, est extrêmement analytique : chaque mot est envisagé, est expliqué pour lui-même et non pas seulement pour le rôle qu'il occupe dans un contexte donné. Même deux synonymes, que sépare en principe une mince nuance expressive, voient entre eux la distance s'accroître indéfiniment, parce que chacun

---

II, p. 100.

d'eux évoque à la limite toute la série des versets d'Écriture dans lesquels il se trouve employé et qui constituent sa sphère de suggestions et de résonnances. A plus forte raison, cette oscillation des traducteurs entre le fleuve et la source et le choix de la seconde version par Ambroise lorsqu'il écrit ces lignes du *De Paradiso* méritent de retenir l'attention.

Il semble bien que ce passage du fleuve à la source, dans les traductions de Genèse, 2, 10, s'explique au moins en partie par une attraction du verset 6 du même chapitre. Quelques lignes de saint Jérôme dans son *Commentaire sur Isaïe* sont à cet égard particulièrement significatives : « ' Et tu seras ', ou ' elle sera ', c'est-à-dire toi ou ton âme, ' *comme un jardin arrosé*[22] '. C'est de ce dernier qu'il est écrit : ' *Une source* sortait du sol et arrosait toute la surface du paradis ' (on lit dans l'hébreu : ' jardin '). De quelle source pouvons-nous ici parler, sinon de celui à qui il a été dit : ' Auprès de toi est la source de vie[23] ', de celui qui arrose sans cesse son Église et les cœurs de tous ceux qui croient[24] ? ». En dépit de la référence unique donnée par les Mauristes, et par le *Corpus Christianorum*, la citation de la Genèse faite ici par Jérôme, amalgame deux versets. Genèse, 2, 6, a fourni le sujet, « fons » — πηγή — et l'idée que le sol arrosé l'était sur toute sa surface, « irrigabat *omnem faciem* » — ἐπότιζεν πᾶν τὸ πρόσωπον τῆς γῆς. Mais c'est de Genèse, 2, 10, que proviennent et le verbe qui exprime le jaillissement de l'eau — « egrediebatur » est calqué sur ἐκπορεύεται, alors que Genèse, 2, 6, exprime la même idée par ἀνέβαινεν —, et la désignation de ce qui est ainsi totalement irrigué, non plus la terre, comme en Genèse, 2, 6, mais le paradis. Ce travail de fusion apparaît très nettement quand on compare la citation du *Commentaire sur Isaïe*, « *Fons egrediebatur et irrigabat omnem faciem paradisi* », avec la traduction que le même saint-Jérôme donne par ailleurs, dans la Vulgate, de Genèse, 2, 6, « *Fons* ascendebat e terra *inrigans universam superficiem* terrae », et de Genèse, 2, 10, « Et fluvius *egrediebatur* de loco voluptatis ad *inrigandum paradisum.* »

Ambroise avait donc le choix entre deux versions. On va voir qu'il en exploitera successivement les virtualités et les harmoniques. Mais tout d'abord, comme on vient de le constater, il donne la préférence à celle qui est la plus éloignée des LXX et dans laquelle on a substitué la mention de la source à celle du fleuve. Les intentions qui ont guidé ce choix sont assez manifestes.

L'image de la source, en effet, va permettre à Ambroise de découvrir les correspondances scripturaires dont il a besoin et de préparer l'exégèse des quatre fleuves du paradis par un dossier biblique qui en livre la clé et que l'on trouve en *De paradiso*, 3, 13.

La citation fondamentale de ce passage, et d'ailleurs celle qui suit immédiatement l'évocation de la source, c'est le Psaume 35, 10 : « Quoniam apud te fons vitae. » Ce verset, est introduit non comme une simple illustration, un de ces ornements pieux qui permettent aux prédicateurs

---

II, p. 100.

de créer une ambiance, mais comme un argument, une preuve : « Il y avait une source pour arroser le paradis. Quelle source sinon le Seigneur Jésus-Christ, source de vie éternelle comme le Père ? Car il est écrit : puisqu'auprès de toi est la source de vie[25]. »

Comme on le voit, ces lignes d'Ambroise sont très proches du passage de Jérôme que nous venons de citer. On y trouve le même rapprochement entre Isaïe, 58, 11 et le Psaume 35, 10, la même interprétation, le même mouvement de la prase. Faut-il penser à une source commune qui pourrait être le *Commentaire d'Isaïe* par Origène ? Mais cet ouvrage n'allait pas au-delà du chapitre 30 du prophète. Au moins, c'est tout ce que Jérôme en connaît quand il écrit son propre *In Esaiam*[26]. On peut donc supposer qu'Ambroise et Jérôme font ici écho à un *testimonium* intégré à la catéchèse commune, sous une forme déjà figée.

Pour sa part, Ambroise souligne la valeur démonstrative de ce rapprochement avec le *Psaume* 35 par la formule « quia scriptum est ». Certes l'argumentation de l'évêque de Milan reste implicite. Il est quand même possible d'en saisir les articulations en se référant à une page d'un de ses traités proprement dogmatiques, le *De spiritu sancto* :

« Tu lis aussi ailleurs que le Fils est lumière : ' Le peuple, qui était assis à l'ombre de la mort, a vu une grande lumière '. Qu'y a-t-il en effet de plus clair que cette parole : ' Puisqu'auprès de toi est la source de vie, dans ta lumière nous verrons la lumière ' ? C'est-à-dire : ' auprès de toi ', Dieu, Père tout-puissant, ' en ta lumière ', le Fils, ' nous verrons la lumière' du Saint-Esprit, comme le Seigneur lui-même l'indique lorsqu'il dit : ' Recevez le Saint-Esprit ', et ailleurs : ' Et une force sortait de lui '[27] ». Ici, c'est sur l'image de la lumière que se porte l'attention d'Ambroise, mais c'est le mécanisme de l'interprétation qui nous intéresse. Comme bien souvent dans les controverses trinitaires, ce sont les prépositions qui servent à distinguer les personnes divines et à préciser leurs relations[28]. « Dans ta lumière nous verrons la lumière » indique qu'il y a deux lumières ; « auprès de toi » exprime, si l'on peut dire, la situation du Fils par rapport au Père. On ne peut guère douter que ce soit le premier verset de l'Évangile selon s. Jean qui donne ici la clé de l'argumentation : « Au commencement était le Verbe et le Verbe était auprès de Dieu. » En vertu de cet énoncé décisif, la préposition « apud » est désormais pour le théologien trinitaire une des expressions caractéristiques de la relation des deux premières personnes divines et permet à l'exégète de déceler, dans les textes de l'Ancien Testament, ce qui revient à l'une et à l'autre.

Le même verset du Psaume 35 est repris un peu plus loin dans le *De spiritu sancto*, et, cette fois-ci, le commentaire porte directement sur « fons vitae ». Ambroise y rappelle que de nombreux exégètes donnent une interprétation trinitaire de ce verset — « Auprès de toi est la source de vie » — en le comprenant ainsi : « auprès de toi » se réfère au Père, la « source » désigne le Fils, et la vie, l'Esprit[29]. D'autres commentateurs,

II, p. 100.

il est vrai, rejettent cette explication et veulent voir dans la « source » la désignation du Père lui-même. Ambroise, qui rapporte cette seconde position, remarque que, pour sa présente démonstration, il suffit que la vie qui jaillit de l'une ou l'autre personne divine soit l'Esprit incréé[30]. L'auteur du *De spiritu sancto* n'en indique pas moins sa préférence pour la première interprétation en invoquant précisément le premier verset du quatrième Évangile : « ' Auprès de toi ', dit-il, ' est la source de vie ' : c'est-à-dire auprès du Père est le Fils, puisque le Verbe est ' auprès de Dieu ', lui qui ' était au commencement ' et ' était auprès de Dieu '[31]. »

On comprend mieux alors la fonction exacte du Psaume 35, 10, dans le passage du *De paradiso* destiné à introduire le thème des fleuves du paradis. L'identification de leur origine commune au Seigneur Jésus-Christ, opérée d'emblée par ce verset trinitaire, permet à Ambroise de situer sur le plan proprement chrétien toute son interprétation. On retrouve la même exégèse dans *Explanatio psalmi XXXV*. La suite des idées y est très voisine de celle du *De paradiso*, puisque le « torrens voluptatis » du verset 9 amène Ambroise à évoquer la source commune des quatre fleuves de l'Éden[32], et que le verset 10 — « Apud te est fons vitae » — lui permet de donner à cette source son nom, Jésus-Christ[33], en plaçant une fois de plus l'expression « auprès de toi » dans la perspective du premier verset de l'Évangile johannique[34].

L'image du fleuve, c'est-à-dire l'autre version de Genèse, 2, 10, n'est pas abandonnée pour autant. Elle permet à Ambroise d'introduire un nouveau texte scripturaire : « Des fleuves d'eau vive jailliront de son sein[35] », et de préparer ainsi la réinterprétation de ces versets de la Genèse à la lumière de la mystique johannique. Le couple formé par le Psaume 35, 10, et Jean, 7, 38, se retrouve ailleurs dans l'œuvre d'Ambroise et notamment dans le passage du *De spiritu sancto* que l'on vient de citer. On y lit que l'image du fleuve complète celle de la source. Elle empêche, en effet, que l'on imagine seulement une faible quantité d'eau et que l'on ne rabaisse ainsi le don de l'Esprit[36].

On voit que, par l'introduction de ces deux versets, celui de la source — « Apud te fons vitae » — et celui des fleuves — « Flumina de ventre eius aquae vivae » —, le premier emprunté au livre des Psaumes, le second au quatrième Évangile, toute l'allégorèse philonienne du jardin d'Éden se trouve bouleversée.

L'intervention de Jean, 7, 38 transforme la signification reconnue au sol édénique. En vertu de ce passage du quatrième Évangile, en effet, les fleuves d'eau vive sont présentés comme jaillissant directement non du Verbe, mais du sein de celui qui croit en Jésus. Cette intériorisation est appuyée par un verset que nous avons déjà rencontré à propos du symbolisme des puits, dans un texte de saveur origénienne : « Bibe aquam de tuis vasis et de puteorum tuorum fontibus[37]. » Aussi Ambroise reconnaît-il dans l'Éden la figure de l'âme : « ' Une source ' dit-il, en effet,

II, p. 100-101.

' sort de l'Éden ', c'est-à-dire : il y a une source dans ton âme[38] », et : « C'est la source qui sort de cette âme éprouvée et remplie de volupté[39] ». Quant au verset 10 du Psaume 35, il permet à Ambroise de démontrer l'identité de la source-fleuve et du Verbe.

En outre, dans le *De paradiso*, ce fleuve qui traverse l'Éden n'a pas seulement comme fonction d'irriguer, de fertiliser, comme c'est le cas selon la lettre de la Genèse et dans l'exégèse de Philon. L'évêque de Milan souligne une autre propriété de l'eau courante : elle irrigue sans doute, « erat fons qui inrigaret paradisum[40] », mais aussi elle entraîne, elle conduit : « Fons virtutum est ceterarum, quae nos ad aeternae cursum dirigunt vitae[41]. »

Cette idée de sens, de direction, se retrouve dans un verset du quatrième Évangile qui, bien que n'étant jamais cité explicitement dans cette page, fait cependant partie de son arrière-plan : « Qui biberit de aqua, quam ego dabo illi, fiet in eo fons aquae salientis in vitam aeternam[42] ». Cette citation se trouve en effet dans le dossier scripturaire qu'Ambroise a rassemblé dans un chapitre de son *De spiritu sancto* destiné à mettre en lumière la théologie trinitaire renfermée dans les images de la source et du fleuve[43].

La croissance assurée par cette eau est elle-même orientée : « Et fons legitur et fluvius legitur, qui inrigat paradisi lignum fructuosum, quod ferat fructum in vitam aeternam[44]. » Or ce « quod ferat fructum in vitam aeternam » fait écho lui aussi à un verset de l'Évangile de Jean, un verset qui précisément appartient à l'épisode de la Samaritaine : « Qui metit... congregat *fructum in vitam aeternam*[45]. »

On voit avec quel soin Ambroise construit, pierre après pierre, son allégorèse. Il lui reste encore une étape à franchir, celle qui le fera passer de la source ou du fleuve primordial aux quatre cours d'eau qui en dérivent. En d'autres termes, il s'agit maintenant pour lui de rattacher les analyses morales héritées du Lycée et du Portique aux thèmes christologiques et trinitaires nourris de méditation johannique. Le personnage de la Sagesse, évoqué dans le texte de Philon et qui appartient à la fois à la Bible et à l'hellénisme, va permettre à Ambroise d'établir cette médiation entre le domaine abstrait de l'éthique et la personne de Jésus de Nazareth.

Deux versets, empruntés aux deux Testaments, vont servir à la construction de cette exégèse. Pour le Nouveau Testament, c'est la promesse de Jésus, au dernier jour de la fête des Tabernacles : « Si quelqu'un a soif qu'il vienne à moi et qu'il boive. » L'Ancien Testament fournit l'appel de la Sagesse dans le livre des Proverbes : « Venez et mangez de mes pains, buvez le vin que j'ai mélangé pour vous[46]. » Comme on le voit, dans cette double évocation, l'évangéliste précède le prophète, et l'antitype la figure.

II, p. 101.

Ambroise peut alors justifier l'équivalence symbolique des quatre fleuves et des quatre vertus : si la Sagesse est la source de vie éternelle, elle doit être aussi au principe des vertus qui en sont comme les chemins : « Sicut ergo fons vitae est sapientia, fons gratiae spiritalis, ita fons virtutum est ceterarum, quae nos ad aeternae cursum dirigunt vitae[47] ».

On voit maintenant tout ce qui sépare le modèle philonien et l'adaptation d'Ambroise. La construction du premier est claire et nettement hiérarchisée. Le sol de l'Éden d'où sort le fleuve originel, c'est la Sagesse de Dieu, qui est le Logos ; le fleuve, avant qu'il ne se divise, c'est la vertu générique, la bonté morale[48].

Si Philon nous la montre sortant du Logos comme un cours d'eau sort de terre, c'est qu'elle a été faite d'après le Logos : Κατὰ γὰρ τοῦτον πεποίηται ἡ γενικὴ ἀρετή[49]. De la vertu générique dépendent à leur tour les quatre vertus spécifiques : Αἱ δὲ ἐν εἴδει τέτταρες ἀπὸ τῆς γενικῆς[50]. C'est donc un édifice à trois étages : le Logos - archétype, la vertu générique qui en est une imitation, enfin les quatre vertus qui spécifient la vertu générique. Tout y est parfaitement ordonné, parfaitement à sa place, et par là même, statique.

Si l'on met en regard l'allégorie proposée par Ambroise et qu'on ramène celle-ci à ses éléments essentiels, à son épure, en quelque sorte, en laissant un instant de côté les variations de l'image et les orchestrations suggestives on mesure le chemin parcouru. Le sol de l'Éden, d'où sort la source-fleuve, ce n'est plus le Logos, c'est l'âme : «Ex hac igitur anima... fons iste procedit[51]. » La Sagesse-Logos est maintenant représentée par le fleuve primordial. Ce n'est plus d'ailleurs une entité lointaine et difficile à cerner, c'est « le Seigneur Jésus-Christ », dont proviennent directement les quatre vertus. Par ce déplacement allégorique, une vision du monde, fondée sur l'exemplarité, fait place à une mystique de la présence agissante.

Ainsi les différents niveaux hiérarchiques se mêlent. La construction perd en logique et en clarté, elle gagne en vie et en mouvement. Philon est plus classique, Ambroise plus baroque. Les cours d'eau s'étaient en quelque sorte figés chez le premier, ils ne représentaient plus guère que des relations d'imitation ou des rapports logiques ; ils coulent à nouveau chez Ambroise, emportés par l'élan d'une théologie de l'Incarnation. L'exégèse très hellénistique proposée par l'Alexandrin est bouleversée par l'imprégnation johannique et origénienne. A l'image des fleuves de l'Éden se superposent celle des puits creusés par Isaac, celle, surtout, des flots d'eau vive promis par Jésus, précisément auprès du puits de Jacob.

II, p. 101.

2. *Correspondance des quatre fleuves et des quatre vertus* (*De paradiso*, 3, 15-18).

Les variantes, les altérations de l'archétype philonien, sont encore nombreuses dans le corps de l'exposé du *De paradiso* sur les fleuves de l'Éden.

On a vu que, sur l'équivalence des fleuves et des vertus, Philon avait lui-même varié. La séquence adoptée par Ambroise est celle des *Quaestiones in Genesin*, Phison-prudence, Géon-tempérance, Tigre-courage, Euphrate-justice. Peut-être ce schéma se prêtait-il mieux à la transposition historique opérée finalement par Ambroise.

Et cependant, on ne saurait expliquer ces pages sans admettre qu'elles dépendent aussi de l'exposé des *Legum Allegoriae*. On verra que les étymologies, le symbolisme et la structure du développement que Philon consacre dans ce traité aux fleuves du paradis, se retrouvent, à travers toutes les transpositions et tous les changements de contenu, dans le chapitre 3 du *De paradiso*, et en constituent en quelque sorte l'armature.

La transformation du système de correspondances entre les fleuves et les vertus implique évidemment une modification des arguments étymologiques appelés à le confirmer. Le nom de l'Éthiopie, la région qu'entoure et assiège le fleuve Géon, continue à signifier bassesse, vilenie, mais cela s'applique, dans les *Legum allegoriae* à la lâcheté que combat le courage[52] et dans le *De Paradiso* aux bas instincts du corps et de la chair, dont la chasteté éteint les flammes[53]. De même, les Assyriens, vers qui, ou contre qui, se dirige le Tigre, changent de fonction symbolique tout en gardant dans les deux systèmes la même étymologie, εὐθύνοντες chez Philon, « dirigentes » chez Ambroise. Le premier y voit l'ennemi de la tempérance, le plaisir qui prétend diriger la faiblesse humaine, et dont la sauvagerie est en même temps évoquée par celle du Tigre[54]. Dans le *De paradiso*, au contraire, la valeur symbolique des Assyriens — des « dirigentes » — devient positive : ils représentent la direction ascendante prise courageusement par celui qui a réduit en esclavage les vices du corps[55].

Il n'est pas sans intérêt de le remarquer : c'est précisément à propos des deux fleuves pour lesquels il inverse les exégèses des *Legum Allegoriae* qu'Ambroise précise l'argument d'étymologie par un appel à l'histoire biblique. Il nous rappelle en effet que le Géon, c'est le Nil, et que, sur ses bords, les Hébreux ont reçu l'ordre de sortir d'Égypte et de manger un agneau, après avoir ceint leurs reins, triple signe de tempérance[56]. Quant au Tigre et au pays des Assyriens, c'est là qu'Israël prévaricateur a été emmené en captivité, nouveau symbole du courage qu'il faut déployer pour réduire en esclavage les vices du corps[57]. On remarque ici la détermination affirmée ailleurs par Ambroise, à l'occasion contre Philon, d'interpréter le plus possible l'Écriture par elle-même[58].

II, p. 101-102.

D'autres variantes sont dues à la suppression des étymologies typiquement philoniennes, celles qui expliquent un terme hébreu par un mot grec de sonorité plus ou moins proche, et qui avaient perdu beaucoup de leur crédit à l'époque d'Ambroise. Sans doute, l'évêque de Milan n'est pas aussi rigoureux que Jérôme, dans son *Liber interpretationis hebraicorum nominum*. Ce qui explique, en effet, la réserve d'Ambroise, c'est le souci d'adapter son exégèse à un public latin, et non le scrupule philologique. Et s'il évoque dans le *De paradiso* l'opinion de ceux qui font dériver « Euphrates » de εὐφραίνεσθαι[59], il passe sous silence la parenté supposée entre Φείσων et φείδεσθαι, comme l'« annominatio » Γηών-γήϊνος sur laquelle jouaient les *Quaestiones in Genesin*[60].

D'autres variantes peuvent s'expliquer par la défiance qu'Ambroise témoignera toujours à certaines subtilités trop marquées par la philosophie profane. C'est ainsi que Philon, commentant l'escarboucle et l'émeraude, que l'on trouve dans les régions baignées par le Phison, fait grand état de la disparité formelle des deux vocables dont se servent ici les LXX : ὁ ἄνθραξ et ὁ λίθος ὁ πράσινος. Pour l'escarboucle, tout est dit avec un seul mot, le substantif. Dans le second cas, au contraire, c'est seulement l'adjectif qui vient en quelque sorte apporter à la pierre son essence d'émeraude. Qu'est-ce à dire ? La dualité substantif-épithète indique pour Philon composition, mélange de matière et de forme, donc infériorité. Comme l'escarboucle et la pierre d'émeraude se trouvent dans le territoire que traverse le Phison, elles se rapportent symboliquement à la vertu de prudence. L'escarboucle figure donc celui qui est prudent, la pierre d'émeraude, celui qui juge selon la prudence[61] ; c'est la distinction de l'être et de l'agir. Dans le second cas, la vertu reste plus ou moins extérieure, adventice. Elle est acquise par l'effort et celui-ci suppose des sens, des organes, toute une matière[62]. C'est ce qu'exprime bien, aux yeux de Philon, l'expression « pierre d'émeraude », surtout quand on la compare au mot « escarboucle », qui se passe d'épithète, suggérant ainsi la simplicité et l'immatérialité[63]. La différence des couleurs a une signification analogue pour Philon ; la rouge escarboucle ressemble à l'âme tout embrasée d'action de grâce ; le vert de l'émeraude est, en revanche, la couleur de l'effort, celle d'une âme pour qui la vertu est plutôt le fruit du labeur que l'expression d'une spontanéité[64].

On ne retrouve pas ces raffinements explicatifs dans le *De paradiso*, bien qu'ils soient parfaitement compatibles avec la version latine utilisée, étroitement calquée sur le grec : « carbunculus et lapis prasinus... ». Aussi n'y a-t-il plus aucune raison d'établir une antithèse entre les couleurs des deux gemmes, ainsi que le faisait Philon, quand il opposait le rouge incandescent de la ferveur au vert blafard de l'effort. L'évêque de Milan conserve les interprétations philoniennes en ce qui concerne l'or — la prudence — et l'escarboucle — l'« igniculus animae » — mais il rend au vert émeraude toute sa dignité poétique : « ... la pierre d'éme-

---

II, p. 102.

raude, qui semble manifester par l'éclat de sa couleur quelque chose de verdoyant et de vivifiant. Les arbres qui vivent verdoient, en effet ; tous ceux qui meurent, au contraire, se déssèchent ; la terre verdoie lorsqu'elle se couvre de fleurs, les semis verdoient lorsqu'ils lèvent[65]. » En se séparant sur ce point de Philon, Ambroise rejoint l'*Histoire naturelle* de Pline, une des sources essentielles des lapidaires. Au livre XXXVII de cet ouvrage, nous apprenons, en effet, que le vert de l'émeraude est par excellence la couleur de la joie et de la vie[66].

Du point de vue esthétique, on peut estimer que l'unité de ton est mieux gardée sur ce point chez Ambroise que chez Philon. Substituer à l'éclat de l'émeraude le ton verdâtre de la fatigue, c'était une gageure d'un goût douteux. Les couleurs verdoyantes dont Ambroise pare son tableau sont, au contraire, en parfaite harmonie avec l'image du fleuve fertilisant qui domine ce passage de la Genèse.

3. *Les quatre vertus et les quatre « tempora mundi »* (De paradiso, 3, 19-23).

Au moment où il semble conclure, avec Philon, sur le thème de l'Euphrate-justice, Ambroise relance son développement dans une direction inattendue. La distinction des vertus, essentiellement intemporelle, prend soudain une signification historique. Les quatre vertus, ce sont aussi quatre périodes du devenir de ce monde : « In his ergo fluminibus quattuor virtutes principales quattuor exprimuntur, quae veluti mundi istius incluserunt tempora[67]. »

La première de ces époques s'étend d'Abel à Noé ; elle est marquée par la prudence qui inspire par exemple à Énos d'invoquer le nom de Dieu[68]. L'ère des patriarches postdiluviens, illustrée par les noms prestigieux d'Abraham, d'Isaac et de Jacob, a vu briller une religion pure et chaste : elle est ainsi placée sous le signe de la « temperantia[69] ». La troisième période est celle de Moïse et des autres prophètes. Les épreuves que tous ont endurées, évoquées à l'aide de l'Épître aux Hébreux[70], permettent à Ambroise d'y voir le temps de la vertu de force[71]. Enfin l'Évangile incarne en quelque sorte la vertu qui est la mère féconde de toutes les autres, la justice. Le Christ n'a-t-il pas dit : « Laisse-nous accomplir toute justice[72] » ?

Il ne faudrait pas exagérer la portée de cette transposition chronologique des quatres fleuves et des quatre vertus. D'une part cette succession apparaît vite comme une simple juxtaposition. Ambroise ne fait aucun effort pour donner l'impression du dynamisme, du mouvement, pour montrer comment une époque prépare la suivante, comment elle est issue de la précédente. Et surtout lui-même s'attache, en quelque sorte, à détruire le caractère temporel de son schéma. Dès qu'il a, en effet, achevé de le développer, il rappelle la thèse de l'absolue solidarité des vertus : celui qui se distingue par l'une d'entre elles possède en même

---

II, p. 102.

temps les trois autres. Abel déjà est juste, Abraham est courageux, les prophètes sont prudents, Moïse, versé dans toute la sagesse des Égyptiens, a mis l'humilité du Christ au-dessus des trésors d'Égypte[73]. Cet excursus chronologique n'a eu finalement pour but que d'établir à la fois l'éminence, l'omniprésence, et la perpétuité de l'Évangile. L'histoire n'est évoquée que comme figure de l'intemporel : « Secundum evangelium digna est figura iustitiae[74]. »

Cependant, s'il est imprudent d'accorder trop d'importance à cette réexposition, il serait peut-être injuste de n'y voir que pur artifice. Pour l'apprécier équitablement, il n'est pas inutile de la comparer avec sa source, directe ou indirecte, qui est, ici encore, l'Alexandrin. Car, pour christianiser ce qui lui vient des *Allegoriae* et des *Quaestiones in Genesin*, Ambroise fait de nouveau appel à l'exégèse de Philon. Dans son édition du *De paradiso*, Schenkl renvoie à deux textes de ce dernier, l'un tiré du *De Abrahamo*, l'autre du *De praemiis et poenis*.

Ambroise a-t-il imité directement l'un ou l'autre ? A-t-il emprunté aux deux à la fois ? Ou bien y a-t-il entre l'Alexandrin et l'évêque de Milan un intermédiaire[75] que nous ne connaissons plus ? On ne peut guère trancher avec assurance entre ces hypothèses. On ne trouve point en effet — sauf en un cas peut-être — ces correspondances littérales qui sont si caractéristiques des adaptations ambrosiennes. De plus, ni le *De Abrahamo* ni le *De praemiis* ne semblent utilisés ailleurs dans le *De paradiso* d'Ambroise. En revanche, on va le voir, les similitudes de contenu sont telles que l'influence, au moins indirecte, de Philon sur cette page d'Ambroise ne saurait être mise en doute. C'est finalement à l'Alexandrin que l'évêque de Milan doit le schéma historique sur lequel il va greffer le thème des quatre vertus.

Philon commence son *De Abrahamo* en situant le patriarche, dont il entreprend de tracer le portrait, dans l'histoire religieuse du peuple hébreu. Cette histoire se divise en deux grandes périodes : avant Moïse, des hommes ont suivi spontanément la Loi ; depuis Moïse, il y a la loi positive, conforme à la loi naturelle dont les saints personnages de la première époque ont fourni les exemples[76]. A son tour cette première époque se subdivise en deux périodes, illustrées par deux triades. Énos, Hénoch et Noé, Abraham, Isaac et Jacob.

Au commencement est l'espérance. Avec elle débute l'humanité. Aussi Énos, dont le nom signifie « homme », est-il celui qui espère[77]. Énos est à la fois le quatrième dans la lignée d'Adam[78] et le premier représentant de l'humanité véritable. Ce n'est pas un hasard ; la dignité du nombre quatre est reconnue par les philosophes spiritualistes et surtout par Moïse, le parfaitement sage[79].

Le second degré est celui du repentir. Il est personnifié par Hénoch, dont il est dit : « Hénoch plut à Dieu et on ne le trouva plus car Dieu

---

II, p. 102-103.

l'avait transféré[80]. » Ce transfert, ce mystérieux déplacement, Philon l'intériorise, et ce verset lui inspire tout un développement sur le repentir et la conversion. Hénoch devient le type de l'homme que Dieu fait passer du vice à la vertu[81].

Le troisième degré, la stabilité dans le bien, la perfection, est personnifié par Noé dont le nom signifie à la fois repos, ἀνάπαυσις, et juste, δίκαιος[82]. C'est l'homme au plein sens du mot, c'est-à-dire celui qui a banni de son âme folles passions et vices bestiaux[83]. C'est l'homme juste, et ici l'épithète ne fait qu'expliciter ce qui est déjà contenu dans le substantif[84]. Mais il est écrit que Noé est parfait « dans sa génération »[85]. C'est une restriction qui prépare l'introduction de la seconde triade, composée cette fois d'hommes dont la perfection ne sera plus relative, ne sera plus liée à l'imitation ou au contraste, mais qui suivront librement leurs nobles instincts[86].

Philon récapitule alors la première triade qui va de l'espérant, Énos, au parfait, Noé[87]. Il est clair qu'il s'agit d'une hiérarchie de formes et non des différentes étapes d'un progrès. Ce sont trois types irréductibles. On ne saurait passer de l'un à l'autre[88].

Les membres de la seconde triade appartiennent à la même lignée, à la même « maison »[89]. Ce sont le père, le fils et le petit-fils. Abraham représente la vertu apprise auprès d'un maître, Isaac la vertu innée, Jacob la vertu acquise par l'exercice[90]. En fait, il ne s'agit là que de différences d'accent : chacun de ces trois modes de possession de la vertu suppose en effet les deux autres. On pourrait parler d'immanence réciproque. D'où le lien étroit qui unit ces trois personnages, hommes selon la lettre, mais en réalité vertus[91]. Car l'homme est fugitif, la vertu demeure, et il vaut mieux saisir l'essence éternelle dans ce qui ne passe pas[92].

Quand il écrit le prologue du *De Abrahamo*, Philon se propose surtout de situer le Père des croyants par rapport à ce qui l'a précédé. Le tableau d'histoire biblique y est donc moins complet que dans un ouvrage de portée plus générale comme le *De praemiis et poenis*. Sans doute, pour les deux premières périodes, on retrouve dans ce traité les mêmes triades que dans le *De Abrahamo*. Ce que le *De praemiis* nous apporte de vraiment neuf, en revanche, concerne la troisième époque qui, à la différence des deux premières, a pour archétype un seul individu : Moïse.

C'est, nous dit Philon, l'homme qui a triomphé dans les saintes luttes et en est sorti avec la couronne du vainqueur[93], formule qui à vrai dire ne permet guère de distinguer ce nouvel archétype du précédent, Jacob, le combattant. Cependant Moïse a une vertu qui, sans exclure les autres, le caractérise éminemment, c'est la vertu-reine, la piété[94]. Ce qui est surtout frappant dans cette nouvelle notice, par contraste avec les précédentes, c'est l'instance sur le rôle social du nouveau héros. L'isole-

---

II, p. 103.

ment de Moïse, à ce troisième étage de la classification philonienne, est compensé par la réunion en sa personne de quatre fonctions, dont la connexion est d'ailleurs indispensable[95] : il est roi, législateur, prophète et prêtre[96]. On remarque que la tétrade a remplacé la triade, ce qui n'est peut-être pas sans évoquer, encore une fois, le nombre le plus saint du pythagorisme, nombre dont Philon développe ailleurs les vertus symboliques[97].

La parenté du schéma philonien, tel que nous le saisissons dans sa double présentation, et des trois premiers « mundi tempora » que nous énumère le *De paradiso*, est assez évidente.

Il n'est pas inutile de souligner d'abord les ressemblances que l'on a pu relever au passage. Les trois étages du schéma philonien complet — celui qui est développé dans le *De praemiis et poenis* — se retrouvent, avec leurs types et leurs subdivisions, dans le traité d'Ambroise. Nous y reconnaissons d'abord le groupe des patriarches antédiluviens : Énos, Hénoch et, formant charnière entre deux époques, Noé. La seconde série est constituée très classiquement d'Abraham, d'Isaac et de Jacob.

En ce qui concerne la période suivante, Ambroise, il est vrai, donne une compagnie assez nombreuse à Moïse, qui perd ainsi la majestueuse solitude où Philon l'avait maintenu. Mais ce n'est là qu'une escorte, et le Législateur s'en détache assez pour symboliser éminemment cette troisième époque : « Tertium tempus est in Moysi lege et ceteris prophetis[98]. » Ce n'est plus une triade, c'est un grand homme et son cortège.

Ces analogies ne se bornent pas au schéma d'ensemble. Dans la manière même dont ces personnages exemplaires sont caractérisés par Ambroise, on retrouve des traits proprement philoniens. C'est ainsi qu'Énos est défini par l'espérance et que le nom de Noé est expliqué par une double étymologie : « repos » et « juste »[99]. Ici, l'écho philonien est d'autant plus perceptible que la mention de la justice semble prématurée selon la logique du schéma d'Ambroise, qui devrait en réserver l'apparition à la quatrième époque, les trois patriarches antédiluviens étant chargés de symboliser la prudence. Il est vrai que l'épithète « juste » s'appliquait rituellement en quelque sorte et de par le texte même de la Genèse au héros de l'épisode du déluge.

Mais les différences de style et d'esprit apparaissent aussitôt. Chez Philon, chacun des membres des deux triades est soigneusement opposé aux deux autres. On peut parler sinon d'individualisation — la personnalité concrète s'efface en effet devant le type — mais, du moins, de spécification. La première triade, par exemple, oppose très logiquement celui qui tend sans parvenir, Énos, celui qui arrive au but après avoir abandonné son point de départ, Hénoch, et celui qui reste stable, car il se situe d'emblée dans la perfection, Noé[100].

_____

II, p. 103.

Ambroise ne se soucie pas de souligner ces contrastes et se contente de rappeler qu'Énos a « espéré invoquer le nom de Dieu », qu'Hénoch a été ravi au ciel, et d'évoquer la double relation qui unit Noé à la justice et au repos. De plus, il fait précéder les trois noms retenus par l'Alexandrin de celui d'Abel, addition qui détruit évidemment tout l'équilibre de la construction philonienne. Peut-être est-ce une altération volontaire, une certaine manière de prendre ses distances, puisque cette triade, sous sa forme pure, n'est pas inconnue d'Ambroise au moment où il écrit le *De paradiso*. Deux pages plus loin, nous la retrouverons, en effet, pour expliquer l'or, l'escarboucle et l'émeraude que l'on rencontre aux environs du Phison[101].

En ce qui concerne la seconde époque, Ambroise est encore plus loin de la typologie philonienne. Les personnalités spirituelles d'Isaac, d'Abraham et de Jacob ne sont plus distinguées. Ce qui intéresse Ambroise, c'est seulement la pureté de la religion qui leur est commune et le symbolisme christologique du sacrifice d'Isaac, victime sans tache.

Cela confirme ce que semblait déjà indiquer la page du même traité concernant le Géon et le Tigre[102]. Là où Philon transforme les personnages ou les objets mentionnés par le texte de la Torah en symboles destinés à illustrer des notions de psychologie spirituelle, Ambroise réintroduit souvent des éléments empruntés au récit biblique. Le Géon, c'est-à-dire le Nil, évoque pour lui l'Exode et le repas pascal, alors que Philon se cantonne dans des spéculations à base étymologique, et le Tigre lui permet de rappeler le souvenir de l'exil[103]. De même Énos et Hénoch sont présentés par le *De paradiso* dans un contexte historique plus concret que dans les passages correspondants de Philon.

Mais en quel sens et dans quelles limites peut-on employer ici les mots « histoire » et « historique » ? Pour caractériser la partie du Pentateuque d'où il tire les classifications que l'on vient de voir, Philon nous dit qu'elle est « historique », par opposition au début de la Genèse, qui est, dit-il, cosmogonique, et à la troisième section du texte mosaïque, qualifiée de « nomothétique »[104]. Or précisément l'interprétation de Philon semble avoir pour effet de dépouiller ces textes de tout ce qui, selon nos concepts, fait leur caractère historique.

Sans doute, dans le *De Abrahamo*, l'auteur nous présente deux époques : celle qui précède la législation mosaïque et celle qui commence avec elle. Cependant, presque aussitôt, tout ce que cette division pouvait contenir d'histoire, c'est-à-dire, pour nous, d'évolution et de progrès, se trouve en grande partie annulé. Philon souligne, en effet, que la première triade, celle qui va d'Énos à Noé, montre précisément que la loi était observée, donc qu'elle existait avant d'être écrite[105]. La différence entre les deux époques apparaît ainsi presque dénuée de signification.

Il y a plus. Au début de *De praemiis et poenis*, Philon fait précéder la

---

II, p. 104.

revue des grands hommes de la Bible par une condamnation du mythe de Triptolème, présenté comme le type des fables mensongères. Or, aux yeux du juif alexandrin, ce qu'il y a de fallacieux dans ce récit, c'est qu'il prétend relater l'apparition, au cours de l'histoire, d'une réalité vraiment nouvelle, ici un fait de civilisation, la culture du blé. Pour Philon, ce serait là, on l'a vu, un délai incompatible avec la manière dont Dieu opère : aucune des œuvres divines n'est tardive. Dieu a donné à tous les vivants leur nourriture dès l'instant de la création.

L'histoire du monde ne peut être alors que la répétition, ou la manifestation plus complète de ce qui était dès le commencement. Et Philon rappelle ici l'axiome platonicien : on n'apprend pas, on se ressouvient[106]. La mythologie grecque n'est pas assez fixiste à ses yeux. S'il fait grâce, un peu plus loin, au mythe de Deucalion, c'est d'abord en raison de la parenté de ce récit avec l'épisode biblique du déluge, mais c'est aussi parce que cette histoire d'une destruction suivie d'un recommencement n'enfreint pas le principe énoncé plus haut : ce recommencement est une répétition. Disons que Deucalion-Noé se situe pour Philon non dans une durée linéaire, mais dans une conception cyclique du temps, pour reprendre des catégories qui nous sont familières depuis O. Cullmann.

En fait, ce qui intéresse Philon dans cette revue des héros de la Torah, c'est beaucoup moins l'évolution de l'humanité que la destinée des âmes. Dans les deux fresques qui ouvrent le *De Abrahamo* et le *De praemiis*, Philon n'esquisse pas un discours sur l'histoire universelle, il nous donne les grandes articulations d'un traité de « vie spirituelle ». Mais s'agit-il au moins d'une histoire de l'âme, de la description des étapes qui jalonnent son progrès ? N'est-ce pas plutôt une typologie, la distinction minutieuse des différents chemins et des différents niveaux qui spécifient les destinées spirituelles ? Assurément c'est la seconde hypothèse qui est la vraie. Sans doute Énos, Hénoch et Noé représentent une hiérarchie ascendante. Mais c'est celle de différents types spirituels, et non de différents moments d'une ascension. Chacun de ces personnages personnifie un certain mode de perfection. On ne peut par exemple être successivement Hénoch, qui atteint le bien après s'être arraché à son contraire, et Noé, qui n'a jamais eu besoin de conversion. Ici encore, nous sommes dans le domaine des archétypes et non dans celui de l'histoire, fût-elle individuelle. Le repentir lui-même est arraché à toute individualisation, il est complètement essentialisé.

Dans quelle mesure le schéma des « mundi istius tempora » chez Ambroise est-il plus « historique » que celui de Philon ? Ici encore, morale et chronologie s'entremêlent, puisque les quatre vertus sont censées résumer les quatre âges du monde. C'est d'ailleurs par ce nombre quatre qu'Ambroise se sépare le plus ouvertement de Philon. Cette addition va-t-elle mettre un peu de mouvement dans une construction foncièrement statique ?

II, p. 104.

Il n'est pas sans intérêt pour le présent propos d'observer la manière dont les notices consacrées à ces quatre époques sont introduites par Ambroise : « Primum igitur tempus ex mundi principio usque ad diluvium[107] », « Secundum tempus est Abraham et Isaac et Iacob reliquorumque numerus patriarcharum[108] », « Tertium tempus est in Moysi lege et ceteris prophetis[109]. » On le voit, ces trois formules, malgré les variations qui évitent une excessive monotonie, sont très voisines et toutes caractérisées par la précision numérique, « primum tempus », « secundum tempus », « tertium tempus ».

Tout autre est la formule d'introduction de la dernière période : « Secundum evangelium autem digna est figura iustitiae[110]. » Il n'est pas ici question de « quartum tempus », comme le lecteur s'y attendait. Ce nombre pourtant se prêtait à des développements que Philon lui-même, dans sa revue des grands ancêtres, n'a pas manqué d'exploiter, comme nous l'avons vu à propos d'Énos. Ce n'est assurément pas le fait que ce nombre était tenu par certains pour néfaste[111] qui arrête ici l'évêque de Milan. Il explique ailleurs aux superstitieux qu'il ne faut pas mépriser le nombre qui évoque le mystère de la rédemption, accompli le quatorze nizan[112].

Ce que l'auteur du *De paradiso* veut ici souligner, c'est que l'Évangile ne s'ajoute pas simplement aux trois époques précédentes, qu'il ne fait pas nombre avec elles. La vertu qui lui correspond, la justice, est en effet non la sœur, mais la « mère féconde de toutes les autres vertus[113] ». Un peu plus haut, Ambroise montre clairement que cette maternité de la justice implique que celle-ci est avec les autres vertus dans le rapport du tout avec les parties : « Là où est la justice, là est l'accord des autres vertus. C'est pourquoi elle n'est pas connue par les régions où elle coule, elle n'est pas connue par référence à quelque chose de partiel ; la justice n'est pas, en effet, une partie, mais elle est, pour ainsi dire, la mère de toutes (les vertus)[114]. » Le thème doit venir des *Quaestiones in Genesin* de Philon, dont Ambroise est ici très proche[115]. L'évêque de Milan, il est vrai, ajoute à l'idée d'harmonie et d'accord celle de maternité et ne mentionne pas explicitement la concordance platonicienne entre les parties de l'âme et les vertus[116]. Il a d'autres moyens de souligner l'idée de totalité et notamment la technique familière des associations de textes d'Écriture. Deux versets du Nouveau Testament sont appelés à témoigner de cette identité entre l'ère évangélique et la justice. Le premier, c'est Romains, 1, 16 : l'Évangile est une « force de salut pour *tout* croyant[117] ». L'accent porte évidemment sur le mot « tout ». Et c'est ce même adjectif qui permet d'introduire la parole du Christ à Jean lors du baptême dans le Jourdain : « Laisse-nous accomplir *toute* justice[118] ». Dans l'usage qui est fait ici de ce verset, le mot « toute » n'ajoute aucune idée nouvelle à celle de justice, il ne fait qu'en exprimer l'essence.

Ambroise passe ensuite d'une thèse d'origine platonicienne — celle

II, p. 104.

de la justice définie comme l'accord parfait des trois parties de l'âme — au thème stoïcien de l'immanence mutuelle des vertus : « (iustitia) quae quidem parens ceterarum est fecunda virtutum, quamvis in quo aliqua harum quas diximus principalis est virtus, in eo etiam ceterae praesto sint, quia ipsae sibi sunt conexae concretaeque virtutes[119]. » Philon, on vient de le voir, utilise la première thèse à propos de l'allégorie des fleuves du paradis, dans ses *Quaestiones in Genesin*, et se sert du second schéma — distinction, puis connexion nécessaire — dans sa revue des héros de la Torah. Dans le *De Abrahamo*, nous lisons, à propos de la seconde triade, que chacun des trois modes d'acquisition de la vertu — par instruction, par dons innés, par exercice — implique les deux autres[120]. De même les quatre fonctions assurées par Moïse — royale, législatrice, prophétique et sacerdotale — s'appellent mutuellement[121].

Mais, dans le schéma d'Ambroise, cette immanence mutuelle est marquée par la dissymétrie et par la succession. Chacune des vertus implique toutes les autres, mais la justice a une position privilégiée. Elle est la totalité féconde : elle est la mère de la prudence, de la tempérance et de la force. Cette situation exceptionnelle, elle la doit sans doute au rôle de concorde et d'harmonie de l'âme toute entière, souligné par Platon, mais aussi, sans aucun doute, à la notion biblique de justice qui recouvre pratiquement tout le champ de la bonté morale.

D'autre part, bien que toujours et partout présente, la justice, dans sa plénitude, est l'apanage de l'ère évangélique, c'est-à-dire que son avènement se produit à la dernière des « époques de ce monde », ce qui réintroduit une temporalité qui reste assez étrangère aux textes parallèles du *De Abrahamo* et du *De praemiis*.

Cela explique la place différente que, dans leurs constructions respectives, Philon et Ambroise réservent aux idées d'espérance, d'attente, de préparation. Chez Philon, l'espérance est un point de départ vite dépassé, et son représentant, Énos, se voit finalement assez sévèrement rabaissé : « L'espérant, comme son nom même l'indique est imparfait ; il tend toujours vers le beau, sans pouvoir encore l'atteindre, semblable aux navigateurs qui s'efforcent d'aborder au port, mais qui restent en mer dans l'impossibilité où ils sont d'accoster[122]. » Dans le *De paradiso* d'Ambroise, on ne trouve ni une telle dépréciation, ni d'ailleurs une particulière exaltation de l'espérance d'Énos[123].

L'idée de la préparation, de cette attente objective qui crée un lien dynamique entre des périodes successives, semble longtemps aussi absente chez Ambroise que chez Philon. Elle apparaît cependant à la fin du chapitre trois du *De paradiso*, et cette situation même lui donne un relief tout particulier.

Assez curieusement l'évêque de Milan, au lieu de conclure sur la dernière époque de la fresque historique qu'il vient de tracer, revient en arrière

---

II, p. 104-105.

et porte à nouveau son attention sur la triade Énos, Hénoch, Noé, cette fois-ci débarrassée, si l'on peut dire, de l'élément adventice que représentait, un peu plus haut, Abel. L'occasion de cette apparente redite, c'est l'exégèse symbolique des trois minéraux précieux que l'on trouve, selon la Genèse, dans la région traversée par le Phison, l'or, l'escarboucle et l'émeraude : « Dictum est ergo de quattuor virtutum fluminibus, quorum potus est utilis. Et quia Phison aurum bonum terrae et carbunculum et lapidem prasinum habere dictus est, hoc quoque quale sit consideremus[124]. » Sans doute Ambroise a-t-il déjà, nous l'avons vu, interprété allégoriquement cet or, cette escarboucle et cette émeraude. Mais, à ses yeux, il convenait sans doute de reprendre aussi ce détail du texte biblique dans la perspective nouvelle des « tempora mundi ». Cependant, alors que, dans le premier exposé, l'exégèse de l'or et des deux gemmes était faite à propos du Phison et donc dans la première partie du développement, elle se trouve rejetée à la fin de cette espèce de réexposition. On s'attendait plutôt qu'Ambroise achevât cette section consacrée aux quatre fleuves sur l'évocation de la dernière période, celle de la plénitude évangélique. Or il n'en est rien. Il termine sur le déluge et sur Noé. Le patriarche est cette fois-ci interprété à la lumière symbolique de l'émeraude. On sait qu'Ambroise, à la différence de Philon, a interprété le vert de cette pierre comme représentant la vie et plus spécialement la floraison, la germination : « La terre verdoie lorsqu'elle se couvre de fleurs, les semences verdoient lorsqu'elles lèvent[125]. » Cette cohérence entre les deux passages montre combien il serait imprudent d'imaginer qu'Ambroise juxtapose sans intention précise les images et les formules qui lui viennent à la mémoire, ou qui lui tombent sous les yeux au hasard de ses lectures. Nous avons ici au contraire un exemple de finale soigneusement préparé. La cessation du déluge, c'est bien le printemps, la première floraison, c'est-à-dire à la fois l'épanouissement et la promesse. Noé n'est plus, comme chez Philon, l'archétype du juste immobile dans la perfection ; il incarne pour Ambroise la préparation de la création à venir : « Comme la pierre d'émeraude, Noé a porté la couleur de la vie, puisque seul au temps du déluge il a été conservé dans l'arche comme une semence vivante de la création future[126]. »

4. *L'épilogue* : « *Secundum Orientem* » (*De paradiso*, 3, 23).

Ces lignes précèdent immédiatement la phrase qui sert de conclusion à l'ensemble du développement consacré aux fleuves du paradis. Un « ergo » montre bien que la figure de Noé est destinée à introduire la réflexion finale : « C'est donc à juste titre que ce paradis arrosé par plusieurs fleuves (est dit) non pas contre le Levant, mais ' selon le Levant ', c'est-à-dire selon ce Levant qui a Levant pour nom propre, en d'autres termes selon le Christ qui a répandu une sorte de rayonnement de la lumière éternelle[127]. »

II, p. 105.

Là encore, l'interprétation guide le choix du texte. Les anciennes versions latines de Genèse, 2, 8, recourent à diverses prépositions pour rendre le κατὰ ἀνατολάς. On trouve fréquemment la formule écartée par Ambroise, « contra orientem ». C'est le cas dans la version latine de l'*Adversus haereses* d'Irénée[128], dans les *Quaestiones hebraicae* de Jérôme[129] et dans la traduction du *De principiis* d'Origène par Rufin[130].

« Ad orientem » est la version normale pour Augustin[131], qui fait figurer la locution « secundum orientem » dans sa liste des « proprietates ... linguae hebraicae vel graecae »[132]. A part cette notation d'Augustin, c'est seulement Ambroise qui témoigne de la version « secundum orientem ».

Si ce dernier rejette la traduction « contra orientem », c'est qu'elle n'offre un sens satisfaisant que prise à la lettre : vers le Levant, vers l'Est. Or l'auteur du *De paradiso* a refusé, on l'a vu, ce sens géographique. Une fois le paradis identifié à l'âme, « contra » suggère l'opposition ou l'hostilité : ce qui est évidemment exclu. En revanche, « secundum orientem » s'intègre fort bien à cette perspective. Il est parfaitement clair de dire les vertus prospèrent dans l'âme lorsque celle-ci se règle en quelque sorte sur le Christ, « secundum orientem... id est secundum Christum ».

Il reste à déceler plus complètement le jeu des correspondances et des suggestions scripturaires qui forme l'arrière-plan de ces lignes avec lesquelles s'achève le développement sur les fleuves du paradis[133]. Schenkl renvoie, dans son apparat, à l'un des versets du « discours eschatologique », en saint Matthieu : « Comme l'éclair, en effet, part de l'Orient et brille jusqu'à l'Occident, ainsi en sera-t-il de l'avènement du Fils de l'homme[134]. » Ce rapprochement n'est pas convaincant. Le « iubar aeternae lucis » d'Ambroise est bien différent de la foudre dont il est question chez l'évangéliste. D'autre part, dans le « discours eschatologique », l'Orient n'a que la fonction d'un point cardinal servant, avec l'Occident d'ailleurs, à indiquer l'ampleur du chemin parcouru, le temps d'un éclair. Dans le *De paradiso*, « Oriens » est le nom même du Christ, et l'image est celle de la montée progressive du soleil, et non du déplacement instantané de la foudre. Il faut donc chercher ailleurs.

Le verbe « effudit » — dans l'expression « iubar quoddam aeternae lucis effudit » — interdit, semble-t-il, de donner au mot « iubar » qu'il accompagne le sens d'étoile du matin. C'est plutôt l'acception poétique d'éclat, de rayonnement lumineux des astres qu'il faut retenir. Le Christ répand une sorte de rayonnement de la lumière éternelle. Peut-être cependant le mot est-il venu sous la plume d'Ambroise, parce qu'il comportait des sugestions d'aurore et de levée du jour, parce qu'il évoquait plus ou moins automatiquement tel texte de l'Apocalypse et de la seconde Épître de Pierre sur l'étoile du matin[135]. Ce n'est là qu'une hypothèse fragile, mais la manière dont Ambroise glisse d'un sens à l'autre, d'un

---

II, p. 105.

mot à l'autre, d'une citation à l'autre, inviterait cependant à ne pas la rejeter tout à fait.

Avec le mot « oriens », nous nous trouvons sur un terrain plus sûr. Dans son présent contexte — et spécialement les mots « iubar aeternae lucis » — il annonce une des « grandes antiennes » que la liturgie romaine fait chanter dans les jours qui précèdent immédiatement Noël et que l'on trouve déjà groupées dans un manuscrit de la seconde moitié du neuvième siècle, le *Parisinus lat.* 17436, dit « Antiphonaire de Charles le Chauve » : « O Oriens, splendor lucis aeternae et Sol iustitiae ! veni et illumina sedentem in tenebris et umbra mortis[136]. » Souvent évoquées par les auteurs médiévaux[137], ces « grandes antiennes » ou « antiennes O » sont commentées notamment au neuvième siècle, par Amalaire[138] et au douzième siècle par Raynier, moine à Saint-Laurent de Liège. Ce dernier nous indique les versets bibliques dont l'antienne *O Oriens* représente en quelque sorte la cristallisation[139].

Le premier est emprunté au prophète Zacharie : « Ecce vir, Oriens nomen eius[140]. » Schenkl n'a pas vu que ce verset était à la base des lignes d'Ambroise que nous étudions : « Hoc est secundum illum orientem, *cui nomen est Oriens*[141]. » La signification messianique de ce texte est précisée par sa reprise dans le cantique d'un autre Zacharie, le père de Jean-Baptiste : « Per viscera misericordiae dei nostri, in quibus visitavit nos, oriens ex alto[142]. » C'est ce passage du troisième Évangile qui fonde l'identité réaffirmée par Ambroise : « Secundum illum orientem, cui nomen est Oriens, id est secundum Christum[143]. » Le verset suivant, Luc, 1, 79 « inluminare his qui in tenebris et in umbra mortis sedent », servira à conclure l'antienne. On ne le retrouve pas dans ces lignes du *De paradiso*.

On s'étonne davantage que l'évêque de Milan n'ait pas utilisé le dernier texte de ce groupe, Malachie, 4, 2 : « Orietur vobis, qui timetis nomen meum, sol iustitiae[144]. » Il s'harmoniserait parfaitement avec la correspondance déjà établie entre l'Évangile et la quatrième vertu. Ailleurs, en effet, Ambroise[145] utilise souvent l'expression ‹ sol iustitiae » qui vient de ce verset, et qui se trouve, au moins une fois, associée, par le moyen de l'Ecclésiaste, 1, 5-6 — « et *oritur sol* et occidit... *ipse oriens* illuc vadit ad austrum...[146] » — à Zacharie, 6, 12[147]. Peut-être la référence à une seule vertu, si compréhensive qu'elle puisse être, eût-elle ici trop particularisé ce qui devait servir de conclusion à l'ensemble du développement sur les quatre fleuves et leur source commune.

Ayant ainsi décelé les harmoniques scripturaires de cette phrase d'Ambroise, il nous est plus facile d'apprécier sa portée. Il faut souligner ici que l'auteur du *De paradiso* ne se borne pas à étoffer par un jeu de concordances le verset du deuxième chapitre de la Genèse auquel il est parvenu. Tout au contraire, au moment d'achever l'explication des versets 10 à 15, il revient en arrière, va chercher deux mots au verset 8

II, p. 105-106.

pour en faire la clé de son commentaire. Cela montre assez l'importance qu'il attache à ce « secundum orientem », qui évoque, on vient de le voir, la venue du Christ dans la chair, c'est-à-dire un événement unique, situé dans l'histoire, la manifestation dans le temps d'une réalité éternelle : « Iubar aeternae lucis effudit. »

Il est instructif de mettre en regard les explications que donne Philon dans ses *Quaestiones* et ses *Legum allegoriae* des mots κατὰ ἀνατολάς, en Genèse, 2, 8.

Dans ses *Quaestiones in Genesin*, Philon propose trois réponses à la question « Pourquoi est-il dit que Dieu a planté le paradis dans l'Éden, vers le Levant ? » En premier lieu, c'est au Levant que commence le mouvement de l'univers. Ensuite, l'Occident est le côté gauche, le côté obscur du monde ; le Levant en est le côté droit, celui de la lumière. C'est à l'Est que doit donc se situer l'Éden, ce qui signifie «délices». Enfin la sagesse est elle-même lumière et rayonnement[148]. On le voit, seule la dernière réponse est comparable à l'interprétation que propose Ambroise en ce troisième chapitre du *De paradiso*. Encore Philon ne retient-il que la luminosité du soleil et laisse-t-il de côté son mouvement ascensionnel, ce qu'exprime justement cette ἀνατολή autour de laquelle Ambroise organise son réseau d'allusions scripturaires.

La comparaison avec le texte des *Legum allegoriae*, qui insiste sur la montée de l'astre, est donc plus fructueuse : « La plantation du jardin est au Levant ; car la droite raison ne se couche pas et ne s'éteint pas, mais, par nature, se lève continuellement[149]. » On voit que Philon immobilise en quelque sorte le mouvement ascendant exprimé par le verbe ἀνατέλλειν — « oriri » — en affirmant sa perpétuité, et en en faisant ainsi comme une propriété de nature : ἀεὶ πέφυκεν ἀνατέλλειν.

Sans doute Ambroise parle-t-il aussi de « lux aeterna » ; sans doute le verset même de Zacharie, « Oriens nomen eius », servait en certains cas à faire la différence entre le soleil matériel, qui connaît l'alternance des aurores et des crépuscules, et le soleil qui a pour nom propre « Levant », parce qu'il ne connaît pas de déclin. Dans son *Expositio psalmi CXVIII*, Ambroise se livrera à de subtiles variations sur ce thème. Il l'enrichira par l'appel à un verset de l'Écclesiaste évoquant le perpétuel retour des choses — « Ipse oriens illuc vadit ad austrum[150] » — et conclura, en évoquant Malachie, 4, 2, que le soleil de justice se lève toujours pour les justes[151].

Cependant, l'opposition entre le texte des *Legum allegoriae* et celui du *De paradiso* reste profonde. Là où le verbe πέφυκεν indique une nécessité de nature, les mots « cui nomen est », dans la vision prophétique de Zacharie, désignent plutôt une promesse que Dieu va librement accomplir et qui, pour Ambroise, s'est déjà réalisée — « Iubar quoddam aeternae lucis effudit » —, ce qui implique une temporalité bien étrangère au texte des *Allegoriae*.

II, p. 106.

Mais surtout, l'image du soleil levant est interprétée par Philon et par Ambroise dans deux perspectives radicalement différentes. Le premier y voit la droite raison qui « ne se couche ni ne s'éteint, mais, par nature, se lève continuellement[152] ». Cette « droite raison » que Philon appelle souvent « droite raison de la nature », c'est la loi divine qui règle la grande cité commune aux êtres rationnels[153], c'est la loi naturelle dont les législations particulières des cités ne représentent que les annexes[154]. C'est selon cette droite raison de la nature qu'il faut vivre, c'est elle seule qui est le principe et la source des vertus[155]. Nous sommes ici très près de l'allégorèse des fleuves du paradis, tout en n'étant pas sortis du langage et des formules du Portique[156].

En tant qu'unique source des vertus, l'ὀρθὸς λόγος est fort proche de la « vertu générique » dont il a été question plus haut. Il n'y a donc pas à s'étonner que, tout de suite après y avoir vu la « droite raison », Philon interprète le soleil levant de Genèse, 2, 8, comme le symbole de la vertu commençant à éclairer l'âme[157].

Là où Philon évoque la vertu générique et la loi universelle, Ambroise introduit une personne. Pour la désigner, il n'emploie ni le mot « verbum », ni le mot « sapientia » qui auraient en quelque sorte sollicité les textes philoniens. Il a choisi un terme plus éloigné des spéculations hélléniques, celui de *Christus*. Et en se référant non pas à la médiation éternelle de Jésus, mais à son intervention en un moment précis du temps — celui qu'indiquent à la fois l'attente de Noé et la joie du père de Jean-Baptiste — il donne enfin à son exégèse des fleuves du paradis cette perspective historique qu'une énumération des quatre périodes, trop marquée par la typologie statique de Philon, n'avait pas réussi à ouvrir.

III — Techniques de transposition

Il n'est pas inutile de revenir quelques instants sur l'ensemble de ce troisième chapitre du *De paradiso*, consacré aux fleuves du premier jardin, pour voir dans quelle mesure et grâce à quels mécanismes de transposition, d'identification et de déformation, les matériaux philoniens ont été assimilés et intégrés à leur nouveau contexte.

Ce qui frappe au premier abord, c'est la manière dont se répartissent, dans le développement d'Ambroise, d'une part les souvenirs philoniens et les citations du Pentateuque qui les supportent, d'autre part les textes du Nouveau Testament et des Prophètes.

La présence de Philon domine tout le centre du chapitre, consacré à la corrélation des quatre fleuves et des quatre vertus, c'est-à-dire essentiellement les paragraphes 15 à 18 de nos éditions. Pour expliquer ces pages, il faut faire appel à la fois à l'influence des *Quaestiones in Genesin* — qui fournissent un développement repris de très près par

II, p. 106.

Ambroise[158] ainsi que l'ordre même des correspondances entre les vertus et les fleuves —, et aussi à l'influence directe ou indirecte des *Allegoriae*, d'où proviennent les points d'appui de l'exégèse : noms propres expliqués par l'étymologie, ou objets interprétés symboliquement.

Le Nouveau Testament et les textes prophétiques qui en sont, pourrait-on dire, l'extension dans le passé — tel le verset de Zacharie sur l'homme nommé Levant — jouent, quant à eux, un rôle déterminant au début et à la fin du chapitre. Les paragraphes 13 et 14 sont, on l'a vu, tout imprégnés des images johanniques de la source et des fleuves d'eau vive. Vers la fin — en même temps qu'interviennent d'autres parties du *corpus* philonien, le *De Abrahamo* et le *De praemiis et poenis* — le Nouveau Testament réapparaît ; une page entière est formée par deux citations, l'une de l'Épître aux Galates[159], l'autre de l'Épître aux Hébreux[160]. Enfin, au début du paragraphe 22, Romains, 1, 16, et Matthieu, 3, 15 se conjuguent pour montrer en l'Évangile la justice dans sa totalité et sa plénitude, et donc l'achèvement des *tempora mundi*. Ainsi se termine la dernière section du chapitre, où les vertus sont devenues des époques. Pour conclure l'ensemble du développement sur les fleuves du paradis, Ambroise se sert de Zacharie, 6, 12, interprété à la lumière de Luc, dans quelques lignes riches en harmoniques néotestamentaires.

Si l'on résume d'une manière très spatiale et matérielle cette première série d'observations, on peut dire qu'Ambroise a comme cerné l'emprunt philonien, l'a flanqué d'un préambule et d'un épilogue qui lui donnent un sens nouveau. Ces remarques doivent être naturellement affinées, précisées. On a vu que les textes de Philon servent ici moins de modèle servilement copié que de point d'appui, de prétexte à de libres variations. Mais surtout il est nécessaire de mieux distinguer le rôle que jouent les différents éléments de cet encadrement chrétien, par lequel Ambroise exorcise et transpose ce qu'il doit à son devancier.

Les citations de saint Paul servent à la *retractatio* historique du thème des quatre vertus. Galates, 3, 16, montre que le Christ est l'objet des promesses faites à Abraham. Romains, 1, 16, enseigne que le salut annoncé par les prophètes[161] est apporté dans l'Évangile à toux ceux qui croient. Dans l'ensemble de cette section, la typologie spirituelle de Philon est reprise dans la perspective paulinienne de l'histoire du salut.

Le rôle joué au début de ce même chapitre 3 par les citations et les réminiscences johanniques est tout autre. Ambroise les utilise selon une technique qui lui est très familière, celle de la surimpression. A l'image de cette source qui sort du sol de l'Éden et qui se divise en quatre fleuves, il superpose celle de la source et des fleuves d'eau vive qui jaillissent de la poitrine du croyant, selon la promesse du Christ que nous lisons dans le quatrième Évangile[162]. Le dynamisme, ici, n'est plus chronologique, historique, il est de l'ordre de la durée, il est tout intérieur.

II, p. 107.

Ces versets johanniques, grâce à cette surimpression, montrent le Christ à la racine et au principe, tandis que l'évocation finale de l'homme nommé Levant nous transporte à la fin des temps. La christianisation insistante opérée par Ambroise apparaît finalement beaucoup plus systématique et concertée que le glissement des images et la suite peu apparente des idées ne le laissaient d'abord supposer.

Du point de vue formel, il est intéressant de souligner pour eux-mêmes les deux procédés qui permettent à Ambroise d'assimiler les emprunts philoniens. Le plus visible, c'est celui de l'addition. L'exégète milanais ajoute en quelque sorte un étage à la construction de l'Alexandrin : c'est le niveau évangélique, sur lequel porte désormais tout l'accent. Tout le reste peut alors être récupéré, mais à titre d'esquisse, de préparation, de pierre d'attente. Le second procédé, à la fois plus subtil et plus radical, est celui de l'identification. D'entrée de jeu, tout ce qui est emprunté est assimilé à du déjà connu, et sous les allégories hellénisantes apparaissent les images et les « paraboles » de l'Évangile.

Il est clair que les mécanismes fondamentaux qui prennent chez Ambroise la forme particulière de ces techniques imaginatives et poétiques, ne lui appartiennent pas en propre : toute répétition apparente qu n'est pas purement mécanique transforme aussitôt ce qu'elle emprunte en l'identifiant a du déjà connu et en le prolongeant par des constructions nouvelles.

CHAPITRE VII

Le débat de Volupté et de Vertu

I — Philon et l'« apologue de Prodicos »

La fable d'Hercule adolescent sollicité par le Vice et par la Vertu a été reprise bien des fois dans l'Antiquité et utilisée avec des variantes diverses, soit comme exercice rhétorique, soit à des fins d'édification. Sous sa forme précise, il semble bien que cette allégorie soit l'œuvre de Prodicos de Céos, le sophiste dont Platon nous a laissé une caricature assez cruelle dans le *Protagoras*[1]. Mais c'est seulement à travers Xénophon que nous pouvons aujourd'hui nous faire une idée de la fable de Prodicos, dont les Ὧραι ne nous sont point parvenues. Au second livre des *Mémorables*, nous voyons en effet Socrate raconter tout au long cet apologue pour l'opposer à l'hédonisme d'Aristippe. A la fin de ce récit, le narrateur observe que l'auteur de la fable l'avait ornée d'un langage bien plus magnifique. On a beaucoup discuté sur la fidélité avec laquelle le Socrate de Xénophon suit le modèle dont il se réclame[2].

Mais ce qui nous intéresse ici directement, ce ne sont point les antécédents, c'est la postérité de l'apologue repris dans les *Mémorables*. Les imitateurs de ce morceau, les modifications qu'ils lui ont fait subir, les embellissements qu'ils lui ont apportés, les thèmes nouveaux qu'ils y ont parfois introduits, tout cela a été étudié notamment par I. Alpers[3] et M. C. Waites[4]. Or, parmi cette postérité, il y a un texte d'Ambroise que ni I. Alpers ni M. C. Waites n'ont relevé : *De Cain*, I, 4, 14. Comme dans le reste de ce traité, Ambroise remanie ici Philon, qui a repris pour son compte la fable de Prodicos dans le *De sacrificiis*[5]. Ce qui va nous retenir, c'est cette dernière étape, ce sont les modifications que l'évêque de Milan apporte à la tradition dont il a trouvé l'écho dans l'exégète alexandrin. On va voir que, si celui-ci est encore très fidèle sinon à

II, p. 109.

l'inspiration, du moins au schéma des *Mémorables*, Ambroise y apporte de profonds bouleversements.

On a soutenu, il est vrai, qu'il ne fallait pas chercher dans Xénophon la source directe de Philon. Celui-ci aurait imité un remaniement stoïcien du texte de Prodicos. Wendland apporte un certain nombre d'arguments à l'appui de cette thèse[6] : la personnification de Volupté, contre qui est maintenant dirigée toute la polémique, l'éloge du πόνος qui fait l'essentiel du discours de Vertu, la substitution du νοῦς à Hercule. Des comparaisons avec d'autres traités de Philon font en outre ressortir les pointes antiépicuriennes disséminées dans ces pages du *De sacrificiis*. Ces arguments ne sont peut-être point totalement convaincants. Dans les *Mémorables*, Κακία se nommait elle-même Εὐδαιμονία, mais tout, dans son accoutrement, son attitude et ses propos, faisait reconnaître en elle Ἡδονή. Il est normal que Philon, à l'époque où il écrivait, ait donné spontanément à cette polémique contre le plaisir une couleur antiépicurienne. Quant à l'éloge du πόνος, c'est déjà la leçon essentielle de la fable des *Mémorables*, comme aussi de tout le débat entre Socrate et Aristippe dont elle forme la conclusion[7]. Enfin le remplacement d'Hercule par le νοῦς s'imposait au moment où Philon faisait de cette allégorie un prolongement du verset deutéronomique concernant l'homme aux deux épouses.

Ce qui est sûr, c'est que le texte de Xénophon est le meilleur point de comparaison dont nous disposons pour faire ressortir les particularités de la version philonienne de l'apologue. On ne sera pas surpris que, dans son adaptation de cette fable, Philon ne commence ni par une question ni par une analyse de l'expérience, mais prenne pour point de départ une page de la Bible. Il s'agit, dans le cas présent, d'une disposition de la loi mosaïque concernant un homme qui, ayant deux femmes, éprouve pour l'une de l'amour et pour l'autre de la haine. S'il a eu d'abord un fils de la mal aimée, il ne devra pas le dépouiller de ses droits d'aîné pour en faire bénéficier le cadet, né de l'autre femme[8]. Tout cela vient étoffer l'antithèse Caïn-Abel qui est à la base du *De sacrificiis*. La mise en scène qui nous montre Volupté et Vertu s'avançant à tour de rôle pour prononcer leurs tirades apparaît alors comme une glose un peu artificielle de ces quelques versets du *Deutéronome*.

En ce qui concerne la structure même de la fable, Philon reste assez fidèle au schéma traditionnel. Il est vrai qu'il ne retient que l'un des deux motifs qui composaient le récit des *Mémorables* : deux voies s'ouvraient devant Hercule, puis deux femmes venaient l'exhorter. En vertu de la référence biblique dont il part, l'auteur du *De sacrificiis* ne pouvait s'intéresser qu'au second épisode, le plus développé d'ailleurs.

Chez Xénophon, et sans doute déjà chez Prodicos, le débat de Vice et de Vertu est commandé par les exigences de la *syncrisis*, cette joute

---

II, p. 109.

oratoire de deux abstractions personnifiées, qui n'est en somme que l'amplification sensible d'une antithèse[9]. Hercule voit s'avancer deux femmes de haute stature. Tout les oppose, leur visage, leur vêtement, leur maintien. La première a la propreté pour parure, son regard est modeste, ses vêtements sont blancs. L'embonpoint de la seconde est révélateur, son visage est outrageusement fardé, elle est vêtue de couleurs criardes. Les deux femmes se rapprochent alors. Prenant les devants, la seconde commence à exhorter Hercule. S'il la choisit comme amie, il aura une vie de farniente et de plaisir, et si jamais les biens menacent de lui manquer, il n'aura pas à peiner pour se les procurer, mais vivra du travail des autres. Le jeune homme, apparemment impressionné, lui demande alors comment elle se nomme. Je m'appelle Bonheur, répond-elle, mes détracteurs me surnomment Vice. L'autre femme s'avance à son tour et prend la parole. Après avoir rappelé à l'adolescent les espoirs que peuvent inspirer sa noble race et son heureux naturel, elle lui décrit l'ordre des choses tel que les dieux l'ont voulu : aucun bien ne s'obtient sans peine et sans efforts. Tandis qu'elle développe ce thème et l'illustre d'exemples, Vice l'interrompt pour souligner à Hercule combien c'est là un programme rebutant. Vertu alors apostrophe vigoureusement sa rivale, dénonce ses faux plaisirs et stigmatise ses manœuvres perverses qui, loin d'attendre l'éclosion du désir pour le satisfaire, s'appliquent à le susciter artificiellement. Après cette véhémente philippique — Vice n'a ni honneur, ni beauté, ni crédit — Vertu fait son propre éloge qui en est l'exacte contrepartie. Elle laisse entrevoir le sort heureux de ceux qui se dirigent vers elle : ils sont aimés des dieux, chers à leurs amis, précieux à leur patrie. Si Hercule, fils de valeureux parents, suit courageusement cette route, Vertu lui promet le plus parfait des bonheurs — τὴν μακαριστοτάτην εὐδαιμονίαν — reprenant ainsi à son compte le titre même que Vice s'était impudemment arrogé[10].

Dans l'ensemble, Philon reste fort proche de ce schéma. Le portrait des deux femmes, leur attitude et leur caractère, l'ordre et le sens général de leur discours demeurent conformes à ce qu'ils étaient chez Xénophon. Il est vrai que l'on trouve aussi dans le *De sacrificiis* des éléments nouveaux : chacune des deux femmes a son cortège ; de nombreux vices forment comme un chœur autour de Volupté[11] et Vertu est suivie d'une cohorte de vertus particulières[12]. Mais, là encore, l'Alexandrin n'innove pas. M. C. Waites pense que ces énumérations ne font que développer une indication mise par Xénophon sur les lèvres de Vertu : celle-ci dans son apostrophe vengeresse, évoque avec mépris le thiase de sa rivale[13]. Pourtant, Philon a pu s'inspirer d'autres modèles où le thème était pleinement élaboré. Chez Simonide déjà, Arété était entourée d'une petite cour de nymphes. Pour les adaptateurs de la fable de Prodicos, il devint bientôt traditionnel d'énumérer les compagnons et les suivantes qui formaient les deux cortèges. C'était, pour chacun, l'occasion d'utiliser ses listes de vices et de vertus[14].

II, p. 109.

Mais c'est surtout l'allure générale du récit qui a changé. Déjà le rattachement de l'apologue à la législation mosaïque ne pouvait que lui donner une solennité bien étrangère au ton de la simple conversation qui était celui du Socrate des *Mémorables*. A cela Philon ajoute des défauts où il tombe souvent, la prolixité et la lourdeur : les deux discours, alertes chez Xénophon, se chargent et s'encombrent d'éléments disparates.

La description des disgrâces de la vie de plaisir est remplacée, chez l'Alexandrin, par une interminable liste de vices, qui nous paraît aujourd'hui à peu près insupportable. Le discours de Volupté est alourdi par une allégorie végétale bien inutile. La parénèse de Vertu s'achève par l'évocation, chère à Philon, des sciences parfaites et des sciences préparatoires. Relevons au passage, parmi les additions de l'exégète alexandrin, une métaphore qui prendra une grande importance chez Ambroise, celle du banquet de Vertu[15].

Ce qui frappe aussi, chez Philon, c'est une symétrie si parfaite qu'elle en devient maladroite. Sans doute un certain parallélisme est-il inhérent au genre de la *syncrisis*, dont relève la fable de Prodicos. Du moins, dans les *Mémorables*, Vice interrompait un instant le discours de sa rivale pour tenter de lui disputer Hercule. Chez Philon la symétrie est inflexible. Dans une première partie il commence par nous décrire Volupté, il énumère ensuite ses compagnes, la campe au milieu d'elles comme en un tableau vivant, puis lui fait déclamer sa tirade. Tout recommence exactement dans le même ordre pour Vertu.

II — La « retractatio » ambrosienne : l'intervention de Volupté

1. *La tentatrice.*

Cette structure si claire a été bouleversée par Ambroise. Il nous faut examiner maintenant comment et pourquoi.

On pouvait prévoir d'emblée que l'évêque de Milan travaillerait à christianiser ce qu'il empruntait à l'auteur juif du *De sacrificiis*. Mais cette christianisation pouvait s'opérer de bien des façons. La manière d'Ambroise ressortira mieux si l'on compare son adaptation à une autre version ecclésiastique de l'apologue de Prodicos, le résumé qu'en donne Justin dans sa seconde *Apologie*.

Si l'on passe directement de Xénophon à Justin, le contraste est saisissant. Sans doute les grandes lignes du récit sont conservées : les deux voies, les deux femmes, leurs deux exhortations, tout cela fortement contrasté pour bien marquer le choix qui s'offre. Mais si la Vertu des *Mémorables* n'a ni les fards, ni les atours criards de Vice, elle n'a cependant rien de négligé, ses vêtements sont blancs, elle est agréable à voir[16]. Chez l'apologiste, au contraire, elle est devenue une souillon

---

II, p. 109-110.

au visage et aux habits malpropres[17]. C'est que le contenu même de l'antithèse s'est transformé. Ce que Xénophon opposait à la recherche brutale du plaisir, c'était un art de vivre austère, mais raffiné. L'une et l'autre se situaient dans le monde présent. Avec Justin tout change : ce qui s'affronte, c'est l'éternel et le transitoire, le visible et le caché. Vertu est maintenant du côté de ce qui paraît laid et irrationnel[18]. Cette transformation porte la marque d'une nouvelle époque : de plus en plus, la philosophie va faire bon ménage avec la crasse. On sait l'aversion maniaque dont témoigneront beaucoup de néo-platoniciens pour le corps, ses nécessités et ses soins. Mais il y a surtout chez Justin la note spécifiquement chrétienne. Dans son *Apologie*, l'évocation d'Hercule entre Vice et Vertu prépare la révélation de la force d'âme de martyrs[19]. L'apologue de Prodicos, résumé d'une sagesse empiriste, se trouve placé brusquement dans la lumière crue de la croix et de sa folie. Il est vrai que, sur ce point, les adaptateurs chrétiens de l'apologue se partagent. Basile donne lui aussi à Arétè un aspect misérable[20]. D'autres, en revanche, comme Clément d'Alexandrie[21] et Grégoire de Nazianze[22], restent plus fidèles à l'idéal hellénique et prêtent à leurs vertus personnifiées une simplicité austère mais non dénuée d'élégance. Peu intéressé par l'aspect extérieur de Virtus, l'évêque de Milan se borne à signaler sa « mediocris vestis »[23].

C'est que les moyens dont Ambroise s'est servi pour christianiser le débat de Volupté et de Vertu sont tout différents, on va le voir, de ceux qu'avait employés Justin. Quant à la forme, l'évêque de Milan s'éloigne beaucoup plus de la fable traditionnelle. La structure de celle-ci reste pratiquement inchangée chez Justin, même si l'apologiste y infuse un esprit nouveau. Ambroise au contraire surcharge et complique la joute oratoire des deux allégories au point de faire éclater le schéma originel. La nature et l'intention de ce bouleversement apparaissent mieux quand on compare le développement du *De Cain* à son modèle philonien.

Ambroise emprunte à son prédécesseur, sans changement notable le développement qui prépare l'apparition de Volupté et de Vertu, c'est-à-dire l'allégorèse des deux épouses du Deutéronome, celle qui est aimée et celle qui est haïe[24].

C'est dans le corps même du débat que l'on va trouver les remaniements substantiels opérés par l'auteur du *De Cain*. L'intervention de Volupté est particulièrement significative à cet égard. Ce qui apparaît dès la première lecture — et qui a été souligné par l'éditeur K. Schenkl — c'est la combinaison de deux sources, d'une part les pages du *De sacrificiis*, d'autre part le chapitre 7 du livre des Proverbes, qui met en garde contre la prostituée et ses manœuvres de séductions. Étant donné ce que l'on sait du caractère de Volupté ou de Vice, tel que ce personnage est représenté depuis Xénophon et sans doute depuis Prodicos, ce rapprochement

---

II, p. 110.

n'est pas pour surprendre. Un autre texte des Proverbes est d'ailleurs mis à contribution par l'évêque de Milan, c'est le chapitre 9. Là nous sommes encore plus près de l'apologue repris par les *Mémorables*, puisqu'il s'agit de deux femmes, Sagesse et Folie, dont chacune essaye, par un petit discours, de s'attirer des sectateurs.

C'est à Philon qu'Ambroise emprunte son premier croquis de Volupté : « Effrontée dans son allure, la démarche amollie par les plaisirs, jetant des filets par ses œillades et ses clins d'yeux et capturant ainsi les âmes précieuses des jeunes gens[25]. »

« Pretiosas iuvenum animas capit », cette phrase fournit à Ambroise les mots charnières qui vont lui permettre d'identifier Volupté à la « mulier extranea » dont il est dit au chapitre 7 des Proverbes[26] qu'elle est prête à capturer les âmes, « praeparata ad capiendas animas[27] ». C'est l'ensemble du chapitre dont ce verset fait partie qu'Ambroise va maintenant utiliser pour développer le thème que Philon avait simplement suggéré. C'est d'abord une simple paraphrase (n'excluant d'ailleurs pas une réminiscence du *De sacrificiis*[28]), bientôt interrompue par quelques lignes empruntées à Philon. Il y est question de la recherche d'une beauté d'emprunt et artificielle pour suppléer au défaut de la beauté authentique[29] et aussi du chœur de vices qui entoure Volupté au moment où celle-ci prend la parole[30].

Le petit discours qu'Ambroise lui prête est emprunté de nouveau — mais cette fois-ci littéralement — au septième chapitre du livre des Proverbes. Au canevas classique sur lequel Philon avait largement brodé, Ambroise substitue délibérément un texte d'Écriture. Volupté, c'est maintenant l'étrangère effrontée invitant l'imprudent garçon qu'elle vient d'accoster à profiter de l'absence du mari et à venir chez elle faire assaut de plaisir jusqu'au matin[31]. La citation est d'ailleurs explicite : c'est le portrait que Salomon trace de la prostituée, observe Ambroise[32]. Et l'auteur du *De Cain* s'attache ensuite à justifier cet emprunt — la volupté du siècle n'est-elle pas la courtisane par excellence[33] ? — et à allégoriser, dans cette perspective, quelques détails du récit des Proverbes[34]. Ce bref morceau d'exégèse figurative se termine par une antithèse entre la « bonne odeur du Christ », formule paulinienne[35], et les parfums répandus par la courtisane, qu'évoquent à la fois l'auteur des Proverbes et Philon[36].

Tout en reprenant les propos de la séductrice des Proverbes, Ambroise n'a d'ailleurs pas renoncé à utiliser aussi le discours de Volupté qu'il lisait dans le *De sacrificiis* de l'Alexandrin. La mention des odeurs lui sert pour cela de transition, et il rapporte au style indirect les promesses que Philon avait mises sur les lèvres de l'effrontée : « Elle montre des trésors, elle offre des royaumes, elle promet des amours sans fin, elle propose des étreintes encore inconnues, des leçons, mais sans pédagogue, des paroles, mais sans aucun censeur, une vie sans soucis, un doux sommeil, un désir que rien ne peut assouvir. »

II, p. 110-111.

Si l'on excepte la mention des « regna », Ambroise reprend ici des expressions philoniennes qu'il traduit d'assez près et non sans bonheur. Mais son travail n'aboutit pas à un calque ; il résume, il allège le développement lourd et redondant de son prédécesseur. Les formules sont plus brèves, plus acérées, portent mieux. Le pas pesant du pédagogue a fait place à une allure plus vive, plus cavalière, mieux adaptée en somme à une tentative de séduction[37].

Ambroise continue à croiser la chaîne des Proverbes et la trame philonienne. Pour exprimer l'effet produit par les promesses de Volupté, il revient en effet au livre salomonien. Et, ici encore, c'est une citation textuelle, soulignée par un « inquit » désignant l'auteur sacré : « Séduisant (le jeune homme) par beaucoup de paroles caressantes, et l'emprisonnant dans les lacs de ses lèvres, elle l'a attiré jusqu'à sa demeure. Subjugué, il l'a suivie[38]. »

On voit combien Ambroise a déjà transformé le scénario qui s'était transmis, intact dans sa structure, de Prodicos à Philon. A l'image statique d'une double déclamation, il a substitué une scène animée de rencontre et de séduction. Le « tableau vivant » a fait place à un petit drame.

Il est au moins aussi important que l'évêque de Milan ait voulu ainsi fonder son propre développement sur un texte des Proverbes. Les emprunts à Philon ne servent plus alors que d'ornements supplémentaires. Nous verrons que cette substitution, que ce recours à l'Écriture pour commenter l'Écriture est délibéré, systématique, et qu'Ambroise prend soin de le souligner.

2. Le « convivium luxuriosum ».

Brusquement le récit d'Ambroise prend un tour inattendu. La rencontre décrite « par la bouche de Salomon »[39] avait un caractère intime et privé, comme l'endroit même où elle se déroulait, ce renfoncement près du passage menant à la maison de la séductrice. Et surtout les derniers propos de celle-ci, repris expressément dans le *De Cain*, donnaient, semble-t-il, à entendre que le jeune sot allait être conduit dans un lieu propre à un tête-à-tête discret[40]. Le lecteur est donc fort surpris de se voir soudain introduit dans une cour assurément vaste où est en train de se dérouler un banquet bruyant et coloré qui tourne même à l'orgie, avec des invités nombreux, des serviteurs, des danseuses. Que s'est-il donc passé ?

C'est le livre même des Proverbes qui semble avoir suggéré à Ambroise cette nouvelle scène qui contraste si vigoureusement avec la précédente. Déjà le discours de l'étrangère au chapitre 7 contenait un important détail qui pouvait dans une certaine mesure autoriser le nouvel épisode imaginé par Ambroise : l'étrangère se prépare, dit-elle, à offrir un sacri-

---

II, p. 111-112.

fice de réconciliation pour s'acquitter de ses vœux et elle invite l'adolescent à y prendre part. Nous n'avons pas là-dessus les commentaires de la grande époque patristique, mais Bède, qui en recueille en partie la substance, nous explique que, selon le sens littéral, la prostituée indique par ces mots qu'elle a préparé un splendide festin[41]. Le lecteur peut d'abord voir dans ces mots un simple prétexte, le boniment accrocheur d'une fille des rues ; ce serait peut-être à tort. On a, en sens contraire, expliqué tout l'épisode à partir de ce verset 14, qui évoquerait un culte érotique auquel l'auteur sacré oppose la vraie sagesse[42]. Ambroise, pour sa part, semble avoir vu là une invitation en forme au « convivium permagnificum » qu'il va décrire. Un autre texte du livre salomonien a dû l'ancrer dans cette interprétation.

Le chapitre 9 des Proverbes offre bien, en effet, l'exact équivalent de l'apologue de Prodicos, à cette réserve près que le choix proposé n'est plus symbolisé par deux routes[43]. Car il s'agit de deux banquets que tout oppose, et auxquels deux femmes, incarnant l'une la Sagesse, l'autre la Folie, invitent les passants. La première, de la maison qu'elle a bâtie et où elle a dressé sa table, fait porter par ses serviteurs[44] la bonne nouvelle de son festin, qui mènera les simples à l'intelligence et à la vie[45]. La seconde, sotte et sans pudeur, s'est assise devant la porte de sa demeure et harangue elle-même les passants pour les convier au pain du mystère et à l'eau clandestine[46].

Il est clair que l'identification de l'étrangère du chapitre 7 avec l'effrontée du chapitre 9 est plus que suggérée par le rédacteur des Proverbes. L'une et l'autre hantent la voie publique pour y solliciter les passants[47], l'une et l'autre les invitent à des plaisirs clandestins[48], l'une et l'autre conduisent finalement ceux qui les écoutent dans les profondeurs de l'enfer[49].

Ambroise pense évidemment à cet épisode des deux festins quand il introduit inopinément la scène du banquet : il va mettre en effet sur les lèvres de Volupté une phrase[50] empruntée au boniment de la « femme dépourvue de sens, effrontée et sans pudeur » de Proverbes, 9, 13[51]. Un peu plus haut déjà, au moment où il décrivait le manège de l'étrangère, il avait eu recours à une formule du chapitre 9, « in publicas transeuntium vias[52] ». En retraçant l'intervention de Volupté, l'auteur du *De Cain* superpose donc trois scènes distinctes, tout en évoquant davantage tantôt l'une, tantôt l'autre : le débat de Volupté et de Vertu tel que le présente Philon, le manège de l'étrangère décrit au chapitre 7 des Proverbes, enfin les invitations aux banquets de Sagesse et de Folie, évoquées au chapitre 9 du même livre.

Mais la description du festin lui-même ne doit pratiquement rien à ce dernier texte. La couleur toute gréco-romaine de ce tableau invite à chercher dans une autre direction les sources de la page d'Ambroise :

« La cour intérieure[53] brillait d'un faste royal avec ses murs aux

---

II, p. 112.

lambris sculptés ; le pavement était humide, ruisselant de vin ; le sol sentait le parfum ; il était couvert d'arêtes de poissons, des fleurs déjà flétries le rendaient glissant. Là c'était le vacarme des banqueteurs, les cris des disputes, les coups des querelles, le concert des chanteurs, le tapage des danseurs, les éclats des rieurs, les applaudissements des noceurs, la confusion en tout, en rien l'ordre de la nature : des danseuses tondues, les chevelures bouclées des jeunes serviteurs, l'indigestion des convives, les éructations des mangeurs, la soif des ivrognes, les nausées d'hier, l'ivresse d'aujourd'hui, le vomissement des buveurs remplissant les coupes, qui devaient ainsi à l'ébriété une odeur plus forte que celle du vin nouveau. »

Ce morceau de bravoure relève à coup sûr de la tradition littéraire et rhétorique. La satire des débauches de table et les descriptions de beuveries crapuleuses ne manquent pas chez les écrivains de l'époque impériale. Il suffit d'évoquer les noms de Philon lui-même, de Pétrone, de Juvénal, de Lucien, voire d'Aelius Lampridius l'historien supposé d'Héliogabale. Aussi le silence de l'*apparatus fontium* de Schenkl n'est-il guère satisfaisant. De fait, après un emprunt à l'*Énéide*[54], Ambroise s'inspire ici de quelques lignes du *Pro Gallio* de Cicéron, qu'il ne connaissait peut-être pas, comme nous faisons aujourd'hui, que sous la forme d'un exemple rhétorique conservé par les traités spécialisés. L'ensemble du *Pro Gallio* est, en effet, perdu. Le fragment dont il est question est cité par Quintilien[55], Aquila Romanus[56], Julius Victor[57]. C'est le second qui offre l'extrait le plus étendu. Voici ce « convivium luxuriosum », pour reprendre l'expression consacrée que l'on trouve chez Quintilien et chez Aquila :

« On entend des cris, on entend les invectives des femmes, on entend les accents d'un concert. Il me semblait voir les uns entrer, les autres sortir, les uns tituber sous l'effet du vin, les autres bailler par suite des beuveries de la veille. Gallius se trouvait parmi eux, frotté d'essences parfumées, portant des couronnes. Le sol était souillé, gluant de vin, couvert de couronnes défraîchies et d'arêtes de poissons ».

Sans doute bien des traits de cette description peuvent se rencontrer chez de nombreux auteurs : les éclats de voix, les parfums, les couronnes de fleurs, les désordres et les effets répugnants de l'ivresse font partie de l'attirail obligé des banquets qui tournent à l'orgie. Il semble cependant qu'il y a entre le fragment de Cicéron et la page d'Ambroise une parenté assez singulière et assez étroite pour faire conclure à une dépendance directe. Le nombre de traits que l'on retrouve de part et d'autre, leur concentration en quelques lignes, un détail caractéristique comme ce sol couvert d'arêtes de poissons, tout cela ne s'explique pas suffisamment par le recours des deux auteurs aux ingrédients traditionnels du même lieu commun. La mise en regard des deux textes le fera mieux sentir[58] :

II, p. 112-113.

Cicéron, *Pro Gallio*, fragm. 1, éd. Müller, IV, 3, Leipzig, 1879, p. 236, 26-33 :

Ambroise, *De Cain*, I, 4, 14, p. 350, 15-24 :

« Fit clamor, fit convicium mulierum, fit *symphoniae* cantus. Videbar mihi videre alios intrantis, alios autem exeuntis, partim ex vino vacillantis, partim hesterna ex *potatione* oscitantis. Versabatur *inter hos* Gallius unguentis oblitus, redimitus coronis ; humus erat inmunda, lutulenta vino, *coronis languidulis* et spinis cooperta piscium. »

« Solo umido natabant pavimenta vino. Fraglabat unguento humus, spinis cooperta piscium et *marcentibus* iam *floribus* lubrica. Illic commessantium tumultus, concertantium clamor, litigantium caedes, *concentus* canentium, saltantium strepitus, ridentium cachinnus, lascivientium plausus, confusa omnia, nihil naturae ordine, saltatrices tonsae et crispantes pueri coma, epulantium cruditas, edentium ructus, ebriorum sitis, hesterna *crapula*, hodierna temulentia, repleta vomitu bibentium pocula maiore odore ebrietatis quam si recentia tantum vina fraglarent. Ipsa *in medio* stans ' bibite ' inquit. »

On le voit, les similitudes de situation — en italiques — débordent les parallèles littéraux — en petites capitales. Et ce ne sont pas seulement les éléments du tableau qui se retrouvent ici et là. C'est le mouvement même, le style particulier de la peinture, cette *leptologia* que le fragment cicéronien vient illustrer dans le manuel d'Aquila Romanus[59] et qui est une espèce de description impressionniste, par petites touches juxtaposées dont le manque de lien et le désordre même servent à traduire le désordre du spectacle qu'on veut mettre sous les yeux du lecteur. Remarquons enfin qu'après avoir erré sur ces objets disparates, le regard s'arrête à un personnage qui émerge de cette confusion : Gallius, dans le discours de Cicéron, Volupté dans le traité d'Ambroise.

Si l'on accepte l'idée que l'auteur du *De Cain* s'est directement inspiré de ce passage de l'orateur, on est amené à se demander si l'imitation ne s'étend pas au-delà des limites du fragment qui nous est conservé. Les traits qu'il semble avoir ajoutés à son modèle, comme le contraste entre le crâne tondu des danseuses et la chevelure bouclée des jeunes serviteurs, comme les coupes où l'odeur de la vomissure est plus forte que celle du vin nouveau, Ambroise ne les a-t-il pas empruntés eux aussi à cette description cicéronienne dont les traités de rhétorique que nous possédons ne nous ont conservé qu'une partie ? L'expression « natabant pavimenta vino », par exemple est cicéronienne. Elle apparaît dans un passage des *Philippiques*, une description des orgies de Marc Antoine, où l'on retrouve aussi le thème du mélange contre nature des opposés : les jeunes gens de naissance libre y côtoient des prostitués de leur sexe, les courtisanes y sont confondues avec les matrones[60].

II, p. 113.

Cette hypothèse n'a rien d'invraisemblable, mais rien non plus ne l'impose. A l'époque d'Ambroise, la page du *Pro Gallio* servait de modèle aux rhéteurs[61], c'était un de ces exemples classiques qu'on se transmet de génération en génération, de manuel en manuel, comme le prouvent bien les ouvrages qui nous l'ont conservé.

Dans la description cicéronienne, l'image des arêtes de poissons se mêlant au vin, voire aux couronnes flétries, sur le sol souillé, aura particulièrement frappé l'évêque de Milan. Il s'en est en effet servi deux autres fois au moins, dans le *De Helia* et dans l'*Explanatio psalmi XXXVII*. Il vaut la peine de s'arrêter un instant à ces deux textes. L'imagerie du banquet y est en effet traitée dans deux perspectives différentes, ce qui permet de mieux faire apparaître ses virtualités, et de jeter du même coup plus de lumière sur les intentions d'Ambroise au moment où il introduit dans son *De Cain* une autre version de l'*ecphrasis* traditionnelle. Dans la description du *De Helia*, l'accent est mis sur le mouvement ; ce qui domine dans celle de l'*Explanatio Psalmi XXXVII*, ce sont les odeurs ; la page de *De Cain* plus riche, plus complexe, intègre les deux thèmes. Il est intéressant et utile, en vue des explications ultérieures, de voir comment chacun d'eux peut être développé isolément, pour ainsi dire à l'état pur.

Le texte le plus proche du *De Cain* est celui du *De Helia et ieiunio*. Ce traité du jeûne, qui est surtout une critique cinglante des excès de table et du luxe effréné des riches, se prêtait évidemment à la reprise au moins partielle de la description cicéronienne du « convivium luxuriosum ». Celle-ci réapparaît en effet pour animer une exhortation très pratique adressée aux hôtes fortunés qui aiment à donner de fréquents banquets. Laissez un peu reposer, leur dit Ambroise, vos cuisiniers, vos pourvoyeurs, vos échansons, vos hommes de peine, laissez un peu reposer votre maison elle-même[62]. C'est ce thème que viennent souligner comme en contre-point les souvenirs cicéroniens :

« On court à la cuisine. On entend un grand bruit, on entend un brouhaha. La domesticité entière est houspillée ; ils grommellent tous qu'on ne leur laisse aucun répit. Donne enfin quelque répit à ton cuisinier, arrête la main droite de ton échanson : elle est engourdie par la glace. Celui-ci agite ses bras dans l'eau froide, ceux-là lavent le marbres, nettoient le pavement mouillé de vin et couvert d'arêtes de poissons. Combien se blessent en marchant ! Au banquet lui-même, ce sont les cris des dîneurs, les plaintes de ceux qui recoivent des coups... Que ta maison se repose quelquefois de ce grand tumulte des gens qui courent en tout sens, des cris des animaux qu'on immole, qu'elle se vide de la fumée et de l'odeur âcre des plats à moitié brûlés. Tu croirais que c'est non pas une cuisine, mais une officine de bourreau, qu'on livre un combat et non qu'on prépare un repas, tellement tout nage dans le sang[63] ! ».

Ce pavement mouillé de vin et couvert d'arêtes de poissons évoque

---

II, p. 113.

évidemment pour nous d'une part la page du *De Cain* que nous examinons, d'autre part les formules cicéroniennes du *Pro Gallio* et de la deuxième *Philippique*. Mais là ne s'arrêtent pas les affinités qui relient plus particulièrement les trois premiers de ces textes. On y retrouve le même mouvement, la même technique descriptive, minutieuse et hachée. Le début de notre passage du *De Helia*, « fit ingens strepitus, fit tumultus » fait écho au « fit clamor, fit convicium mulierum, fit symphoniae cantus » qui ouvre le fragment du *Pro Gallio*. Un peu plus bas, on a comme un raccourci binaire de la suite d'assonances du *De Cain* : « Clamor epulantium, gemitus vapulantium. »

Mais ce qui est propre à cette page du *De Helia*, c'est l'éclairage particulier dans lequel est placée la description traditionnelle. Rien n'y est gratuit, tout y sert le thème principal : l'antithèse entre le mouvement désordonné et le repos. Ce que l'on voit ce n'est ni la couleur ni la forme, ce sont des déplacements, un va-et-vient, un affairement fébrile : « Curritur, dum ambulant vulnerantur, ... perturbationes huc atque illuc discurrentium. » Les impressions auditives traduisent elles aussi ces mouvements confus et discordants, c'est un brouhaha de fond — « strepitus », « tumultus » — duquel émergent des jurons, des exclamations, des plaintes et des cris. On s'agite, on s'échauffe, on se frappe et même on tue. L'innocente odeur de brûlé, la seule notation olfactive, suggère aussitôt les activités du tortionnaire. Les arêtes de poissons elles-mêmes sont ici le signe d'une action, d'un mouvement : si Ambroise relève leur présence, c'est avant tout pour souligner le travail de nettoyage qu'impose tout ce désordre à une domesticité surmenée.

Ce sont les odeurs qui jouent le rôle essentiel dans une autre version ambrosienne du *convivium luxuriosum*, celle que l'on trouve dans l'*Explanatio Psalmi XXXVII*[64] :

« Observe maintenant l'un de ces jeunes gens, libertin, dissolu avec élégance, passant sa vie dans la débauche. Comme ce (mauvais) riche il est couché sur la batiste et sur la pourpre. Tous les jours il dîne somptueusement ; pour lui le pavement ruisselle de vin, le sol est couvert de fleurs. Ses salles à manger, jonchées d'arêtes de poissons, sont remplies par divers parfums qu'on y fait brûler. Vois comme il s'estime heureux, et comme il croit sentir bon. Alors qu'il porte à l'âme des blessures graves et invétérées et qu'il perd un sang corrompu, il ne perçoit nullement la puanteur de ses plaies[65]. L'ordure bouche ses narines et il ne peut dire : ' Le souffle divin qui est dans mes narines '[66]. »

L'ambiance n'est plus ici celle du banquet de Volupté dépeint dans le *De Cain*. Il manque ces bruits de foule, ces mouvements divers, ce tohu-bohu coloré. Le banquet n'est pas montré, il est seulement signifié par ses traces et ses apprêts. Des détails précis nous permettent pourtant de rapprocher les deux textes : toujours ce vin répandu et ces arêtes

---

II, p. 113-114.

de poissons qui couvrent le pavement avec, en plus, un trait qui manquait dans le *De Helia*, mais non dans le *De Cain*, les fleurs répandues sur le sol. Il n'est directement question ni des convives ni de la domesticité. Le maître de maison apparaît seul, ce jeune dandy qui ignore ses plaies secrètes. C'est l'atmosphère un peu confinée, un peu morbide, d'un lieu clos, même s'il est question de plusieurs *triclinia*, signe de richesse et de luxe. Les odeurs les plus diverses et même les plus contraires y font un mélange oppressant.

La tradition offrait à Ambroise un certain nombre de thèmes rhétoriques et moralisants sur l'usage des parfums. Pline, par exemple, avait dénoncé en eux le luxe inutile par excellence : se dissipant en un instant, ce sont les plus éphémères des substances précieuses et, pour comble de paradoxe, celui qui en use n'en jouit en rien, tout le plaisir est pour les autres[67]. Chez les chrétiens l'usage du parfum, au moins pour les hommes, était surtout associé à l'idée d'une vie de mollesse et de relâchement. Clément d'Alexandrie consacre à cette question, et au problème connexe des couronnes, tout un chapitre de son *Pédagogue*[68]. Quant à Jean Chrysostome, il demande à son auditoire quelle confiance on peut faire à un homme qui sent le parfum comme une femme ou mieux comme une courtisane, montrant ainsi qu'il a choisi une existence de danseuse. C'est la bonne odeur de l'Esprit que l'âme doit exhaler autour d'elle[69].

Si le premier thème n'apparait pas dans la page de l'*Explanatio Psalmi XXXVII*, le second, en revanche, y joue un rôle essentiel. C'est bien comme ingrédients obligés d'une vie de débauche raffinée que les « thymiamata » et les fleurs interviennent ici. Mais cet aspect, si visible soit-il, est subordonné dans ce texte à un autre motif, celui du parfum qui recouvre et masque pour ainsi dire les mauvaises odeurs. Clément d'Alexandrie notait drôlement que les délicats obligeraient presque les pots de chambre eux-mêmes à fleurer l'huile parfumée[70]. Martial avait donné une forme frappante à cette idée simple :

Postume, non bene olet qui bene semper olet[71].

Elle devait d'ailleurs être déjà plus ou moins proverbiale. On en connaît une variante concernant les femmes[72]. Jérôme ne manque pas de reprendre la pointe de l'épigramme pour mettre en garde les vierges contre les jouvenceaux bouclés et frisés qui sentent trop fort le parfum[73].

Ambroise pense vraisemblablement à cet adage quand il écrit du jeune débauché : « Bene se olere iudicet. » Mais au lieu de se tenir au plan littéral d'une morale assez terre à terre — laissez les parfums aux femmes, ou plutôt aux courtisanes — il donne à ce thème une interprétation beaucoup plus intérieure, plus spirituelle. Celle-ci lui est suggérée par le verset du Psaume XXXVII qu'il commente : « Computuerunt et computruerunt cicatrices meae a facie insipientiae meae[74] », « Mes plaies sont devenues puanteur et pourriture en raison de ma folie ». Job et le

---

II, p. 114.

pauvre Lazare eux aussi étaient couverts d'ulcères. Le premier a été rendu à la santé, le second emporté par les anges dans le sein d'Abraham[75]. David peut espérer la guérison parce qu'aucun parfum ne vient cacher l'infection de ses plaies ; il en souffre, il en est accablé, il sera donc guéri[76]. C'est ici qu'Ambroise introduit l'exemple du jeune débauché qui vit dans les parfums. Ceux-ci l'empêchent de sentir la puanteur de ses plaies et le prédestinent à l'enfer du mauvais riche[77].

La mention des arêtes de poissons a donc ici une fonction particulière. Elle ne sert pas, comme dans le *De Cain*, à évoquer l'animation désordonnée d'une orgie ou, comme dans le *De Helia*, à souligner les travaux qu'imposent aux serviteurs l'embarras et les désordres d'un banquet. Elle vient étoffer l'antithèse entre le luxueux et le sordide qui est l'idée directrice de ce développement : les fleurs côtoient le vin répandu, les mêmes *triclinia* sont souillés d'arêtes de poissons et remplis de parfum ; de même tout ce luxe et cette richesse font oublier à celui qui en tire vanité la puanteur secrète de son âme.

Autour de ces quelques lignes du *Pro Gallio* qui l'avaient frappé, il était facile à Ambroise de grouper certains traits que l'on trouvait fréquemment dans les descriptions traditionnelles des débauches de table et des excès de boissons.

Ces thèmes n'étaient pas d'ailleurs de purs lieux communs. L'actualité venait en quelque sorte les vivifier. A Césarée, par exemple, au temps de Basile, une réunion de fidèles qui s'étaient rassemblés dans les *martyria* situés aux portes de la ville, sans doute dans la pieuse intention de fêter la Résurrection, avait, sous l'effet du vin, dégénéré en une espèce de bacchanale où les excès les plus choquants avaient été commis. C'est précisément ce fâcheux épisode qui avait été l'occasion de l'*Homélie XIV* de saint Basile, *Contre les ivrognes*[78]. Quant aux nombreux détails sur le luxe et les excès de table que l'on trouve dans le *De Helia* d'Ambroise, ils reflètent, à n'en pas douter, des traits de la société contemporaine.

C'est qu'entre le lieu commun et l'expérience vécue, il n'y a pas l'alternative que l'on suppose parfois. Ce sont en fait des réalités complémentaires en constante interférence. Le lieu commun a besoin de l'expérience vécue. Comme le remarque Quintilien, la descriptions oratoire ne produit son effet, qui est de faire voir et par là d'émouvoir et de convaincre, que si l'auditeur, y retrouvant ses propres observations, peut ainsi la « reconnaître »[79].

D'un autre côté, l'« expérience vécue » n'existe pas à l'état brut. Elle est d'emblée prise en charge par toute la culture du sujet, revêtue par les images et les clichés, interprétée en fonction des mots et des concepts dont il dispose. Les sentiments les plus intimes, les amours les plus sincères, ont pu prendre forme et s'exprimer en reprenant selon les époques, les individus et les milieux, tel sonnet de Ronsard, tel poème de

---

II, p. 114.

Henri Heine ou telle rengaine à deux sous. Les *Essais*, une des œuvres les plus personnelles de notre littérature, ne se sont-ils pas formés à partir des notes de lecture de Montaigne ?

C'est ainsi que, pour dépeindre et stigmatiser certains traits des mœurs contemporaines comme le luxe scandaleux des riches et les excès dégradants auxquels donnaient lieu banquets et beuveries, les prédicateurs du IVe et du Ve siècle, Ambroise aussi bien que Basile, Jérôme[80] comme Grégoire de Nazianze[81], Pierre Chrysologue[82] comme Jean Chrysostome, utilisent tout naturellement les images et les clichés mis au point par les grands orateurs profanes et répertoriés par les techniciens de la rhétorique.

Ce désordre qu'Ambroise veut faire non seulement concevoir, mais éprouver au lecteur ne s'exprime pas uniquement dans les détails et les contrastes de la description ; le rythme même de la phrase doit le rendre sensible. Aussi bien la parenté qui existe entre la *leptologia* du *De Cain* et celle du *Pro Gallio* ne se borne pas à l'emprunt de quelques traits significatifs, elle s'étend au mouvement même, pressé et saccadé, que donne l'asyndète, soulignée à l'occasion par la rime[83]. A la période rimée du *Pro Gallio* — « Videbar mihi videre alios intrantis, alios autem exeuntis, partim ex vino vacillantis, partim hesterna ex potatione oscitantis[84] » — répond chez Ambroise la longue suite : « Commessantium tumultus, concertantium clamor, litigantium caedes, concentus canentium, saltantium strepitus, ridentium cachinnus, lascivientium plausus. » Certes, les différences des deux rythmes sont très sensibles. Dans les lignes du *De Cain*, les *homoioteleuta* se trouvent au milieu des *cola* et non à la fin. D'autre part les membres de la période ambrosienne sont plus nombreux et plus brefs, ce qui donnerait une sensation assez fastidieuse, comme celle d'un crépitement, si l'auteur n'avait ménagé une diversion grâce à un *colon* dépourvu de rime et formant avec celui qui le précède et celui qui le suit un double chiasme : « ... caedes, concentus canentium, saltantium... » D'ailleurs cette formule se rencontre déjà chez Cicéron comme le montre un exemple tiré par Polheim de la troisième *Philippique*[85].

On observe d'ailleurs que les séries d'asyndètes, soulignées par des *homoioteleuta* sont couramment utilisées dans la description des scènes d'ivresse qui terminent les banquets. C'est le cas, par exemple, d'un passage de l'*Homélie contre les ivrognes*, sans doute peu antérieure au *De Cain*[86], où Basile de Césarée dépeint les pitoyables effets de ces interminables défis que l'on se portait à la fin des *symposia* et par lesquels chacun se faisait fort de boire plus que son voisin[87]. La phrase qui introduit cette scène d'ivresse vaut d'être relevée, car elle indique bien ce que Basile s'efforce de peindre, l'irrationnel et le confus : Πάντα ἀλογίας γέμει, πάντα συγχύσεως. C'est exactement la fonction de l'asyndète dans le fragment du *Pro Gallio* et dans la description du *De Cain*.

II, p. 114-115.

Il y a pourtant, dans la *leptologia* cicéronienne, quelque chose de plus, que l'on retrouve précisément dans la transposition qu'en fait Ambroise. Quintilien demandait, après avoir cité les lignes du *Pro Gallio* dépeignant le *convivium luxuriosum* : « Que verrait de plus quelqu'un qui entrerait[88] ? » Ce qui avait donc frappé dans la description de l'orateur, c'est qu'elle n'était pas faite du point de vue d'un observateur extérieur, dominant en quelque sorte la scène et pouvant ainsi en donner une description d'ensemble, une espèce de vue cavalière. Tout au contraire, Cicéron se place au centre de l'action, au milieu de ces allées et venues, au cœur de tout ce brouhaha. La complexité et le désordre de ce qu'il dépeint sont ainsi beaucoup mieux rendus. L'éloignement unifie, simplifie et donc ordonne toujours plus ou moins. Au contraire, plongé dans la cohue, l'observateur ressent plus purement ce qu'elle a de diversité mouvante et imprévisible. Ce qu'il peut alors nous en dire, ce sont moins des jugements que des impressions. Sa peinture en est d'autant plus convaincante.

Ce qui limite ici l'interprétation, c'est que nous n'avons plus l'ensemble dont faisait partie ce fragment. Nous ne savons comment Cicéron introduisait son banquet. Le *De Cain* au contraire nous a été conservé et nous pouvons observer comment cette description s'insère dans le contexte. Or il est remarquable que le développement d'Ambroise réponde exactement à la suggestion de Quintilien. Ce qu'il dépeint, c'est en effet ce que voit quelqu'un qui entre, c'est le spectacle qui s'offre au jeune insensé au moment où il vient d'être introduit dans la maison de l'étrangère : « Elle l'a attiré jusqu'à sa demeure. Subjugué, il l'a suivie. La cour intérieure brillait d'un faste royal... le pavement était humide... c'était le vacarme des banqueteurs, etc. »

La comparaison avec Basile est instructive. Une des remarques d'Ambroise, « confusa omnia, nihil naturae ordine », est assez proche en effet de cette formule que nous venons de souligner dans la description de l'évêque de Césarée : Πάντα ἀλογίας γέμει, πάντα συγχύσεως. On n'est plus ici sur le plan de la description, mais sur celui de l'appréciation morale et spirituelle. La grande différence c'est que Basile débute par cette remarque, tandis que chez Ambroise ce jugement de valeur vient seulement relancer une description commencée *ex abrupto*. Dans le premier cas, l'*ecphrasis* n'est plus que le développement sensible d'un jugement abstrait. Elle garde de ce point de départ quelque chose de distant et de conventionnel. L'impression est beaucoup plus fraîche et plus vive dans le *De Cain* : tout part de la description, que jugements et appréciations servent seulement à ponctuer[89].

Ce qui oppose les deux morceaux apparaît encore plus nettement si l'on considère que ces lignes de Basile où nous avons trouvé quelques analogies de rythme et de sujet avec celle du *De Cain* viennent conclure un long développement sur les banquets, composé selon les exigences

---

II, p. 115.

de la logique et de la chronologie[90]. L'évêque de Césarée nous parle
d'abord des préparatifs qui commencent avec le jour[91]. Il nous énumère
ensuite les objets nécessaires, soit au décor des pièces, soit au service des
boissons : les tapis, les cratères, les coupes[92]. Vient ensuite l'énumération
des offices que requiert le rituel du banquet[93]. Puis ce sont les ultimes
accessoires du luxe, ceux que leur précarité fait réserver pour le dernier
moment : les couronnes, les fleurs, les parfums[94]. C'est seulement après
avoir posé tout ce décor et passé en revue la succession de ces préparatifs
que Basile en vient aux pitoyables effets de l'ivresse, décrits dans les
quelques lignes que j'ai citées. Voici des désordres bien ordonnés et
Basile est le premier à souligner ce contraste[95].

Ambroise — et sans doute avant lui l'auteur du *Pro Gallio* — suit
l'ordre inverse. C'est lorsque le banquet est déjà parvenu à sa phase
finale qu'il nous y introduit. L'effet de surprise de cette découverte
augmente l'intensité des impressions. Le cadre somptueux est déjà
souillé, le raffinement et l'abondance ne nous sont perceptibles qu'à
travers leurs traces les moins glorieuses : les fleurs flétries, le sol gluant
de vin, la dégradation des ivrognes. L'auteur du *De Cain*, aidé par ses
emprunts classiques a brillamment réussi à nous donner la sensation
même d'un désordre radical, « confusa omnia, nihil ordine naturae ».
L'asyndète était pour cela un moyen de choix puisque, comme l'enseignait
déjà Aristote, elle a pour propriété de transformer l'un en multiple[96].

L'asyndète a d'autres vertus encore, que les Anciens avaient soulignées.
Elle donne le sentiment que beaucoup de choses sont exprimées en peu
de mots. Elle est donc un facteur de l'*auxesis*[97]. Selon Plutarque le
langage fait exception à la règle générale : si l'on retranche certaines
de ses parties, il devient plus véhément, plus efficace[98]. L'asyndète
renforce ainsi les effets de la description. Quintilien observe en effet
au sujet de celle-ci que, si une formule comme « la ville fut prise » enveloppe la totalité de l'événement qu'elle énonce, elle ne touche guère.
On provoquera au contraire l'émotion si l'on détaille et si l'on fait voir
et entendre les flammes, les cris, les fuyards... Il résume sa pensée en
cette formule : « Minus est... totum dicere quam omnia[99]. »

Réunissant les moyens de l'*ecphrasis*, de l'asyndète et des *homoioteleuta*,
la description du banquet licencieux tient, dans ce qu'on pourrait appeler
la « durée vécue » du traité d'Ambroise, beaucoup plus de place que
ne le suggère la demi-page qu'elle occupe dans l'édition de Vienne. Par
l'éclat et le mouvement, le morceau domine toute la première partie
du débat de Volupté et de Vertu.

Faut-il y voir le simple désir d'Ambroise de varier son exposé et de
retenir l'attention par un tableau animé et des détails piquants ? Ce
morceau de bravoure contribue indiscutablement à la diversité et au
brillant. Mais il a d'autres fonctions. Des liens multiples relient cette

II, p. 115.

description aux autres parties de la *syncrisis*. On en a un premier exemple dans les lignes qui suivent et qui forment ce que l'on pourrait appeler le second discours de Volupté.

Les agréments du *symposion* ne se réduisaient pas nécessairement aux plaisirs terre à terre de la nourriture et de la boisson ou aux divertissements faciles que pouvaient procurer les mimes, les acrobates, les danseuses et les jolis esclaves[100]. Dans certaines de ces réunions, l'esprit aussi trouvait sa part. On y faisait ou entendait de la musique. On y lisait des vers, on y représentait quelque scène de comédie, on y goûtait le plaisir de la libre conversation, parfois on improvisait tour à tour sur un thème donné[101]. Xénophon et Platon ont immortalisé de tels banquets relevés des joies de l'intelligence. Sans doute c'étaient là des exemples idéalisés et, au IIᵉ siècle, Galien se plaint de la vulgarité croissante des plaisirs qu'offraient les *symposia*[102].

Cependant, si désordonné soit-il, le *convivium* dépeint par Ambroise reste fidèle à la grande tradition : on y prononce au moins un discours philosophique, et c'est Volupté elle-même qui s'en charge. C'est une exhortation au plaisir, une profession de foi hédoniste. On y retrouve les arguments de l'étrangère, mais avec des approfondissements et des développements qu'il convient d'examiner un instant.

Volupté commence par un bref exorde où l'ambiguïté voulue des mots cache mal le cynisme des intentions réelles. Elle invite à boire, à s'enivrer jusqu'à tomber sans pouvoir se relever. En trois antithèses formant anaphore, elle s'adresse à ceux qui sont le plus ennemis d'eux-mêmes. Une évocation du calice de Babylone fait entrevoir au lecteur des arrière-plans menaçants. Un nouvel appel aux insensés achève ce préambule et introduit au cœur même de l'exhortation[103] qui est formée essentiellement de variations sur le thème : nous mourrons demain, hâtons-nous de jouir des créatures avant qu'elles ne se flétrissent et ne nous échappent ; on laisse tout ici-bas ; on n'emporte avec soi que les plaisirs corporels dont on a joui[104]. Volupté se présente enfin comme la fondatrice de la philosophie, c'est-à-dire de la seule philosophie véritable, celle qui identifie le bien et la volupté. Laissez-vous convaincre, conclut-elle, soit par la philosophie, soit par la Sagesse de Salomon[105].

C'est que nous avons à faire une fois encore à un de ces centons bibliques où excelle l'imagination combinatoire d'Ambroise. Il est particulièrement piquant de constater que la profession de foi d'un épicurisme vulgaire, ce bréviaire d'impiété qui fait l'essentiel de l'exhortation de Volupté, l'auteur du *De Cain* l'a composé presque uniquement de textes tirés de l'Écriture :

« Régalez-vous de pains pris en cachette et buvez d'une eau plus douce d'être dérobée (Prv., 9, 17, LXX). Mangeons et buvons, car demain nous mourrons (Is., 22, 13 = I Cor., 15, 32). Notre vie passera comme

---

II, p. 115-116.

lcs traces d'un nuage, comme une nuée elle se dissipera (Sap., 2, 4). Venez donc et jouissons des biens présents et hâtons-nous d'user des créatures comme de la jeunesse. Enivrons-nous de vin précieux et de parfums. Ne laissons pas passer loin de nous la fleur de la saison. Couronnons-nous de roses, avant qu'elles ne se fânent. Qu'il n'y ait aucune prairie qui ne soit le théâtre de nos excès. Laissons partout des signes de joie (*ibid.*, 2, 6-9)[106]. »

Si l'on revient maintenant à la description du *convivium luxuriosum*, on s'aperçoit des correspondances qu'Ambroise a pris soin d'établir entre l'allocution de Volupté et le banquet qui lui sert de cadre. Tel détail de l'*ecphrasis*, qui semblait au premier abord destiné uniquement à donner relief et couleur au tableau, annonçait en fait les symboles de la parénèse épicurienne.

On retrouve ici et là le vin, les parfums, les fleurs bien vite flétries. La description et le discours s'éclairent mutuellement. L'invitation à laisser partout des signes de joie trouve son contrepoint ironique dans ce sol gluant de vin et jonché d'arêtes de poissons. Préludant aux invitations « non praetereat nos flos temporis » et « coronemus nos rosis antequam marcescant », ces fleurs déjà fanées qui rendent le sol glissant — « humus... marcentibus iam floribus lubrica » — reçoivent en retour une signification nouvelle.

Celle-ci est indiquée par ce qui est sans doute la phrase essentielle de ce second discours de Volupté : « Mangeons et buvons, car demain nous mourrons. » Schenkl renvoie ici à bon droit à Isaïe, 22, 13. Mais cette référence devrait être complétée. Le verset du prophète est en effet repris par saint Paul dans la première Épître aux Corinthiens, 15, 32. Et c'est très vraisemblablement à ce second passage qu'Ambroise pense d'abord. Le prophète en effet stigmatise un acte de désobéissance : les juifs ont festoyé alors que Dieu leur avait donné l'ordre de jeûner. Dans l'Épître aux Corinthiens comme dans le *De Cain*, ce qui est visé c'est un hédonisme négateur de la vie future. De fait, dans sa lettre à l'Église de Verceil, Ambroise s'appuie sur ce même passage de l'Épître aux Corinthiens pour combattre des chrétiens laxistes, ennemis du jeûne, auxquels il prête des tendances épicuriennes[107].

On voit maintenant à quel point Ambroise s'est écarté de son modèle, les pages où Philon avait refait à sa manière le discours de Volupté. Malgré diverses surcharges et beaucoup de pesanteur didactique, l'Alexandrin était resté fidèle à la forme et à l'esprit de l'apologue traditionnel. Ambroise disloque le cadre qu'avait conservé son prédécesseur : il y a dans le *De Cain* deux discours de Volupté. Chacun d'eux est prononcé dans un décor pittoresque, selon un scénario plein de mouvement et de couleur. Grâce à un habile agencement de réminiscences et d'emprunts, où Philon se trouve réinterprété à l'aide des Proverbes, de la Sagesse, de saint Paul,

II, p. 116.

de Cicéron, Ambroise crée une sorte de conte moral, qui porte incontestablement sa marque, et qui témoigne d'un goût baroque pour le complexe et le surprenant.

Sur le plan des idées, la transformation n'est pas moindre. Philon avait maintenu le débat de Volupté et de Vertu sur son plan traditionnel. Le bonheur ou le malheur auquel menaient l'une et l'autre voie concernait la vie présente. C'était le vieux débat philosophique, traité dialectiquement dans le *Gorgias* et présenté sous une forme populaire dans la fable de Prodicos. Chez Ambroise, comme déjà chez Justin, le débat change d'objet. Ce qui s'affronte, c'est la négation et l'affirmation d'une vie future, d'une vie ressuscitée. Mais, à la fin du discours de Volupté, l'auteur du *De Cain* n'a pas encore dévoilé toutes ses intentions. Les propos qu'il va prêter à Vertu — le second terme de l'antithèse — doivent nous permettre de mieux définir ce qu'il oppose à tous ces objets éphémères, ces parfums, ce vin répandu, ces fleurs déjà flétries.

III — LA « RETRACTATIO » AMBROSIENNE : LE DISCOURS DE VERTU

1. *La part de l'imitation.*

Dans les débats allégoriques comme celui de Volupté et de Vertu, la *syncrisis* ne résulte pas seulement du rapprochement de deux discours antithétiques. On peut la retrouver à l'intérieur même de chaque harangue. Le personnage qui fait son propre éloge renforce sa démonstration en dénigrant son adversaire. Ce parallèle inégal se rencontre toujours dans le second des deux discours, et l'on comprend facilement pourquoi : il s'agit de combattre l'influence des propos qui viennent être tenus, voire, dans certains cas, d'utiliser ou de renforcer la mauvaise impression qu'ils ont pu produire. En revanche, il est loisible au premier orateur d'ignorer purement et simplement son antagoniste. Ce peut être une tactique fort efficace. On rencontre la formule la plus complète dans la page où Silius Italicus applique à Scipion le mythe d'Hercule entre le Vice et la Vertu[108] comme dans le débat de Statuaire et de Culture qui est le thème du *Songe* de Lucien[109], et, sous une forme plus indirecte, dans le duel oratoire de Tragédie et d'Élégie imaginé par Ovide[110]. L'autre schéma, celui où le premier discours ne comporte aucun élément de *vituperatio,* est adopté par Xénophon, dans les *Mémorables*. On la retrouve dans les adaptations de Philon et d'Ambroise.

Dans les deux cas, la *syncrisis* est l'âme du deuxième discours, c'est-à-dire de la réplique du personnage qui va finalement l'emporter. Il arrive que cette contre-attaque ouverte ne survienne que dans le cours de la harangue. Ainsi, dans l'apologue des *Mémorables*, si l'on excepte une brève allusion initiale, c'est seulement au milieu de son propos que Vertu

---

II, p. 116.

apostrophe avec vigueur Κακία qui s'est permis de l'interrompre[111]. Dans la plupart des cas, la réponse prend d'emblée la forme d'une attaque directe. C'est ce que l'on trouve chez Silius Italicus[112], comme aussi, un ton plus bas, dans la réplique d'Élégie à Tragédie, chez Ovide[113]. Philon et Ambroise suivent également ce second schéma.

Le discours de Vertu chez l'Alexandrin s'ouvre sur trois qualificatifs peu flatteurs adressés à Volupté. Celle-ci est taxée de charlatanisme, d'impudicité, de fabulation. Sa mise ostentatoire s'accrode avec le faux-semblant de ses paroles : elle est accoutrée comme une tragédienne[114]. Déjà dans les *Amours*, Élégie avait commencé sa réplique en soulignant la grandiloquence de sa rivale, qui était précisément Tragédie[115]. Cette mise en garde contre l'apparence trompeuse domine tout l'exorde du discours de Vertu chez Philon[116]. La division vient ensuite. Vertu commencera par montrer l'envers des promesses de Volupté, tout ce que celle-ci a passé soigneusement sous silence[117]. Elle parlera ensuite de ses propres présents, en insistant sur les plus austères et les plus ardus, montrant ainsi une loyauté qui a fait totalement défaut à sa rivale[118].

La première partie de ce discours va donc prendre la forme d'une *vituperatio*[119]. Ce que Volupté a d'abord caché, ce sont les maladies et les infortunes qui sont la conséquence inéluctable de ses dons[120]. Mais Vertu insiste tout particulièrement sur les disgrâces morales qui seront le lot de l'âme qui donne sa préférence aux plaisirs. C'est ici que Philon fait débiter à son personnage cette étonnante liste de quelque cent quarante-cinq épithètes représentant les défauts et les vices du sectateur de Volupté[121].

Après avoir ainsi dévoilé les « grands mystères » de son ennemie[122], Vertu passe au second point de son discours : les biens qu'elle-même apporte à qui veut la suivre. Comme elle l'avait indiqué en annonçant sa division, elle ne s'attarde ni à les énumérer, ni à vanter leur prix. Ce serait en effet impossible[123]. On ne connaît ces biens que par l'expérience. Philon illustre ce thème par deux images dont nous pourrons observer chez Ambroise les métamorphoses : celle du banquet de l'âme dont les convives goûtent les délices toutes spirituelles[124], et celle du soleil et de la lune qui n'ont nul besoin d'attestation étant donnée l'évidence de leur éclat[125].

C'est au contraire sur ce qu'elle apporte d'apparemment pénible que Vertu va s'attarder. Ce présent, qui n'est désagréable que pour l'opinion commune, mais dont la réflexion montre tout l'avantage, c'est l'effort. Dans cet hymne au πόνος, Philon retrouve la signification essentielle de l'apologue de Prodicos — l'effort pénible conditionne l'acquisition de tous les biens[126] — et reprend des exemples que l'on trouve déjà chez Xénophon, le travail de la terre, les exercices pénibles nécessaires à la santé du corps. Comme toujours, Philon s'attarde plus que l'auteur des *Mémorables*. Cela tient non seulement à sa prolixité, mais aux thèmes

---

II, p. 116-117.

nouveaux qu'il introduit. Il souligne que Dieu seul échappe à la loi de l'effort, lui qui a créé et conserve le monde sans travail ni fatigue[127]. Il est vrai que l'on trouvait déjà chez Xénophon l'idée que la loi du labeur avait été établie par les dieux[128], ce qui pouvait suggérer qu'eux-mêmes ne lui étaient pas soumis.

Pour conclure son exhortation, la Vertu des *Mémorables* faisait entrevoir à Héraclès la vie bienheureuse qui l'attendait s'il développait par l'effort les dons qu'il tenait d'une heureuse hérédité[129]. La conclusion de Philon prend, elle aussi, la forme d'une promesse adressée par Vertu à son éventuel disciple. S'il l'écoute, bien qu'il soit le plus jeune par la naissance, il sera tenu pour l'aîné et héritera de tous les biens paternels[130]. On voit ici réapparaître inopinément le thème du cadet, sur lequel l'apologue des deux femmes s'était greffé[131], et l'exemple de Jacob, celui qui supplante Ésaü, son aîné. Le patrimoine qui doit revenir à Jacob permet d'évoquer le fondateur de sa lignée, son grand-père Abraham qui a réservé ses vrais biens à son fils légitime, tout en accordant quelques menus présents aux enfants que lui avaient donnés ses servantes, Agar et Cetura. Philon voit dans les premiers de ces biens, ceux qui sont réservés à Isaac et qui ont seuls une réelle valeur, les vertus parfaites, et dans les seconds, part de consolation pour la descendance des concubines, ce qui relève simplement du καθῆκον, du convenable, distinction morale à laquelle correspond sur le plan intellectuel celle des sciences véritables et des études préliminaires[132].

C'est ainsi que s'achève, dans sa version philonienne, le discours de Vertu. Cette fin, il faut bien le dire, est d'une extraordinaire maladresse. En effet, alors que la conclusion devrait ramener au cœur du débat qui se joue avec Volupté, il n'est plus question que de comparer deux niveaux de vertu, deux cycles de connaissance. Cette singulière gaucherie apparaît mieux encore si on la rapproche du soin et souvent du bonheur avec lesquels les autres auteurs de débats allégoriques terminent la seconde harangue, celle qui doit emporter la décision[133].

Ainsi, chez Philon, la *syncrisis* a déjà perdu l'unité et la valeur esthétique qu'elle devait à son caractère de petit drame ramassé dans un bref espace. Dilaté par des développements prolixes, traversé de motifs hétéroclites, le débat de Volupté et de Vertu n'est plus pour l'Alexandrin que l'occasion d'enchaîner quelques lieux communs familiers. Cette espèce de dégénérescence prépare la dislocation définitive du schéma traditionnel, telle qu'on l'observe chez Ambroise.

Quand il compose à son tour le discours de Vertu, l'évêque de Milan continue d'avoir sous les yeux la version qu'en a donnée Philon dans son *De sacrificiis*. Ce traité lui servira d'ailleurs de canevas pendant la plus grande partie du *De Cain*[134]. Cette influence philonienne se manifeste en bien des endroits. Les formules qui encadrent le discours

---

II, p. 117.

de Vertu dans le *De Cain* sont déjà des paraphrases plus ou moins libres de ce que l'on trouve à la même place dans le *De sacrificiis*.

Cela vaut d'abord pour l'entrée en scène de Vertu. La mise en regard du grec et du latin fait ressortir le mécanisme de l'adaptation ambrosienne :

PHILON, *De sacrificiis*, 5, 26, p. 212, 5-9 :

Δείσασα μή ποτε λαθὼν ὁ νοῦς αἰχμάλωτος[135] ἀνδραποδισθεὶς ἀπαχθῇ τοσαύταις δωρεαῖς καὶ ὑποσχέσεσιν... παρελθοῦσα ἐξαίφνης ἐπιφαίνεται.

AMBROISE, *De Cain*, I, 5, 15, p. 351, 23-24 :

« Inproviso occurrit verita ne inter moras incelebris demulcentibus mens capiatur humana. ' Palam ', inquit, ' adparui tibi non quaerenti me. ' »

Comme on le voit, les trois termes par lesquels Philon relate l'apparition soudaine de Vertu — παρελθοῦσα ἐξαίφνης ἐπιφαίνεται — ont leurs équivalents exacts chez Ambroise. Mais celui-ci rejette les deux premiers — « inproviso occurrit » — au début du passage, ce qui est plus conforme à la logique de la description : les mouvements du personnage sont indiqués avant les intentions qui les expliquent, au rebours de l'ordre suivi par Philon. Le troisième terme, le verbe qui désigne l'acte d'apparaître, est mis à la première personne et intégré au discours de Volupté : « Palam adparui tibi non quaerenti me. » Il ne s'agit pas de pure variation formelle. Ambroise en effet réussit par ce moyen à greffer sur le texte philonien une double réminiscence scripturaire : un verset d'Isaïe, repris dans l'Épître aux Romains.

Au niveau de la lettre, Ambroise s'inspire ici du texte d'Isaïe selon les LXX[136] plutôt que de la citation de saint Paul qui s'en écarte quelque peu[137]. Cette libre adaptation d'Isaïe, 65, 1, suppose un texte latin particulièrement proche de celui qu'utilise la traduction antique d'Irénée : « Palam apparui his qui me non quaerunt[138]. » Cette version diffère de celle qu'Ambroise utilise le plus habituellement : « Palam factus sum non quaerentibus me[139]. » Elle est en revanche très voisine de ce que l'on trouve dans un traité dont l'attribution à l'évêque de Milan est fort contestée, l'*Apologia David altera* : « Palam apparui non quaerentibus me[140]. »

Quant au fond, c'est évidemment l'interprétation paulinienne d'Isaïe, 65, 1, que suppose le développement d'Ambroise. Nous reviendrons sur ces interférences scripturaires et sur la signification qu'elles confèrent aux premiers propos de Vertu.

Ambroise emprunte également à Philon la phrase qui suit immédiatement ce deuxième discours. Il y est question des effets produits sur l'âme par l'exhortation qui vient de finir. Cette fois-ci, l'imitation est encore plus fidèle et n'appelle point de remarque particulière :

II, p. 117-118.

PHILON, *De sacrificiis*, 10, 45,
p. 220, 9-11 :

Ταῦτα ἀκούσας ὁ νοῦς
ἀποστρέφεται μὲν ἡδονήν,
ἁρμόζεται δὲ ἀρετῇ, τὸ
κάλλος ἄπλαστον καὶ γνή-
σιον... κατανοήσας.

AMBROISE, *De Cain*, I, 6, 24,
p. 360, 5-7 :

« Haec cum audit mens,
avertit se a voluptate
virtutique adiungit ve-
ri decoris admirans gratiam
purum affectum simplicem sen-
tentiam. »

L'influence du canevas philonien n'est pas moins sensible à l'intérieur même du discours de Vertu. On y rencontre des phrases entières empruntées plus ou moins librement à l'Alexandrin. Schenkl les a indiquées dans son apparat. Un examen rapide montre qu'elles ne sont pas régulièrement réparties : on les trouve surtout au début et à la fin du discours.

L'exorde est avant tout une *dissuasio*, une mise en garde contre les attraits menteurs de Volupté. Après un bref centon formé de plusieurs citations des Proverbes, parmi lesquelles l'avertissement sévère qui clôt le chapitre 7[141], ce sont des réminiscences philoniennes qui servent à dénoncer la beauté d'emprunt, les artifices et les pièges de la tentatrice[142].

La *divisio* du discours ambrosien s'inspire également du *De sacrificiis*· Chez Philon, Vertu déclare que, à l'inverse de Volupté, elle ne mettra pas en avant ce qu'il y a d'agréable dans ses propres présents et ne dissimulera pas ce qu'ils peuvent comporter d'apparemment pénible. Ambroise reprend ce schéma tout en en changeant le contenu. Il fait déclarer à Vertu qu'elle ne cachera pas ce qui peut être mis au crédit de sa rivale, ne voulant point paraître dissimuler les attraits de Volupté pour n'en révéler que les aspects repoussants[143].

D'autre part, l'auteur du *De Cain* emprunte au *De sacrificiis* l'essentiel de la péroraison de Vertu avec des aménagements dont nous aurons à dire quelques mots[144]. Dans les lignes qui précédaient, l'évêque de Milan avait repris à son prédécesseur l'idée que le soleil et la lune n'ont pas besoin d'attestation, mais il en avait changé radicalement l'application[145].

Entre ce début et cette fin, entre ces deux blocs où abondent les emprunts et les allusions au texte du *De sacrificiis*, l'édition de Schenkl nous offre cinq pages et demie dépourvues de toute référence à Philon, celles qui forment le cœur même du discours de Vertu.

Il est vrai que les souvenirs du *De sacrificiis* n'en sont pas totalement absents. Un premier développement, consacré à la tentation du Christ au désert est rythmé par le leitmotiv des « retia » et des « laquei », où l'on reconnaît les δίκτυα et les πάγαι de Philon[146]. Un peu plus loin, les pages essentielles, qui sont un hymne au banquet du Christ et de l'Église[147]. ont, elles aussi, un point d'appui dans le *De sacrificiis*, quelques lignes sur le banquet spirituel auquel l'âme est invitée à prendre part en compagnie des vertus[148].

II, p. 118.

Aussi, bien que, dans ces deux développements centraux, le support philonien soit beaucoup plus ténu que dans l'exorde et la péroraison, il n'en existe pas moins. Ce discours de Vertu fournit ainsi un excellent exemple des moyens dont se sert l'évêque de Milan pour christianiser les exégèses qu'il emprunte au juif d'Alexandrie. Son analyse va nous permettre de mieux évaluer le sens exact et la portée de ce changement de plan.

2. *Vertu prend la parole.*

Dans cette joute oratoire opposant deux personnages allégoriques, qu'on appelle la *syncrisis*, la première phrase du second discours, celui qui va emporter la décision, mérite une attention toute particulière. Elle donne, en effet, le ton du développement qui va suivre, soit qu'elle inaugure la partie positive de l'exposé — le personnage qui prend la parole entreprend de se faire connaître — soit qu'elle introduise directement la *vituperatio* ; c'est alors une attaque plus ou moins brutale contre l'adversaire qui vient de s'efforcer à convaincre.

On trouve la première de ces deux formules dans l'apologue des *Mémorables* et dans le *Songe* de Lucien. Chez Xénophon, Vertu commence son discours en se présentant à Héraclès comme quelqu'un qui l'observe depuis longtemps : « Moi aussi, je viens à toi, Héraclès, je connais ceux qui t'ont engendré et j'ai observé avec soin ton naturel quand tu étais enfant[149]. » Dans le *Songe* de Lucien, Culture commence par se nommer et se faire reconnaître[150]. Chez Philon et Silius Italicus au contraire, Vertu attaque immédiatement Volupté et les propos que celle-ci vient de tenir. C'est une apostrophe dans les *Punica*[151], une mise en garde adressée à l'âme hésitante dans le *De sacrificiis*[152].

Ambroise suit Philon, mais, comme nous l'avons vu, fait débuter les paroles de Vertu un peu plus haut. Ce qui était, chez l'Alexandrin, une observation du narrateur — ἐπιφαίνεται — est mis maintenant sur les lèvres de son personnage. Ce sont les mots « palam adparui tibi » qui commencent son discours. Ce léger déplacement permet à Ambroise d'incorporer à son propre texte une phrase qui est, si l'on peut dire, doublement scripturaire, puisque « palam adparui tibi non quaerenti me » a la particularité de renvoyer en même temps à Isaïe et à saint Paul[153].

On a vu qu'Ambroise aime à entremêler les emprunts qu'il fait à Philon de développements ou de formules tirés des Livres saints. A l'occasion, l'évêque de Milan souligne lui-même ce procédé par lequel il affecte de se montrer plus biblique que le juif d'Alexandrie.

Tout retrouver dans la Bible, tout exprimer par la Bible chaque fois que c'est possible, ce double désir explique jusqu'à un certain point ces quelques mots ajoutés en tête du discours de Vertu. Mais à cette

II, p. 118-119.

intention générale pourrait s'ajouter une signification plus particulière. N'y a-t-il pas lieu de croire, en effet, que Vertu, sans se nommer expressément comme le fait Culture chez Lucien, laisse ici pressentir sa véritable identité ?

C'est que, dans l'exégèse chrétienne, ce verset d'Isaïe a déjà une longue histoire. La singulière fortune qu'il devait connaître dans l'Église commence précisément avec saint Paul et l'Épître aux Romains (10, 20). Il n'y est d'ailleurs pas considéré isolément. C'est à l'unité formée par Isaïe, 65, 1, et 65, 2a, que va s'attacher l'ensemble des interprètes : « Je me suis montré à ceux qui ne me cherchaient point ; je me suis laissé trouver par ceux qui ne m'interrogeaient pas. J'ai étendu les mains tout le jour vers un peuple incrédule et opposant. »

Paul, les Pères, les exégètes modernes s'accordent à voir là non point des propos qu'Isaïe aurait tenus en son propre nom, mais un message du Seigneur dont le prophète n'est que le porte-parole.

Ce que saint Paul apporte de nouveau et de décisif pour l'exégèse chrétienne de ce texte, c'est la distinction de deux catégories de destinataires auxquels Dieu s'adresserait tour à tour, par la bouche du prophète. En effet après avoir cité Isaïe, 65, 1, l'auteur de l'Épître aux Romains fait précéder le verset suivant de cette remarque : « Mais à Israël il dit... » Dans ces hommes qui ne cherchaient pas, et par qui Dieu pourtant s'est laissé trouver, Paul veut voir les païens. Au contraire, ce sont les juifs qui forment, à ses yeux, ce peuple incrédule et opposant vers lequel le Seigneur a vainement tendu les mains. Aussi l'auteur de l'Épître aux Romains met-il cet oracle en parallèle avec une menace du Deutéronome, où il voit également l'annonce de la vocation des Gentils : « Je vous rendrai jaloux », dit Yahvé à Israël, « de ce qui n'est pas une nation ; contre une nation sans intelligence, je provoquerai votre colère[154].»

L'exégèse chrétienne adopte cette idée d'une double destination d'Isaïe, 65, 1-2[155]. Le *Commentaire de l'Épître aux Romains* d'Origène est particulièrement explicite sur ce point[156].

Mais l'interprétation héritée de saint Paul prend bientôt un tour nouveau. C'est maintenant sur les lèvres du Christ, du Fils de Dieu dans son Incarnation, que l'on place ces deux versets d'Isaïe. Cette appropriation à la personne de Jésus était spécialement favorisée par le second : « Tout le jour j'ai étendu les mains vers un peuple incrédule et opposant. » On y vit très tôt l'annonce de la Passion et de la crucifixion, comme en témoigne notamment un passage de l'*Épître de Barnabé*. P. Prigent a montré que la citation d'Isaïe, 65, 2, qu'on y trouve, a été vraisemblablement empruntée à un recueil plus ancien, qui rassemblait des *testimonia* sur la Passion[157]. Chez Justin Martyr, les deux versets sont déjà utilisés comme une prophétie non seulement de la nouvelle

_____

II, p. 119.

économie du salut, mais de la mission même de Jésus. Tout en reprenant la dichotomie paulinienne — le premier verset concerne les païens, le suivant vise les juifs — l'apologiste entend bien que dans les deux cas c'est le Christ qui parle par la bouche du prophète : ὡς ἀπὸ προσώπου αὐτοῦ τοῦ χριστοῦ[158].

Irénée met Isaïe, 65, 1, sur les lèvres du Fils de Dieu, qui s'est manifesté aux hommes par son Incarnation[159]. Cette interprétation est en un sens plus universaliste que celle de l'Épître aux Romains. L'opposition des juifs et des gentils n'intervient plus dans l'explication de l'oracle, qui est rapporté à l'humanité dans son ensemble. Ce qui intéresse Irénée, dans cette page de l'*Adversus haereses*, ce sont moins les destinataires du message prophétique, que le sujet qui s'y révèle. Cependant, l'évêque de Lyon replace Isaïe, 65, 1, dans la perspective de la vocation des païens, quand il cite ce verset dans la *Demonstratio praedicationis evangelicae*[160].

L'appropriation au Christ est moins nette dans le seul passage où Clément d'Alexandrie cite Isaïe, 65, 1-2, en reprenant l'interprétation qu'en donne saint Paul[161]. En revanche, un texte d'Origène, dans son *Commentaire de l'Épître aux Romains*, dont nous ne connaissons malheureusement que la version abrégée de Rufin, est particulièrement important pour nous. On y trouve, en effet, tout à la fois, comme dans le discours qu'Ambroise prête à Vertu, le verset d'Isaïe, son application à Jésus et l'invitation au festin : « Par la prédication de la croix du Christ qui est folie pour les païens sera rassemblé le peuple qui doit devenir fou en ce monde pour être sage auprès de Dieu. Aussi les juifs se mettent-ils en colère : tandis qu'eux-mêmes s'excusent et refusent, les nations sont invitées au festin du roi. Ils ne font pas attention à ce qu'Isaïe a jadis osé dire de ce mystère : ' Je me suis manifesté parmi ceux qui ne me questionnaient pas '[162]. »

On retrouve les deux composantes déjà traditionnelles de l'exégèse d'Isaïe, 65, 1 — christologie et polémique avec la Synagogue — dans les *Testimonia* de Cyprien. L'évêque de Carthage insère ce texte dans le dossier biblique qui doit prouver la thèse : « Quod gentes magis in Christum crediturae essent[163]. »

Cette interprétation, avec les deux thèmes qu'elle combine, a toujours cours à l'époque d'Ambroise, comme en témoigne le *Commentarius in Romanos* du mystérieux Ambrosiaster, qui en accentue cependant l'aspect polémique : c'est le rejet des juifs et la vocation des païens qu'atteste Isaïe « ex persona Christi[164]. »

Ainsi ce verset, « Je me suis manifesté à ceux qui ne me cherchent pas », est un texte classique au moment où l'évêque de Milan écrit le *De Cain*. Son remploi à une place particulièrement importante, le début du discours de Vertu, ne saurait donc être interprété sans référence à cet arrière-plan.

II, p. 119.

Cela est d'autant plus vrai que le *De Cain* est marqué par la controverse antiarienne[165] et que celle-ci avait donné l'occasion d'insister avec encore plus d'énergie sur l'interprétation christologique de tout le chapitre 65 d'Isaïe. On y trouvait en effet le point de départ d'une démonstration dont témoigne Ambroise lui-même, sous une forme abrégée, il est vrai, et qui n'envisage directement que les versets 15 et 16 de ce chapitre. Le même raisonnement est beaucoup plus développé chez Hilaire de Poitiers, qui nous fournit les prémisses dont l'évêque de Milan se borne à utiliser la conclusion.

Il s'agissait, pour l'un comme pour l'autre, de réfuter la thèse arienne selon laquelle le Père seul était le « vrai Dieu », le Logos n'étant appelé Dieu qu'en un sens affaibli et par grâce[166]. Or Hilaire et Ambroise retrouvaient cette expression dans la traduction latine d'Isaïe qu'ils utilisaient : « Et ils béniront le *vrai Dieu*, et ceux qui jurent sur la terre jureront au nom du *vrai Dieu*[167]. » Les ariens étaient donc confondus par Isaïe s'il s'avérait que c'était du Christ que parlait cet oracle. L'évêque de Milan n'en doute pas et attache un grand poids à cet argument. Il l'utilise dans le traité dogmatique qu'il compose pour l'empereur Gratien, afin de prouver que le Fils « est non seulement Dieu, mais encore vrai Dieu, *vrai* provenant *du vrai*, et vrai au point qu'il est lui-même la *Vérité*[168]. » Il le reprend quelque trois ans plus tard[169] dans une circonstance particulièrement importante. Il s'agit en effet de la comparution des évêques ariens Palladius de Ratiaria et Secundianus de Singidunum, le 3 septembre 381[170] devant le concile d'Aquilée, convoqué par Gratien selon les modalités souhaitées par Ambroise. Au cours du débat, Secundianus, pressé par ses juges de dire s'il confesse que le Fils de Dieu est vrai Dieu, s'en tient à la formule : « Le Fils unique est vrai Fils de Dieu[171]. » A quoi l'évêque de Milan oppose Isaïe, 65, 16, « Ceux qui jurent sur la terre, jureront par le vrai Dieu », en observant que c'est assurément du Christ qu'il est question[172].

Nous savons par Hilaire comment on pouvait prouver cette interprétation qu'Ambroise tenait pour certaine, « non dubium est ». Or, dans cette argumentation, les deux premiers versets de ce chapitre 65 d'Isaïe jouent un rôle essentiel. L'évêque de Poitiers commence par souligner que l'expression « vrai Dieu » n'est pas dans les habitudes des écrivains sacrés, qui se contentent le plus souvent du seul substantif, même dans les passages les plus solennels[173]. Si on la trouve dans ce verset d'Isaïe, c'est qu'il vise par avance ceux qui refusent de reconnaître le vrai Dieu dans le mystère de l'Incarnation[174]. En effet, poursuit l'évêque de Poitiers, le « verus deus » dont il est question est en même temps celui qui prononce l'oracle. Dans le cas contraire, en effet, on aurait « te deum verum » et non « deum verum » seulement[175]. Mais, comme le montre la simple lecture du texte, le sujet d'Isaïe, 65, 16, est aussi celui d'Isaïe, 65, 1-2. Or il est évident pour Hilaire que nul, sinon Jésus, ne

---

II, p. 119-120.

peut dire : « Je me suis montré à ceux qui ne m'interrogeaient pas...[176] », et « J'ai étendu les mains tout le jour vers un peuple incrédule et opposant »[177]. C'est donc ce même Jésus qui est le vrai Dieu dont il est question au verset 16. On le voit, jamais le sens christologique du verset premier — « Palam apparui... » — n'a été souligné avec autant d'insistance que pour les besoins de cette polémique antiarienne qui préoccupe justement beaucoup l'évêque de Milan au moment où il compose le *De Cain*[178]. Quand il met ces mots dans la bouche de Vertu, à partir d'une suggestion philonienne, Ambroise n'oublie certainement pas les harmoniques qu'y découvrait une exégèse déjà traditionnelle et remise à l'ordre du jour par la crise arienne. Aussi bien Isaïe, 65, 1, apparaît à plusieurs reprises dans l'œuvre de l'évêque de Milan.

Celui-ci s'en sert pour mettre en relief la gratuité miséricordieuse de l'appel adressé à l'Église ou à l'âme[179], ou pour montrer que Dieu se manifeste d'ordinaire à l'improviste : « Adfuit deus votis, qui solet et inprovisus adsistere et non rogantibus se manifestare, sicut ipse ait : ' Palam factus sum non quaerentibus me '[180]. » On est très proche ici de notre texte du *De Cain* : Vertu elle aussi vient d'apparaître « inproviso » au moment où elle reprend à son compte le verset d'Isaïe.

Ailleurs Ambroise met l'accent sur l'aspect proprement christologique du verset. Il l'interprète comme la parole même du Sauveur dans ses humiliations et s'en sert pour commenter l'exclamation du Psaume CXVIII : « Humiliatus sum nimis »[181]. Il le reprend dans le *De Ioseph* en mettant en lumière la signification *mystique* de la vie du patriarche. La scène pathétique où Joseph devenu premier ministre du Pharaon, se fait reconnaître par ses frères[182] préfigure, selon Ambroise, la manifestation du Christ à ceux qui ne le cherchaient pas. Il y a pour lui une sorte d'équivalence entre ces trois formules : « Ego sum Ioseph », « Palam factus sum non quaerentibus me », « Ego sum Iesus »[183].

« Ego sum Iesus ». Faut-il comprendre ainsi les premiers mots du discours de Vertu, au moins dans le registre de la suggestion, de l'insinuation ? L'hypothèse est séduisante. Les habitudes d'Ambroise ne la rendent point invraisemblable. Il convient cependant d'y regarder à deux fois. Il n'est pas nécessaire qu'Ambroise évoque tout ce que la tradition a vu dans Isaïe, 65, 1, quand il introduit ce verset dans le débat de Volupté et de Vertu. Il semble, par exemple, qu'il ne faille supposer ici aucune arrière-pensée de polémique antijuive. Il n'est question, en effet, ni de l'Église, ni de la Synagogue. C'est très généralement la « mens humana »[184] que se disputent Volupté et Vertu.

En revanche, le thème le plus général, celui de la miséricorde prévenante de Dieu, est assurément présent. Il est d'ailleurs directement évoqué par la lettre même du verset d'Isaïe. Une petite modification apportée par Ambroise à la scène, telle que Philon l'a conçue, accentue d'ailleurs le caractère miséricordieux de l'intervention de Vertu. Chez

---

II, p. 120.

Philon, celle-ci craint que l'âme ne devienne prisonnière des paroles artificieuses de Volupté[185]. Cette crainte est exprimée de manière analogue chez Ambroise[186]. Mais les deux auteurs diffèrent quand il s'agit de décrire directement l'impression que produit de fait, sur l'âme, ce premier discours. Philon tire ses métaphores de la magie amoureuse et de la stimulation érotique. Il nous dit que Volupté « par des talismans, par des sortilèges, piquait, charmait, chatouillait le désir[187] ». Ambroise, qui adapte ici un verset des Proverbes, est beaucoup plus tragique ; l'aiguillon qui excite superficiellement est remplacée par la flèche qui atteint les centres vitaux de la proie qu'on pourchasse : « Il s'immobilise blessé, comme le cerf dont une flèche a percé le foie. » Aussi n'est-il plus seulement question, comme chez Philon, des craintes nourries par Vertu, mais de la pitié que lui inspire l'âme meurtrie[188].

Reste le troisième thème, l'interprétation christologique d'Isaïe, 65, 1. Est-il réellement évoqué par le remploi de ce verset au début de la harangue de Vertu ? La réponse ne peut nous être fournie que par la suite de ce discours. Or, dès la première lecture de ce texte, on s'aperçoit que le Christ y est constamment présent. C'est lui qu'il faut imiter et qu'il faut suivre pour passer au-dessus des filets tendus par Volupté[189]. C'est lui qui enseigne par son propre exemple comment tenir ferme au milieu des tentations du diable[190]. Dans le banquet de la sobre ivresse[191], c'est lui le serviteur et c'est lui le convive, c'est à son côté qu'il faut s'étendre pour s'unir à Dieu[192], avec lui on est enseveli, avec lui on ressuscite[193]. L'hymne à l'effort, qui, de Prodicos à Philon, était au cœur de l'exhortation de Vertu, est remplacé par un précepte de Jésus déterminant les « devotionis humanae officia[194] ». La sagesse, c'est d'écouter ses paroles et de les mettre en pratique[195]. Et, si Ambroise emprunte à Philon le développement final sur les patriarches[196], il a soin d'y rajouter une phrase d'interprétation figurative, « secundum mysterium », si bien que le Christ est la conclusion de tout le discours

Il est donc tout naturel qu'il en soit aussi le début. Le remploi d'un verset christologique pour commencer une exhortation dont les actes et les enseignements de Jésus forment toute la substance ne saurait être fortuit. Isaïe, 65, 1, joue le rôle d'une ouverture pour le morceau qui va suivre : il en esquisse déjà le thème principal.

Mais alors l'apologue semble sur le point de se détruire. Il suffirait que Vertu, ne se bornant plus à une allusion suggestive, s'identifie expressément au Christ pour que les abstractions personnifiées cèdent la place aux personnages concrets de l'histoire du salut. Ambroise ne franchit pas cette limite. Vertu continue à mener une existence apparemment distincte. Elle parle du Christ à la troisième personne. Après la fin de son discours, Ambroise nous dit que l'âme se détourne de Volupté pour s'attacher à elle[197]. Néanmoins, le poids de la référence au Christ fait que l'allégorie est ici toujours prête à s'évanouir. Tandis que Philon

---

II, p. 120-121.

est visiblement aussi à l'aise qu'un prédicateur cynique ou stoïcien dans le cadre de la *syncrisis*, celle-ci n'apparaît plus chez Ambroise, à partir du second discours, que comme une convention vidée de sens. Les personnages allégoriques ont perdu toute consistance et la joute oratoire fait place au duel bien autrement violent qui oppose ces deux antagonistes très concrets : Jésus et le diable.

3. *Les lacets de la tentation.*

Le récit de la tentation du Christ au désert forme une section importante du discours de Vertu[198]. La fonction de ce morceau n'est pas douteuse. C'est l'exacte contre-partie de la scène de séduction dont Ambroise emprunte l'essentiel aux Proverbes et au cours de laquelle Volupté a adressé à l'âme hésitante sa première exhortation[199]. Cette tentation était d'abord victorieuse. L'âme, blessée comme le cerf atteint par la flèche, risquait fort de succomber définitivement sans la soudaine intervention de Vertu[200]. Aussi cette dernière propose-t-elle le Christ comme le maître de la fermeté face à la séduction du transitoire[201].

Un trait attire l'attention dans cet important supplément au canevas philonien. Ce récit de la tentation au désert comporte un leitmotiv étranger aux textes évangéliques : celui du lacet, du piège : « Tetenderat diabolus primum *laqueum* gulae[202] », « *Laqueum* solvit hoc dicto. Posuit iterum diabolus secundum iactantiae *laqueuem*[203] », « Tertius superest *laqueus* avaritiae atque ambitionis[204]. » Ce motif du piège tendu pour la capture d'une proie, métaphore de la tentation, a été préparé, selon les habitudes d'Ambroise. Il est annoncé en effet, quelques lignes plus haut, par les métaphores très voisines des « retia » et des « vincula ». Ici encore, nous avons un de ces enchaînements subtils qui sont familiers à l'évêque de Milan, et qu'il est toujours instructif d'observer.

La première mention du thème est empruntée au *De sacrificiis*. Philon fait dire à Vertu parlant de sa rivale : « Elle a fixé autour de toi filets et lacs comme autour d'une bête sauvage. » Schenkl a indiqué le début de ce parallèle, mais il est nécessaire d'en préciser ici les limites exactes. Voici les deux passages, le modèle et l'adaptation :

Philon, *De sacrificiis*, 5, 29, p. 213, 11-16 :

Τῶν γὰρ εἰς γνήσιον κάλλος οὐδὲν οἰκεῖον ἐξ ἑαυτῆς ἐπιφέρεται, περιῆπται δὲ δίκτυα καὶ πάγας ἐπὶ τῇ σῇ θήρᾳ, νόθην καὶ κίβδηλον εὐμορφίαν... ὀφθαλμοὺς μὲν γὰρ φανεῖσα ἡδύνει, ὦτα δὲ φθεγξαμένη λιγαίνει, ψυχὴν δὲ... πέφυκε λυμαίνεσθαι.

Ambroise, *De Cain*, I, 5, 15, p. 352, 14-21 :

« Non te vincat formae concupiscentia. Adulterina est, fucis inlita, nequaquam vero ac sincero fulgens decore. Neque capiaris oculis ; circumfusa enim retia sunt... Oculos delectat, demulcet aures sed mentem inquinat. »

II, p. 121.

Pour rendre l'expression philonienne δίκτυα καὶ πάγαι, A. Méasson a écrit « les filets et les rets ». Les deux mots seraient donc pratiquement équivalents et ce doublet serait une pure redondance. Ambroise aurait alors ramené l'expression à un seul terme latin « retia », ce qui n'a rien chez lui d'inhabituel.

A vrai dire, si le sens technique du mot δίκτυον est parfaitement défini, celui de πάγη ou de παγίς l'est beaucoup moins. On a en effet une idée très nette de ce qu'était un δίκτυον par le deuxième chapitre du *Cynegeticus* de Xénophon, où il est question des différentes espèces de filets[205].

Les textes ne nous fournissent ni pour la πάγη, ni pour la παγίς une description aussi précise. Le sens de ces deux termes, qui sont pratiquement synonymes[206], peut osciller de l'idée précise de lacet, à celle plus générale de piège, sans que l'on puisse toujours déterminer la nuance exacte que prend le mot dans tel contexte particulier.

Cela est doublement vrai quand il s'agit d'emplois métaphoriques. Philon évoque indifféremment, semble-t-il, les δίκτυα et les παγίδες pour mettre en garde soit contre les dangers du commerce des hommes[207], soit contre l'attrait fallacieux des biens visibles[208], ou encore pour dénoncer les manœuvres du thiase des sensations qui, par leurs appâts et leurs lacets, veulent empêcher l'âme de lever la tête vers le ciel et de saluer les natures intelligibles et divines[209].

Aussi les traducteurs de Philon ont-ils oscillé pour rendre ces deux mots entre l'idée de lacet et celle de filet[210]. Mais ce qui est déterminant dans la perspective de la présente recherche — Philon lu et utilisé par Ambroise —, ce sont les équivalents que les traducteurs latins de la Bible ont donnés respectivement à δίκτυον et à παγίς[211]. Or nous nous trouvons ici devant un usage assez stable. Tandis que δίκτυον est presque toujours rendu par « rete », « retiaculum »[212], παγίς est traduit soit par « laqueus », soit par « muscipula »[213].

Retenons surtout que δίκτυον et παγίς ne sont jamais rendus par les mêmes mots, ce qui est conforme à la doctrine des glossaires qui proposent pour δίκτυον « rete[214] », « plagula[215] » ou « casses[216] », pour παγίς, outre « laqueus[217] », « muscipula[218] », « compedes[219] », « pedica », « pedicla »[220], et pour πάγη, « laqueus[221] », « compedes[222] », « pedica[223] ». Ces correspondances invitent évidemment à voir dans les πάγαι et les παγίδες non point des filets, mais plutôt des lacets, des nœuds coulants, comme le fait H. Frisk dans son dictionnaire étymologique[224].

Dans les traductions qu'Ambroise utilise ou qu'il compose à son propre usage, les deux équivalences δίκτυον-*rete* et παγίς-*laqueus* sont solidement établies sans qu'il y ait entre elles d'interférence. Certes on peut dire que, dans l'emploi métaphorique qu'en fait l'évêque de Milan, « retia » et « laquei » sont interchangeables quant au signifié et

---

II, p. 121-122.

au *tertium comparationis*, qui est ici le piège au sens le plus général[225]. En revanche, les δίκτυα-*retia* et les πάγαι-παγίδες-*laquei* restent bien distincts et séparés dans leur propre usage. Il en résulte que, même sur le plan métaphorique, chacun des deux groupes donne naissance à des associations d'images qui ne sont point celles de l'autre.

Un exemple rendra cela plus évident. Il s'agit du commentaire qu'Ambroise donne du verset 110 du Psaume CXVIII : « Posuerunt peccatores laqueum mihi et de mandatis tuis non erravi. » L'évêque de Milan explique d'emblée qu'on entend ici la voix de celui qui quitte ce monde et qui a ainsi échappé aux « retia » des poursuivants et aux « laquei » de ceux qui se tiennent à l'affût : « Digna vox relinquentis hoc saeculum, eo quod retia persequentium et insidiatorum laqueos evaserit[226]. » Ambroise explique ainsi le seul mot « laqueus » par deux termes qui n'en apparaissent que comme des variations : « retia » et « laquei ». Mais, quelque conventionnelles et usées qu'elles puissent être ces images gardent toujours quelque chose de leur origine concrète, et cela leur conserve une individualité au moins virtuelle. Et l'on peut penser qu'ici le rhéteur Ambroise a soigneusement pesé ses formules ; on rabat le gibier vers les filets — « retia persequentium » —, mais on guette en attendant que la proie vienne se prendre au collet, « insidiatorum laqueos ». La différence des engins et de leur emploi reprend ici ses droits. Mais il y a plus décisif. Quelques lignes plus bas, le développement du thème, grâce à des associations successives, permet à l'évêque de Milan d'introduire l'exemple tragique de Judas qui, s'étant jeté par avarice dans les lacs du diable, a mis fin à ses jours au moyen d'un « laqueus », d'un nœud coulant, le désespoir qui l'a conduit à cet acte étant lui-même un « laqueus diaboli »[227]. Il s'agit là évidemment d'une association que le terme « rete » n'aurait point permise.

Aussi, pour rendre la double métaphore que Philon met dans la bouche de Vertu — δίκτυα καὶ πάγας — je préférerai à la traduction d'A. Méasson — « des filets et des rets » — une formule soulignant mieux ce qui distingue les deux images : « des filets et des lacets » ou des « filets et des lacs ».

4. *Des filets du Cantique au lacet des Épîtres à Timothée.*

Toute une page du discours de Vertu[228] va être rythmée et articulée par ces deux mots qu'offre à Ambroise le texte de base philonien, δίκτυα et πάγαι, ces « retia » et ces « laquei » étant rassemblés dans la classe plus large des « vincula[229] ». Le premier terme du couple est d'abord seul à apparaître : « circumfusa retia sunt ». Par le moyen de trois mots du Cantique — « eminens super retia » —, il permet à Ambroise d'expliciter la transposition chrétienne suggérée dès les premiers mots de Vertu. Mais le rôle du second mot — πάγη ou « laqueus » — n'est pas moins important : transformant les lacs de Volupté en ces « lacs du diable »

II, p. 122.

trois fois évoqués dans les Épîtres à Timothée, il fait définitivement passer le conflit du plan de l'apologue à celui de l'histoire. Il faut s'arrêter quelques instants à ces deux chaînes d'associations qui sont si caractéristiques de la manière d'Ambroise.

La première part des δίκτυα, ces filets de chasse auxquels Philon compare fort banalement les beautés d'emprunt dont Volupté s'est parée. Ambroise les retrouve dans un verset du Cantique des Cantiques d'où les allégoristes tirent de nombreuses variations : Ἰδοὺ οὗτος ἔστηκεν ὀπίσω τοῦ τοίχου ἡμῶν, παρακύπτων διὰ τῶν θυρίδων, ἐκκύπτων διὰ τῶν δικτύων[230].

Les deux premiers membres de phrase n'ont pas divisé gravement les traducteurs. Voici la version qu'utilise Ambroise dans son *Expositio evangelii Lucae*[231] : « Ecce hic retro post parietem nostrum, prospiciens per fenestras. »

Cette relative unanimité n'existe plus pour la fin du verset. C'est que le verbe utilisé par les LXX — ἐκκύπτειν — n'est pas sans ambiguïtés. Il peut signifier « se pencher pour regarder », mais aussi « apparaître », « surgir »[232]. Les traductions latines reflètent ces diverses possibilités et l'on a parfois le sentiment que les Pères préfèrent l'une ou l'autre selon les besoins de leur exégèse du moment.

Dans son *Expositio evangelii Lucae*, Ambroise cite le verset sous la forme « prospiciens per retia[233] », mais la leçon « eminens » semble lui être plus familière. Elle entraîne d'ailleurs une nouvelle alternative : « eminens *per* retia » ou « eminens *super* retia ».

A vrai dire, le grec ἐκκύπτων διά semble imposer la première solution. C'est celle que l'on trouve dans le *De Interpellatione* d'Ambroise[234], et dans le manuscrit de Saint-Thierry colligé par Dom Sabatier[235]. L'expression « eminens per retia » revient alors à peu près à « apparens per retia ». Ce sens d'« eminere » est classique[236].

On est ainsi conduit à voir dans ces trois mots du Cantique l'idée de la manifestation du Christ. Les δίκτυα, quelque sens qu'on leur donne, sont donc entendus comme les moyens ou le milieu de cette épiphanie. Plusieurs Pères grecs nous offrent des variantes de cette explication[237].

Mais dans le discours de Vertu, l'auteur du *De Cain* met en œuvre une autre exégèse et celle-ci repose sur ce que l'on peut considérer comme une singularité de traduction : « super retia » pour διὰ τῶν δικτύων. Certes, dans ce passage du *De Cain*, Cantique, 2, 9, apparaît non point comme une citation proprement dite mais comme un remploi, voire une simple réminiscence où toutes les variations sont permises. Cependant on retrouve ce « super retia » dans un passage de l'*Expositio psalmi CXVIII* où il s'agit bien cette fois d'une véritable citation introduite comme telle : « Dicit illa quae diligit : ' Ecce hic post parietem nostrum prospiciens per fenestras, eminens super retia '[238]. » C'est là, très vraisemblablement, ce qu'on lisait dans une version latine du Cantique en usage à Milan à l'époque d'Ambroise.

Cette particularité de traduction favorise sans doute, mais ne suffit pas à expliquer l'exégèse que supposent ces quelques lignes du discours de Vertu et dans laquelle les « retia » de Cantique, 2, 9, sont devenus les filets, les pièges tendus par le diable entre le Christ et la bien-aimée. Le problème s'éclaircira peut-être si nous remontons à ce qui pourrait bien être la source au moins indirecte de l'interprétation mise en œuvre par Ambroise.

Il arrive, en effet, qu'Origène intègre ces filets de chasse à toute une allégorie de la rédemption. Le diable a tendu de tous côtés ses pièges, tous les hommes y tombent et y restent pris. Seul le Christ peut briser ces liens. C'est pour inaugurer cette entreprise libératrice qu'il a voulu être tenté par Satan au désert.

Deux fois Origène expose cette sotériologie à propos des δίκτυα de Cantique, 2, 9, en retenant tantôt l'une, tantôt l'autre des deux acceptions du verbe ἐκκύπτων : « prospiciens » ou « eminens », pour reprendre les termes des deux traducteurs latins du grand exégète.

Au livre III du *Commentaire sur le Cantique* d'Origène, que nous connaissons dans la version de Rufin, c'est l'expression « prospicere per retia » qui sert de point de départ. Au travers des tentations, au travers des « diaboli retia », où il est descendu pour en libérer les hommes, Jésus regarde l'Église et l'appelle : « Voyons donc à nouveau[239] maintenant en quel sens on dit qu'il regarde à travers les filets. Il est écrit : ' Car ce n'est pas injustement que l'on tend des filets aux oiseaux[240] '. Et encore, si le juste s'est jeté dans le péché, on lui ordonne de s'enfuir ' comme le jeune daim hors des lacets et comme l'oiseau hors des filets[241] '. Donc la vie des mortels est pleine des lacets des scandales, elle est pleine des filets des tromperies, tendus contre le genre humain par celui qui est appelé Nemrod, le ' chasseur géant contre le Seigneur[242] '. Car, le vrai géant, quel est-il sinon le diable qui se révolte contre Dieu même ? Aussi les lacets des tentations et les pièges des embûches sont-ils nommés ' filets du diable[243] '. Et, parce que le diable avait tendu partout de tels filets et qu'il en avait enveloppé presque tous (les hommes), il a été nécessaire que vienne quelqu'un qui soit plus fort qu'eux et qui les domine afin de pouvoir ouvrir la voie à ceux qui le suivent. Si donc le Sauveur, avant d'entrer en union et société avec l'Église, est tenté par le diable, c'est afin que, vainqueur des filets des tentations, il la regarde au travers de ces filets et l'appelle au travers de ces filets, lui montrant qu'il lui faudrait venir au Christ, non pas au travers du repos et des plaisirs, mais au travers de beaucoup d'épreuves et de tentations. Il n'y en eut donc point d'autre que lui qui fût capable de triompher de ces filets[244]. »

II, p. 123.

Mais déjà, dans cette page, des formules comme « fortior et eminentior his (retibus)[245] » ou comme « transire per retia[246] » évoquent une autre exégèse origénienne de Cantique, 2, 9, celle que l'on trouve, rattachée à la même allégorie de la rédemption, dans la seconde *Homélie sur le Cantique*, qui nous est parvenue, cette fois, dans la traduction de Jérôme : le Christ ne regarde plus à travers les filets — « prospiciens per retia » — il les traverse, il en sort en les brisant victorieusement, frayant ainsi aux hommes le chemin de la liberté. C'est un commentaire des mots ἐκκύπτων διὰ τῶν δικτύων, « eminens per retia », comme traduit Jérôme conformément à l'exégèse que propose Origène : «'Se montrant à travers les filets '. Comprends que tu marches au milieu des lacets et que tu passes au-dessous d'engins menaçants. Tout est plein de filets, le diable a rempli toutes choses de lacets. Mais, si la parole de Dieu vient vers toi et commence à ' se montrer du milieu des filets ', tu diras : ' Le lacet a été rompu et nous, nous sommes délivrés. Vous, soyez bénis par le Seigneur qui a fait le ciel et la terre[247]. ' Eh bien ! L'époux se montre à toi à travers les filets, il t'a frayé la voie. Jésus est descendu sur la terre, il s'est assujetti aux filets du monde ; voyant que le grand troupeau des hommes était pris dans des filets et que ceux-ci ne pouvaient être rompus par nul autre que par lui, il est venu à ces filets, en faisant sien un corps humain que retenaient les filets des puissances ennemies ; il les a rompus pour toi. Et tu dis : ' Le voici derrière notre mur, regardant à travers les fenêtres, se montrant à travers les filets '[248]. »

En rapprochant de ces deux pages le développement du *De Cain* sur les « retia » et les « laquei » de Volupté et du diable, on ne saurait douter qu'Ambroise ne se meuve ici dans un climat exégétique proprement origénien. Mais, comme on a pu l'observer, c'est tantôt avec le *Commentaire* tantôt avec l'*Homélie* que la page de l'évêque de Milan présente des affinités. S'agit-il d'une libre adaptation qui ne surprendrait pas celui qui s'est familiarisé avec les méthodes d'Ambroise ? Faut-il faire appel à l'imitation directe de quelque page perdue d'Origène ? Les variations ambrosiennes supposent-elles un ou plusieurs intermédiaires ? Les réponses à ces questions sortiraient du cadre de la présente recherche. Il nous suffit ici de préciser à quelle tradition appartiennent les éléments qu'Ambroise incorpore au thème que lui fournit Philon.

Reprenons un par un les traits qui sont communs à cette page du discours de Vertu et aux explications origéniennes de Cantique, 2, 9. Les δίκτυα dont parle ce verset sont les pièges que nous tend partout le démon[249]. Pour échapper à ces embûches, il faut suivre Jésus qui en a triomphé[250]. Enfin, et nous parvenons là au point décisif, c'est dans sa tentation au désert que le Christ nous montre comment avoir raison des filets du diable[251].

Quant à la singularité de traduction «eminens super retia», qu'Ambroise trouvait sans doute dans une des versions latines en usage à Milan — et

II, p. 123-124.

qui explique vraisemblablement l'attraction du verset précédent — « Advenit saliens super montes, transiliens super colles[252] » — elle s'accorde finalement très bien avec l'image origénienne des filets du diable foulés aux pieds par l'Église à l'imitation de Jésus[253]. Ainsi Nil d'Ancyre, dans son *Commentaire du Cantique*[254], voit en Cantique, 2, 9, le Seigneur apparaissant au-dessus des filets tendus par le diable au désert et rejoint ainsi l'« eminens super retia » d'Ambroise[255].

Avant d'examiner les conséquences et la portée de cette injection de symbolique origénienne dans le tissu philonien, il nous faut encore tenter d'élucider un point important qui demeure obscur. Une page du *Commentaire sur le Cantique* d'Origène nous a bien montré que, longtemps avant Ambroise et sa version du discours de Vertu, on avait établi un lien entre les « retia » de Cantique, 2, 9 et l'épisode évangélique de la tentation au désert. Mais jusqu'ici ce rapprochement ne s'explique guère, même si l'on tient compte des libertés que prennent les allégoristes. Il nous manque encore le moyen terme qui pourrait expliquer cette association. Car enfin, on ne trouve dans les récits évangéliques de la tentation du Christ ni δίκτυα, ni παγίς, ni aucune métaphore de ce genre.

L'image du diable comme poseur de lacets ou de pièges se trouve néanmoins dans le Nouveau Testament. On la rencontre deux ou trois fois dans les Épîtres à Timothée, sous la forme ramassée παγὶς τοῦ διαβόλου, « laqueus (ou « muscipula ») diaboli ». Voici ces passages :

« Il faut aussi qu'il ait un bon témoignage des gens du dehors, pour qu'il ne tombe pas dans l'opprobre et le lacet du diable[256] » ; « Ils recouvreront le sens hors du lacet du diable, qui les a capturés pour (les assujettir à) sa volonté[257] » ; « Quant à ceux qui veulent s'enrichir, ils tombent dans la tentation, le lacet du diable, de nombreux désirs insensés et nuisibles, qui plongent les hommes dans la ruine et la perdition[258]. »

Pour la présente recherche, le plus intéressant de ces passages est le troisième, sous la forme longue que supposent la plupart des traductions latines, « in laqueum diaboli » ou « in muscipulam diaboli ». On y trouve en effet rapprochés et même pratiquement identifiés la παγὶς τοῦ διαβόλου et le πειρασμός. C'est précisément par ce dernier mot que Luc désigne les différentes tentations surmontées par le Christ au désert[259], de même qu'il emploie, comme les deux autres synoptiques, le verbe πειράζειν pour caractériser l'ensemble de cet affrontement entre le diable et Jésus[260]. Ce verset de la première Épître à Timothée pourrait d'autant mieux expliquer, chez Ambroise comme chez Origène, l'introduction du thème du « laqueus » dans l'épisode de la tentation au désert qu'un des appâts dont se sert Satan est celui de l'*avaritia*[261].

Or, cette connexion a été établie par Ambroise lui-même au cours de son explication d'un verset du Psaume CXVIII, « Posuerunt pecca-

II, p. 124.

tores laqueum mihi, et de mandatis tuis non erravi[262] » : « Qui sont ces pécheurs qui ont posé des lacets ? L'Apôtre t'a découvert et montré l'auteur de tous les péchés lorsqu'il a dit : ' Ceux qui veulent devenir riches, tombent dans la tentation et le lacet du diable '. Tu t'aperçois que les richesses sont le lacet du diable, qu'il a tendu même au Sauveur. Mais celui-ci, qui n'eut rien que le prince de ce monde, à sa venue, pût dire sien[263], rompit les liens de ses lacets[264]. » Quelques lignes plus bas, Ambroise prolonge cette citation de I Timothée, 6, 9, par un remploi de II Timothée, 2, 26, qui apparaît deux fois, d'abord de façon assez complète, ensuite sous forme d'allusion fugitive[265].

Deux pages plus loin, un triple remploi de Proverbes, 1, 17 — inaperçu des éditeurs — mérite d'être souligné ici[266]. On le retrouve en effet dans ce passage du *Commentaire sur le Cantique* où Origène réunit dans une même perspective les « retia » à travers lesquels le bien-aimé regarde la bien-aimée et les pièges du diable que le Christ a voulu affronter au désert[267]. Il y a là visiblement un de ces systèmes de versets bibliques, qu'Origène a contribué à créer, à fixer et à répandre[268] et qu'Ambroise utilise à son tour.

On le voit, l'inspiration origénienne est partout sensible dans ces développements d'Ambroise sur les « retia » et sur les « laquei ». Certes, ce que nous avons observé jusqu'ici, c'est plus une présence diffuse que des emprunts précis et massifs à telle page, à tel développement. Par suite, peut-être, d'une parenté plus étroite, l'influence d'Origène sur l'évêque de Milan semble moins facilement localisable parce que moins liée à la lettre que ne l'est celle de Philon[269].

Ce qui atteste, en tout cas, une particulière affinité entre ces textes d'Ambroise et leurs correspondants origéniens — ceux du moins que nous connaissons —, ce sont ces constellations de versets scripturaires qui s'appellent l'un l'autre, qui peuvent toujours se substituer l'un à l'autre, et que rassemble non point une communauté de thème, mais une certaine équivalence métaphorique et, avant tout, la présence d'un même mot. On a vu que l'utilisation d'un tel système n'a rien de stéréotypé ni de mécanique. C'est comme un clavier dont l'interprète ne frappe dans chaque cas que les touches qui correspondent à ce qu'il veut présentement exprimer.

C'est dans ce réseau de correspondances que vient se placer l'apport de Philon. Presque chaque mot de l'Alexandrin est susceptible de faire entrer en résonance tout un système de versets d'Écriture. A son tour chaque verset peut servir de principe à autant de chaînes d'associations qu'il comporte de mots. Ces possibilités sont même en plus grand nombre pour un exégète comme Ambroise qui dispose non seulement des LXX, voire d'Aquila et de Symmaque, mais encore de différentes versions latines. On voit que, sur les thèmes philoniens, l'auteur du *De Cain* peut greffer des accords en nombre pratiquement illimités.

II, p. 124-125.

5. *Le lacet et l'hameçon.*

Dans le *De Cain*, le motif des filets et des lacs apparaît dès le début de l'apologue à l'instant où Volupté, la courtisane, s'avance pour son entreprise de séduction : « Nutantibus oculis et ludentibus iaculans palpebris retia, quibus pretiosas iuvenum animas capit »; « Ses œillades, ses clins d'yeux sont des filets qu'elle lance sur les âmes précieuses des jeunes gens[270]. » Les « retia » ne se trouvent pas dans la phrase correspondante du *De sacrificiis*. Philon fait intervenir ici un autre engin de capture, l'hameçon. Voilà ce dont se sert Ἡδονή pour pêcher les âmes des jeunes gens[271]. L'Alexandrin aime cette image qui lui sert une fois à caractériser les manœuvres préliminaires de l'escroc qui désire inspirer confiance[272], mais, le plus souvent, comme ici, à symboliser le dangereux attrait des voluptés et des plaisirs de l'amour[273]. Aucun de ces passages malheureusement n'a jamais servi de cavenas à Ambroise, si bien qu'on ne peut définir une attitude générale de l'évêque de Milan à l'égard de cette métaphore. Ce qui est certain c'est qu'il la remplace ici par celle du filet, doublée bientôt par celle du lacs. Faut-il voir là une préférence littéraire pour des images de style plus relevé ou plus conventionnel ?

Il ne semble pas que ce soit le cas. La métaphore de l'hameçon a été employée dans la poésie amoureuse au même titre que celles du filet et du lacet, même si elle paraît moins fréquente. Ovide, qui recommande à la jeune femme en quête d'un amant de « toujours laisser pendre l'hameçon[274] », associe volontiers les deux espèces d'images[275]. L'hameçon servait à symboliser toutes sortes de machinations, en particulier celles qui permettent de s'approprier le bien d'autrui[276].

Ambroise lui-même utilise à l'occasion la métaphore de l'« hamus ». Le *Thesaurus linguae Latinae* signale trois passages qui n'ont, il est vrai, rien à voir avec la symbolique amoureuse[277] et n'impliquent, à ce qu'il semble, aucune réminiscence proprement biblique[278]. Ailleurs, cependant, l'évêque de Milan donne à la métaphore de l'hameçon une tout autre portée. Par un de ces retournements auxquels se prêtent les images et dont on observe chez Ambroise maints exemples, l'« hamus » est cette fois bénéfique. C'est l'hameçon de la doctrine que Jésus ordonne à Pierre de jeter dans le siècle. Étienne est le premier poisson tiré de cette mer[279]. Le martyr n'est-ils pas une ascension, une montée au ciel ? Et Ambroise souligne que la capture par hameçon est sanglante, ce qui n'est point le cas de la pêche au filet. En outre, le filet ramène une foule de poissons — « turba » —, tandis que la proie élevée par l'hameçon est toujours singulière, juste symbole de l'excellence du protomartyr.

Il n'en reste pas moins que les enchaînements bibliques auxquels l'hameçon peut donner lieu apparaissent assez pauvres si on les compare aux associations que le « laqueus » rend possibles. Matthieu, 17, 27, est le seul passage du Nouveau Testament où l'on rencontre le mot ἄγκιστρον.

II, p. 125-126.

Celui-ci n'apparaît que sept fois dans l'Ancien Testament — cinq fois seulement si l'on ne tient compte que des LXX[280] — contre vingt-huit fois pour δίκτυον et soixante-cinq fois pour παγίς. Quant au verbe ἀγκιστρεύω, on ne le trouve ni dans les LXX, ni dans ce qui nous reste des versions d'Aquila et de Symmaque, ni dans le Nouveau Testament.

L'image des filets et celle des lacs ont donc, si l'on peut dire, plus de densité biblique que celle de l'hameçon. Mais cela ne suffit pas à expliquer la préférence qu'Ambroise leur donne en ce début du discours de Vertu. Le développement du *De virginitate* sur Matthieu, 17, 27 prouve en effet que l'évêque de Milan savait tirer de brillantes variations du thème de l'ἄγκιστρον. Il doit donc y avoir une raison plus particulière du remplacement de la métaphore philonienne. Je pense qu'il faut la chercher dans le sens et la fonction de cette page du *De Cain*. Il s'agit de passer de la tentatrice au Tentateur[281], de la courtisane à Satan. Pour déplacer ainsi l'attention du lecteur, Ambroise a besoin d'une image qui puisse s'appliquer aussi bien à la séductrice qu'au diable, ou, plus exactement, de l'image qui, dans la Bible, évoque aussi bien la première que le second. Or ce n'est pas le cas de l'hameçon. En dehors des passages où elle emploie le mot soit au sens propre, soit comme terme d'architecture, l'Écriture ne fait manier l'ἄγκιστρον que par le Seigneur[282] ou sur son ordre[283]. Les allégoristes, et Ambroise lui-même, tiraient de l'épisode du poisson au statère toute une symbolique de l'hameçon comme instrument de salut.

Au contraire, la métaphore du lacet convenait parfaitement au dessein d'Ambroise. Le poseur de lacets apparaît le plus souvent dans la Bible comme un personnage peu recommandable. D'une part les livres sapientiaux associent à deux reprises cette image aux dangers que fait courir la courtisane[284]. Or un de ces passages appartient précisément à ce chapitre 7 des Proverbes, qu'Ambroise vient d'utiliser pour composer sa scène de séduction. Dans les Psaumes, d'autre part, les « laquei » symbolisent les machinations d'ennemis perfides et acharnés qui en veulent à la vie du psalmiste[285]. Les commentateurs verront volontiers dans ces adversaires obsédants le diable et ses suppôts[286]. Le caractère satanique du lacet est rendu manifeste par le suicide de Judas dont il est l'instrument[287]. Enfin, l'auteur des Épîtres à Timothée consacre cette spécialisation de l'image en parlant au moins deux fois des lacets du diable[288]. On a vu le rôle décisif de cette formule dans le développement du discours de Vertu selon saint Ambroise.

6. *Des lacs de Volupté aux lacets du diable.*

S'il substitue la métaphore du lacet à celle de l'hameçon, Ambroise n'abandonne pas pour autant le texte qui lui sert de canevas. Il ne fait qu'anticiper l'emploi d'une image dont Philon va bientôt se servir. Dans le *De sacrificiis* de l'Alexandrin, on trouve, en effet, deux présenta-

---

II, p. 126-127.

tions de Volupté. La première[289] est faite par le narrateur, la seconde[290] par Vertu. Elles sont l'une et l'autre fort défavorables et utilisent à peu près les mêmes images, notamment celles des engins dont se sert la séductrice pour capturer ses proies. La première fois c'est l'hameçon, la seconde ce sont les filets et les lacs. Ambroise, chez qui l'on retrouve ces deux portraits successifs, supprime la première métaphore, et emploie dans les deux cas celles des « retia » et des « laquei ». Nous voyons mieux maintenant ce qu'implique cette préférence.

Entre les deux portraits de Volupté que l'on trouve dans ces pages du *De Cain*, celui que trace le narrateur tout au début de l'épisode[291], et la description que fait Vertu de sa rivale[292], les « laquei » et les « retia » ne reparaissent pas. On trouve cependant les premiers dans un verset partiellement remployé par Ambroise, Proverbes, 7, 23, à propos précisément du jeune homme qui se laisse prendre aux paroles tentatrices de l'étrangère : « Jusqu'à ce qu'une flèche transperce son foie, comme un oiseau qui se hâte vers le lacet...[293] » Mais c'est seulement la première phrase que l'auteur du *De Cain* utilise pour motiver l'entrée en scène de Volupté[294]. Certes, il arrive souvent qu'Ambroise laisse tomber d'un texte remployé un ou plusieurs mots, tout en les faisant apparaître dans le nouveau contexte. C'est un moyen d'établir une continuité entre les emprunts et le développement où ils s'insèrent[295]. Il serait cependant hasardeux de trop raisonner sur cette omission.

En revanche, le rapprochement entre la première mention des « laquei » et leur réapparition dans le discours de Vertu est fort instructif. Il fait bien sentir le contraste d'un symbolisme galant extrêmement conventionnel avec une métaphore dramatique qui devient presque réalité concrète. C'est-à-dire que le thème est exposé une première fois sous la forme traditionnelle qu'il gardait chez Philon et qu'il fait ensuite l'objet d'une *retractatio* proprement chrétienne.

Lorsque δίκτυα et πάγαι font une apparition fugitive dans le discours de Vertu selon Philon, il ne s'agit, en effet, que de métaphores anodines d'une élégance convenue, quelque peu défraîchies d'avoir déjà tant servi dans la poésie érotique et spécialement dans les pièces légères de la littérature hellénistique et impériale. Ces filets et ces lacs figurent traditionnellement dans la panoplie allégorique de la chasse amoureuse. Les parures et les vêtements des femmes sont des παγίδες[296]. Des pupilles qui lancent des éclairs sous d'épais sourcils sont les filets et les lacs qui tiennent captif le cœur de l'amant[297]. Mais, par tout ce qu'elles impliquent d'artifice et de calcul, de telles images sont mieux à leur place dans le langage de la galanterie que dans celui de l'amour passion. Amphis appelle les courtisanes « les lacets de la vie[298] ». Lucien fait de Παγίς le surnom d'une prostituée[299]. Chez les Latins, la métaphore des « retia » et des « laquei » est ignorée de Catulle et de Tibulle, mais elle fait recette avec le libertinage élégant et sceptique d'Ovide. L'attirail de la galanterie,

---

II, p. 127.

complaisamment détaillé par ce dernier poète, comporte filets[300] et lacets[301]. Ovide attribue la pose de ces pièges tantôt directement à l'Amour[302], tantôt aux hommes[303], le plus souvent aux femmes. La ruse des uns appelle la ruse des autres, et il n'est pas rare que le chasseur se trouve pris dans les lacs qu'il a lui-même posés[304]. On sait que cette vieille idée du piégeur piégé connaîtra une fortune théologique assez surprenante. « Fallite fallentes », ce conseil cynique du maître de l'« ars amatoria », trouve une sorte d'écho, quatre siècles plus tard, chez un autre poète, chrétien cette fois et dévot, Paulin de Nole : « Fit laqueus laqueatus homo et sua praeda latronem decipit[305]. »

C'est de cette symbolique galante que relèvent les filets et les lacs rencontrés par Ambroise dans les pages du *De sacrificiis* qui lui servent de canevas, et lorsqu'il récrit à son tour le débat de Volupté et de Vertu en reprenant l'image des « retia » et celle des « laquei », l'évêque de Milan reste d'abord fidèle à l'usage traditionnel et profane de ces métaphores. Dans son premier croquis de *Voluptas*, il nous la montre hardiment, jetant des filets par le mouvement de ses paupières : « Nutantibus oculis... iaculans palpebris retia[306]. » Dans le second portrait, celui que trace Vertu, ce sont encore les yeux de la séductrice qui sont comparés à des filets : « Neque capiaris oculis ; circumfusa enim retia sunt[307]. » On n'est pas loin de Dioscoride assimilant les pupilles de son amie à des δίκτυα et des παγίδες.

Avec l'intervention de Cantique, 2, 9, et surtout avec la clé qu'en fournit la tentation au désert, l'éclairage et la perspective changent du tout au tout. Ce qui frappe d'abord, c'est que le chasseur, celui qui pose rets et lacets, n'est plus le même : ce n'est plus Volupté, c'est le diable. A une abstraction personnifiée s'est substituée une personne bien réelle. Pour apprécier l'importance de ce changement d'acteur, il faut, en effet, se replacer dans la perspective qui est celle d'Ambroise et de ceux auxquels il s'adresse. Le diable y est tout le contraire d'une fiction allégorique. Non seulement son existence personnelle et celle des démons, ses auxiliaires n'est pas mise en doute, mais on leur attribue très généralement un corps, comme d'ailleurs à tous les autres anges. Si on les déclare parfois incorporels, c'est seulement pour indiquer que leur corps est formé d'une matière infiniment plus subtile que la grossière chair humaine[308].

Pour le chrétien du ${iv}^e$ siècle, surtout s'il s'est engagé dans la vie ascétique, le diable est un adversaire très concret, contre qui il faut mener une lutte quotidienne[309]. La démonologie monastique pousse à l'extrême ce réalisme. Le milieu où vit le moine fourmille de diables. La terre, l'eau, l'air en sont infestés et pollués. Le Père Festugière s'est amusé à rassembler sur ce thème deux ou trois récits savoureux comme celui de la laitue sur laquelle se tenait un diablotin qu'une nonne croqua fort imprudemment[310]. En Occident, saint Martin de Tours voyait de ses yeux le diable si facilement et si distinctement qu'il le reconnaissait

---

II, p. 127-128.

non seulement « in propria substantia » mais sous ses nombreuses métamorphoses[311]. Ce n'est pas seulement dans son corps que l'ascète pâtit de cette infestation satanique. Les assauts que subit son âme ne sont pas moins réels et sensibles. Ces passions, en effet, qui lui font chaque jour une guerre implacable, il les éprouve comme autant de présences et d'influences démoniaques[312]. A vrai dire, le dualisme du corps et de l'âme ne vaut guère pour le cœur simple et l'imagination fiévreuse des moines égyptiens. Ces luttes spirituelles qu'ils ont à mener, les anachorètes de Scété les vivent avec tous leurs sens. L'ennemi intérieur devient aussitôt visible et palpable. Dans une telle ambiance, on observe ce qu'on pourrait nommer une réalisation des allégories. On tend à prendre au pied de la lettre ce qui n'était au début que simple métaphore[313]. C'est ainsi que les « laquei » eux-mêmes cessent de n'être qu'une image dont un emploi répété a usé les contours et aboli le relief. Ces « lacets de l'Ennemi », Antoine les a vus de ses yeux dans une de ses extases[314].

L'idée d'envisager la vie spirituelle comme un combat contre des adversaires démoniaques bien réels n'a d'ailleurs pas été inventée par les rustiques ermites de Scété. Ce n'est pas le lieu d'insister sur les nombreux récits évangéliques où l'on voit Jésus affronter des démons, leur imposer silence et les expulser des malheureux dont ils ont pris possession et qu'ils tourmentent. Il faut au moins souligner la place que ces épisodes tiennent dans la « vie publique » du Christ, qui a d'ailleurs commencé au désert par la triple victoire sur Satan. A son tour, chaque chrétien doit prendre part à cette lutte. C'est ce qu'enseigne en particulier un célèbre verset de l'Épître aux Éphésiens : « Ce n'est pas contre la chair et le sang que nous avons à lutter, mais contre les Principautés, contre les Puissances, contre les Maîtres de ce monde de ténèbres, contre les Esprits du mal dans les régions célestes[315]. » La fortune qu'a connue ce verset dans l'Église ancienne est significative. Les citations et les remplois qu'en font les seuls Pères latins occupent vingt-sept colonnes de la *Vetus latina* de Beuron[316]. Ambroise fournit près de soixante-dix références.

Or les Pères les moins suspects d'étroitesse et d'inculture ne sont pas les derniers à insister sur cette omniprésence de Satan. Cela est vrai, en particulier, d'Origène, qu'il ne faut jamais perdre de vue quand on s'efforce de situer et d'éclairer l'exégèse ambrosienne. Dans le tableau d'ensemble qu'il trace du drame du salut, l'éminent penseur de l'Église d'Alexandrie donne au diable un rôle de premier plan. Comme l'a fait observer le père J. Daniélou, « on n'a pas assez remarqué combien en ceci Origène s'opposait à l'intellectualisme alexandrin » — celui de Clément et déjà de Philon — « et combien cette conception *dramatique* de la rédemption le situe dans la continuité de la tradition biblique et ecclésiale[317]. » Quand il envisage l'œuvre du salut sous l'angle plus res-

---

II, p. 128.

treint de la destinée individuelle, Origène n'insiste pas moins sur la lutte contre Satan[318].

On retrouve chez Ambroise les grandes lignes de la démonologie origénienne, qu'il vaudrait mieux appeler néotestamentaire. A vrai dire, il manque une étude vraiment poussée de ce qu'enseignait sur ce point l'évêque de Milan. Ce que nous avons de moins incomplet, du moins à ma connaissance, ce sont les quelques pages bourrées de notes qu'a consacrées à cette question Ioh. Ev. Niederhuber dans un ouvrage du début de ce siècle[319]. On n'a guère progressé depuis. Dans son livre, consacré à l'ensemble de la vie et de l'œuvre de l'évêque de Milan, F. H. Dudden ne pouvait consacrer à la doctrine du diable qu'une place modeste[320]. Tout récemment Michael J. Mc Hugh a étudié le thème de Satan dans sept traités exégétiques de saint Ambroise[321]. Ce que ce travail apporte de plus nouveau concerne les divers noms du diable dans les sept opuscules envisagés[322]. Mais, indépendamment du champ limité de cette investigation dont on ne saurait faire grief à l'auteur, on regrette que M. P. Mc Hugh donne moins une analyse qu'un inventaire, et qu'il n'ait pas entrepris de replacer les éléments qu'il recense dans l'ensemble des enseignements d'Ambroise.

On est d'autant plus déçu par les deux développements que Dassmann a consacrés au combat spirituel, dans son ouvrage sur la spiritualité de l'évêque de Milan[323]. A lire les titres qu'il donne à ces deux sections — « Weg und Kampf », pour les pages 18 à 23, et surtout « Der Kampf des Menschen », pour les pages 216 à 278 —, on s'attend que l'auteur approfondisse le thème de Satan en utilisant toutes les ressources accumulées par le dernier demi-siècle des recherches ambrosiennes. Il n'en est rien. La lutte contre le diable n'est pas envisagée directement comme l'essence même du combat spirituel. Elle est seulement évoquée en passant, en marge de développements sur la bonté de Dieu[324] et sur la récompense destinée aux vainqueurs[325]. Les deux fois, le dossier invoqué est squelettique. On a bien reculé depuis Niederhuber, auquel il eût été du moins souhaitable de renvoyer le lecteur.

C'est que, pour Dassmann, le combat spirituel peut se définir sans référence au diable, comme une lutte contre les passions[326], contre le péché. Tel est selon lui « le pôle magnétique » autour duquel « tournent » les pensées d'Ambroise[327]. L'expression « sittlicher Kampf » employée un peu plus bas, montre bien dans quelle perspective de moralisme abstrait Dassmann situe ses analyses. C'est là sans aucun doute un anachronisme. La « démythologisation » qui caractérise la pensée chrétienne dans la seconde moitié du xxe siècle[328] est étrangère à l'évêque de Milan aussi bien qu'à ses ouailles.

C'est ce que montre assez, sur le point qui nous occupe, la masse des textes rassemblés par Niederhuber et par M. J. Mc Hugh, surtout si l'on y ajoute l'ensemble des citations et des remplois d'Éphésiens, 6, 12,

---

II, p. 128-129.

relevés chez Ambroise par les éditeurs de la Vetus latina[329]. Il suffira ici d'extraire de cet abondant dossier quelques traits susceptibles d'éclairer la transformation que l'auteur du *De Cain* a fait subir à ce débat de Volupté et de Vertu dont il trouvait chez Philon une version encore très traditionnelle.

Entre la passion, le péché et le diable, Ambroise établit le même lien étroit qu'y voient Origène ou les pères de Scété. Pour l'évêque de Milan, si le pécheur reste responsable de sa faute, celle-ci n'en a pas moins pour premier auteur le diable qui, grâce à sa supériorité naturelle sur l'homme, peut utiliser à ses fins les appétits de ce dernier. Nombreuses sont les pages où cette présence démoniaque autour du pécheur est décrite avec un réalisme qui montre combien Ambroise est étranger à ce moralisme abstrait qu'on est parfois tenté de lui attribuer[330]

Ce réalisme est inséparable de l'idée que l'évêque de Milan se fait du combat spirituel. Ce n'est pas, pour lui, une bataille d'abstractions, un simple tournoi métaphorique où des vertus empanachées finissent par terrasser les vices. Tentations, passions et péchés sont à ses yeux les masques, les pièges et les triomphes de cet adversaire bien réel, bien concret, qu'est le diable. Symétriquement, derrière l'homme qui tente de résister à ces assauts[331], un autre combattant se laisse entrevoir. C'est ce que l'évêque de Milan rappelle à Orontianus. Paul ne voit pas l'adversaire qu'il combat. Il ne frappe pourtant point dans le vide, comme il le déclare lui-même aux Corinthiens[332]. Car c'est le Christ qui voit pour lui et qui dirige le coup. Par le Christ qu'il prêche, l'Apôtre cause de profondes blessures à tous les esprits du mal[333].

Dans une telle vision du salut, la personnalité du Mal requiert en quelque sorte l'incarnation du Bien. Si le Christ est venu en ce monde, nous dit Ambroise, en commentant la tentation au désert, c'est que lui seul pouvait conduire victorieusement l'humanité au travers des séductions du siècle et des ruses du diable[334], qui a tendu partout ses lacets[335].

Suivant les actes qu'il pose, l'homme devient la part du diable ou la part du Christ[336]. Il y a un royaume du diable comme il y a un royaume de Dieu[337]. Il y a une race du diable, formée par les impies et les athées[338], comme il y a une race des fils de la promesse[339]. Barabbas, l'anti-Christ dont le père est le diable, est préféré par les juifs, ses semblables, à Jésus, dont le Père est Dieu[340].

Un épisode de l'histoire biblique a une importance particulière pour la typologie de la lutte de Jésus et de Satan : c'est le combat de David avec Goliath[341]. Ambroise a consacré à cet exploit une page curieuse et révélatrice de son *Expositio psalmi CXVIII*. Comme le suggère la logique de l'antithèse, l'évêque de Milan voit dans le Philistin blasphémateur le diable, qu'il désigne comme le Goliath « intelligibilis »[342].

II, p. 129-130.

L'épithète « intelligible » s'oppose ici moins à « sensible » qu'à « historique » : le diable est celui que l'intelligence doit percevoir sous les traits
du Goliath biblique[343]. Le Christ, nouveau David, a donc tranché la
tête du diable, « pour être lui-même la tête du corps mis à mort. C'est
à juste titre que, maintenant, les nations promènent à travers le monde
entier une tête royale ; elles sont en effet les membres du Christ[344]. »

Nous voyons affleurer ici un thème essentiel que l'on peut résumer
à peu près ainsi : au cœur de l'histoire, il y a la distinction, l'opposition
et l'affrontement de deux organismes complexes souvent entremêlés,
ayant chacun sa tête et ses membres, le corps du Christ et le corps du
diable ; toute l'exégèse biblique peut s'ordonner selon ce thème[345].

Ce dualisme relatif ne restait pas simple objet de discours. Il était
vécu dans l'existence quotidienne par chacun des chrétiens de Milan,
depuis le jour où il avait tourné le dos à Satan pour regarder vers l'Orient,
vers le Christ[346], et où il avait reçu les onctions de l'athlète[347] pour une
lutte qui devait durer autant que sa vie.

C'est ce que fait bien ressortir le biographe d'Ambroise, Paulin de
Milan. J.-R. Palanque a souligné la valeur historique de cette *Vita* écrite
à l'instigation d'Augustin par un clerc modeste qui a vécu plusieurs
années dans l'entourage d'Ambroise et qui semble ne pas avoir eu beaucoup plus d'imagination que de prétention littéraire[348]. Certes, Paulin
n'est pas un grand esprit et son sens critique est limité. Mais il est honnête,
il a connu personnellement son héros et a pris soin de recourir aux témoins
des événements qu'il relate. On a dit que sa *Vita* reflète surtout « l'idée
qu'on se faisait d'Ambroise dans les milieux populaires et dans les rangs
du clergé[349] ». C'est précisément cela qui nous intéresse pour l'instant.

Or le diable et ses suppôts jouent un rôle important dans ces récits.
Paulin parle à plusieurs reprises de possédés qu'habitent et tourmentent
les esprits impurs. Il le fait sans explication spéciale. Visiblement, il
se réfère à des phénomènes familiers. Ce qui le frappe, ce n'est pas le
mal lui-même, c'est sa guérison spectaculaire lors de circonstances
mémorables comme les inventions ou les translations des corps de
martyrs[350]. Or ces possessions sont considérées d'abord comme des
phénomènes physiques. Ce sont les corps des victimes qui sont directement la proie du démon et qui sont donc guéris par l'expulsion de ces
hôtes indésirables : « Obsessa corpora ab spiritibus inmundis curata[351]. »

Naturellement, si le biographe rapporte ces épisodes diaboliques,
c'est qu'il veut montrer dans son héros l'adversaire redouté des esprits
impurs. Ceux-ci éprouvent à leurs dépens ce que peuvent la parole d'Ambroise et la foi de ses auditeurs[352]. Paulin nous raconte encore que des
démons, évoqués par des maléfices, se préparaient à tuer l'indomptable
évêque dans son palais épiscopal, mais qu'ils furent arrêtés et brûlés par
une barrière de feu qui protégeait tout l'édifice[353]. Ce sont là, sans doute,

II, p. 130.

des embellissements dus à l'imagination populaire, mais Ambroise lui-même a exprimé la conviction que sa lutte contre la cour arienne de Justine et de Valentinien II était en réalité une lutte contre Satan et ses serviteurs. Tel est le combat dont il proposait le spectacle à son peuple[354].

Ce n'est qu'en la replaçant dans ce monde de croyances, d'images, et d'expériences que l'on peut apprécier le réalisme et la portée de la page du *De Cain* où l'on voit le diable faire irruption dans la *syncrisis* de Volupté et de Vertu. On comprend mieux du même coup pourquoi Ambroise devait nécessairement bouleverser l'apologue qui s'était transmis sans altération décisive de Prodicos à Philon.

Si Philon a conservé relativement intact le débat imaginé par Prodicos, c'est que sa vision de l'univers, contrairement à celle d'Ambroise, ne fait pratiquement pas de place à ce que l'on pourrait appeler une « démonologie noire ». Sans doute la doctrine des intermédiaires — Logos, puissances, anges — est très développée chez l'Alexandrin, mais il semble ignorer à peu près complètement ces « esprits du mal » si fréquemment dénoncés par l'évêque de Milan.

Ce n'est pas que le dualisme soit absent de l'œuvre de Philon. On peut même l'y trouver presque obsédant. Il n'y a là rien de très étonnant si l'on pense aux soucis essentiels qui poussent l'Alexandrin à écrire : défendre et illustrer la loi juive à l'intention des Grecs, inciter les juifs à l'observation de ses préceptes. Or l'apologie et la parénèse vivent de dualité et de contraste. Constamment elles mettent en œuvre l'opposition du bien et du mal, du permis et du défendu, du vice et de la vertu. Inventorier l'ensemble de ces alternatives dans l'œuvre de Philon serait une entreprise presque décourageante : il faudrait citer à peu près chaque page.

Parfois, c'est une même notion qui se scinde en deux aspects antithétiques. La source peut être la source de la folie[355] ou la source de la prudence[356]. Il y a la sobre ivresse et l'ivresse crapuleuse[357], comme il y a l'offrande d'Abel et l'offrande de Caïn. Parfois l'antithèse est déjà développée comme telle dans le texte biblique. C'est le cas des récompenses et des châtiments, des bénédictions et des malédictions, que Philon commente longuement dans son *De praemiis et poenis*[358].

Mais c'est surtout dans la galerie des personnages bibliques que l'Alexandrin trouve ces couples contrastés qui lui permettent de reprendre à l'infini — moyennant quelques variantes — l'antithèse du dévot et de l'impie, de l'obéissant et du rebelle, des bonnes tendances et des mauvaises. Comme nous l'avons vu, c'est en partant d'un texte juridique concernant les fils des deux épouses d'un même homme que Philon développe le

---

II, p. 130-131.

topos des deux genres de vie, auxquels président respectivement Vertu et Volupté. Ce sont les figures des deux femmes qui retiennent ici son attention. Mais la plupart du temps, dans son œuvre comme dans la Bible qu'elle commente, le thème des deux épouses est subordonné à celui des deux fils, des deux frères. L'antithèse du premier-né et du cadet, du réprouvé et de l'élu, s'incarne dans les couples que forment Caïn et Abel ou, mieux encore, les jumeaux Ésaü et Jacob.

Philon commente ainsi le passage de la Genèse qui nous raconte la naissance de ces derniers : « Au début de son devenir, l'âme de tout homme porte en son sein deux jumeaux, un mauvais, comme il est dit, et un bon ; elle a conçu en effet l'image de l'un et de l'autre[359]. » H. A. Wolfson voit dans cette exégèse un souvenir de la doctrine rabbinique des deux *yeṣarim*, des deux inclinations, l'une bonne, l'autre mauvaise[360] qui se trouvent dans l'âme dès que celle-ci existe[361].

Mais un tel dualisme reste au niveau de l'abstraction psychologique et morale. On voit tout ce qui sépare une disposition mauvaise d'un mauvais ange. Cependant la première ne suppose-t-elle pas le second ? Ces dispositions mauvaises seraient-elles dans l'âme si quelqu'un ne les y avait mises ? Or ce semeur d'ivraie ne peut être, semble-t-il, que mauvais. A plusieurs reprises, ce raisonnement paraît affleurer chez Philon, mais jamais il ne va jusqu'à la conséquence qu'on attendrait, jusqu'à l'affirmation d'esprits mauvais qui seraient les auteurs de ces inclinations perverses.

Cette espèce d'affleurement s'observe en particulier dans l'interprétation philonienne du fameux pluriel de Genèse, 1, 26 : « Dieu dit : Faisons un homme à *notre* image. » A en croire l'Alexandrin, cette particularité grammaticale soulignerait que Dieu n'est pas responsable de tout ce qui est dans l'homme et que le mal ne doit donc pas lui être attribué. Cela n'implique-t-il pas que quelque esprit mauvais a eu part à la création ? Si Philon l'admettait, il ferait remonter au monde angélique le dualisme moral qu'il découvre dans l'âme humaine.

Mais ce n'est point là sa pensée. L'examen de n'importe lequel des passages où il commente le pluriel de Genèse, 1, 26 permet de s'en apercevoir assez vite. Prenons notre exemple dans le *De confusione linguarum*. Il s'agit de quelques lignes qui se greffent sur l'explication de Genèse, 11, 7ª. Dieu, qui vient d'examiner la gigantesque tour que les hommes sont en train de bâtir, décide de s'opposer à leur projet sacrilège : « Allons ! » dit-il, « Descendons ! Et là confondons leur langage. » Pourquoi ces verbes sont-ils au pluriel ? C'est, répond Philon, que Dieu n'accomplit pas seul l'œuvre de confusion des langues, mais fait appel au concours de ses puissances. Pour appuyer cette interprétation, l'Alexandrin apporte un autre exemple de cet emploi particulier du pluriel. Il le trouve précisément en Genèse 1, 26 : « Faisons un homme à notre image. » C'est

_____

II, p. 131.

ici que se place le texte qui nous intéresse directement : « L'homme est à peu près la seule créature qui, tout en ayant la science du bien et du mal, choisisse souvent le pire... Il était donc expédient que Dieu associât ses lieutenants à la création de cet être. Il dit 'Faisons un homme' pour qu'on lui attribue les seules bonnes actions de l'homme et que les fautes de celui-ci (soient attribuées) à d'autres. En effet, il n'a pas semblé convenable à Dieu, le souverain universel, de créer directement la voie du mal dans l'âme raisonnable. C'est pourquoi il a confié à ceux qui sont avec lui la formation de cette partie. Il fallait, en effet, que le symétrique de l'involontaire, le volontaire, créé pour la plénitude de l'univers, fût manifesté[362]. »

Cette répartition du bien et du mal en l'homme, et plus précisément l'attribution de la cause de ses péchés aux puissances qui ont collaboré à sa création, pose le problème de la nature de ces dernières. Sont-elles bonnes mais seulement imparfaites et donc dans l'impossibilité de ne pas marquer leurs œuvres de quelque imperfection ? Sont-elles au contraire proprement mauvaises puisque l'origine du péché leur est attribuée ?

Mais Philon ne se laisse pas enfermer dans cette alternative ; les créateurs subalternes dont il parle ne se posent en face de Dieu ni comme des rivaux ou des adversaires, ni comme des auxiliaires maladroits. Ce sont, nous dit-il, ses lieutenants. Et c'est Dieu lui-même qui a décidé de leur confier la part négative de son œuvre[363].

C'est à ses ὕπαρχοι que Dieu délègue en particulier les fonctions punitives qu'il juge indigne d'exercer lui-même. A la fin du *De Decalogo*[364], Philon se demande pourquoi les commandements et les défenses qu'il vient de commenter ne sont assorties d'aucune menace de sanction en cas de désobéissance. C'est, répond l'exégète, que Dieu n'accomplit par lui-même que le bien. Il se repose du soin de punir sur sa Justice. Par une sorte de division du travail, qui est également de règle chez les rois de la terre, Dieu se réserve les œuvres de paix, laissant les tâches de la guerre et du châtiment à ses serviteurs et lieutenants, ὑπηρέταις καὶ ὑπάρχοις[365].

C'est un raisonnement analogue que nous avons rencontré dans le *De confusione linguarum* pour justifier l'emploi du pluriel en Genère, 1, 26[366]. Mais c'est dans un passage du *De fuga et inventione* que Philon présente sa thèse avec le plus de clarté et d'énergie : l'âme humaine seule devait avoir la connaissance du bien et du mal et la possibilité d'user de l'un ou de l'autre. « Dieu a donc estimé nécessaire d'assigner à d'autres créateurs l'origine des maux et à soi seul celle des biens[367]. »

En fait, si Philon refuse l'idée que Dieu a créé lui-même la « voie du mal » dans l'âme rationnelle, ce n'est pas en raison d'une impossibilité

II, p. 131.

de nature. La solution qu'il retient répond non pas à une exigence onto-logique, mais à une convenance pédagogique. Si Dieu créait directement cette part de l'homme qui en fait un être libre, mais bientôt pécheur, on pourrait croire qu'il est lui-même l'auteur du mal. L'emploi de créateurs auxiliaires permet de faire apparaître sans aucune ambiguïté que Dieu n'est source que du bien. Il s'agit de ne point créer des apparences suscep-tibles d'engendrer des opinions fausses et blasphématoires. Ceci est particulièrement net dans le *De Abrahamo*, à propos de la punition des Sodomites : cette fois le verbe νομίζηται indique aussi clairement qu'il est possible l'horizon apologétique de tout cet argument : ce qui est directement en cause ce n'est pas la bonté de Dieu en elle-même, c'est l'opinion juste qu'il faut en donner à l'homme. Dieu, nous explique Philon, s'est donc déchargé sur ses puissances du soin de punir « afin que l'*on croie* qu'il est la cause des seuls biens et qu'il n'est la cause directe d'aucun mal[368]. »

Il est vrai qu'il existe dans l'œuvre de Philon un texte où le dualisme apparaît beaucoup plus prononcé. C'est une *quaestio* où l'Alexandrin explique Exode, 12, 23 c, le fameux verset sur l'ange exterminateur que Dieu empêche de pénétrer dans les maisons des Israélites marquées par le sang de l'agneau pascal[369].

Philon commence par l'explication « littérale ». Ce verset reprend, selon lui, la doctrine, courante dans l'Écriture, de la délégation des fonctions punitives et destructrices. C'est bien l'idée que développent, avec de légères variantes, les différents textes que nous venons d'exami-ner. Mais, selon Philon, cette mention de l'exterminateur a en outre une signification plus profonde. Le monde, le ciel, les astres, aussi bien que chaque homme, sont habités par deux puissances. L'une opère le salut, l'autre la perdition, et la prédominance de l'une ou de l'autre décide du sort de chaque être.

Goodenough[370] a vu dans ce texte singulier la preuve que Philon connaissait et admettait la doctrine iranienne d'Ahriman. Cette remarque a encore plus de poids depuis que la découverte des manuscrits de la Mer Morte a montré combien le dualisme iranien avait marqué la pensée essénienne[371].

Mais il faut se rappeler que ce texte n'est conservé que dans la version arménienne et que celle-ci n'échappe jamais à un certain flou. Si l'on pense cependant que, dans le texte original de cette *quaestio,* le dualisme était aussi fortement marqué, on est forcé de convenir qu'un tel passage est tout à fait isolé dans l'œuvre de Philon. On ne voit pas en effet que l'Alexandrin ait donné ailleurs le moindre rôle à cette espèce d'ange du mal. Le caractère proprement singulier, erratique de ce texte, fait un contraste d'autant plus frappant avec la présence constante et l'activité multiforme de Satan et de ses séides dans le monde où se déploie l'exégèse de l'évêque de Milan.

II, p. 131.

On comprend mieux, maintenant, que l'apologue de Prodicos, entrant dans les univers différents de Philon et d'Ambroise, y ait subi des transformations d'ampleur très inégale. Chez l'Alexandrin, qui ne connaît ni incarnation du Bien, ni représentant personnel du Mal, les deux abstractions personnifiées pouvaient garder leur relative consistance. Aussi leur duel oratoire se déroule-t-il, pour l'essentiel, conformément au programme fixé par la tradition. L'addition finale, sur les disciplines moyennes, reste extérieure au développement principal et celui-ci demeure pleinement reconnaissable sous l'empâtement et les bouffissures.

Il en va tout autrement avec le chrétien Ambroise. Chez celui-ci, l'idée d'un duel du Bien et du Mal suscite tout naturellement le souvenir de la tentation au désert qui en est la représentation la plus directe. Mais avec ce récit, tel que l'entend l'évêque de Milan et son milieu, on ne se trouve plus sur le plan de la métaphore. La nudité de la vérité historique fait ressortir les artifices rhétoriques de la *syncrisis*. Les personnifications de la diatribe sont du même coup disqualifiées. Il n'est pas sans ironie que Vertu raconte elle-même cette tentation au désert qui la rejette dans une insignifiance décorative.

On voit mieux encore, après cela, l'importance de la métaphore des « laquei ». Par sa double référence galante et diabolique, elle permet de faire passer le texte de l'abstraction allégorisante au concret de l'histoire. On pourrait dire, en pensant en particulier à l'apophtegme divulgué sous le nom d'Antoine, que la métaphore du lettré fait place à la vision du croyant.

Chez Philon, la symbolique du piège opérait, elle aussi, un dévoilement. Mais ce mouvement n'allait pas au-delà des deux termes déjà définis dans les *Mémorables* : il s'agissait en quelque sorte de découvrir Κακία sous le masque d'Εὐδαιμονία. Même si ce vocabulaire ne se retrouve pas chez l'Alexandrin, le cheminement reste le même. On passe d'une abstraction personnifiée à une autre abstraction personnifiée. Le dévoilement auquel procède Ambroise va bien au-delà de cette substitution d'allégories. Sous le fard séducteur de Volupté, le visage qu'il fait apparaître, c'est celui de cet esprit mauvais qui ne cesse, avec ses auxiliaires, d'assiéger, d'obséder, de tourmenter le chrétien dans sa chair et dans son âme.

L'évêque de Milan témoigne, ce faisant, d'une tendance caractéristique des Pères de l'Église. Le réalisme de leur foi les amène naturellement à substituer assez vite aux personnifications que leur suggère une formation rhétorique les personnages du Nouveau Testament. Basile de Césarée, décrivant un banquet qui n'est pas sans ressemblance avec celui du *De Cain*, le fait d'abord présider par Ivresse. Bientôt la réalité refoule la fiction littéraire et l'auditeur s'aperçoit soudain qu'Ivresse s'est effacée devant Satan[372].

II, p. 131.

On pense à cette tentation de saint Antoine peinte par Niklaus Manuel Deutsch et conservée au musée de Berne. La jeune femme qui apparaît au solitaire porte les luxueux atours d'une courtisane de haut vol. Mais, du bas de la lourde jupe, on voit sortir le pied griffu du dragon. Le vieux maître a saisi l'instant où, sous le signe de croix de l'ermite, la véritable identité de la soi-disant jeune femme commence à se trahir. C'est ainsi que, dans cette page du *De Cain*, à travers ces variations sur les « retia » et les « laquei », Volupté cesse de masquer le véritable Adversaire. Mais, du même coup, Vertu aussi perd toute importance et la convention sur laquelle reposait l'apologue se trouve brusquement déchirée.

7. « *Sequere eum* ». De l'« *exemplum* » à l'exemplaire.

Ainsi, les deux véritables acteurs du drame apparaissent à peu près en même temps dans le discours de Vertu. La tentation de Jésus racontée par cette abstraction personnifiée est elle-même la vérité dont la *syncrisis* n'est que le reflet rhétorique.

On pourrait sans doute rétorquer qu'il n'y a rien là de si nouveau, qu'il est traditionnel dans ces controverses allégoriques de mêler la fiction à l'histoire, que Jésus est invoqué ici comme un exemple prestigieux, un peu comme Hercule donné pour modèle à Scipion par la *Virtus* des *Punica*. Mais il ne semble pas que l'on puisse ici appliquer la catégorie d'*exemplum* sans fausser les rapports très particuliers de Jésus et de Vertu. Ce point n'est pas sans importance.

Les exemples empruntés à l'histoire faisaient partie de l'attirail familier du rhéteur. Ils étaient donc parfaitement de mise dans la *syncrisis*, genre scolaire par excellence. Sans doute les noms que cite Vertu dans l'épopée de Silius Italicus ne nous font pas sortir du domaine mythique[373]. Mais, dans le *Songe* de Lucien, Statuaire et Culture évoquent des personnages appartenant à une histoire bien attestée et relativement proche : Phidias, Polyclète, Myron et Praxitèle, Démosthène, Eschine et Socrate[374]. Il est vrai que, dans ces énumérations, l'importance de chacun des termes est limitée. Aucune de ces figures, même celle de Socrate, n'émerge vraiment du groupe des disciples de Culture, de Statuaire ou de Vertu.

Car, et c'est là plus important encore, l'abstraction personnifiée qui fait appel à ces *exempla* conserve par rapport à eux toute sa transcendance. C'est particulièrement net chez Lucien où les personnages cités par Culture apparaissent tous comme ses clients et ses obligés. C'est Culture qui a tiré Démosthène de l'obscurité où il était né, c'est à cause d'elle qu'Eschine, d'aussi modeste extraction, a été honoré par Philippe, c'est à elle que Socrate s'est attaché, s'assurant ainsi une louange universelle[375].

Ainsi, dans la *syncrisis* traditionnelle, quel que soit le prestige des exemples mythiques ou historiques qu'elle invoque, l'abstraction per-

---

II, p. 131.

sonnifiée garde toujours sa prééminence radicale. C'est elle qui enseigne le chemin et c'est elle qui est le but. Elle peut toujours faire sien le précepte que donne Vertu dans les *Mémorables* : Εἰς τὴν πρὸς ἐμὲ ὁδὸν τρά- ποιο[376].

Il en va tout autrement dans le *De Cain* d'Ambroise. On n'y entend point Vertu dire qu'il faut aller à elle comme le Christ lui-même l'a fait. Dès que celui-ci est évoqué, c'est lui qui se trouve à la première place, apparaissant à la fois comme l'exemplaire auquel il faut ressembler, « esto magis similis illius[377] », comme le guide qu'il faut suivre, « sequere eum qui salit super montes[378] », comme le maître dont il faut recevoir l'enseignement, « docuit... te quemadmodum adversus huiusmodi temptationes resistas[379] », « docuit nos cavere ne faciamus voluntatem diaboli[380] ». Les deux fois où elle le désigne nommément, Vertu emploie la formule solennelle « dominus Iesus », qui indique son absolue prééminence : « Le Seigneur Jésus t'a enseigné[381] », « Le Seigneur Jésus répondit au diable[382]. »

« Docuit te dominus Iesus ». On voit que Vertu, qui prononce ces mots, n'a plus la position dominante que lui donnait la tradition issue de Prodicos. Non seulement elle perd le monopole de la doctrine, mais elle ne fait plus que renvoyer aux enseignements d'un autre.

L'expression « sequere eum » est encore plus riche d'implications. Sa connotation directe est évangélique : « Si quelqu'un veut venir à ma suite, dit Jésus, qu'il se renie lui-même, qu'il prenne sa croix chaque jour et qu'il me suive[383] » ; « Il te manque encore une chose : vends tout ce que tu as... puis viens, suis-moi[384]. » L'expression se répète à travers les Évangiles comme la formule technique de la conversion : « En passant, il vit Lévi, fils d'Alphée, assis au bureau de douane, et il lui dit : ' Suis-moi '. Et, se levant, il le suivit[385]. » Appelés eux aussi par Jésus dans le cadre de leur travail quotidien, Simon, Jacques et Jean « laissant tout, le suivirent[386] ». Et ce n'est point seulement la réaction d'individus pris à part. Suivre Jésus, c'est aussi ce que font des foules entières, attirées par ses miracles[387], et remuées par ses paroles[388]. Luc donne à entendre que, lors de sa « vie publique », Jésus était habituellement escorté d'une foule qui « le suivait »[389].

Aussi a-t-on pu dire, à propos du premier *Évangile*, que le verbe ἀκολουθεῖν était le résumé de toute l'existence chrétienne[390]. Kittel a souligné qu'à l'époque apostolique le mot n'est employé que pour les disciples de Jésus. On ne l'applique ni à Marc accompagnant Barnabé, ni à l'entourage de Paul[391].

Faut-il penser qu'à l'allusion évangélique se superposent des réminiscences profanes ? On sait que la maxime « sequere deum » — ἕπου θεῷ — attribuée parfois aux Sept Sages, plus souvent à Pythagore, a été présentée par les Anciens eux-mêmes comme le résumé de leur sagesse, de même que ἀκολουθεῖν exprime en quelque sorte la quintessence de

---

II, p. 131-132.

l'adhésion à Jésus. A première vue, de telles interférences ne semblent pas invraisemblables : « sequere » traduit aussi bien ἕπου que ἀκολούθει et Ambroise sait que ἕπου θεῷ est l'un des mots d'ordre de la religion philosophique.

L'évêque de Milan cite, en grec, cette maxime dans le *De Abraham*, I, en l'attribuant, non point à Pythagore, comme on le faisait souvent, mais aux Sept Sages[392]. Il la reprend dans le *De Abraham*, II, mais il n'en donne cette fois que la traduction latine[393]. Dans les deux cas, il s'agit pour lui de montrer que ce précepte dont s'enorgueillissent les païens n'est qu'un des nombreux emprunts que leur sages et leurs philosophes ont faits à la Bible. Dans le premier passage, Ambroise se borne à dire qu'Abraham a accompli ce que les sages n'ont formulé que plus tard : en quittant son pays, il a suivi le Seigneur[394]. Dans le second, l'argumentation s'est complétée. Ambroise semble avoir eu connaissance, entre temps, d'une nouvelle manière de prouver l'emprunt, qui devient un vulgaire plagiat : bien avant Abraham et donc bien avant que les païens attribuent indûment à leurs Sept Sages l'invention du « sequere deum », Moïse l'avait déjà professé en termes équivalents : « Tu marcheras derrière le Seigneur ton Dieu[395]. »

Il est probable qu'Ambroise s'inspire ici du *De migratione Abrahami* de Philon, qu'il suit souvent de près dans cette *retractatio* allégorique de la vie du patriarche. On trouve en effet dans le *De migratione* le rapprochement entre le verset du Deutéronome et la maxime invitant à suivre Dieu ; mais celle-ci n'est évoquée que de manière allusive sans qu'il soit fait mention des Sept Sages ou de quelque autre auteur supposé : « La fin, selon le très saint Moïse, c'est de suivre Dieu, comme il le dit ailleurs : tu t'avanceras derrière le Seigneur[396]. » Mais, si c'est bien Philon qui lui suggère ce rapprochement avec le Deutéronome, il est visible que l'évêque de Milan connaissait déjà auparavant la maxime ἕπου θεῷ qu'il cite expressément et dont il sait qu'on l'attribue aux Sept Sages[397], ce que ne dit pas l'Alexandrin.

Sans doute, la phrase de Vertu dans le *De Cain* — « sequere eum qui salit super montes » — ne contient aucune allusion explicite au « sequere deum ». Mais, dans la tradition hellénique, la formule « suivre Dieu » ne peut être envisagée isolément. Elle représente en quelque sorte le passage à la limite d'une métaphore fréquemment employée pour désigner l'adhésion à une philosophie ou plutôt à un maître de sagesse. Une telle démarche représente ordinairement plus qu'un simple assentiment intellectuel. C'est souvent un véritable changement de vie, que l'on désigne volontiers par les verbes ἀκολουθεῖν ou ἕπεσθαι.

C'est, par exemple, l'invitation que fait Socrate au jeune Xénophon qu'il rencontre pour la première fois : Ἕπου...καὶ μάνθανε[398]. Suivre, c'est naturellement bien plus qu'être simple auditeur. Le second peut aller sans le premier. Parménide écouta Xénophane, mais, souligne

---

II, p. 132.

Diogène Laërce, il ne le suivit pas pour autant[399]. En revanche, l'adhésion au message d'un maître entraînait une conversion dont les signes extérieurs pouvaient être fort proches des exigences évangéliques. C'est ainsi qu'après avoir entendu Pythagore, Simichos, tyran de Centoripa, renonce au pouvoir et partage ses richesses entre sa sœur et ses concitoyens[400].

Comme dans l'Évangile encore, ce ne sont pas seulement quelques individus choisis, mais des foules entières qui suivent l'inspiré. S'il faut en croire le début de ses Καθαρμοί, Empédocle parcourt la Sicile, accueilli par tous comme le dieu immortel qu'il est désormais. Des milliers d'hommes le suivent (ἕπονται) en quête de la voie du salut, les uns espérant un oracle, d'autres demandant la guérison de leurs maladies[401].

On voit qu'entre le « sequere me » évangélique et le « sequere deum » des philosophes, il y a toute une zone de transition et que, chez un homme participant aux deux cultures, comme Ambroise, chacune de ces formules pouvait évoquer aussi le registre de l'autre. Rien cependant ne permettrait de dire que le « sequere eum » du discours de Vertu dépasse les implications purement évangéliques et contient une quelconque référence à la pensée profane si l'idée de suite ne s'y trouvait associée d'emblée à celle de ressemblance : « Esto magis similis illius et sequere eum. » Il y a là, en effet, un trait caractéristique de certaines spéculations philosophiques sur le ἕπου θεῷ.

Déjà dans les *Lois*, Platon lui-même rapproche les deux thèmes quand il explique la formule πρᾶξις ἀκόλουθος θεῷ par « l'antique maxime selon laquelle le semblable est cher à son semblable »[402]. Cette équivalence des deux préceptes — « suis Dieu », « deviens lui semblable » — est un lieu commun de la tradition platonicienne à l'époque romaine. On la retrouve par exemple chez Plutarque[403], et c'est au dossier de l'ὁμοίωσις que Stobée verse l'ἕπου θεῷ pythagoricien[404]. Le thème dominant devient alors celui de l'assimilation à l'exemplaire divin, tel qu'il a été formulé dans le *Théétète*[405].

Cette manière de traduire tout uniment « suivre Dieu » par « lui devenir semblable » est, en effet, caractéristique de la tradition platonicienne. Le Portique donne au précepte un accent différent. Il y voit avant tout l'invitation à adhérer intérieurement à l'ordre du monde. La partie ne saurait s'isoler du tout et l'homme doit suivre la loi universelle qui de toute façon aura raison de lui[406]. Même si l'on peut tirer de ces vues une certaine notion de ressemblance, c'est sur une autre équivalence qu'insistent les stoïciens, celle de l'ἀκολουθεῖν θεῷ et de l'ἀκολουθεῖν φύσει[407].

Cette équivalence immédiate entre « suivre » et « devenir » semblable » ou « imiter » ne semble pas moins étrangère à l'emploi évangélique de l'expression « suivre le Christ »[408]. G. Kittel remarque que, dans cette dernière formule, « il ne s'agit en aucune façon d'une imitation s'attachant

---

II, p. 132-133.

à reproduire un modèle, mais qu'il est uniquement question d'une communion de vie et de souffrance avec le Messie, ce qui s'opère par la communion à son salut[409] ». Il faudrait sans doute nuancer l'antithèse radicale établie par Kittel — « in keiner Weise », « ausschliesslich » — qui rejette toute légitimité d'un développement ultérieur découvrant qu'une certaine « imitatio » est impliquée dans « la communion de vie et de souffrance »[410]. Mais on doit, semble-t-il, accorder à l'exégète allemand que l'équation énoncée par Augustin — « quid est enim sequi nisi imitari[411] ? » — ne saurait s'expliquer par les seuls Évangiles.

Or Ambroise formule une équivalence très proche et de saveur encore plus platonisante quand il fait dire à Vertu : « Esto magis similis illius et sequere eum. » Il s'agit en effet, dans cette séquence, moins de deux notions qui s'additionnent que de deux manières d'exprimer le même concept, l'une plus directe, l'autre métaphorique. L'évêque de Milan prend soin de nous livrer en même temps l'image et son interprétation. Il le fait ailleurs de façon encore plus explicite quand il précise que le publicain a reçu l'ordre de suivre Jésus « non par le mouvement du corps, mais par la disposition de l'âme »[412], ou quand il explique que l'on s'enfuit dans la vraie patrie non avec les « pieds du corps », mais « avec l'âme, avec les yeux, ou avec les pieds intérieurs[413] ». Si, dans la phrase du discours de Vertu, l'image est précédée de sa traduction, c'est qu'il fallait finir sur ce verbe « sequere » destiné à introduire Cantique, 2, 8, point de départ de la *retractatio* christologique à laquelle va procéder le *De Cain*.

On doit donc, semble-t-il, répondre affirmativement à la question que nous avons posée tout à l'heure : l'idée d'ἀκολουθία impliquée par le « sequere eum » du discours de Vertu représente une sorte de compromis entre les réminiscences bibliques et la tradition platonisante. Ce compromis, il ne saurait être question d'en faire honneur — ou grief — à Ambroise. Il a été opéré bien avant lui, dans le milieu alexandrin. On en trouve l'expression la plus complète et la plus suivie chez Clément. L'auteur des *Stromates* avertit en effet ses lecteurs que l'ἀκολουθία est l'équivalent biblique de l'ὁμοίωσις platonicienne[414]. Il est clair que l'évolution dénoncée pas Kittel est déjà accomplie au moment où ces lignes sont écrites, puisque le chapitre d'où elles sont tirées illustre l'idée que « le gnostique imite Dieu autant qu'il est possible », formule doublement significative et par la notion de μίμησις qu'elle met en avant et par l'allusion au passage classique du *Théétète*, contenue dans la clause « autant qu'il est possible »[415].

D'autres textes viennent confirmer que nous touchons avec Clément aux origines de la tradition dont dépend Ambroise quand il parle en même temps de « suivre » et d'« être semblable ». Ainsi nous lisons, dans ce même deuxième livre des *Stromates* que c'est l'histoire d'Abraham, et plus exactement Genèse, 12, 4 — « Abraham s'en alla, selon ce que

---

II, p. 133.

lui avait dit le Seigneur » —, qui a fourni à « l'un des sages des Grecs » l'idée du « sequere deum »[416]. Comme nous venons de le voir, c'est exactement ce que l'on trouve dans le premier livre du *De Abraham* de l'évêque de Milan, qui précise seulement le nombre de ces sages. Mais cette addition est insignifiante, tant la formule « les Sept Sages », allait de soi. Philon au contraire restait beaucoup plus allusif[417].

Une autre version du même thème se trouve au chapitre 14 du livre V des *Stromates*. Clément nous y apprend que Deutéronome, 13, 5 — « Vous marcherez derrière le Seigneur votre Dieu et vous garderez ses commandements » — est la source commune du précepte stoïcien, « suivre la nature », et du mot d'ordre de Platon, « devenir semblable à Dieu[418] ». On reconnaît la ligne générale de l'argument qu'Ambroise a repris dans un passage du *De Abraham*, II, où il fait remonter le « sequere deum » à ce même verset du Deutéronome[419]. On a vu que l'influence de Philon sur cette page ne suffisait pas à tout expliquer : — d'autres réminiscences, d'autres thèmes devaient donc s'y mêler. Nous constatons maintenant que c'est à la tradition de Clément d'Alexandrie qu'Ambroise les devait. Il s'agit sans doute d'une dépendance indirecte et l'on pense aussitôt à une possible médiation d'Origène. Ce qui importe, en tout cas, pour la présente recherche, ce sont les implications doctrinales du couple « esto similis... et sequere », par lequel Ambroise introduit la personne du Christ dans le débat de Volupté et de Vertu. Nous venons de voir qu'il s'agit de la reprise d'une formule évangélique dans un contexte de spiritualité platonisante. Si Ambroise ne mentionne pas ici le « sequere deum », il n'en reste pas moins que la manière dont il rapproche « suite » et « assimilation » renvoie à une exégèse philosophique de cette maxime.

Mais, à partir du moment où le Christ est explicitement évoqué, à la fois comme le docteur qu'on doit écouter et comme l'exemplaire auquel il faut devenir semblable, le personnage de Vertu perd toute crédibilité et toute raison d'être et le débat qui l'oppose à Volupté n'est plus qu'une fiction superflue.

Car nous voyons maintenant clairement pourquoi le Christ ne saurait jouer ici le rôle de ces *exempla* invoqués par Vertu, Statuaire ou Culture, dans les *Punica* et chez Lucien.

On lit dans la *Rhétorique* d'Aristote, source de la théorie du παράδειγμα, que celui-ci est une espèce d'induction. Plus précisément, c'est l'induction de la rhétorique, tout comme l'enthymème est le syllogisme de la rhétorique[420]. C'est dire que l'exemple se situe sur le plan du vraisemblable. En effet, au lieu d'aller du particulier au général, comme fait l'induction qu'on pourrait appeler scientifique, il va du particulier au particulier, créant la persuasion au sujet d'un cas donné en le rapprochant d'un cas semblable mieux connu, l'un et l'autre faisant partie du même genre[421]. Cette conception sera indéfiniment reprise et précisée, par les

---

II, p. 133-134.

Grecs et par les Latins. Disons, pour faire court, qu'on la retrouve en particulier chez Quintilien[422].

Soit l'exhortation adressée en songe à Lucien. Le dormeur se voit proposer l'exemple de Socrate, de Démosthène et d'Eschine. C'est dire que Socrate, Démosthène et Eschine représentent trois réalisations diverses ou trois espèces du genre Culture. Les avantages qu'ils en ont retirés doivent inciter Lucien à faire le même choix qu'eux, à devenir ainsi participant du même genre.

Il se trouve que, dans la *syncrisis*, le genre lui-même est personnifié : c'est Culture, ou Statuaire, ou Volupté, ou Vertu. C'est pourquoi la figure allégorique est toujours supérieure aux exemples qu'elle cite, et qu'elle domine, comme le genre domine l'espèce ou comme le tout enveloppe la partie.

Or le Christ, invoqué par Vertu dans le *De Cain*, est παράδειγμα dans un tout autre sens, plus proche de celui que Platon donne à ce mot, quand il dit que deux παραδείγματα sont dressés dans la réalité, l'un divin et bienheureux, l'autre sans-dieu et très misérable[423]. On comprend alors que, chez Ambroise, la fiction du débat allégorique fasse place au conflit bien réel qu'elle dissimulait laborieusement, mais qui se révèle dans le récit de la tentation au désert. Le compromis entre l'Évangile et la spiritualité hellénique ne s'est donc pas soldé par un avantage aussi net en faveur de la seconde que le voulait Gerhard Kittel.

On le verra mieux encore dans un nouveau détour du discours de Vertu où va se révéler la vraie nature de cet exemplarisme très particulier qu'Ambroise reprend au christianisme alexandrin. Car Vertu continue à parler même après que l'évocation du Christ en a fait comme une doublure superflue. On reconnaît ici le procédé de la surimpression qui est si familier à Ambroise, à la fois comme une technique et comme une facilité.

8. « *Convivium ecclesiae* ». *Fiction allégorique et réalité sacramentaire.*

Les paragraphes 17 et 18 qui suivent sont une sorte d'appendice au récit de la tentation de Jésus. Ambroise, par la bouche de Vertu, s'attache à écarter une interprétation radicale de l'épisode. On pourrait en effet conclure de celui-ci que le monde matériel est entièrement au pouvoir de Satan et que, par conséquent, à l'égard de tout ce que ce monde peut offrir, une abstinence totale s'impose. L'évêque de Milan s'attache à prévenir cette exégèse de saveur gnostique. Dieu n'a remis ce monde à Satan qu'à titre temporaire et partiel, non pour qu'il le possède, mais pour qu'il s'en serve comme moyen de tenter l'homme. Il ne saurait en effet y avoir de couronne sans combat[424]. On peut donc goûter aux biens de ce monde à deux conditions : qu'on en use avec modération et qu'on les demande à celui qui est la vraie source de toutes choses[425].

II, p. 134.

Tout ce développement qui est la solution d'une difficulté soulevée par la démonologie chrétienne, était naturellement étranger au canevas philonien. Nous retrouvons bientôt celui-ci lorsqu'Ambroise en vient à évoquer un banquet où ni indigestion ni troubles de l'ivresse[426] ne sont à craindre.

Mais dire qu'avec ce nouveau développement nous retrouvons Philon appelle quelques explications. Sans doute, entre les trois lignes consacrées au banquet spirituel dans le *De sacrificiis*[427] et les deux pages où Ambroise exalte le « convivium ecclesiae »[428], il y a bien communauté de thème. Ici comme là, il s'agit d'un banquet d'où l'on ne sort point le corps alourdi et l'esprit hébété, mais qui, au contraire, engendre la joie. Cependant, cette commune antithèse est orchestrée de manière si différente par Philon et par Ambroise qu'à rapprocher ces deux passages isolés de leurs contextes, il faudrait parler non d'emprunt, mais de simple parenté, d'exploitations divergentes d'une même image traditionnelle. La situation apparaît différente si l'on considère les deux ensembles dont ces éloges du bon festin ne peuvent être séparés. Nous avons vu qu'en interprétant à son tour le débat de Volupté et de Vertu, Ambroise s'inspire constamment de la version qu'en donne Philon dans le *De sacrificiis*. Tantôt l'évêque de Milan reprend les phrases mêmes de son modèle, jusqu'à frôler la pure traduction, tantôt il en isole certains éléments, mots ou images, pour obtenir de nouveaux et parfois surprenants effets, tantôt il substitue à tel morceau du développement philonien un texte biblique plus ou moins proche qui ne dissimule pas entièrement la page qu'il remplace.

Or, non seulement ces trois lignes du *De sacrificiis* sur le bon festin appartiennent à cette longue *syncrisis* qui transparaît constamment sous l'adaptation ambrosienne, mais encore elles sont directement encadrées par deux passages que l'évêque de Milan a imités presque littéralement tout en les transposant. Un peu avant d'évoquer le festin de l'âme, Philon a mis en parallèle les « mystères » de Volupté et l'abondance des biens amassés par Vertu[429]. L'évêque de Milan reprend l'antithèse sous la forme « voluptatis mysteria... nostrarum copiarum munera[430] ». L'imitation n'est pas moins nette dans le paragraphe qui suit immédiatement la mention du banquet. Nous reviendrons sur ces lignes où Philon en appelle à l'évidence immédiate du soleil et de la lune, qui n'ont point besoin d'autre interprète que leur éclat, et sur la surprenante manière dont Ambroise reprend ce thème, en retournant contre son prédécesseur les termes mêmes dont celui-ci s'était servi[431].

Il ne fait donc point de doute que, dans les deux passages où Philon et Ambroise opposent le banquet de la joie aux ripailles avilissantes, il s'agit non point d'une rencontre fortuite, mais d'un nouveau moment de cet *agôn* que l'évêque de Milan poursuit délibérément tout au long de ce débat de Volupté et de Vertu, on pourrait même dire tout au long du *De Cain et Abel*.

II, p. 134.

Ce n'est évidemment pas à une compétition littéraire qu'Ambroise veut se livrer, même si son goût a pu l'amener à laisser tomber certains développements, telle l'interminable énumération des qualificatifs désobligeants qui conviennent au sectateur de Volupté[432]. C'est sur le plan de la doctrine que l'évêque de Milan lance son défi, et, encore une fois, ses armes sont des textes d'Écriture qui lui permettent de réexposer les thèmes de son prédécesseur en les infléchissant, voire en les inversant.

Dans ce passage sur le bon festin, l'auteur du *De Cain* combine, à sa manière habituelle, des versets bibliques de diverses provenances. Mais on n'est point surpris de constater que c'est le Cantique des Cantiques qui occupe la place centrale. Il s'agit plus précisément du verset 5, 1 :

« Je suis entré dans mon jardin, ma sœur épouse. J'ai vendangé la myrrhe avec mes aromates, j'ai mangé mon pain avec mon miel et j'ai bu du vin avec mon lait. Mangez, mes proches, et buvez et enivrez-vous, mes frères[433]. »

Ambroise voit dans ces derniers mots l'invitation au « banquet de l'Église », où le Christ est à la fois le serviteur et le convive auprès duquel on peut prendre place en s'unissant par là même à Dieu[434]. Bien que l'apparat de Schenkl ne fournisse ici aucune référence évangélique, les allusions à la dernière Cène sont transparentes. Jésus sert et il est servi. Ne s'est-il pas levé de table pour laver les pieds de ses disciples au cours du repas commun où il allait rompre le pain et bénir la coupe[435] ? Quant à l'invitation à s'étendre au côté de ce convive, elle évoque évidemment la place occupée au cours de la Cène par le disciple que Jésus aimait[436], tout en recevant des textes voisins du Cantique une signification nuptiale.

Ainsi l'on voit se répéter le mouvement par lequel Ambroise fait passer au plan de l'histoire évangélique ce qui chez Philon n'était que pure métaphore. Nous avons analysé ce glissement à propos des « laquei », qui nous ont conduits du symbolisme galant à la tentation au désert. De même ici, le banquet allégorique de l'Alexandrin, où l'âme se repaît de nourritures impalpables avec les vertus pour convives, fait place à un repas bien réel, le dernier que Jésus prit avec les siens.

Mais l'invitation à ce repas est également adressée à l'auditeur de Vertu qui évidemment n'appartient pas au cercle des Douze et se trouve être finalement n'importe quel auditeur ou lecteur de l'évêque de Milan. Il s'agit donc de participer à un événement de l'histoire d'une manière qui ne peut être strictement et littéralement historique. En outre, pas plus que le temps, le lieu de ce « convivium ecclesiae » ne rentre dans le cadre du récit évangélique pris à la lettre, puisqu'il n'est autre que le jardin du paradis où se trouvaient Adam et Ève avant leur péché[437]. On pense au temps et au lieu de l'action sacramentaire et il est difficile de ne pas supposer qu'Ambroise évoque plus précisément l'Eucharistie.

II, p. 134-135.

Mais est-ce bien le sens du texte ? On peut trouver curieux, s'il en est ainsi, que rien ne soit dit ouvertement. Tout reste implicite, dans une sorte d'ambiguïté que protège le recours à l'Ancien Testament. Sans doute dans ce jardin, lieu mystique du banquet, on est enseveli avec le Christ par le baptême — comme l'indique, selon Ambroise, la myrrhe de Cantique, 5, 1 — pour ressusciter avec lui[438]. Mais l'Eucharistie n'est désignée que de manière oblique : c'est le pain qui conforte le cœur de l'homme, comme il est dit dans le Psaume 103[439], c'est le vin avec le lait, dont parle le Cantique. Ambroise lui-même semble brouiller la piste à plaisir en donnant aussitôt de ce lait une exégèse d'un allégorisme moralisant, qui semble à première vue mettre en cause l'interprétation sacramentaire de tout le passage[440].

Mais, à l'analyse, le sens eucharistique de ce texte ne fait aucun doute. C'est ce qu'ont bien vu Mesot[441] et Dassmann[442]. Il n'est pas inutile de compléter ici leur démonstration en lui donnant une base plus large, ce qui permettra en même temps de faire entrevoir les thèmes et les souvenirs que l'allégorie philonienne du banquet a fait entrer en résonance dans l'esprit de l'évêque de Milan.

Pour répondre d'abord à la difficulté que nous avons soulevée en dernier lieu, rappelons qu'Ambroise aime jouer à la fois des différents niveaux de signification. Une exégèse morale n'exclut pas une interprétation sacramentaire ; elles peuvent se superposer, voire se modifier l'une l'autre. C'est ce qui arrive ici pour le « lait bu avec le vin ». On passe de la « pura simplicitas » à la « gratia quae in remissionem sumitur peccatorum » pour aboutir à l'idée de la croissance spirituelle. Le premier et le troisième thème qui semblent d'abord appartenir au niveau éthique sont placés dans une perspective nouvelle par le voisinage du second, dont les implications baptismales ne font pas de doute. Le « sive quod », répété trois fois pour distinguer ces trois interprétations du lait bu par l'époux, souligne bien ce pluralisme explicatif. Il laisse la possibilité de choisir, mais aussi de tout retenir, comme le fait pratiquement Ambroise lui-même.

Remarquons en outre que c'est tout le passage qui a un caractère allusif. L'évocation de la Cène, qui n'est pas douteuse, se fait elle-même de façon oblique. Tout y est moins exprimé que suggéré.

Ne serait-ce pas que, pour Ambroise lui-même et pour la plupart de ses auditeurs et de ses lecteurs — ceux du moins qui avaient reçu l'initiation chrétienne —, ces allusions étaient immédiatement saisies et que l'obscurité relative que nous pensons y trouver n'existait pour ainsi dire pas, tant les textes dont se servait l'évêque de Milan étaient familiers et transparents ?

Pour confirmer cette hypothèse, on peut se tourner d'abord vers les commentateurs du Cantique pour savoir si ce verset 1 du chapitre 5 avait à leurs yeux une signification sacramentaire. Le malheur est que

---

II, p. 135.

l'exégèse ancienne du Cantique des Cantiques ne nous est parvenue que très partiellement. Du commentaire d'Hippolyte, nous ne possédons que des bribes qui ne concernent pas notre verset[443]. Une grande partie de celui d'Origène est entièrement perdu. Le reste nous est surtout connu par la traduction de Rufin, tandis que la version de Jérôme nous a conservé deux *Homélies sur le Cantique* du didascale d'Alexandrie. Mais ces restes ne comprennent pas ce qu'Origène avait écrit sur le chapitre 5[444].

Nous devons donc, faute des grands initiateurs, nous contenter de ce qu'ont transmis des épigones, l'un considérable, Grégoire de Nysse, d'autres de moindre importance, et de valeur inégale, comme Philon de Carpasia, Théodoret de Cyr, Nil d'Ancyre, dont les œuvres nous ont été conservées soit directement, soit à l'état de fragments préservés par les chaînes et d'abord par Procope de Gaza. Tous ces commentateurs, quelle que soit leur personnalité, marchent évidemment dans les voies ouvertes par leurs grands devanciers, notamment par Origène. On ne s'étonne donc point que leur exégèse ait un air de famille et l'on n'est pas davantage surpris de constater que notre page du *De Cain* relève sans aucun doute de la même tradition.

Cela se voit déjà à des rencontres de détail. C'est ainsi que, comme chez Ambroise, on retrouve chez Grégoire de Nysse et chez Théodoret les thèmes spirituels du nourrisson[445] et de l'ivresse[446] greffés sur les mêmes mots de Cantique, 5, 1 : Ἔπιον οἶνόν μου μετὰ γάλακτός μου... μεθύσθητε.

Mais cette parenté ne se borne pas à des analogies de détail. L'interprétation christologique de ce passage du Cantique est partout affirmée. On en trouve un résumé schématique dans le plus sec de ces commentaires, celui de Philon de Carpasia, pour qui ce verset et le suivant évoqueraient successivement, selon l'ordre capricieux des figures, la sépulture de Jésus annoncée par le prophète, la Pâque qu'il a célébrée, sa mort sur la croix, sa résurrection, son intervention libératrice aux enfers[447].

La myrrhe a un rôle particulièrement important dans l'établissement de cette équivalence symbolique et dans le passage à l'ordre sacramentaire. D'une part, en effet, elle est la figure des souffrances et de la mort de Jésus, les aromates étant souvent interprétés comme la force divine de la résurrection[448]. D'autre part, elle est moissonnée dans le jardin de l'épouse, c'est-à-dire dans l'âme. Or, ce que le Christ récolte, il l'a lui-même planté par le baptême où l'âme meurt et est ensevelie avec lui[449].

L'évocation de la dernière Cène était encore plus facile à découvrir. Grégoire de Nysse souligne que Φάγετε καὶ πίετε, c'est à la fois l'invitation de l'époux à ses compagnons et celle que Jésus adresse à ses disciples[450]. Et si le Christ n'a pas ajouté à l'intention des Apôtres « enivrez-vous »,

II, p. 135.

comme dans le Cantique, c'est que cette exhortation était devenue inutile : il n'avait plus à recommander cette ivresse mystique qu'il était en train d'opérer[451]. Le même rapprochement avec les paroles de la Cène se trouve chez Philon de Carpasia[452] et chez Nil d'Ancyre[453].

Mais, alors que Théodoret passe directement de la mort et de la résurrection du Christ à la mention du baptême, l'Eucharistie, pourtant si proche dès que l'on a identifié les paroles de la Cène, reste comme sous-entendue dans tous ces commentaires de Cantique, 5, 1. Ce que nous trouvons ce sont des formules où les initiés l'y découvrent comme en filigrane, tandis qu'un sens obvie retient les profanes sur le seuil. C'est ainsi que le mystère du pain et du vin est seulement suggéré par Grégoire de Nysse qui évoque, dans une incise, « le pain apparu aux disciples après la résurrection du Seigneur »[454]. Il en va de même du calice, lorsque Grégoire ajoute presqu'aussitôt que le Christ « devient pour celui qui a soif un cratère plein de vin et de lait »[455].

On retrouve ce mode d'expression indirecte dans l'interprétation que donne Théodoret des « proches », invités par l'époux à manger et à boire. Ce sont, dit l'évêque de Cyr, « les parfaits » — τετελειωμένοι — « qui se glorifient de leur parenté avec lui, ceux qui gardent l'image intacte »[456]. Ce qui frappe dans ce texte c'est qu'il peut se lire de deux manières. On peut voir dans ces τετελειωμένοι ceux qui sont arrivés à la perfection spirituelle, par opposition aux « nourrissons » et aux progressants, ou encore, pour employer le vocabulaire d'un Clément d'Alexandrie, les « gnostiques » par opposition aux simples chrétiens. Mais on peut aussi comprendre que ces τετελειωμένοι sont ceux qui ont reçu l'achèvement que confère le baptême, interprétation qui est parfaitement en accord avec le vocabulaire technique de l'initiation chrétienne[457]. Tout devient alors plus précis, plus prégnant, l'emploi du participe parfait passif comme la mention de la συγγένεια et de l'image gardée incorruptible par ces baptisés restés fidèles. Mais, du même coup, le festin que l'époux réserve à ses « proches » se trouve désigner d'une façon transparente le repas eucharistique, cette nourriture des baptisés.

Cette façon de suggérer, grâce à quelques indices que seuls les initiés savent interpréter, est d'autant plus frappante qu'on la retrouve dans des textes de genre différent comme les commentaires de Grégoire et de Théodoret et la *syncrisis* du *De Cain* d'Ambroise. On ne peut guère douter qu'il s'agisse là d'un silence délibérément gardé sur une zone particulièrement centrale du mystère chrétien.

On a sans doute beaucoup trop invoqué la discipline de l'arcane à propos des premières générations chrétiennes. C'était pour les théologiens un moyen de créer une identité factice entre l'enseignement de la primitive Église et le dogme élaboré que les siècles suivants avaient canonisé. L'arcane devenait un argument trop facile pour se débarrasser d'un silence que l'on trouvait gênant. L'abandon d'un certain fixisme doctrinal

---

II, p. 135-136.

et les progrès de la critique jetèrent sur la notion un discrédit explicable[458].

Il n'en reste pas moins qu'au ive siècle l'existence de ce qu'on est convenu d'appeler une « discipline de l'arcane » est un fait indéniable, même si les limites exactes dans lesquelles s'appliquait cette règle du secret peuvent encore prêter à discussion[459].

Ambroise lui-même souligne cette obligation de garder le silence sur certains aspects de la foi. Il le fait d'une manière particulièrement claire dans le *De Cain*, quelques pages après le débat de Volupté et de Vertu. Ce sont les pains cuits sous la cendre et offerts par Abraham aux trois anges qui sont l'occasion de cette remarque. Une fois encore, c'est Philon qui a orienté le développement d'Ambroise en opposant la promptitude du patriarche au peu d'empressement mis par Caïn à offrir son sacrifice[460]. L'auteur du *De Cain* a trouvé également chez l'Alexandrin l'idée que ces ἐγκρυφίαι, ces pains cuits sous la cendre, signifient que la parole sainte et initiatique au sujet de l'inengendré et de ses puissances doit rester cachée[461]. Ambroise, qui donne au trois visiteurs angéliques une signification trinitaire, ne peut accepter l'interprétation proposée par Philon en ce qui concerne l'inengendré et ses puissances[462]. En revanche, il n'a point de peine à retrouver dans la pratique de l'Église l'obligation de ne point révéler les mystères[463] qui sont contenus dans le symbole et dans l'oraison dominicale[464].

Au début du *De mysteriis*, Ambroise donne lui-même deux raisons de ce secret. La première est proprement religieuse : il y aurait comme une trahison à évoquer ces arcanes devant ceux qui ne sont pas encore baptisés. La seconde est plutôt pédagogique. Il s'agit, en évitant une divulgation préalable, de ménager comme un effet de surprise grâce auquel la clarté des mystères pénétrera plus profondément ceux qui les recevront[465]. Ce texte nous montre en même temps ce qui tombe avant tout sous la discipline de l'arcane : les mystères de l'initiation chrétienne.

Il est clair que l'Eucharistie en constituait le cœur, la zone qui devait être la mieux protégée par cette règle du secret. C'est bien ce que montre la pratique d'Ambroise lui-même dans une lettre où il annonce à Bellicius encore catéchumène la stupeur que celui-ci éprouvera en recevant un don divin encore plus efficace et plus salutaire que la manne tombée du ciel pour les juifs[466]. C'est un exemple particulièrement net, mais, en beaucoup d'autres textes d'Ambroise, on retrouverait cette présentation allusive de l'Eucharistie[467]. De tels passages offraient un sens purement moral aux non chrétiens et aux catéchumènes. Quant aux baptisés, l'initiation chrétienne qu'ils avaient reçue et les explications dont elle avait été accompagnée leur permettaient de percevoir immédiatement dans les mêmes textes les indices du sens sacramentaire.

Dans notre page du *De Cain*, le plus apparent de ces indices est précisément le verset du Cantique dont elle est en grande partie le commentaire.

II, p. 136.

On sait par l'exemple d'Ambroise lui-même que ce verset était l'un des textes qui servaient à expliquer aux néophytes le sacrement du corps et du sang du Seigneur[468]. Il était ainsi étroitement associé à l'Eucharistie dans la mémoire du baptisé. En remplaçant « panis » et « vinum » par « cibus » et « potus » quand il le citait au cours de l'initiation et en soulignant cette substitution intentionnelle[469], Ambroise liait encore plus solidement à ce texte l'interprétation eucharistique qu'il révélait aux nouveaux chrétiens.

Mais notre page du *De Cain* comporte encore d'autres indices du sens sacramentaire. C'est d'abord un remploi du Psaume CIII, 15, qui vient se greffer sur la citation du Cantique : « Là tu mangeras le pain qui conforte le cœur de l'homme. » Or dans le *De mysteriis*, le florilège eucharistique où figure Cantique, 5, 1, s'achève à peu près sur une allusion à ce même verset du Psaume CIII[470], qui devait sans doute à la double mention du pain et du vin d'être devenu un texte classique de l'initiation chrétienne. C'est ce que semble montrer une page de Cyrille de Jérusalem, qui témoigne avec celle d'Ambroise d'une commune tradition mystagogique[471].

La joie du cœur provoquée par le vin et la sobre ivresse qui ne fait point vaciller sont d'autres thèmes eucharistiques qu'on trouve à la fois dans notre page du *De Cain* et dans les catéchèses d'initiation[472]. Et déjà le fait que, tout au début de ce passage, l'invitation au festin adressée aux compagnons de l'époux est placée par Ambroise sur les lèvres de l'Église, prépare l'auditeur ou le lecteur averti à entendre de l'Eucharistie tout ce qui va suivre[473]. Les mots « convivium ecclesiae » employés un peu plus bas[474] renforcent cette présomption, que l'emploi et l'orchestration de Cantique, 5, 1, transforment bientôt en certitude.

IV — Structure et principe directeur
DE LA « RETRACTATIO » AMBROSIENNE

1. *Construction.*

Après le développement capital sur le banquet mystique, Ambroise — ou si l'on veut Vertu, qui lui sert de porte-parole — revient aux thèmes négatifs : l'ivresse crapuleuse, la luxure qui en est la conséquence, cette autre *libido*, plus insatiable encore, qu'est l'amour de l'argent. Là-dessus, par un retournement semblable à celui qu'avait subi le thème du festin, Vertu recommande à celui qu'elle catéchise de rechercher plutôt les richesses invisibles et célestes[475].

On le voit, cette dernière page n'ajoute rien de substantiellement nouveau. Ce n'est qu'un écho affaibli de ce qui précède, le développement d'une même série d'antithèses destiné à obtenir cette abondance que recherchent les rhéteurs.

II, p. 136-137.

Vertu souligne alors qu'elle a réalisé le plan qu'elle s'était tracé : « Tu as entendu les mystères de Volupté, tu as entendu aussi quels dons contiennent nos trésors[476]. » Ce n'est point la fin de son discours. Dans une sorte d'épilogue, elle va notamment énoncer ce qu'on peut considérer comme la règle d'or de l'orateur chrétien selon Ambroise.

Mais avant d'en aborder l'examen, il semble opportun de suivre l'exemple de Vertu et de jeter un coup d'œil sur l'ensemble des étapes que nous avons parcourues. Nous pourrons ainsi mieux apprécier l'ampleur et mieux entrevoir la finalité des transpositions et des altérations qu'Ambroise a fait subir à la *syncrisis* philonienne.

Quatre parties bien délimitées et solidement reliées entre elles émergent maintenant de ce qui paraissait d'abord un puzzle d'emprunts philoniens, d'allusions bibliques, d'interprétations chrétiennes, voire de schémas rhétoriques cicéroniens. Un tableau fort simple permet de mieux faire sentir comment s'organisent ces quatre développements :

VOLUPTÉ	A. Le jeune garçon tenté par l'étrangère (I, 4, 14, p. 348, 23 - 350, 14)	B. Le banquet de Volupté (I, 4, 14, p. 350, 14 - 351, 21)
VERTU	C. Le Christ tenté par le diable (I, 5, 15-16, p. 353, 3 - 354, 10)	D. Le banquet de l'Église (I, 5, 19, p. 355, 18 - 357, 9)

Ce tableau appelle deux remarques. La première, c'est que les indications de lignes données dans les parenthèses afin de situer les limites des quatre parties ne sont pas à entendre d'une manière absolue et rigide. Ambroise, en effet, n'aime guère les arêtes vives, les frontières linéaires. Chez lui, un nouveau développement est presque toujours précédé d'une zone de transition, qui appartient encore à ce qui précède et annonce déjà ce qui suit.

On pourrait, par exemple, faire commencer le développement « C » plus haut ou plus bas. En effet, le thème de la tentation du Christ n'est ouvertement annoncé que trois lignes plus loin[477], mais il est suggéré dès la page précédente, au moment où les filets au-dessus desquels bondit l'époux du Cantique sont rapprochés des liens de Volupté[478]. J'ai choisi la phrase où apparaît la première citation littérale de l'évangile de la tentation — « Je te donnerai tout cela si tu te prosternes pour m'adorer » — bien que, à ce moment du développement d'Ambroise, cette invitation soit encore placée sur les lèvres de Volupté[479]. Mais qu'il y ait toujours un peu d'arbitraire dans ces limitations précises au sein du *continuum* ambrosien n'empêche pas ces quatre développements d'émerger très nettement et de former un ensemble cohérent, comme nous allons voir.

II, p. 137-138.

On remarque aussi que des portions notables du texte d'Ambroise n'appartiennent à aucun des développements qui sont ici distingués. Seules les sections « A » et « B » se suivent immédiatement. Un peu plus d'une page vient s'intercaler entre « B » et « C », une page et demie entre « C » et « D ». Ces zones intermédiaires peuvent être de pure forme, soit qu'elles appartiennent au cadre de la *syncrisis* où viennent s'enchasser les différents thèmes introduits par l'auteur du *De Cain*[480], soit qu'elles constituent ces transitions en dégradé dont nous venons de relever l'usage fréquent chez Ambroise[481]. L'intervalle qui sépare « B » et « C » relève successivement de ces deux types. Entre « C » et « D », en revanche, on trouve un développement autonome, accessoire, il est vrai, par rapport à la ligne principale. Ambroise y prévient l'erreur d'un ascétisme radical, que pourrait suggérer la mauvaise interprétation des trois tentations démoniaques au désert. C'est en quelque sorte une glose un peu développée.

Dégagés de ces encadrements, de ces transitions et de ces gloses, les quatre développements principaux forment un ensemble solidement organisé. Mais cette organisation n'est ni celle d'une démonstration qui progresse vers son terme, ni celle d'une analyse menée avec méthode. Il s'agit plutôt d'un jeu subtil de correspondances, de symétries et d'antithèses qui lient d'abord ces développements deux à deux et forment ensuite, par une sorte d'entrecroisement, un ensemble d'une cohérence plus intuitive que logique.

Si l'on se réfère à notre tableau, on peut dire que ces corrélations sont d'abord verticales, c'est-à-dire qu'à chaque section de l'étage Vertu correspond une section de l'étage Volupté.

Il n'est pas besoin d'insister longuement sur la symétrie de « A » et de « C », c'est-à-dire de la tentation du jeune garçon par l'étrangère et de la tentation du Christ par le diable. Des deux côtés, des promesses sont faites, des conditions sont posées, un piège est tendu. Le parallélisme est fortement marqué par Ambroise qui, comme nous l'avons vu, prête un moment les paroles du Tentateur à la tentatrice[482].

Mais ce parallélisme est évidemment antithétique. Le jeune homme se montre accessible au racolage et finit par suivre la courtisane dans sa maison[483], tandis qu'on est dès l'abord assuré que le Christ ne se laissera ébranler par aucune des séductions diaboliques[484].

Cette mise en opposition des deux tentations est réalisée par Ambroise avec des moyens assez simples. Pour l'essentiel, c'est le rapprochement de deux récits scripturaires, l'un tiré du livre des Proverbes, l'autre emprunté aux évangiles synoptiques. Il n'en va pas de même avec les deux banquets. Les développements que leur consacre le *De Cain* sont en effet beaucoup plus composites, leur agencement plus subtil, leurs intentions plus complexes.

La description du *convivium luxuriosum* est à bien des égards un

---

II, p. 138.

habile centon. Son fondement scripturaire, c'est le chapitre 9 du livre
des Proverbes, où l'on voit Sagesse et Folie inviter les passants au banquet
que chacune a préparé. Ambroise a tiré de ce texte une partie de l'allocution adressée par Volupté à ses convives[485], et c'est par un emprunt
à ce même chapitre des Proverbes qu'il introduit le développement
consacré au « convivium ecclesiae »[486].

« Buvez et enivrez-vous ». L'invitation retentit au cours des deux
banquets[487]. Mais ces mots prennent évidemment un sens tout différent
selon qu'ils saluent l'orgie de Volupté ou préludent à l'agape de l'Église.
C'est la dialectique de l'ivresse crapuleuse et de la sobre ivresse, un de
ces thèmes de l'exégèse philonienne devenus, à l'époque d'Ambroise,
le bien commun des allégoristes chrétiens, tout particulièrement des
interprètes du Cantique et des catéchètes de l'initiation chrétienne.
D'un côté, c'est la description heurtée d'une scène équivoque et tumul-
tueuse avec les désordres et les souillures d'une réunion d'ivrognes,
de l'autre, c'est une évocation paisible et idyllique de nourritures simples
partagées dans un jardin.

Des harmoniques scripturaires viennent renforcer et approfondir
ce contraste. « Buvez et enivrez-vous afin que chacun tombe et ne se
relève pas », lance Volupté à ses hôtes. Sous la fausse jovialité d'un
défi de buveur se cache, on l'a vu, un verset redoutable de Jérémie (25, 27)
où le breuvage offert est celui de la vengeance de Yahvé et où les mots
« ne point se relever » sont à prendre au sens le plus exact, le plus définitif[488]. L'impératif « vomissez » que comporte aussi le texte du prophète
n'est pas repris par Ambroise, car la description qui précède le rend
superflu et son omission va donner encore plus de rigueur et de force
à la symétrie antithétique que prépare l'évêque de Milan. Car Vertu
proclame à son tour : « Buvez et enivrez-vous ». Mais c'est en reprenant
cette fois un verset du Cantique qui sert de lien entre l'*oxymoron* de la
« sobre ivresse » et l'évocation de la dernière Cène et du « convivium
ecclesiae » : « *Mangez*, mes proches, et *buvez et enivrez-vous*, mes frères[489]. »

Les interrogations fictives que Vertu adresse à l'âme, les objections et
les inquiétudes qu'elle lui prête, permettent à Ambroise de détailler
l'antithèse du banquet profane et du banquet de l'Église : tout ce que
le premier prétend offrir sur le plan charnel, le second le réalise sur le
plan spirituel, qu'il s'agisse de la nourriture et de la boisson, de la musique,
des serviteurs et des convives, de l'espace, du décor[490].

On chante dans le palais de Volupté, sans doute des refrains à boire.
Mais ce « concentus canentium » est évoqué dans une énumération de
bruits, de rumeurs, de cris, dont l'ensemble donne l'idée non d'une
harmonie, mais d'un vacarme discordant[491]. L'ambiance est toute
différente dans le banquet de la Sagesse. Qu'on ne craigne point d'y
être privé de musique ! Mais aucun son perturbateur ne se mêle aux
« cantica » qui viennent charmer les convives. Et l'Église ne chante

----

II, p. 138.

point de simples chants, mais le « chant des chants », le Cantique des cantiques[492].

Le banquet de l'Église a aussi ses parfums — « Nec verearis ne in convivio ecclesiae... grati odores tibi... desint[493] » —, mais ce ne sont point ceux qui se mêlent sur le pavement au vin répandu, aux arêtes de poissons et aux fleurs fanées[494]. Ce sont les odeurs symboliques de la myrrhe et des aromates cueillis dans le jardin de l'épouse[495].

On y sert, bien sûr, des nourritures et des boissons[496], mais qui ne provoquent point les dégoûtants excès dont est marqué le festin de Volupté[497]. Ce sont, en effet, les nourritures de l'âme et les boissons de l'esprit[498]. C'est le pain qui raffermit le cœur[499], le lait de la simplicité et de la croissance spirituelle[500], le vin enfin qui engendre l'ivresse, mais l'ivresse qui rend sobre, l'ivresse qui est grâce et non ivrognerie, l'ivresse qui suscite la joie et non celle qui fait chanceler[501], l'ivresse qui conserve la pudeur et non l'ivresse qui nourrit le feu du désir[502].

L'opposition n'est pas moins forte entre les convives, comme entre les serviteurs des deux repas. Les « convivae nobiles » et les « decentes ministri »[503] du banquet de l'Église évoquent par contraste les répugnants ivrognes et la promiscuité équivoque de serviteurs efféminés et de danseuses tondues qu'Ambroise a décrits un peu auparavant[504]. L'antithèse est d'autant plus parfaite que, comme l'évêque de Milan le précise aussitôt, dans le « convivium ecclesiae », c'est le Christ qui est à la fois le serviteur et le convive[505].

Ce parallélisme antithétique s'étend au cadre même des deux repas. Ce qui frappe d'abord le lecteur quand Ambroise l'introduit au banquet de Volupté, c'est l'ampleur de la scène. Ce mouvement, cette animation désordonnée, ces groupes divers, tout cela suppose un vaste espace. Mais l'auteur du *De Cain* nous rassure : on n'est pas à l'étroit au festin de l'Église ; immense est en effet la maison de Dieu, comme l'atteste l'Écriture[506].

Craint-on alors que cette immensité soit sans apprêt, sans ornement, ce qui ferait, cette fois, un contraste fâcheux avec le luxe de l'*aula* où Volupté régale ses hôtes[507] ? Désire-t-on des colonnades ? Justement, la Sagesse a muni sa maison de sept colonnes, comme on le lit dans les Proverbes[508].

Grâce au jeu d'un dialogue fictif avec l'auditeur ou le lecteur, les antithèses que nous venons de relever sont explicitement soulignées par Ambroise lui-même. D'autres restent implicites, mais n'en sont pas moins significatives. On peut remarquer, par exemple, que l'invitation « ut... non resurgat », que Volupté reprend à Jérémie[509], a son exacte contre-partie dans l'évocation du banquet de l'Église : « Vt consepultus cum illo... et tu resurgas[510]. » La rencontre ne semble pas fortuite. Elle a sans doute été pour Ambroise une raison supplémentaire d'utiliser

---

II, p. 138.

Jérémie, 25, 27, qui pouvait ainsi exprimer le négatif du baptême aussi bien que de l'Eucharistie. Ce jeu sur le mot « resurgere » n'est pas sans portée. Il souligne fort bien l'issue respective des deux banquets : la mort et la vie. On a vu que la négation épicurienne de la survie faisait le fond de l'allocution de Volupté[511].

Mais le contraste des deux *convivia* ne se marque pas seulement dans le détail des allégories. Il se traduit également par le caractère et le rythme des deux développements. La page qu'Ambroise consacre à l'orgie est une *ecphrasis* réaliste et précise : on voit, on sent, on entend ce qui se passe dans un lieu bien déterminé, l'« aula » de Volupté. Mais, quand il en vient au second banquet, l'auteur du *De Cain* n'entreprend pas de décrire. Il ne nous fait pas voir le banquet de l'Église, il ne nous dépeint pas la dernière Cène. Il nous désigne ces réalités d'une manière indirecte et allégorique en nous montrant soit quelques objets renvoyant à la totalité d'une action qui reste sous-entendue (le pain et le vin renvoient à la Cène et à l'Eucharistie), soit en se servant de purs symboles comme la myrrhe et les aromates. Tout cela est situé dans un lieu également symbolique. Le jardin du Cantique, le paradis, où se trouvaient Adam et Ève avant le péché[512], la « domus dei » immense, qu'ont habitée les géants[513], la maison de la Sagesse avec ses sept colonnes[514], les nombreuses demeures auprès du Père[515] servent successivement et indistinctement de cadre à ce repas mystique.

Cette différence de genre entraîne tout naturellement une opposition de rythme. La description de l'orgie se fait par de petites phrases asyndétiques, serrées, crépitantes. C'est la *leptologia* dont certains rhéteurs font la théorie et dont Cicéron fournit le paradigme. Dans l'évocation mystique des agapes célébrées autour de Jésus, il n'y a plus ni fébrilité, ni précipitation. Le mouvement est ample, paisible. Il suffit, pour rendre le contraste sensible, de comparer la série de brefs *cola* assonancés qui peignent le tumulte et le désordre de la beuverie[516] à l'évocation de l'agape paradisiaque, avec sa triple anaphore et cette amplification progressive qui laisse une impression de stabilité et de paix : « Ibi recumbebat Eva ... ibi vindemiabis murram ... ibi manducabis panem ... mel gustabis ... vinum bibes cum lacte...[517] »

Ainsi, loin d'être l'œuvre hâtive d'un pasteur pressé qui met bout à bout les *excerpta* qu'il trouve sous sa main et les adapte vaille que vaille à son propos, la *syncrisis* du *De Cain* apparaît soigneusement calculée, selon les lois d'un parallélisme destiné à faire ressortir le contraste et la nature respective des deux tentations et des deux « convivia ».

Mais, si l'on reprend le tableau présenté plus haut et si on le lit maintenant dans le sens horizontal, y retrouve-t-on une égale cohérence ? Quelle nécessité interne préside chaque fois à ce passage d'une scène de séduction à une scène du festin ? Est-il possible ici encore de déceler les intentions

---

II, p. 139.

d'Ambroise et d'entrevoir du même coup les principes internes de son adaptation du donné philonien ?

C'est en ce qui concerne les deux premiers épisodes — les développements « A » et « B » de notre tableau — que la réponse est la plus simple. Si l'on passe d'une scène de racolage à une scène de festin, c'est que le texte même des Proverbes y invite. Parmi les arguments avancés par l'étrangère pour attirer chez elle celui qu'elle veut séduire, il y a ce repas sacrificiel qu'elle donne précisément ce jour-là. Loin d'y voir un prétexte mensonger, Ambroise considère ce détail comme véridique et entreprend de décrire ce banquet. Mais, ce faisant, il change l'équilibre du récit sapientiel, dans lequel ces festivités, si elles avaient réellement lieu, se déroulaient dans les coulisses. Dans les Proverbes, l'action se termine au moment où le garçon subjugué suit la femme dans les mystères de sa demeure. Il reste donc à expliquer pourquoi Ambroise a jugé bon d'aller au-delà, même si ce dépassement trouve une justification dans un détail du texte qu'il prolonge.

On pense tout d'abord à un motif d'ordre rhétorique relevant plus précisément de l'*ornatus*. Le *convivium luxuriosum* pouvait faire l'objet d'une description brillante dont il était facile de trouver les éléments et le rythme chez les grands modèles. Nous avons vu que la page du *De Cain* se présente bien comme un morceau de bravoure construit selon des recettes éprouvées. Ambroise y trouvait de plus les avantages du contraste. A une scène d'extérieur discrète, jouée *mezza voce* par deux acteurs seulement, la courtisane et le passant, succède un tableau d'intérieur coloré et tumultueux où s'agitent de nombreux figurants. Aux confidences murmurées fait pendant la harangue qui couvre le bruit des convives. L'évêque de Milan avait là un excellent moyen de retenir l'attention. Il ne l'a pas négligé.

Mais il faut sans doute dépasser l'explication purement rhétorique. L'affrontement de Volupté et de Vertu est celui des deux genres de vie où l'homme peut s'engager et entre lesquels il doit choisir. Pour Prodicos, et pour les prédicateurs cyniques ou stoïciens qui ont utilisé et vulgarisé son apologue, ce choix reste une démarche individuelle, aussi bien à son principe qu'à son terme. Nous avons vu que, dans le *De sacrificiis*, Philon laissait à la *syncrisis* de Volupté et de Vertu ses traits traditionnels, quitte à en modifier finalement le sens par l'insertion dans un nouveau contexte. Encore une fois, la méthode d'Ambroise est plus radicale. Cela se conçoit bien pour un chrétien, plus encore pour un évêque, aux yeux de qui le salut, représenté ici par Vertu, ne peut être trouvé que dans l'adhésion à une certaine communauté. Le banquet est l'expression la plus naturelle et la plus parfaite d'une telle appartenance. Mais la forme antithétique de la *syncrisis* suggérait à Ambroise d'opposer au banquet du salut, auquel il avait sans doute pensé d'abord, un banquet de la perdition, placé sous le signe de la « philosophie véri-

table », — c'est-à-dire dépouillée de ses masques — : le matérialisme
d'Épicure.

Il semble donc que le premier volet de ce diptyque — la stratégie
de Volupté — s'explique par le second, le discours de Vertu. Cela est
d'ailleurs dans la logique de la *syncrisis*. C'est le second personnage
qui représente la thèse qui doit triompher. Le premier doit en être comme
le reflet inversé. C'est ainsi que, dans le *Songe* de Lucien, la plupart
des traits donnés à Statuaire s'expliquent par le fait qu'elle est avant
tout Inculture.

Malheureusement, dans le diptyque du *De Cain*, la composition de
ce second volet est moins claire que celle du premier. Dans celui-ci,
la fête chez Volupté suivait immédiatement la scène du racolage et le
fil conducteur d'un récit reliait les deux scènes. En revanche, dans le
discours de Vertu, un petit traité des biens de ce monde, de leur obtention
et de leur usage modéré vient s'insérer entre le dialogue de la tentation
au désert et l'évocation du banquet de l'Église.

Mais, si l'on y regarde de près, il n'y a point là de vraie digression,
même si l'on prend le mot au sens ancien qui suppose une tactique concertée
et non pas une inutile divagation. La suite des idées est claire. Le diable
se sert des biens sensibles pour induire les hommes à l'adorer en lieu
et place du Créateur. Mais Satan n'a sur ces biens qu'un pouvoir limité
et délégué. C'est donc à Dieu, qui en reste le vrai maître, qu'on doit
les demander. Sans doute, il faut toujours en user avec frugalité, sinon
ils deviennent nuisibles pour le corps et pour l'âme. Donc, si l'on veut
manger et boire à satiété, que ce soit de ces nourritures et de ces boissons
que l'on partage au banquet de la Sagesse, au banquet de l'Église[518].

Ce qui surprend, comme une maladresse ou un artifice, c'est de voir
surgir ce dernier thème, l'essentiel, comme par accident, comme par
concession. Il y a là, me semble-t-il, un nouvel exemple de la technique
ambrosienne des transitions. On passe d'une idée à une autre par une
espèce de glissement qui empêche de percevoir les articulations logiques
et donne même souvent le sentiment qu'elles n'existent pas.

Il est évident que la portée réelle de ce développement sur le banquet
de l'Église déborde largement la distinction entre deux classes d'aliments
et de boissons, entre deux espèces de satiété et d'ivresse. Pour la percevoir, il faut d'abord préciser la fonction très particulière que joue la
tentation au désert — le développement « C » — dans l'ensemble du
débat de Volupté et de Vertu. Nous avons vu qu'une double substitution
s'y opérait : le diable prend progressivement la place de Volupté, et Vertu
se voit dessaisie de ses prérogatives traditionnelles dès qu'apparaît le
Christ. Les deux ennemies fictives s'effacent devant les antagonistes
réels. En un mot, c'est le même combat qui se livre à deux niveaux,
allégoriquement entre Volupté et Vertu et réellement entre le diable et

---

II, p. 139.

le Christ. Ce qui complique le schéma, c'est que la tentation au désert est racontée par Vertu. Le combat réel est intégré au débat allégorique par le biais de cette narration.

Il y a là un cas particulièrement intéressant de ce que les critiques contemporains appellent la « duplication intérieure[519] », le « reflet dans le miroir[520] », « l'histoire dans l'histoire[521] », ou encore, en reprenant une comparaison inexacte mais suggestive proposée par André Gide dans une page célèbre de son *Journal*[522], la « mise en abyme ». Ces noms divers désignent le même procédé : une réplique en réduction de la scène ou de l'action principale apparaît au cœur de celle-ci en la reflétant. Très souvent, c'est une œuvre d'art, une fiction littéraire ou une représentation théâtrale qui joue le rôle du miroir. Rappelons quelques exemples classiques : la pièce jouée dans Hamlet, les enluminures où Heinrich von Ofterdingen reconnaît sa propre histoire, la nouvelle, lue à haute voix, qui annonce la chute de la maison Usher.

Mais ne s'agit-il pas là d'artifices proprement modernes qu'il est anachronique d'attribuer à un évêque du IVe siècle ? Tout au contraire. Victor Hugo, qui a souligné bien avant Gide cette technique du « reflet », la rattache très justement à l'exégèse figurative : « Ces actions doubles... sont en outre le signe du seizième siècle... L'esprit du seizième siècle était aux miroirs ; toute idée de la renaissance est à double compartiment. Voyez les jubés dans les églises. La renaissance avec un art exquis et bizarre y fait toujours répercuter l'Ancien Testament dans le Nouveau. La double action est là partout[523]. » Ce que Hugo ne dit pas, c'est que la Renaissance ne faisait ici que recueillir l'héritage de l'exégèse patristique.

Mais, dans le *De Cain*, ce qui est « mis en abyme », ce n'est point l'allégorie, la figure, comme dans les exemples classiques que je viens d'évoquer. Ce qui est réel, c'est le contenu et non point le contenant, c'est ce qui est raconté par Vertu, et non point Vertu qui raconte. Le débat de Volupté et de Vertu apparaît ouvertement comme une fiction. La vérité, c'est la tentation du Christ dont le récit ne forme qu'une partie du discours de Vertu. La tentation au désert est donc la vérité dont l'apologue de Prodicos n'était que l'allégorie.

Mais la correspondance n'est pas parfaite. Un drame à deux personnages se substitue à une scène à trois acteurs. Le duel spirituel qui, au désert, oppose le diable et le Christ fait oublier le débat où Volupté et Vertu argumentaient, selon toutes les règles de l'art, devant l'homme hésitant entre deux genres de vie. C'est qu'une notion intellectualiste du salut a cédé la place à une vision toute différente, qui se fonde sur un certain mode de participation. Ici, pour expliquer la page d'Ambroise, il faut bien faire appel à ce champ magnétique chrétien où les éléments empruntés viennent se disposer selon des lignes nouvelles.

II, p. 139.

A la différence du philosophe, que Vertu représente dans l'apologue, le Christ ne vient pas seulement enseigner la voie. Il s'y engage lui-même en affrontant le Tentateur. S'il n'y a plus que deux personnages au lieu de trois, c'est que Jésus réunit en sa personne deux des rôles distribués par Prodicos : celui de Vertu et celui d'Hercule, l'homme qui doit choisir. Ou, plus exactement, il s'opère entre le Christ et l'homme une espèce d'identification dont la page consacrée au « convivium ecclesiae » indique à mots couverts les moyens.

La substitution du schéma chrétien au schéma philosophique, qui dans le *De sacrificiis* de Philon restait extérieurement intact, implique en effet que le rapport de l'enseignant et de l'enseigné est remplacé par un lien beaucoup plus étroit, qu'Ambroise suggère par diverses images.

La première, on la trouve un peu avant que n'apparaisse le thème de la tentation au désert : Vertu invite l'âme à suivre celui qui bondit au-dessus des montagnes et franchit les collines en bondissant[524]. Mais la métaphore reste imprécise. Elle pourrait encore symboliser seulement la relation qui existe entre le maître et le disciple[525].

Les images qui accompagnent le thème du « convivium ecclesiae » indiquent une relation beaucoup plus étroite, que ce soit celle des deux convives étendus côte à côte ou les métaphores nuptiales empruntées au Cantique. Leur signification est définitivement précisée par le thème de l'ensevelissement avec le Christ dans le baptême, précédant et préparant la résurrection. Cette explicitation progressive de la métaphore « suivre le Christ » se retrouve, de manière plus ramassée, dans un texte de l'*Expositio evangelii Lucae* : « Car prendre la croix et suivre le Christ veut dire que, nous aussi, nous avons à mourir et à être ensevelis avec lui pour pouvoir exhaler l'odeur du parfum que cette femme a répandu pour sa sépulture[526]. »

Du même coup, le vocabulaire de l'assimilation qu'avait appelé le verbe « suivre » — « esto similis illius et sequere eum » — perd toute résonance platonicienne pour recevoir un sens purement sacramentaire. Très normalement, le thème du choix d'un genre de vie au moment de l'adolescence a fait place, chez l'évêque de Milan, à une méditation sur l'initiation chrétienne.

Non seulement, comme nous venons de le voir, les thèmes philoniens sortent transformés du traitement que leur fait subir l'évêque de Milan, mais leur importance respective se trouve profondément modifiée. Le banquet de Vertu occupe deux lignes dans le *De sacrificiis*, deux pages dans le *De Cain*. En revanche, Philon consacre deux pages et demie au thème du πόνος qu'Ambroise évoque en six lignes. Le contraste est d'autant plus frappant que, de Prodicos à Philon, cet éloge de l'effort pénible formait la partie essentielle de l'apologue tout entier et lui donnait sa signification doctrinale.

II, p. 139.

On sait en effet que l'exaltation du πόνος était un des thèmes majeurs de cette prédication de philosophie populaire, de cette « diatribe cynico-stoïcienne » dont la *syncrisis* de Volupté et de Vertu représente assez exactement l'esprit et les méthodes[527]. Les cyniques ne manquèrent pas de s'approprier l'apologue de Prodicos qui se prêtait si bien à exprimer leur propre idéal. S'endurcir à l'effort et à la peine était pour eux la condition première de cette indépendance radicale qu'ils mettaient au principe de leur genre de vie[528]. Aussi avaient-ils pris Hercule pour modèle[529]. Eusèbe de Césarée parle d'Antisthène comme d'un homme qui avait les sentiments d'Hercule[530].

Selon Max Pohlenz, ce thème n'eut d'abord pas la même fortune auprès du premier stoïcisme. Ses tenants n'accordaient qu'une attention médiocre au πόνος et à l'ἡδονή, les considérant comme des phénomènes corporels qui n'avaient d'influence sur la vie de l'âme que par l'intermédiaire de la représentation. C'est au niveau de cette dernière que tout se jouait. Panétius lui-même s'en tient à l'idée que tout dépend de la manière dont l'ἡγεμονικόν se comporte quand la souffrance pénètre dans la conscience[531]

Cet intellectualisme s'atténue chez les stoïciens de l'époque romaine, qui insistent beaucoup plus sur l'ascèse, sur l'exercice qui endurcit à la douleur et à l'effort pénible. Musonius incarne bien cette nouvelle attitude, et, une génération avant lui, le débat de Volupté et de Vertu chez Philon représente un état de l'apologue où l'inspiration cynique et les thèmes stoïciens ont déjà fusionné[532].

Il convient donc de regarder de plus près ce que devient, dans l'adaptation ambrosienne, cet éloge du πόνος qui constituait le message même de l'apologue prodicéen, tel qu'il s'était transmis de Xénophon à Philon.

Chez ce dernier, la louange du πόνος est introduite par un artifice rhétorique. Après avoir démasqué et vilipendé sa rivale, Vertu en vient à la seconde partie de son programme, et s'apprête à faire l'éloge des biens qu'elle-même offre à ses disciples. Mais une difficulté l'arrête : ces biens sont si grands que seuls ceux qui les ont goûtés — qui ont participé au banquet — peuvent les comprendre. Vertu se contentera donc de parler de celui de ses présents qu'on lui reproche le plus, le πόνος. Or, en dépit des apparences, ce dernier va se révéler comme le principe fécond de tous biens. C'est cette démonstration qui fera l'objet de la *laudatio*. Il en va tout autrement dans le traité d'Ambroise où l'éloge du πόνος fait place à l'évocation de ce banquet qui n'était chez Philon qu'une passagère métaphore destinée à orner une transition.

La substitution est d'importance, mais il convient de remarquer que le πόνος n'a pas tout à fait disparu de la version ambrosienne. L'évêque de Milan lui consacre environ cinq lignes. Ce bref passage concernant le *labor* ne fait d'ailleurs plus partie de la *laudatio* des biens de Vertu. Il se trouve rejeté hors du développement principal, dans une sorte

---

II, p. 139.

d'épilogue. Comme nous l'avons vu, en effet, Vertu a clairement indiqué, quelques lignes plus haut, qu'elle avait achevé de traiter les deux thèmes qui faisaient l'objet de son discours : « Audisti voluptatis mysteria, audisti etiam nostrarum copiarum munera[533]. » Après quelques remarques importantes sur la méthode qu'elle a suivie, Vertu ajoute en manière d'avertissement supplémentaire : « Bien sûr — pour ne point passer sous silence même ce qu'il y a chez nous de difficile —, la foi est requise, le zèle est exigé, les actes sont réclamés[534]. » C'est évidemment la version ambrosienne de ce πόνος, dont l'auteur du *De Cain* lisait l'éloge dithyrambique dans les pages philoniennes qui lui servaient de canevas. Comme on le voit, ce qui était central pour l'Alexandrin apparaît ici comme une simple précision supplémentaire que Vertu ne veut pas omettre par une sorte de scrupule.

Mais l'initiative d'Ambroise ne se borne pas à réduire brutalement le thème majeur au rang de bref développement marginal. Il lui fait subir en outre une profonde transformation. L'évêque de Milan arrache, en effet, l'idée de « labor » — le πόνος de Philon — à ses connotations philosophiques pour en faire un simple résumé du triple précepte dans lequel le Seigneur Jésus a enfermé les devoirs religieux de l'homme : « Demandez et l'on vous donnera ; cherchez et vous trouverez : frappez et l'on vous ouvrira[535]. »

Il y a dans ce rattachement imprévu une sorte de coup de force antiphilosophique, la négation de cette autarcie du sage dont cyniques et stoïciens faisaient précisément le fruit propre du πόνος. Dans la formulation ambrosienne du « laboriosum », le zèle et les œuvres sont placés d'emblée sous le signe de la « fides », qui est ici l'attente d'un secours extérieur. Et qu'il y ait là une conception proprement chrétienne de la sagesse, opposée à cette sagesse profane pour laquelle Philon lui semble sans doute trop complaisant, Ambroise le suggère aussitôt d'une manière assez claire en rattachant arbitrairement aux versets évangéliques qu'il vient de citer une phrase prise un peu plus loin dans ce même chapitre de saint Matthieu, le verset 24, : « Ainsi quiconque écoute ces paroles que je viens de dire et les met en pratique est semblable à un homme sage[536]. » Il y a dans le choix de ce texte deux singularités qui éveillent l'attention. La première, c'est qu'Ambroise néglige, pour cette formule en apparence un peu vague, le verset 11 qui était le complément naturel du triple précepte de demander, de chercher et de frapper : « Si vous, qui êtes mauvais, savez donner de bonnes choses à vos enfants, combien plus votre Père qui est dans les Cieux en donnera-t-il de bonnes à ceux qui l'en prient ! » La seconde anomalie, c'est que ce verset auquel il a donné délibérément la préférence, Ambroise l'interrompt avec le même arbitraire en lui enlevant ainsi le sens qu'il a dans le texte évangélique, et au risque de laisser cette impression de flou qui surprend tout d'abord. Voici en effet comment s'achève Matthieu, 7, 24 : « Quiconque écoute ces

---

II, p. 140.

paroles... ressemble à un homme sage *qui a bâti sa maison sur le roc.* »
C'est cette maison bâtie sur le roc qui donne au *logion* son sens. Si Ambroise
laisse tomber cet élément essentiel, c'est qu'il veut mettre en valeur
ce « sapienti » sur lequel il termine et auquel il donne un sens absolu en
le privant de la relative qui le déterminait. Cette curieuse manipulation
de texte ne peut, semble-t-il, avoir qu'une intention : substituer le sage
selon l'Évangile à celui que prêchaient ces cyniques et ces stoïciens
qui s'étaient précisément servis de l'apologue de Prodicos pour répandre
et illustrer leur doctrine.

Cette espèce de relégation et cette altération substantielle du thème
du πόνος ont une autre conséquence dont il faut maintenant dire quelques
mots. Dès l'origine, l'apologue de Prodicos semble avoir été une machine
de guerre antihédoniste. C'est bien sa fonction dans les *Mémorables*
où nous voyons Socrate s'en servir pour confondre Aristippe de Cyrène.
Quand l'hédonisme aura pris la forme plus élaborée de l'épicurisme,
c'est la polémique menée contre cette école, notamment par les stoïciens,
qui reprendra à son compte la *syncrisis* de Volupté et Vertu. Les philosophes du Portique, peu intéressés par les perspectives d'une survie
de l'âme qui ne pouvait être, à leurs yeux, que provisoire[537], faisaient
porter toute leur critique de l'épicurisme sur les conditions de la béatitude
dans la vie présente, à la différence des platoniciens qui complétaient
cette première démonstration par une argumentation fondée sur une
eschatologie, sur les peines et les récompenses de l'au-delà. On a un
exemple de ce second schéma dans le traité de Plutarque *Non posse
suaviter vivi secundum Epicurum.*

La première formule, celle qui envisage la question du souverain bien
sans aucune référence à un autre mode d'existence, à un au-delà, se
trouve dans des textes d'inspiration néo-académicienne ou sceptique
aussi bien que dans le stoïcisme. On la rencontre dans le deuxième livre du
De finibus de Cicéron, comme dans l'*Adversus mathematicos* de Sextus
Empiricus[538] et le discours de Vertu du *De sacrificiis* de Philon. Chez ce
dernier, la notion de πόνος joue, en effet, un rôle essentiel : en montrant
dans l'effort pénible la racine de tous les biens, l'Alexandrin veut réfuter
d'un coup la thèse des philosophes du Jardin[539].

Ambroise reprend la perspective antihédoniste de son modèle. Elle
était d'ailleurs inscrite dans la texture même de l'apologue au moins
depuis les *Mémorables*. Mais, comme l'évêque de Milan n'accorde plus
au « labor » qu'une place marginale, l'axe de l'attaque s'est évidemment
déplacé. Suivant en cela le livre de la Sagesse et la logique de la tradition
chrétienne, ce qu'Ambroise oppose en fin de compte à l'éthique du plaisir,
c'est l'argument eschatologique de la vie future[540].

Celle-ci se définit par sa stabilité et sa perpétuité et s'oppose radicalement au fluent et au transitoire qui sont le domaine de Volupté[541]. Déjà
le thème funèbre, suggéré d'abord par les couronnes fanées qui jonchaient

---

II, p. 140.

l'*aula* du festin, avait été repris expressément dans l'allocution que Volupté adressait à ses convives : « Demain, nous mourrons. Notre vie passera comme les traces d'un nuage et comme une nuée elle se dissipera[542]. » Et, progressivement, l'opposition entre Volupté et Vertu est ramenée par Ambroise à l'antithèse de la mort définitive — « Vt cadat unusquisque et non resurgat » — et de la résurrection avec le Christ — « Vt consepultus cum illo... et tu resurgas »[543].

Certes, Philon lui-même n'ignore pas l'idée de récompenses ou de châtiments réservés à l'âme dans l'autre vie. Mais, en même temps, il admet que la vertu se justifie déjà du seul point de vue de la béatitude terrestre[544]. C'est dans cette seconde perspective qu'il maintient le débat de Volupté et de Vertu, conformément à la tradition qui remonte à Xénophon et sans doute à Prodicos lui-même. Ambroise, quant à lui, refuse de se borner, même à titre provisoire, à une justification purement terrestre de la vertu. Il ne peut donc que bouleverser radicalement le schéma qui s'était maintenu substantiellement intact jusqu'à l'auteur du *De sacrificiis*.

On retrouve cette référence à l'autre vie dans les derniers mots que l'évêque de Milan met sur les lèvres de Vertu. Dans le traité de Philon, celle-ci terminait son discours en évoquant les biens qui récompenseront ceux qui l'écoutent : les vertus parfaites reviendront aux parfaits, tandis que ceux qui n'auront pas dépassé le cycle des études préparatoires devront se contenter des vertus imparfaites. Ces deux groupes sont figurés par les deux descendances d'Abraham, selon ce qui est dit en Genèse, 25, 5-6 : « Abraham donna tout ce qu'il possédait à Isaac et fit des présents aux fils de ses concubines ». Le nom de ces dernières permet à Philon de souligner leur infériorité : Agar signifie « séjour en pays étranger » et Cetura « brûleuse de parfum ». Cela s'applique bien à celui qui s'en tient aux études préparatoires. C'est en étranger qu'il séjourne dans le pays de la sagesse, dont il ne fait que respirer les parfums sans toucher aux nourritures solides[545].

Ambroise reprend fidèlement ces explications[546], mais ne s'en contente point. Il ajoute à l'interprétation de l'Alexandrin, toute psychologique et morale, un second niveau exégétique qui met en jeu le mystère du Christ : « Hoc secundum ingenium. At vero secundum mysterium...[547] » Or, cette exégèse « selon le mystère » implique un singulier retournement de l'allégorie philonienne : « Abraham, père des nations, a transmis à sa descendance légitime, qui est le Christ, tout l'héritage de sa foi, lui qui fut sur cette terre comme un étranger, si bien qu'il a rapporté plutôt l'odeur que le fruit de la vie présente[548]. » C'est, comme on le voit, un véritable renversement des valeurs. Les concubines d'Abraham passent dans le camp du véritable Isaac. Sans doute, Ambroise se fonde encore sur les données de l'onomastique philonienne[549]. Mais il change le terme de référence : au pays de la sagesse, il substitue la vie présente. Du coup,

------

II, p. 140.

Agar et Cetura — « séjour en pays étranger » et « brûleuse de parfum » —
deviennent des symboles positifs. Car, séjourner en étranger dans le
pays de la sagesse et n'en respirer que l'odeur, c'est imperfection. Mais
être un étranger en ce monde et ne point en goûter les fruits, c'est témoigner de son appartenance à une autre patrie[550].

Cette addition d'un sens « selon le mystère » est bien conforme aux
idées herméneutiques de l'évêque de Milan. Elle lui permet en outre
de poursuivre jusqu'aux dernières lignes du discours de Vertu une
christianisation commencée dès les premiers mots[551]. Enfin, le terrain
sur lequel Ambroise a transporté le combat contre l'hédonisme se trouve
encore une fois nettement indiqué. Il ne s'agit plus de définir les conditions
de la béatitude dans une vie présente dont le croyant ne cherche pas à
recueillir les fruits, car il s'y considère comme en exil. La perspective
est celle de la résurrection, ce n'est plus celle de la sagesse terrestre.

2. *Principe : l'Écriture seule.*

Le remaniement ambrosien des pages où Philon présentait le débat
de Volupté et Vertu n'est donc pas l'effet du hasard et de la précipitation.
Il apparaît au contraire concerté et ordonné, inspiré par des intentions
précises, et guidé par une méthode assez assurée. Nous ne pourrions,
il est vrai, formuler sur ce dernier point que des hypothèses si, par bonheur,
Ambroise n'avait pris soin lui-même de nous éclairer. Il le fait par le
truchement de Vertu, vers la fin du discours qu'il lui prête, au moment
où elle va justement évoquer la formule évangélique du πόνος. Ces
quelques lignes sont d'autant plus intéressantes pour nous qu'elles sont
très évidemment l'adaptation critique d'un passage parallèle du *De
sacrificiis*.

Voici ce que dit Vertu dans le traité d'Ambroise : « Tu as entendu...
quels dons contiennent nos trésors. J'ai pensé qu'il fallait, au lieu de
recouvrir ceux-ci d'accessoires superflus, les montrer par le langage nu de
l'Écriture afin qu'ils brillent de leur propre clarté et qu'ils fassent eux-
mêmes entendre leur voix en leur propre nom. Car, ni le soleil ni la lune
n'ont besoin d'interprète ; ils ont pour interprète l'éclat de leur lumière
dont le monde entier est rempli. La lumière qu'ils répandent est un gage
qui se passe d'attestation et, pour ainsi dire, un témoin qui n'a pas de
témoin, qui n'a pas besoin d'un témoignage extérieur, mais soudain
se répand aux yeux de tous. »

Voici maintenant le modèle philonien : « Ces considérations et ce que
j'ai dit plus haut[552] — que de par leur nature les choses saintes, parce
qu'elles sont réellement des biens, font d'elles-mêmes entendre leur voix,
même si on les passe sous silence —, tout cela me détourne d'en dire
davantage à ce sujet ; ni le soleil ni la lune, en effet, n'ont besoin d'interprète parce que, une fois levés, l'un le jour, l'autre la nuit, ils emplissent

---

II, p. 140-141.

de lumière le monde entier ; mais leur rayonnement est un gage qui se passe de témoin, puisqu'il est garanti par les yeux, qui fournissent un critère plus évident que les oreilles. »

La dépendance d'Ambroise par rapport au texte de son prédécesseur apparaît avec encore plus de forces si l'on met les deux passages en parallèles :

PHILON, *De sacrificiis*, 6, 34, p. 216 :

AMBROISE, *De Cain*, I, 6, 22, p. 358, 14-22 :

Διὰ μὲν δὴ ταῦτα καὶ τὸ πάλαι λε-χθέν, ὅτι πέφυκεν ἐξ ἑαυτῶν φω-νὴν ἀφιέναι, κἂν ἡσυχάζηται, τὰ ὅσια ἅτε ὄντως ἀγαθά, τὸν περὶ αὐτῶν λόγον ἐῶ· οὐδὲ γὰρ ἥλιος ἢ σελήνη χρῄζουσιν ἑρμη-νέως, ὅτι τὸν σύμπαντα κόσ-μον, ὁ μὲν ἡμέρας, ἡ δὲ νυκτὸς ἀνασχόντες, φωτὸς ἐμπιπλᾶσιν· ἀλλ' ἔστιν αὐτοῖς ἡ ἐπίλαμ-ψις ἀμάρτυρος πίστις ὀφ-θαλμοῖς ὤτων ἐναργεστέρῳ κριτηρίῳ βεβαιουμένη.

« Audisti ... nostrarum copiarum munera, quas ego non superlectili operiendas, sed scripturae nudis sermonibus demonstrandas putavi, ut sua luce fulgerent et ex se ipsae vocem emitterent sui invicem. Neque enim sol et luna interprete indi-gent ; habent interpretem ful-gorem sui luminis, quo totus repletus orbis est. Illis inluminatio est fi-des sine indice, quaedam, ut ita dicam, intestata testis, quae alieno non indiget testimonio et subito se universorum oculis offundit. »

La comparaison de ces deux passages est d'autant plus instructive qu'Ambroise va jusqu'à traduire certaines phrases ou certains membres de phrases du texte philonien. Le retournement qu'il fait subir à la pensée de son prédécesseur n'en ressort que mieux.

Sans doute, on retrouve la même comparaison à la base des deux textes. Le soleil et la lune n'ont pas besoin d'attestation ; il leur suffit de briller ; par leur lumière, ils se portent témoignage à eux-mêmes. Il en est de même des richesses de Vertu. Elles n'ont pas besoin de héraut. Elles sont par elles-même suffisamment éloquentes. Mais, à ce fond commun, Ambroise donne des développements imprévus.

Avant de les examiner, il convient d'observer que les deux passages n'ont ni la même fonction, ni la même portée. Chez Philon, ces quelques lignes se placent au début de la *laudatio* qui forme la seconde partie du discours de Vertu. Elles servent à justifier ce qui pourrait d'abord sembler un déséquilibre fâcheux. On s'attend en effet que Vertu, ayant passé en revue les disgrâces qui guettent le sectateur de Volupté, énumère en contrepartie ses propres bienfaits. Or elle ne va parler que de l'un d'entre eux, le moins séduisant, sinon le moins utile, le πόνος. Il faut donc justifier ce qui pourrait paraître une faute de plan, particulièrement regrettable dans cette compétition rhétorique. C'est à cela que sert le *topos* des actes vertueux qui n'ont pas besoin d'autre interprète que leur propre éclat.

Chez Ambroise, au contraire, cette comparaison intervient après la *laudatio*, c'est-à-dire dans l'épilogue du discours de Vertu. Celle-ci, après avoir rappelé le plan de sa démonstration, justifie rétrospectivement la méthode qu'elle a suivie. C'est à cette fin qu'elle reprend le thème de la « fides sine indice ».

On remarque aussi qu'Ambroise ne reprend pas le dernier membre de la période philonienne. L'Alexandrin y soulignait que la vue fournissait un critère de certitude supérieur à celui de l'ouïe. Ambroise a-t-il jugé ce lieu commun inutile à son propos ou l'a-t-il délibérément censuré ? Je pencherais pour la seconde hypothèse. Dire, avec la tradition philosophique[553], que la « fides » fondée sur l'ouïe a moins de valeur que la « fides » fondée sur la vue semblait contredire fâcheusement l'adage paulinien : « fides ex auditu »[554]. Ambroise, comme l'Épître aux Romains, s'en tient, au contraire, à la perspective biblique dans laquelle le rapport entre l'ouïe et la foi se trouve privilégié[555].

Mais, si la formule qu'Ambroise écarte a pu lui paraître malsonnante, incongrue ou simplement déplacée, c'est qu'il charge la comparaison philonienne d'un sens tout nouveau, quitte à risquer une apparente incohérence.

Ce que l'auteur du *De sacrificiis* entendait montrer en faisant appel à l'évidence immédiate de la lumière, c'est que les présents de Vertu se recommandent eux-mêmes et qu'il est par conséquent inutile d'en parler. Seul l'effort pénible qu'ils exigent réclame une espèce d'apologie. La position d'Ambroise est toute différente. Les bienfaits de Vertu sont assez éloquents pour se passer d'interprète. Il ne faut donc en parler qu'avec le langage nu de l'Écriture. Cette inférence semble d'abord contradictoire. Si les dons de Vertu n'ont pas besoin d'attestation, le recours à l'Écriture apparaît injustifié. Mais Ambroise évite le paralogisme en opposant les accessoires qui couvrent et le langage dépouillé qui montre : « superlectili operire » et « nudis sermonibus demonstrare ». Les deux termes de l'antithèse s'éclairent l'un par l'autre. Ces « accessoires », qui ne peuvent que cacher les dons de Vertu, ce sont les ornements rhétoriques, cette « oratoria supellex » dont Cicéron, dans l'*Orator*, recommande l'usage discret[556]. Les « nuda verba » désignent, au contraire, le style simple, qui fait fi de ces enjolivements et qui, toujours d'après Cicéron, convient particulièrement à l'histoire[557]. Grâce à cette simplicité, à ce dénuement, l'Écriture ne couvre pas : elle montre, elle laisse apparaître. Dans son langage dépouillé, ce sont les choses elles-mêmes qui parlent d'elles-mêmes.

La contradiction, qui surprenait d'abord, se trouve ainsi levée. Il n'en reste pas moins qu'Ambroise fait un usage inattendu de la compa-

---

II, p. 141.

raison qu'il emprunte à Philon. Du même coup, il définit exactement le principe de son travail d'adaptation. Ce qui nous a frappés, en effet, au fur et à mesure que progressait notre analyse du débat de Volupté et de Vertu, c'est de voir comment l'auteur du *De Cain* substituait systématiquement aux développements de son devancier des citations, des paraphrases ou des centons de l'Écriture. Ce sont des pages entières de l'Ancien et du Nouveau Testament qui viennent remplacer les lieux communs de la rhétorique hellénistique. La scène de la tentation est décrite d'abord à l'aide du livre des Proverbes. La courte allocution que Volupté adresse à ses invités est un habile centon de fragments d'Isaïe, des Proverbes, de Jérémie, de la Sagesse. Il en va de même dans la seconde partie du débat. L'invective contre Volupté aboutit au récit évangélique de la tentation au désert, tandis que les dons de Vertu sont glorifiés et transfigurés par le symbolisme du Cantique des Cantiques.

La méthode que suit Ambroise dans son adaptation de la *syncrisis* philonienne nous apparaît maintenant assez claire. Le principe en est simple : il s'agit de remplacer les « accessoires » profanes, c'est-à-dire les thèmes et les clichés de la diatribe, par les « paroles nues de l'Écriture ». Cela suppose à la fois correspondance et différence : sans une certaine correspondance, cette substitution serait impossible ; sans une profonde différence, elle serait inutile.

Ambroise peut satisfaire à cette double exigence parce qu'il procède par analogies successives. Les passages de l'Ancien Testament — ils viennent surtout des livres sapientiaux — lui fournissent le moyen terme qui lui permet de relier le texte de Philon, dont ils sont souvent très proches, aux versets du Nouveau Testament qui vont livrer la signification ultime de toute la série. C'est ainsi que le *topos* de la Volupté-courtisane permet d'introduire tout naturellement l'étrangère des Proverbes, et que celle-ci finit par faire place au diable de la tentation au désert.

Le symbolisme du banquet offre une gamme encore plus riche. Dans le traité de Philon, ce n'était qu'une métaphore fugitive, quelques mots dans le discours de Volupté[558], deux lignes dans celui de Vertu[559]. Ambroise soumet le thème à une triple réinterprétation scripturaire. Il utilise d'abord à cette fin le chapitre des Proverbes où l'on voit Folie et Sagesse inviter les passants aux festins qu'elles ont préparés[560]. On est encore très près de l'allégorisme moral du *De sacrificiis*. L'étape suivante en éloigne devantage ; c'est le symbolisme nuptial du repas de l'époux et de ses compagnons, au chapitre v du Cantique des Cantiques. Enfin, ce texte renvoie lui-même à la dernière Cène de Jésus et de ses disciples ainsi qu'au renouvellement de celle-ci, le « banquet de l'Église ».

Nous entrevoyons alors l'arrière-plan qui explique le caractère propre de cette *retractatio* ambrosienne. Les rapprochements que nous avons faits au passage et dont le nombre pourrait être multiplié, montrent

---

II, p. 141.

bien que, dans son œuvre de transposition, l'évêque de Milan a utilisé le réseau de similitudes, d'analogies et de correspondances auquel avaient travaillé plusieurs générations d'apologistes et d'exégètes chrétiens. La liturgie était le lieu privilégié de ce symbolisme qui devenait alors action, expérience vécue. C'était vrai tout particulièrement de l'initiation chrétienne où le catéchumène faisait le choix primordial dont l'apologue de Prodicos pouvait représenter la lointaine préfiguration. Or l'évêque de Milan, de par sa fonction même, était l'homme de cette liturgie. On n'est donc pas surpris qu'il ait réinterprété à sa lumière le vieux débat de Volupté et de Vertu, en lui donnant pour couronnement l'évocation symbolique du baptême et de l'Eucharistie, grâce à une suite de substitutions où la typologie de l'Écriture a pris la place des clichés de la rhétorique. On est ainsi passé de Philon au Nouveau Testament, de l'interprétation « secundum intellectum » à l'interprétation « secundum mysterium », de l'allégorie morale au réalisme sacramentaire.

QUATRIÈME PARTIE

Le « De fuga saeculi »
et l'assimilation des thèmes philoniens

CHAPITRE VIII

Du « De fuga et inventione » au « De fuga saeculi »

L'influence du *De fuga et inventione* de Philon sur le *De fuga saeculi* d'Ambroise semble échapper à toute contestation[1]. Il suffit pour s'en assurer de procéder aux comparaisons textuelles qu'indiquent les apparats de l'édition d'Ambroise par Schenkl ou, mieux encore, ceux de l'édition de Philon par Cohn et Wendland.

Karl Schenkl va jusqu'à déclarer[2] : « Opusuculi *de fuga saeculi* argumentum et materiam ex Philonis libro *De profugis*[3] sumpsit. » Il se pourrait, en fait, que cette vue non seulement soit exagérée mais interdise une juste compréhension de la nature et des intentions exactes du *De fuga saeculi*. Quand on lit successivement les deux traités, on s'aperçoit certes sans peine des emprunts souvent considérables d'Ambroise à Philon. Mais, dans l'ensemble, on est au moins aussi frappé par la dissemblance des deux ouvrages. Si le célèbre développement sur les villes de refuge se retrouve, nettement reconnaissable, dans l'opuscule de l'évêque de Milan, le reste du *De fuga et inventione* n'est utilisé qu'à l'état de lambeaux qui, dans le nouvel arrangement, prennent une signification souvent fort différente de celle qu'ils avaient originellement.

Dans le commentaire allégorique de la Genèse que nous a laissé Philon, le *De fuga et inventione* suit immédiatement le *De congressu*. Entre ces deux traités, la continuité est due non seulement aux textes d'Écriture dont ils sont le commentaire — Genèse, 16, 1-6, pour le *De congressu*, Genèse, 16, 6-14, pour le *De fuga et inventione* — mais aussi à l'itinéraire spirituel dont ils présentent deux étapes successives. Le *De congressu* explique à quels exercices préparatoires le commençant doit se soumettre : l'étude des connaissances élémentaires et l'affliction de l'ascèse. Le *De fuga et inventione* s'attache aux progressants, à l'aventure de ceux qui entreprennent la grande évasion[4]. Le second opuscule est d'une construc-

---

II, p. 145.

tion particulièrement nette pour un traité de Philon. Les divisions en
sont fortement soulignées. On y trouve trois parties, de longueur assez
inégale, il est vrai : la fuite (1-118), la découverte (119-176), enfin ce
qui est découvert, c'est-à-dire les sources (177-202). A l'intérieur de
chacune de ces trois parties, les subdivisions ne sont pas moins claires.

Il en va tout autrement avec le *De fuga* d'Ambroise. En comparant
les deux traités, on est frappé par la différence de style, d'accent, de
composition. Philon nous présente un développement articulé ; il a le
souci de bien marquer les divisions et d'indiquer la répartition de la
matière qu'il va examiner. La structure du traité d'Ambroise semble
beaucoup plus floue. Elle est, en tout cas, plus secrète. On n'y trouve
plus du tout le souci didactique et la volonté de méthode qui convient
à une étude des niveaux de la vie spirituelle.

En vérité, de tous les traités philoniens d'Ambroise, le *De fuga saeculi*
apparaît dès la première lecture comme le plus original, le plus libre à
l'égard du modèle. Le *De Noe*, le *De Cain et Abel*, le *De Abraham* sont les
explications suivies des chapitres que la Genèse consacre aux différents
personnages dont Ambroise entreprend la biographie spirituelle. L'évêque
de Milan s'y trouve donc astreint à un ordre déterminé qui est aussi
celui du commentaire philonien dont il s'inspire. En revanche, le *De
fuga saeculi*, comme l'indique déjà le titre, est consacré à un thème spirituel
fort général. Différents passages de l'Écriture, pris ici et là, viennent
l'éclairer, mais sans imposer d'avance un certain ordre. L'affranchissement
d'Ambroise en est d'autant plus facile. N'étant plus lié par une séquence
biblique, rien ne lui interdit de bouleverser l'ordre du traité de Philon
auquel il emprunte ses matériaux. Le tableau suivant donne une première
idée de cette liberté nouvelle.

Ambroise[5]	Philon[5]	Thèmes
De fuga saeculi	*De fuga et inventione*	
§ 5-13 / *14-16 \	§ 87-118	Législation concernant les villes de refuge.
*17	*63 et *82	Exhortation à fuir le monde et à imiter Dieu.
*19 20-21 22	* 23 45-46, 48-50 52	La fuite de Jacob.

II, p. 145.

22-23	143-144	L'impie Laban ne peut découvrir Jacob, le juste. Aveuglement des Sodomites.
26	44	Signification du nom de Laban.
*39	* 63-64	Fuir ce monde d'où le mal ne peut être éliminé.
45	173-174	« Les sabbats seront votre nourriture. »
47	127-128	Joseph à Dothaïn.
47	166-168	Les femmes des Hébreux accouchent sans le secours des sages-femmes.
48-49	168-169	Jacob cherche et trouve.
51	18	Le sacrifice de la sagesse.
*52	*177 et *197	Dieu comme source.

Comme on le constate, le plan de Philon n'est plus reconnaissable. Cette désarticulation et cette reconstruction dans un ordre nouveau représentent l'aspect le plus extérieur d'un travail d'intégration et d'assimilation qu'il nous faut maintenant analyser de plus près.

Le tableau que l'on vient de voir suggère un ordre de recherches. Il fait apparaître, en effet, deux blocs philoniens particulièrement importants dans le traité d'Ambroise. Le premier, le plus long, s'étend sur une douzaine de pages. Elles ont pour objet l'exégèse des cités de refuge destinées aux meurtriers involontaires. Le deuxième est formé par les paragraphes 19 à 23. Ambroise y interprète la fuite de Jacob en Mésopotamie et les vaines recherches de Laban. Mais, dans ce second cas, les éléments utilisés par l'évêque de Milan ne forment plus chez Philon une suite continue : ils sont empruntés à divers endroits du *De fuga et inventione*. Quant à la deuxième partie du *De fuga saeculi*, l'imitation de Philon y paraît beaucoup plus diffuse et occasionnelle.

Un autre fait ressort de ce tableau. Un seul passage du *De fuga* de Philon est utilisé par Ambroise à deux endroits différents de son propre traité : le paragraphe 63, qui contient une citation fameuse du *Théétète*, l'exhortation de Socrate à s'enfuir de ce monde au plus vite. C'est donc un texte où Platon énonce directement ce que Philon et Ambroise ne peuvent trouver dans la Genèse que grâce aux subtilités de l'allégorie. On verra que le rôle joué par ce passage dans le *De fuga* de l'évêque de Milan est encore plus important que le tableau des correspondances matérielles ne peut le laisser apparaître.

L'analyse devra aller du plus simple et du plus évident au plus complexe et au plus diffus. Aussi commencerons-nous par l'examen du premier « bloc philonien », celui où Ambroise n'opère ni dissociation ni recomposition des éléments qu'il emprunte à son devancier. Mais il nous faudra procéder en deux étapes. Sans doute, Ambroise se contente d'abord de reprendre l'interprétation de son prédécesseur, moyennant des retouches relativement légères. Mais, aussitôt après, il en fournit une véritable *retractatio* chrétienne, dans le langage du quatrième Évangile et surtout des épîtres pauliniennes. Nous passerons ensuite aux pages consacrées à Jacob et à Laban, où Ambroise rapproche deux développements qui étaient fort éloignés dans le *De fuga et inventione* de Philon.

La reprise de la citation que Philon a empruntée au *Théétète* nous placera ensuite devant un problème plus complexe. Nous verrons Ambroise se saisir d'un élément, qui, dans son modèle, ne jouait qu'un rôle d'illustration occasionnelle, pour en faire un leitmotiv traversant et animant tout le *De fuga saeculi*.

Après ces analyses partielles, il sera temps de se demander à quel dessein d'ensemble s'intègrent et se subordonnent ces éléments philoniens altérés, transposés, dissociés et enfin rassemblés dans une construction nouvelle.

I — Les cités de refuge. L'allégorèse philonienne
et l'adaptation d'Ambroise (De fvga saecvli, 2, 5-13)

1. *L'exégèse philonienne des villes de refuge.*

Il faut, ici, rappeler comment Philon a organisé la première des grandes sections de son traité, celle qui concerne précisément la fuite et les fugitifs. L'Alexandrin envisage tout d'abord l'aspect négatif de la fuite, le mouvement d'éloignement. Celui-ci peut avoir trois mobiles : la haine, la crainte et la honte. Selon la prédominance de l'une ou l'autre de ces passions, on a trois espèces de fuites, et notre auteur illustre chacune d'elles d'exemples bibliques appropriés. Mais la fuite a aussi un pôle positif : le refuge que l'on cherche à gagner. Là encore, Philon distingue et classifie. Il invoque la législation mosaïque sur les cités de refuge où l'auteur d'un homicide involontaire pourra chercher un abri contre le « vengeur du sang ». Ces villes devaient être au nombre de six : trois au-delà du Jourdain et trois en-deça. C'est sur cette donnée que la subtilité de l'allégoriste va travailler.

On trouve les prescriptions relatives à ces villes de refuge dans quatre textes du Pentateuque : Exode, 21, 13 ; Nombres, 35, 9-29 ; Deutéronome, 4, 41-43 et 19, 1-13. C'est le passage du livre des Nombres qui fournit les données que Philon va interpréter : « Parle aux fils d'Israël et dis-leur : Vous passerez le Jourdain pour entrer dans la terre de Canaan et vous vous réserverez des villes. Elles seront pour vous des refuges. Le meurtrier s'y réfugiera, tout homme qui aura frappé quelqu'un involontairement. Et ces villes seront pour vous des refuges contre le vengeur du sang... Et les villes que vous donnerez, les six villes, seront pour vous des refuges. Vous donnerez trois des villes au delà du Jourdain et vous donnerez trois des villes dans la terre de Canaan[6] ».

Si la communauté juge que l'homicide a bien été involontaire, le meurtrier demeurera dans la ville de refuge « jusqu'à ce que meure le grand-prêtre, qu'on aura oint d'huile sainte[7] ». Un peu plus haut, le législateur avait indiqué que ces six villes de refuge devraient être choisies parmi les cités attribuées aux Lévites[8].

De ce texte des Nombres, Philon retient essentiellement quatre points qu'il va entreprendre d'interpréter. Premièrement, les villes de refuge sont des villes lévitiques. Deuxièmement, elles sont au nombre de six. Ensuite, trois d'entre elles sont au-delà du Jourdain, les trois autres en-deça. Enfin, le fugitif y restera jusqu'à la mort du grand-prêtre.

Pourquoi ces villes doivent-elles appartenir à la tribu de Lévi ? C'est que les Lévites ont donné aux fugitifs l'exemple que ceux-ci doivent suivre. Ils ont exterminé leurs propres parents, leurs frères, leurs proches, coupables d'avoir adoré le veau d'or. Or n'est-ce pas l'irrationnel qui est le proche parent du rationnel ? Ce massacre familial symbolise donc, pour Philon, l'acte de l'âme qui se sépare des sensations et de la parole proférée, et qui demeure ainsi seule avec le Seul[9].

Philon passe ensuite à l'explication des six villes de refuge. Il interprète cette pluralité comme une hiérarchie. Mais il s'agit moins pour lui, semble-t-il, des degrés successifs d'une ascension que des différents niveaux spirituels où peuvent accéder les âmes, selon leur agilité et leur force. Aussi adopte-t-il, dans son exégèse, un ordre descendant. Il commence par le refuge le plus lointain, le moins accessible et passe ensuite progressivement aux cités qui sont les plus faciles à atteindre pour des âmes faibles ou lentes.

La plus vénérable de ces villes et la plus sûre, c'est le Logos[10], la Parole. Les cinq autres, ce sont « les puissances de celui qui parle[11] », c'est-à-dire dans l'ordre de dignité décroissante, la puissance créatrice, par qui le créateur produit l'univers, la puissance royale, par qui il gouverne ce qui lui doit l'existence, la puissance miséricordieuse, par qui il éprouve compassion pour son œuvre, la puissance législative, par qui il prescrit ce qu'il faut faire, enfin cette partie de la puissance législative par laquelle il prohibe ce dont il faut s'abstenir. A chacune de ces puissances correspond, bien entendu, une attitude déterminée de l'âme, en d'autres termes, une certaine espèce de fuite[12].

_____

II, p. 145.

On voit l'importance de ce texte. Il représente l'un des exposés les plus précis et les plus complets de la théorie philonienne des puissances divines et, en même temps, une pénétrante analyse de ce que l'on pourrait appeler les familles spirituelles, ou plutôt les races d'âmes.

La troisième question que Philon, comme nous l'avons vu, s'est proposé d'examiner, porte sur la distinction entre cités cisjordaniennes et cités transjordaniennes. Les trois villes situées au-delà du Jourdain sont, nous dit-il, le Logos, la puissance créatrice et la puissance royale. Ce sont les asiles qui demandent le plus d'effort à celui qui veut les atteindre. Les trois cités cisjordaniennes, inférieures en dignité et en sûreté, sont plus facilement accessibles. Gagner les trois premières suppose en effet qu'on s'élève à la contemplation de l'action divine dans son universalité. En revanche, les trois villes en deça du fleuve, ou plutôt les puissances divines dont elles sont le signe, ne concernent que les hommes. A qui d'autre en effet pourraient s'appliquer le pardon des fautes, la prescription et la prohibition légales[13] ?

Enfin, et c'est le quatrième point annoncé par l'Alexandrin, que signifie cette mort du grand-prêtre qui doit marquer le moment du retour des exilés ? Suivant un schéma dont on trouvera de nombreux exemples chez C. Siegfried[14], Philon commence par souligner l'absurdité du sens littéral. Selon la longévité du grand-prêtre et la date de leur bannissement, les réfugiés auraient à passer en exil, les uns de longues années, les autres seulement quelques jours. On ne saurait prêter des dispositions si peu équitables au législateur inspiré[15]. Il faut donc dépasser la lettre et déchiffrer le symbole. Le texte ne concerne pas un grand-prêtre humain mais le Logos même de Dieu. Sa mort ne peut être alors comprise que comme son retrait de l'âme humaine[16]. En d'autres termes, l'homme qui par sa faute, perd la présence du Logos, voit revenir ces fugitifs importuns que sont les égarements involontaires[17]. On voit que Philon, pour interpréter le grand-prêtre comme l'image du Logos, n'a pas hésité à abandonner, de manière assez déconcertante pour nous, l'exégèse qu'il avait d'abord proposée des « fugitifs ».

Tel est le schéma dont Ambroise adopte les grandes lignes dans le deuxième chapitre du *De fuga saeculi*.

2. *L'adaptation d'Ambroise.*

a. *Lévites et fugitifs.*

Dans sa réponse à la première question — pourquoi les villes de refuge sont-elles des villes lévitiques ? — Ambroise reste, dans l'ensemble, fort près de Philon. Les Lévites, appelés à ne tenir aucun compte des liens de parenté dès que le service de Yahvé l'exige, sont eux-mêmes des fugitifs, et il est normal de leur confier d'autres fugitifs. Cependant, tout

---

II, p. 145-146.

en demeurant dans la perspective de cette réponse philonienne, Ambroise prend bien soin de marquer, chaque fois qu'il le peut, ce qui le distingue d'un devancier utile, mais suspect. La technique qu'il emploie est simple dans son principe. Elle consiste à accompagner les emprunts à Philon ou au texte des Nombres de réminiscences ou de citations néo-testamentaires, en rendant ainsi manifeste la double supériorité du Christ, auteur et réformateur de la Loi.

L'obligation faite aux Lévites d'avoir Yahvé pour partage est ramenée à la consigne donnée par Jésus à ses disciples : « Si quelqu'un veut venir à moi, qu'il se renonce lui-même, qu'il prenne sa croix et qu'il me suive[18]. » Plus qu'un parallèle, il y a ici — selon un procédé cher à Ambroise — superposition ou surimpression : l'Ancien et le Nouveau Testament se recouvrent, en raison de leur unité en la personne du Christ, auteur et maître de l'un et de l'autre : « Et dominus Levitis dicit, cum discipulis suis, hoc est apostolis dicit...[19]. »

Mais, après avoir confondu, Ambroise se hâte de distinguer, pour montrer le progrès réalisé par la Nouvelle Alliance. C'est la seconde étape, celle du « quamquam... iam » : « Désormais cependant c'est à tous qu'il est dit : ' Vous êtes une race élue, un sacerdoce royal, une nation sainte, un peuple pour l'adoption '[20]. » Dorénavant, c'est à tous que s'adresse l'appel du Christ, c'est à tous que sont offerts le royaume et la vie éternelle[21]. Car la plénitude est arrivée et les survivances ont pris fin, « venit plenitudo, reliquiae cessarunt[22] ».

Quelques lignes plus loin, on retrouve la même technique de surimpression. Au cours de son développement sur les raisons du choix exclusif de villes lévitiques[23], Philon cite, comme maxime du détachement imposé à la tribu sacerdotale, cette apostrophe des Lévites à leurs parents : « Je ne vous ai pas vus, je ne connais pas mes frères, je ne reconnais pas mes fils[24]. » Un parallèle évangélique — peut-être déjà traditionnel — s'offrait à Ambroise : l'épisode, rapporté par Matthieu et par Luc, où l'on annonce au Christ, pendant qu'il enseigne, que sa mère et ses frères le cherchent. Voici comment Ambroise combine ces éléments divers (les italiques indiquent les éléments empruntés à Philon, les citations de l'Évangile sont en petites capitales) :

« C'est pourquoi le Seigneur a dit, donnant, en tant que prince des prêtres, un modèle aux Lévites : ' QUI EST MA MÈRE OU QUI SONT MES FRÈRES ? ' c'est-à-dire : ' *Je ne connais pas ma mère, je ne reconnais pas mes frères, j'ignore mes proches* (Dt. 33, 9). MA MÈRE ET MES FRÈRES, CE SONT CEUX QUI ÉCOUTENT LA PAROLE DE DIEU ET QUI L'ACCOMPLISSENT. ' Le serviteur ne connaît que la parole de Dieu quand il connaît ceux en qui opère la parole de Dieu[25]. »

L'emprunt à Philon, dans le cas présent un verset du Deutéronome, est encadré par la citation évangélique. Il n'a pas d'autonomie : Ambroise

---

II, p. 146.

le présente comme une simple paraphrase de la parole du Christ qu'il
a d'abord rappelée. Se plaçant dans une perspective figurative et non
chronologique, l'évêque de Milan peut donc montrer Jésus donnant aux
Lévites le modèle de leur genre de vie. Ce faisant, le Christ agit comme
« princeps sacerdotum ». C'est l'apparition du thème du grand-prêtre
qui va prendre de plus en plus d'importance jusqu'à la péroraison du
De fuga saeculi.

Les formules évangéliques dont Ambroise recouvre ici le substrat
philonien méritent aussi quelque attention. Nous avons dit que l'épisode
du Christ demandé par sa mère et ses frères nous était rapporté par
deux des synoptiques, Matthieu et Luc. Voici l'un et l'autre texte :

Matthieu, 12, 48-50 :	Luc, 8, 21 :
« Il répondit... :	« Il leur répondit :
Qui est ma mère et qui sont mes frères ? Et, étendant la main vers ses disciples, il dit : Voici ma mère et mes frères. Car quiconque fait la volonté de mon Père qui est aux cieux, celui-là est ma mère et ma sœur et mon frère. »	Ma mère et mes frères, ce sont ceux qui écoutent la parole de Dieu et qui l'accomplissent. »

On le voit, Ambroise, qui a commencé par Matthieu, finit par Luc.
Le recours au premier évangile allait de soi. Seul Matthieu fournit en
effet l'exclamation « Qui est ma mère et qui sont mes frères ? » et donc
l'équivalent de Dt., 33, 9. Le passage de Matthieu à Luc se comprend
aussi si l'on pense que « verbum dei » peut signifier non seulement cette
parole de Dieu que sont ses commandements, mais encore la Parole
de Dieu comme personne, le Verbe. Le texte de Luc se prêtait donc à
un glissement de sens et permettait ainsi à Ambroise de relier deux notions
essentielles de l'allégorèse des villes de refuge en esquissant le thème
du Verbe — grand-prêtre agissant dans l'âme : « Le serviteur ne connaît
que le Verbe de Dieu quand il connaît ceux en qui agit le Verbe de Dieu[26]. »
Nous allons voir que cette connaissance du Verbe seul est le propre de
la première cité de refuge, celle qui commande toutes les autres.

b. *Les cités de refuge.*

Après le préambule sur les Lévites, où il marque déjà ses distances
par rapport à son modèle, Ambroise en vient à l'exégèse des dispositions
relatives aux cités de refuge et à la mort du grand-prêtre.

Dans le traité de Philon, l'exégèse des villes de refuge se faisait en
deux temps. Chacune d'entre elles était d'abord identifiée soit au Logos
— dans le cas de la première — soit à l'une des cinq δυνάμεις divines.
L'auteur indiquait ensuite quelle est l'attitude d'âme qui permet au

---

II, p. 146.

fugitif d'atteindre telle ou telle de ces cités. On pourrait dire que Philon se plaçait d'abord du point de vue de Dieu et de ses puissances, ensuite du point de vue de l'âme, de sa vie et de ses états. Ambroise reprend ce développement en deux étapes, mais, dès la première, il quitte le plan théologique où se tenait son prédécesseur et se place d'emblée sur le terrain de la psychologie spirituelle.

En effet, Philon identifiait directement les villes de refuge aux puissances divines. Par l'introduction des substantifs « cognitio », « consideratio », « contemplatio » « contuitus »[27], Ambroise déplace la perspective. La troisième cité, par exemple, n'est plus interprétée par lui comme la puissance royale — ce qui était le cas chez Philon — mais comme la contemplation de la puissance royale. Il en est ainsi de toutes les autres villes de refuge. On retrouve ici un procédé familier à Ambroise, qui fait souvent glisser les exégèses philoniennes de la métaphysique à la psychologie. Mais surtout les spéculations de l'Alexandrin sur les puissances sont particulièrement suspectes à la vigilance antiarienne de l'évêque de Milan, comme nous avons déjà eu l'occasion de le remarquer[28].

On est, en effet, frappé par le soin avec lequel Ambroise, dans toute cette page sur les cités de refuge, a rejeté au second plan la notion de puissance. « Les cinq autres *puissances* de celui qui parle... », écrivait Philon après avoir évoqué la métropole. Ambroise préfère écrire « les cinq autres *cités* lévitiques ». Alors que dans l'identification de ces cinq colonies, Philon sous-entend chaque fois le mot δύναμις — ἄρχει ἡ ποιητική..., δευτέρα δ'ἡ βασιλική..., τρίτη δ'ἡ ἵλεως..., νομοθετικῆς μοῖρα —, Ambroise prend grand soin de varier ses substantifs. Il n'emploie jamais « virtus » et, s'il utilise une fois « potestas », c'est dans un sens fort peu métaphysique, quand il s'agit de la « potestas regia ». L'intention de ces modifications est assez claire : substituer, par exemple, à la « puissance créatrice » « l'opération divine, par laquelle le monde est créé », revient à écarter une hypostase suspecte.

Comme Philon, Ambroise accorde une importance toute particulière à la première cité. C'est la seule qu'il prenne soin de christianiser explicitement dès sa première mention[29]. Il en résume, en effet, l'esprit par deux versets empruntés au quatrième Évangile : « Vous êtes déjà purs à cause de la parole que je vous ai dite[30] », et « La vie éternelle c'est qu'ils te connaissent, toi le seul vrai Dieu, et celui que tu as envoyé, Jésus-Christ[31] ».

Il n'est pas moins important que, dans la définition même de cette première cité, Ambroise ait ajouté à l'idée de connaissance du Verbe, celle de ressemblance : « cognitio verbi et ad imaginem eius forma vivendi[32]. » Sans doute, dans cette nouvelle addition au canevas philonien, on retrouve une fois encore le peu de goût d'Ambroise pour la spéculation pure et sa tendance à regagner le sol plus ferme de la morale et de l'ascèse. Mais c'est surtout une pierre d'attente. Ambroise, en effet, ne tarde pas

---

II, p. 146-147.

à revenir sur cette notion de ressemblance, dont il va faire un des thèmes majeurs du *De fuga saeculi*.

On la rencontre déjà dans les lignes qui suivent immédiatement et qui sont consacrées à la seconde énumération des cités de refuge. Il s'agit maintenant de la vigueur spirituelle inégale qui est nécessaire pour les atteindre, la première de ces cités étant la plus sûre, mais la plus lointaine, la sixième la plus proche et la plus accessible[33]. Ici encore, Ambroise suit d'abord Philon. Mais, une fois cette nouvelle énumération terminée, il abandonne un moment son modèle pour récapituler ces six « remedia »[34], en apportant, pour illustrer les trois premiers, des citations qu'il emprunte aux deux Testaments[35].

Or le texte qui sert de maxime à la premièr cité, c'est le célèbre verset de la Genèse sur l'homme créé à l'image et à la ressemblance de Dieu. Ambroise a donc déjà profondément modifié, sur ce point, l'interprétation de Philon. A la page précédente, il était encore fidèle à la lettre même de l'Alexandrin et présentait la « métropole » comme la source de la sagesse où l'on puise le breuvage de la vie éternelle[36] ; il substitue maintenant à ce *topos* l'idée de conformité à l'image de Dieu : « Ut primo culpam fugiamus inductione animi conformes ad imaginem dei[37]. »

c. *La mort du grand-prêtre.*

Dans sa réponse à la quatrième question — celle qui concerne le grand-prêtre dont la mort doit marquer le retour des fugitifs —, Ambroise reste apparemment très proche de son modèle philonien. A l'exception de quelques additions dont l'ensemble représente quatre lignes environ, tout ce développement du *De fuga saeculi* est formé d'extraits du *De fuga et inventione*, traduits plus ou moins librement ou paraphrasés. On peut croire à un simple compendium du texte de Philon.

Mais cette allure d'abrégé n'est pas sans poser une question. Ambroise, en effet, s'est longuement attardé sur la description des six villes de refuge. Là, au lieu de résumer, il tendait à amplifier. Or, lorsqu'il en vient à parler du grand-prêtre, il réduit environ des trois quarts le développement de son prédécesseur. Peut-être en est-il, malgré les premières apparences, encore moins satisfait que des pages qui précèdent.

Cela invite en tout cas à examiner de plus près ces quatre lignes insérées dans la trame fournie par le *De fuga et inventione*. Ce sont des citations assez libres de saint Paul et de saint Jean. Les deux passages qui viennent de l'Épitre aux Colossiens se fondent aisément dans le développement où l'Alexandrin célèbre le rôle du Logos de Dieu qui conserve l'univers dans l'existence en en maintenant rassemblées toutes les parties[38]. L'ensemble constitue une ingénieuse marqueterie qui témoigne du goût d'Ambroise pour les centons, et de son habileté à combiner des éléments de provenance diverse en donnant l'illusion d'une parfaite continuité.

II, p. 147.

Le tableau suivant permettra d'en juger. On y voit à gauche les textes de Philon et du Nouveau Testament mis en œuvre par Ambroise, à droite la page du *De fuga saeculi* qui résulte de leur fusion[39].

Λέγομεν γὰρ τὸν ἀρχιερέα οὐκ ἄνθρωπον ἀλλὰ λόγον θεῖον εἶ-ναι... (PHIL., *Fug. i.*, 20 108, p. 133,12).	« Quis est iste magnus sacerdos nisi dei filius, verbum dei,
Παράκλητον ἔχομεν πρὸς τὸν πατέρα (I Io., 2,1). ...Πάντων οὐχ ἑκουσίων μόνον ἀλλὰ καὶ ἀκουσίων ἀδικημάτων ἀμέτοχον (PHIL., *Fug. i.*, 20, 108, p. 133, 13)	cuius advocationem pro nobis habemus apud patrem, qui exors omnium est voluntariorum et accidentium delictorum,
...τὰ πάντα ἐν τοῖς οὐρανοῖς καὶ ἐπὶ τῆς γῆς,... καὶ τὰ πάντα ἐν αὐτῷ συνέστηκεν (Col., 1, 16-17).	in quo consistunt omnia quae in terra sunt et quae in caelo ?
῞Ο τε γὰρ τοῦ ὄντος λόγος δεσμὸς ὢν τῶν ἁπάντων... καὶ συνέχει τὰ μέρη πάντα (PHIL,, *Fug. i.*, 20, 112, p. 133, 26 - 134, 1).	Vinculo enim verbi constricta omnia sunt et eius continentur potentia
Ἐν αὐτῷ ἐκτίσθη τὰ πάντα (Col., 1, 16). Ἐν αὐτῷ εὐδόκησεν πᾶν τὸ πλήρωμα κατοικῆσαι (*ibid.*, 1, 19).	et in ipso constant, quoniam in ipso creata sunt et in ipso inhabitat omnis plenitudo.
...καὶ σφίγγει κωλύων αὐτὰ διαλύεσθαι (PHIL,, *Fug. i.*, 20, 112, p. 134, 1-2).	Et ideo omnia manent, quia dissolvi illa non sinit quae ipse constrinxit.»

A. Orbe a conclu de cette page du *De fuga saeculi* que l'évêque de Milan avait adopté l'idée philonienne d'un sacerdoce du Logos, attaché à la fonction cosmique de ce dernier et donc essentiellement indépendante de l'Incarnation[40]. Il est vrai que cette interprétation a été contestée. R. Gryson[41] lui a opposé notamment un texte du *De Fide*, où Ambroise s'applique à démontrer que, si le Christ est prêtre, c'est seulement au titre de sa naissance dans la chair et de son « humana condicio »[42]. R. Gryson y voit la preuve que « l'idée d'une onction et d'un sacerdoce du Verbe antérieurs à l'Incarnation est étrangère au docteur milanais ».

R. Gryson a certes raison de souligner que l'évêque, au moyen de citations ou de références néo-testamentaires, prend bien soin de relier le sacerdoce du Christ à son incarnation et à son sacrifice sanglant. Néanmoins, lorsqu'Ambroise explique l'onction du Verbe-prêtre par le verset 9 du prologue de saint Jean — « Il éclaire tout homme venant en ce monde[43] » —, c'est bien le Verbe dans sa fonction éternelle d'illumi-

---

II. p. 147.

nation qu'il envisage. C'est que l'évêque de Milan, dans ces développements du *De fuga saeculi*, parle le langage de l'analogie symbolique et non celui de la déduction théologique. A. Orbe et R. Gryson ont, semble-t-il, un peu négligé cette différence et supposé une alternative rigoureuse, étrangère au mode de pensée qui est ici celui d'Ambroise.

En fait, les lignes où l'évêque de Milan semble reprendre l'idée du grand-prêtre cosmique ne peuvent être interprétées isolément. Elles ne sont qu'une étape dans la christianisation progressive des thèmes philoniens.

Deux autres additions vont d'ailleurs souligner les intentions d'Ambroise. C'est d'abord une causale ajoutée à un énoncé qui vient directement du *De fuga et inventione*. « Et si l'univers continue à exister, c'est parce que (le Verbe) ne laisse pas se décomposer ce qu'il a lui-même lié ensemble » ; c'est, jusqu'ici, du Philon[44]. Voici maintenant la glose d'Ambroise : « puisque (tout) subsiste dans sa volonté[45] ». Curieusement l'évêque de Milan semble rejoindre ici, au-delà de Philon, Platon lui-même[46]. L'addition donne en tout cas au « Verbe » plus de consistance personnelle que n'en avait apparemment le Logos dans le *De fuga et inventione*. Mais c'est surtout un emprunt à la première Épître de Jean qui permet à Ambroise d'apporter une modification décisive à la notion philonienne du Logos : « Verbum dei, *cuius advocationem pro nobis habemus apud patrem*[47]. » On reconnaît le verset johannique : « Si quelqu'un vient à pécher, nous avons un avocat auprès du Père, Jésus-Christ, le juste[48]. » Selon une technique assez familière à Ambroise, la citation se prolonge de manière en quelque sorte souterraine après sa cessation apparente. Elle semble terminée avec les mots « apud patrem », et pourtant Ambroise reprend l'idée que le Verbe est un avocat « juste ». Mais c'est au « texte-canevas » philonien qu'il emprunte la paraphrase du δίκαιον de Jean : « qui exors omnium est voluntariorum et accidentium delictorum[49]. » Ce n'est pas seulement une continuité formelle, une sorte d'effacement de la diversité de ses sources qu'Ambroise obtient ainsi. C'est comme une surimpression doctrinale, où s'associent l'idée du Verbe cosmique et l'image de « Jésus-Christ, le juste », qui est, comme on lit au verset suivant de l'Épître, « victime de propitiation pour nos péchés[50]. » Ambroise n'oublie pas ce dernier prolongement, mais il ne l'exploite pas immédiatement. Cet emprunt johannique lui sert ainsi de pierre d'attente.

L'évêque de Milan ne se contente d'ailleurs pas de ces additions ; comme dans les lignes précédentes, au sujet des puissances, il retranche ce qui lui paraît suspect ou erroné. Philon voit dans la tiare, que le grand-prêtre ne doit jamais enlever, un symbole de la subordination relative du Logos : « (le grand-prêtre) ne déposera pas le diadème royal, symbole d'un pouvoir admirable, non pas autonome, mais subordonné[51]. » Ambroise n'a garde de faire sienne une explication évidemment incompatible avec l'orthodoxie nicéenne.

II, p. 147-148.

Néanmoins, l'évêque de Milan, dans cette page, prend à son compte l'essentiel de l'allégorèse philonienne de la mort du grand-prêtre, telle qu'on la trouve dans le *De fuga et inventione*[52]. Il fait observer lui aussi que le sens littéral de ce passage du Livre des Nombres n'est pas recevable. Subordonner la longueur de l'exil du meurtrier involontaire à la mort plus ou moins prochaine du grand-prêtre actuellement en fonction serait en effet contraire à l'équité. C'est qu'il ne s'agit pas d'un grand-prêtre humain, mais du Verbe de Dieu. Éternel en lui-même, le Verbe peut mourir pour l'âme si celle-ci se sépare de lui. Elle devient alors de nouveau accessible au péché[53].

II — LA « RETRACTATIO » CHRÉTIENNE DE L'ALLÉGORÈSE DES CITÉS DE REFUGE (DE FVGA SAECVLI, 3, 14-16)

1. *De l'ombre à la pleine lumière.*

Avec l'interprétation de la mort du grand-prêtre, Ambroise semble avoir terminé l'exécution du programme exégétique qu'il s'était proposé à la suite de Philon. Toutes les questions qu'avait soulevées la législation sur les meurtriers involontaires ont été élucidées.

En fait, rien n'est achevé pour l'auteur du *De fuga saeculi*, qui reprend aussitôt toute l'exégèse des cités de refuge. Le développement de l'Alexandrin n'est pas oublié pour autant. Ambroise continue à en utiliser les éléments et la structure, mais en les transposant dans le registre néotestamentaire, plus précisément paulinien.

« Habemus haec genera non adumbrata, sed expressa virtutum in apostolo[54]. » C'est ainsi qu'Ambroise introduit sa *retractatio*. La phrase, avec son antithèse formée par les mots « adumbrata » et « expressa », évoque un schéma classique que l'on rencontre déjà chez Varron[55], et surtout chez Cicéron. Ce dernier pourrait avoir fourni l'antécédent, direct ou indirect, de la formule du *De fuga saeculi* dans un passage du *Pro Caelio* : « Habuit enim ille... permulta maxumarum non *expressa* signa sed *adumbrata virtutum*[56]. » Mais, si c'est bien ce schéma qu'il remploie, Ambroise en change le contenu. Tandis que Symmaque utilise le cliché cicéronien dans son contexte moral originel en se contentant de l'inverser — « Agnosco in te non adumbrata vestigiis sed expressa veterum signa virtutum[57] » —, l'évêque de Milan donne à chacun des termes de l'antithèse un sens nouveau. Les « virtutes », ce ne sont pas les vertus de l'homme, comme chez Cicéron. Ce sont les puissances divines que symbolisent les cités de refuge. Quant au mot « adumbrata », il renvoie, chez Ambroise, à la technique de l'exégèse. Dans la langue de Cicéron, cet adjectif peut désigner, on l'a vu, ce qui n'est qu'esquissé, par opposition à ce qui est pleinement affirmé, mais aussi l'apparence trompeuse confrontée avec la réalité solide[58]. Cette dernière antithèse

II, p. 148.

est déjà chez Platon qui, dans la *République,* confronte les vaines ombres du plaisir sans sagesse avec ce qui est pleinement réel — παναληθής — et sans mélange — καθαρός[59]. Philon applique la même image aux voluptés du corps et aux biens extérieurs, qui ne résistent pas à l'épreuve du temps[60]. De manière assez piquante, Ambroise, dans le *De Abraham,* retourne l'antithèse platonicienne de l'authentique et de l'apparence fallacieuse contre l'auteur de la *République* : « Plato ipse princeps philosophorum non veram aliquam, sed fictam et adumbratam sibi eam quam legimus πολιτείαν proposuit persequendam[61]. »

Mais, dans notre page du *De fuga saeculi,* l'opposition n'est pas entre l'apparent, voire le fictif, et le réel ; c'est plutôt celle de l'ébauche et du tableau achevé, de l'intuition encore obscure et de la connaissance pleinement éclairée par la sagesse. Cicéron utilise en ce sens l'adjectif « adumbratus » dans un important passage du *De legibus* sur la connaissance de soi et ses progrès[62]. On entrevoit, dès lors, les services que pouvait rendre la métaphore classique de l'« adumbratio » aux exégètes chrétiens désireux d'exprimer la situation et le rôle de l'Ancien Testament par rapport au Nouveau. Dans cette perspective, l'ombre et la lumière ne se superposent pas comme deux niveaux de réalité, mais se succèdent comme deux moments d'une même révélation.

Chez les Pères grecs, σκιαγραφεῖν est fréquemment employé pour désigner les préfigurations de l'Ancienne Loi par opposition à la révélation parfaite de la Nouvelle Alliance[63]. Les latins reprennent cette théorie de l'« adumbratio ». C'est ce que font par exemple Hilaire[64], Optat[65] et Augustin[66].

Les chapitres 2 et 3 du *De fuga saeculi* montrent bien comment Ambroise conçoit et présente ces deux degrés de la révélation. On peut dire que, pour le premier degré — l'« adumbratio », — l'évêque de Milan accepte le schéma d'ensemble de l'exégèse philonienne. Cependant, dès ce stade, on a vu qu'il prenait grand soin d'incorporer aux développements empruntés à l'allégoriste juif de nombreuses formules tirées du Nouveau Testament. Grâce à des altérations ingénieuses, à des surimpressions habiles, à l'usage des mots-charnières, Ambroise réussit à éviter la juxtaposition et à obtenir un tissu sans couture apparente. C'était là sans doute un procédé littéraire bien connu des compilateurs, à une époque qui vivait d'héritages divers. Macrobe, après bien d'autres, en a formulé les principes dans la préface de ses *Saturnales*[67].

Certes, l'évêque de Milan est sensible aux considérations littéraires, comme en témoigne par exemple une de ses lettres à Sabinus[68], et cet art de fondre les emprunts et d'effacer leurs contours et leurs frontières contribue à donner au texte du poli, de la continuité, de l'harmonie. Mais les préoccupations essentielles d'Ambroise semblent être ici d'un autre ordre. Il ne peut souscrire qu'en partie au précepte donné par Macrobe dans sa préface[69]. Il ne saurait être question pour l'évêque de

II, p. 148-149.

Milan de dissimuler ces emprunts à l'Écriture qui font l'ornement et l'autorité de son enseignement. En revanche, le précepte de l'auteur des *Saturnales* s'applique pleinement, lorsqu'il s'agit du canevas philonien. Complètement anonyme, il n'apparaît dans le *De fuga saeculi* que comme le développement des passages bibliques dont il est le commentaire. Mais là, sans doute, ce sont les préoccupations doctrinales qui l'emportent : Philon n'appartient pas à l'Église et ne saurait donc figurer sous ses propres couleurs dans une œuvre d'édification chrétienne. La vigilance perpétuelle qu'Ambroise manifeste à l'endroit de son modèle, les corrections constantes auxquelles il le soumet, autorisent dans une certaine mesure cette espèce d'ingratitude. Les textes néo-testamentaires intégrés aux allégories philoniennes préparent en effet le renversement de perspective que constitue la réexposition des thèmes au chapitre 3.

Ambroise souligne à sa manière tout ce qui sépare ici l'esquisse et le tableau achevé, l'« adumbratum » et l'« expressum »[70]. Il oppose en effet[71] les six villes de refuge du *Pentateuque* et les dix villes qui, dans l'Évangile, sont la récompense du serviteur fidèle[72] : « La Loi », écrit-il après ce double rappel, « la Loi connaît six cités, mais, parce qu'il a accompli la Loi, celui qui a pu dire : ' Je ne suis pas venu abolir la Loi mais l'accomplir ' accorde une récompense mesurée par un nombre plus parfait[73]. » Nous connaissons, par d'autres textes de Philon et d'Ambroise, le symbolisme numérique qui est impliqué par ce passage. Dix est le nombre de la perfection et de la totalité[74] ; c'est aussi le nombre de la Loi[75] ou plus précisément, selon Ambroise, de sa perfection[76]. La substitution du dix au six montre donc bien que, loin d'abolir la Loi, le Christ la parachève. Il serait donc vain de chercher quelles sont les quatre cités qui s'ajoutent aux six que Moïse avait déjà dénombrées : le six et le dix désignent deux états ; on passe de l'un à l'autre par mutation qualitative et non par addition.

2. *Les cités de refuge et l'Épître aux Romains.*

La vérité qui était seulement préfigurée symboliquement par la législation mosaïque sur les villes de refuge, Ambroise la trouve exposée en pleine lumière dans les premiers chapitres de l'Épître aux Romains et il se met aussitôt en devoir de retrouver dans le texte paulinien chacun des six degrés qu'il a distingués quelques pages plus haut. Pour un lecteur moderne, ce qui semble d'abord une lecture de Paul à la lumière de Philon n'est pas sans surprendre, et les rapprochements auxquels procède Ambroise paraissent souvent fort artificiels. Il faut les examiner un à un, avant de s'interroger sur la signification d'ensemble de cette audacieuse surimpression.

Ici encore, l'évêque de Milan, fidèle en cela à son modèle, va du plus vénérable au plus familier, du plus abrupt au plus accessible, du cosmique

---

II, p. 149.

au simplement humain. Il commence par la « métropole », pour descendre, par degrés, jusqu'aux hauteurs plus modestes de la justice légale.

Le problème est de retrouver dans le début de l'Épître aux Romains ces mêmes étapes et ce même ordre. Le premier passage souligné à cet effet par Ambroise est formé des versets 15 à 17 du premier chapitre. Les voici dans la version utilisée par l'auteur du *De fuga saeculi* : « Ita quod in me est, promptus sum et vobis, qui Romae estis, evangelizare. Non enim erubesco evangelium ; virtus enim dei est in salutem omni credenti, Iudaeo primum et Graeco. Iustitia enim dei in eo revelatur ex fide in fidem, sicut scriptum est : ' Iustus autem ex fide vivit '[77]. »

A vrai dire, le rapport de ces versets avec le thème de la première ville de refuge ne saute pas aux yeux. On y trouve bien « virtus », mais non « verbum ». Ambroise prévient l'hésitation possible et s'explique : « En qui donc la justice de Dieu est-elle révélée sinon en celui qui est conforme à l'image du Fils de Dieu[78] ? » Il avait auparavant fait suivre la formule paulinienne « Iustitia enim dei in eo revelatur » de cette glose : « Id est in eo qui credidit[79]. »

Cette utilisation inattendue du texte de saint Paul appelle plusieurs remarques. Tout d'abord, Ambroise pouvait retrouver l'idée que le Verbe est fils de Dieu dans le *De fuga* de Philon, à propos du symbolisme du grand-prêtre. On y lit que le Logos est issu de parents incorruptibles et très purs, son père étant Dieu et sa mère la Sagesse. Il est vrai que l'Alexandrin ajoute une relative que l'évêque de Milan ne pouvait accepter : « Son père est Dieu, qui est aussi le père de l'univers[80]. » En second lieu, ces lignes nous montrent une fois encore que, pour Ambroise, le sens primordial de cette première cité, c'est la conformité de l'âme avec le Verbe. Enfin, en introduisant dans ce passage de l'Épître aux Romains le thème de l'image, Ambroise montre à quel point lui est étrangère toute idée de justification purement déclaratoire : la justice de Dieu se manifeste à ses yeux dans cette transformation morale qui rend le croyant conforme à l'image du Fils de Dieu. La position d'Ambroise sur ce point s'oppose nettement par exemple à celle de l'Ambrosiaster, qui pourtant comprend comme lui Romains, 1, 17 : « in illo *qui credit* ». Le mystérieux commentateur des Épîtres de saint Paul n'explique pas, en effet, cette manifestation de la justice de Dieu par un reflet de l'image divine dans le croyant. « La justice de Dieu », écrit-il, « c'est de donner ce qu'il a promis. Aussi celui qui croit avoir obtenu ce que Dieu avait promis par ses prophètes prouve-t-il que Dieu est juste et témoigne-t-il de sa justice[81]. »

La seconde cité, Ambroise en trouve la maxime dans ce même chapitre premier de l'Épître aux Romains, trois versets plus loin : « ' Invisibilia dei per ea quae facta sunt intelleguntur ', id est ' *sempiterna virtus eius et divinitas* ' operibus eius cognoscitur[82]. » Ici encore, on retrouve le mot « virtus » et Ambroise précise aussitôt : « Haec est operatoria virtus »,

---

II, p. 149-150.

« Il s'agit ici de la puissance créatrice. » On reconnaît sans peine la deuxième ville de refuge de philonienne.

Ambroise découvre la troisième cité — celle de la puissance royale[83] —, au verset 2 du chapitre suivant : « Scimus autem quoniam iudicium dei est secundum veritatem in eos qui talia agunt[84]. » Cette puissance royale, Ambroise la rapporte expressément au Verbe, en qui elle se trouve associée aux pouvoirs judiciaire et sacerdotal[85].

Deux versets plus loin, Ambroise retrouve la puissance miséricordieuse, celle qui préside à la quatrième ville de refuge : « Vas-tu mépriser les trésors de sa bonté, de sa patience et de sa longanimité, sans t'apercevoir que la bonté de Dieu te conduit à la pénitence ? » Et Ambroise de préciser : « c'est-à-dire doit te conduire[86]. » En effet, la pensée de la miséricorde divine peut mener à la négligence aussi bien qu'à la pénitence. Il reste donc le recours des deux dernières cités, celles de la Loi sous sa double forme de précepte positif et de prohibition. Ambroise n'a évidemment aucune peine à découvrir ce nouveau thème dans l'Épître aux Romains. C'est le verset 12 du chapitre 2 qu'il retient à cet effet : « Tous ceux qui ont péché sans la Loi périront aussi sans la Loi, et tous ceux qui ont péché dans la Loi seront jugés par la Loi[87]. »

Ainsi, pour donner l'idée de ces deux refuges ultimes, Ambroise se sert d'un texte qui envisage précisément l'échec d'un tel recours. Et le paradoxe marque l'ensemble du parallèle implicite auquel l'auteur se livre. Tous les versets de l'Épître aux Romains où Amboise veut retrouver les cinq dernières cités de refuge, indiquent en fait, chez saint Paul, l'échec ou l'insuffisance d'un moyen de salut.

Sans doute, Philon lui-même envisage le cas où l'un de ces asiles serait trop difficile à atteindre en raison des forces insuffisantes du fugitif. Mais alors une cité moins lointaine s'offre toujours comme un recours plus adapté. La plus proche, la puissance légale, sous son aspect prohibitif, assure un abri aux moins doués. Or l'utilisation qu'il fait de saint Paul va conduire Ambroise à un complet renversement du schéma qu'il emprunte à l'Alexandrin.

En effet, après avoir retrouvé les six villes de refuge dans le début de l'Épître aux Romains, l'évêque de Milan ne s'en tient pas là. Il continue à suivre saint Paul dans son analyse de la Loi, qui, réduite à une fonction pédagogique, reste impuissante à justifier. On reconnaît la conclusion de l'Apôtre : « Nous le savons, tout ce que dit la Loi, elle le dit pour ceux qui sont sous la Loi, afin que toute bouche soit fermée et que le monde entier tombe sous le coup de la justice de Dieu, puisqu'aucune chair ne sera justifiée devant lui par les œuvres de la Loi[88]. » On trouve l'écho de ces versets dans le De fuga d'Ambroise : « La loi a pu fermer la bouche de tous, mais elle n'a pas pu convertir le cœur[89]. »

Or cette impuissance de la Loi est universelle, Ambroise vient de le

---

II, p. 150.

rappeler à la suite de l'*Épître aux Romains*. La loi naturelle est inefficace :
« Toi qui proclames qu'il ne faut pas voler, tu voles ; toi qui déclares qu'il
ne faut pas commettre l'adultère, tu commets l'adultère[90]. » La Loi de
Moïse ne justifie pas : « Tu as appris ce que tu devais éviter, et tu commets
les actes dont tu sais qu'ils sont défendus[91]. »

La démarche de Philon, dans son exégèse allégorique des villes de
refuge, était harmonieuse et sans drame. Du refuge le plus élevé au plus
proche, elle voulait montrer que toute âme peut trouver accès à une
puissance divine proportionnée à ses forces et la garantissant contre le
péché.

Ce début de l'Épître aux Romains, dont Ambroise nous donne en
quelque sorte un abrégé, comme il a résumé l'Épître aux Éphésiens
dans une de ses lettres à Irénée[92], suit un cheminement inverse. Paul
s'attache à montrer que l'homme n'est capable de trouver le salut ni
dans la voie de la connaissance, ni dans celle de la loi, naturelle ou
mosaïque. Tout aboutit donc à une crise qui culmine en ce verset 20
du chapitre 3, dont nous venons de trouver l'écho chez Ambroise. C'est
seulement après cette espèce de traversée du désespoir que, par un revi-
rement brusque, la véritable issue est manifestée : celle qui est ouverte
aux hommes par Jésus-Christ.

Malgré les artifices de la surimpression, on retrouve l'essentiel du
mouvement paulinien dans le passage du *De fuga saeculi* que nous examinons. Dans la phrase même où il énonce l'impuissance de la loi à convertir les âmes, Ambroise fait envisager la possibilité d'une ultime cité,
refuge vraiment sauveur où la mort du grand-prêtre nous libèrerait de
toute crainte de la mort : « Mais, parce que la Loi a pu fermer la bouche
de tous, sans pouvoir convertir le cœur, il fallait le suprême remède
d'une dernière cité où se trouverait l'asile du salut, en sorte que la mort
du prince des prêtres nous libérât de toute crainte de la mort et nous
dépouillât de la peur[93]. »

Ainsi, la surimpression paulinienne n'apparaît plus comme un simple
procédé de christianisation superficielle et à bon compte. Là où Philon
montrait des refuges, l'Épître aux Romains dénonce des impasses, et le
seul recours qu'Ambroise y découvre est précisément celui que l'Alexandrin
ignorait.

En effet, la valeur allégorique de la mort du grand-prêtre se trouve
inversée. Pour Philon, c'était en fait la mort de l'âme, ouverte de nouveau
au péché par la perte de son contact avec le Logos. Et dans un premier
temps, on l'a vu, Ambroise avait adopté cette interprétation[94]. Mais
maintenant, la mort du grand-prêtre apparaît comme le dernier moyen
de salut offert à l'âme et le seul efficace.

Or cet ultime refuge n'est pas seulement une exigence morale — « ulti-
mum refugium... debebatur » —, c'est une réalité de fait. Le grand-prêtre,

---

II, p. 150.

dont la mort nous sauve, existe, il suffit de le reconnaître[95]. Pour présenter
en quelque sorte avec plus d'énergie le Sauveur, Ambroise combine une
citation du quatrième Évangile — « Voici l'agneau de Dieu, voici celui
qui ôte le péché du monde » — avec le passage attendu de l'Épître aux
Romains : « Dieu l'a exposé comme instrument de propitiation dans son
propre sang par la foi, pour manifester sa justice...[96] »

Les trois derniers mots nous ramènent ainsi à la première cité, la
métropole. On se rappelle qu'Ambroise lui avait donné pour maxime
ce verset de l'Épître aux Romains : « Iustitia enim dei in eo revelatur[97]. »
On peut donc parler d'une sorte de coïncidence entre la « cité ultime »
et la cité première, comme il y a une certaine coïncidence entre la fin
et le moyen qui lui est proportionné.

3. *La mort du grand-prêtre et le Nouveau Testament.*

Dans l'Épître aux Romains, Ambroise trouve bien le sacrifice propitiatoire du Christ, mais il n'y rencontre pas la mention de son sacerdoce.
D'autres textes, presque tous pauliniens ou johanniques, vont alors
lui servir à compléter le portrait du Verbe grand-prêtre, illuminateur
des esprits, principe de l'unité et de la permanence de tous les êtres.

Le paragraphe 16 du *De fuga saeculi* est en effet formé à peu près
tout entier de versets des deux Testaments, tantôt traduits littéralement
et cités explicitement, tantôt simplement paraphrasés. Après Jean, 1, 29,
et Romains, 3, 25[98], vient une page de l'Épître aux Hébreux[99], le verset 9
du prologue johannique — « Verbum qui illuminavit omnem hominem
venientem in hunc mundum[100] » —, une réminiscence de Colossiens, 2, 9
— « plenitudine divinitatis[101] » —, un autre verset du quatrième Évangile
— « de cuius plenitudine omnes accepimus[102] » —, enfin deux passages
combinés de l'Épître aux Éphésiens[103]. On revient enfin à l'Ancien Testament avec l'évocation de l'arche d'alliance[104].

Ces textes pourraient sembler disparates, mais, à son habitude,
Ambroise soigne les liaisons. L'une d'entre elles nous échappe, il est
vrai, en raison d'une lacune dans les manuscrits dont nous disposons[105].
Le fil directeur du passage reste néanmoins visible. On sait que l'un des
procédés dont l'évêque de Milan se sert couramment pour relier des
emprunts à première vue hétérogènes est celui du mot ou de l'image
charnière. Ici, c'est une expression de l'Épître aux Hébreux qui remplit
cette fonction, ὑψηλότερος τῶν οὐρανῶν, « excelsior caelis » comme
traduit Ambroise[106]. Ces deux mots, qui s'appliquent au grand-prêtre
éternel, lui permettent de passer du thème sacerdotal à l'idée du Logos
qui, étant au-dessus de tout, a le pouvoir de tout illuminer et de remplir
l'univers de son esprit. C'est, ajoute Ambroise, ce que Moïse veut signifier
quand il nous dit que la Parole de Dieu se fera entendre d'au-dessus
de l'arche.

II, p. 150-151.

Mais, en fait, dans ce passage, malgré l'habileté — ou l'artifice — des transitions, l'ordre des pensées et des emprunts ne s'explique vraiment que par le « texte-canevas », les pages que Philon consacre à l'interprétation allégorique de la mort du grand-prêtre. Bien que n'étant plus guère apparente, recouverte qu'elle est par les citations et les allusions néo-testamentaires, la trame philonienne continue à commander le développement.

Déjà la dernière citation, celle de l'Exode, vient à n'en pas douter du *De fuga et inventione*[107]. Mais, à y regarder de plus près, on constate que tous les emprunts faits, dans cette page, aux épîtres pauliniennes et au quatrième évangile, sont destinés par Ambroise à servir de contrepartie aux éléments du portrait que Philon trace du grand-prêtre.

L'Épître aux Hébreux se prêtait parfaitement à cet usage. Ce texte, qu'Ambroise attribue à saint Paul, présente une remarquable parenté de culture, de principes exégétiques et de thèmes théologiques avec l'œuvre du juif alexandrin. C'est, en particulier, l'unique texte du Nouveau Testament qui développe l'idée du grand-prêtre céleste, échappant seul au péché et à la mort.

Ambroise passe ensuite de l'Épître aux Hébreux au prologue de saint Jean, de l'idée du sacerdoce propitiatoire au thème du Verbe illuminateur. Ce qui joue ici le rôle de « charnière », ce sont les derniers mots de la citation de l'Épître aux Hébreux — « excelsior caelis factus » — auxquels Ambroise ajoute aussitôt cette glose : « Hoc est igitur verbum[108]. »

Ce passage au quatrième Évangile s'explique encore par le « texte-canevas », le développement du *De fuga et inventione*. Dans celui-ci, en effet, après avoir rappelé, en s'appuyant sur le Lévitique, 21, 11, que le vrai grand-prêtre est pur de toute souillure, étant issu de parents incorruptibles, Dieu et la Sagesse, Philon en vient à interpréter l'onction, mentionnée au verset suivant. L'huile évoque pour l'Alexandrin l'image lumineuse de la flamme. Ambroise, lui aussi, associe l'idée d'onction et celle d'illumination, ce qui lui permet d'introduire le verset de saint Jean sur le Verbe qui éclaire tout homme venant en ce monde.

Le Lévitique réunissait dans une même phrase[109] la mention de l'huile versée sur la tête du grand-prêtre et celle de ses vêtements sacrés qu'il ne devait pas déchirer. Pour Philon, ces vêtements symbolisent le monde et l'interdiction de les déchirer indique que le Logos, qui a revêtu l'univers, l'empêche de périr en maintenant la cohésion de ses parties. Ambroise a cherché un équivalent néo-testamentaire de cette doctrine et l'a trouvé dans l'Épître aux Éphésiens : le Christ est la tête du corps, il assure son unité et la connexion de ses membres[110].

Dans cette page du *De fuga saeculi*, où seul le Nouveau Testament apparaît, Philon est donc constamment présent, et c'est lui, en fin de compte, qui explique le choix et la disposition des emprunts que fait

---

II, p. 151.

Ambroise à l'Épître aux Hébreux, à saint Paul et à saint Jean. C'est une sorte de parallèle implicite, dont l'un des termes reste constamment sous-entendu.

On peut alors se demander dans quelle mesure les deux groupes de textes entre lesquels Ambroise établit ce jeu de correspondances, de surimpressions, de substitutions, ne sont pas finalement altérés l'un par l'autre. En deux endroits, le coup de pouce de l'harmonisation est aisément décelable. Après avoir fini d'utiliser l'Épître aux Hébreux, Ambroise s'autorise, on l'a vu, de trois mots du texte qu'il vient de citer — ὑψηλότερος τῶν οὐρανῶν[111] — pour conclure : « Hoc est igitur verbum ». De même, après avoir traduit deux passages de l'Épître aux Éphésiens sur le Christ-tête[112] et sur la charité du Christ qui est *au-dessus de la connaissance* — « *supereminentem* scientiae[113] » —, Ambroise tire argument de cette dernière formule pour affirmer : « Hoc est igitur verbum, quod *supereminet*[114] » et pour introduire l'interprétation philonienne du propitiatoire placé *au-dessus* de l'arche d'alliance.

Ainsi l'évêque de Milan traduit aussi bien les spéculations sacerdotales de l'Épître aux Hébreux que la théologie paulinienne du Christ-tête dans le langage de la philosophie du Logos, qui est celui de Philon, et auquel le prologue johannique a donné droit de cité dans l'Église[115]. Par cette commune référence à l'exégète d'Alexandrie, Ambroise neutralise donc les singularités respectives, les caractéristiques doctrinales de Paul, de Jean, de l'Épître aux Hébreux. Il les réduit à une sorte de moyenne théologique dont le Logos est la notion centrale.

En contrepartie, Philon se voit beaucoup plus radicalement révisé. En effet, à la signification cosmique des habits du grand-prêtre, Ambroise ajoute l'idée d'une seconde vêture : « Induit etiam cognationem generis humani per huius corporis susceptionem[116] », « il a revêtu aussi la parenté avec le genre humain en assumant ce corps-ci. »

D'ailleurs, cette petite phrase décisive ne fait que préciser ce qu'Ambroise a déjà suggéré un peu plus haut en identifiant le grand-prêtre à l'agneau dans le sang duquel Dieu s'est réconcilié l'humanité pécheresse[117]. Le salut que procure le Logos ne s'accomplit plus sur le plan cosmique, mais dans la perspective de l'Incarnation et du sacrifice sanglant. L'appropriation de ce salut ne peut donc plus s'effectuer par la voie d'un méditation ou d'une extase philosophique. Il faut d'autres moyens plus concrets, plus adaptés à cette présente condition charnelle que le Verbe a assumée « per huius corporis susceptionem ». Ce moyen, l'auteur du *De fuga saeculi* ne l'évoque pas pour l'instant, de même qu'il n'insiste pas sur la mort de Jésus au calvaire, dont la mention semblait pourtant presque imposée par la christianisation du thème de la mort du grand-prêtre. Comme il le fait souvent, Ambroise se contente un moment de poser une pierre d'attente, ménageant ainsi les chemine-

---

II, p. 151.

ments de la pédagogie, les nécessités de l'allégorie et les lois du crescendo rhétorique.

III — Jacob et Laban (De fvga saecvli 4, 20-24)

Après le long développement sur les cités de refuge, le plus étendu des emprunts faits à Philon dans le *De fuga saeculi* s'étend du paragraphe 19[118] au paragraphe 23. Ambroise y a réuni deux passages qui, dans le traité de Philon, sont non seulement très éloignés l'un de l'autre[119], mais se situent dans des perspectives toutes différentes. Le premier, celui qui concerne la fuite de Jacob chez Laban, son futur beau-père, est destiné à présenter un exemple de la « fuite par crainte ». Le second — Laban ne trouvant pas ses idoles — sert à illustrer une des variations du couple chercher - trouver : la recherche qui n'aboutit à aucune découverte. Ambroise a donc retiré ces deux développements philoniens de leur contexte originel. Comme ils présentaient deux épisodes successifs de la vie de Jacob, la jonction n'était pas difficile à établir. L'évocation rapide de l'épisode des brebis bigarrées, de la lutte avec l'ange et du songe de l'échelle sert de transition.

Quelle fonction, quel sens nouveau Ambroise attribue-t-il à ces emprunts philoniens qu'il a ainsi transposés dans un contexte tout nouveau ?

1. La fuite de Jacob.

Les pages qui concernent la fuite de Jacob chez Laban sont un bon exemple de la technique d'Ambroise. Il traduit — souvent avec beaucoup d'exactitude — un certain nombre de phrases, de membres de phrases ou d'incises qu'il trouve dans le texte de Philon. Ailleurs, il paraphrase librement. Il ajoute des éléments proprement chrétiens. Grâce à quelques formules de liaison, ces matériaux forment enfin un texte continu.

Voici un exemple de ce travail. Les chiffres figurant dans la colonne de gauche, renvoient aux pages et aux lignes de l'édition Cohn-Wendland et montrent comment Ambroise recompose le développement qu'il doit à son prédécesseur.

Philon, *De fuga et inventione*, 8, 45 - 9,50.	Ambroise, *De fuga saeculi*, 4, 20-21, p. 180, 11 - 181, 19.
Σοφίας δὲ ὄνομα βαθουὴλ ἐν χρησμοῖς ᾄδεται, τοῦτο δὲ μεταληφθὲν θυγάτηρ θεοῦ προσαγορεύεται = C W, III, p. 121, 4-5. Τὸν γὰρ σοφίας οἶκον... εὑρήσεις = *ibid.*, p. 121, 2-3.	« In hymnis vel oraculis a plerisque, ut ante nos scriptum est, Bathuel sapientia dicitur, interpretatione autem Latina filia dei significatur. In domum ergo sapientiae mittitur Iacob

II, p. 152.

Λάβε ἐκεῖθεν σαυτῷ γυναῖκα
ἐκ τῶν θυγατέρων Λάβαν
= *ibid.*, p. 120, 15-16 (Gn., 28, 2).

et accipere admonetur uxo-
rem a filiabus Laban,

Οἰκεῖ δὲ τὴν Χαρράν, ἢ με-
ταληφθεῖσα εἰσι τρῶγλαι,
σύμβολον τῶν αἰσθήσεων
= *ibid.*, p. 119, 18-19.

qui habitabat in Char-
ris, quod significat ca-
vernas, in quibus species
est sensuum.

....

Unde et dicit Rebecca habitandum
paucos dies cum illo, non multo
tempore, ne corporeis coloretur
voluptatibus et saeculi capiatur
inlecebris, persuadet autem habi-
tare, ut discat studiosus dis-

Τοῦτο δ'ἐστὶ τὴν τῶν αἰσθήσεων χώραν κατάμαθε, γνῶθι
σαυτὸν καὶ τὰ σαυτοῦ μέρη, τί
τε ἕκαστον καὶ πρὸς τί γέ-
γονε καὶ πῶς ἐνεργεῖν πέ-
φυκε = *ibid.*, p. 120, 3-5.

ciplinae virtutes sensuum et
velut situs quosdam carnis atque
regiones, ut se cognos-
cat et noverit vehementiam carnis, quid et qua causa
creatum sit, quemad-
modum unusquisque sen-
sus operetur. ' Qui viderit,
inquit, mulierem ad concupiscen-
dum, (Mt., 5, 28). Male sic videt
oculus... Statimque revocatur, ne

Καὶ μὴ ἐπικλυσθεὶς ἐγκα-
ταποθῇς, στηριχθεὶς δὲ βιαιοτάτην
ἄνωθεν καὶ ἑκατέρωθεν καὶ παν-
ταχόθεν ἐπικυματίζουσαν φοράν ...
= *ibid.*, p. 120, 20-121, 2.

diutius titubet in lubrico et di-
vidua quadam inundatione
corporis huius et saeculi mer-
sentur animi interiora vesti-
gia.

'Εὰν γὰρ ἐπιδείξῃ γενόμενος ἐν
τῷ πολιτικῷ καὶ πεφυρμένῳ τού-
τῳ βίῳ σταθερὸν καὶ εὐπαί-
δευτον ἦθος = *ibid.*, p. 120, 9-11.
'Ρεβέκκας... τῆς ἐπιμονῆς... =
ibid., p. 119, 18.

Cum autem vel expertus
fuerit vel steterit in
instabili et incerto at-
que umido solo,
            revocatur a
matre patientia vel per-
severantia,

Μεταπέμψομαί σε ἐκεῖθεν
= *ibid.*, p. 120, 11 (Gn., 27, 45).

            quae dicit: Mit-
tam ad te et accersam
te inde,

Τὸν γὰρ σοφίας οἶκον εὔδιον
καὶ γαληνὸν λιμένα εὑ-
ρήσεις = *ibid.*, p. 121, 2-3.
Τὸ δ'ἄθλόν ἐστιν ἡ ἀκλινῆς καὶ
ἀνένδοτος τοῦ μόνου θεραπεία
σοφοῦ = *ibid.*, p. 120, 12-13.

            ut et illic in lubrico
tutum portum invenias
sapientiae, quae te non si-
nat tamquam in naufragio fluc-
tuare, et reversus perseve-
rare circa dei noveris cul-
tum et sis in conventu gentium
significans eius fide ecclesiam gentium congregandam. »

Ambroise semble parfois pousser l'exactitude du traducteur jusqu'au
scrupule. Il use à l'occasion de formules complexes pour expliciter les
différentes virtualités d'un seul terme grec[120]. C'est ainsi que l'évêque
de Milan rend l'expression philonienne ἐν χρησμοῖς ᾄδεται par « in

---

II, p. 152.

hymnis vel oraculis... dicitur », de façon à ne rien perdre des connotations du verbe ᾄδεται[121]. Un peu plus loin ἐν τῷ... πεφυρμένῳ... est développé en « in instabili et incerto atque umido solo »[122], alors que la dernière traductrice, E. Starobinski-Safran ne retient que l'idée abstraite de « confusion », laissant ainsi tomber les valeurs concrètes du terme grec, qu'Ambroise a très soigneusement conservées[123]. A la ligne suivante, deux mots latins rendent compte des nuances de l'ἐπιμονή : « patientia vel perseverantia[124] ».

Ces moments de grande fidélité font d'autant mieux ressortir les libertés que prend l'évêque de Milan vis-à-vis de son modèle. A vrai dire, les matériaux qu'il emprunte sont employés à une construction qui n'a plus guère de ressemblance avec celle du *De fuga et inventione*. Nous venons de voir comment Ambroise s'est attaché à expliciter toutes les connotations du participe πεφυρμένος. Or, dans cette même phrase, il laisse tomber le mot-clé du développement philonien : τῷ πολιτικῷ. Car la fuite à Harran, c'est-à-dire dans la vie sensible, conseillée à Jacob par sa mère Rébecca et son père Isaac, est aussi pour Philon une fuite dans la vie politique. Celui qui n'est pas encore entièrement purifié ne doit pas présumer de ses forces. Il est extrêmement risqué pour lui de s'attacher au Bien parfait. Avant de mériter le repos de la vie contemplative, il lui faut apprendre à connaître par expérience la vie active et le domaine des sens, symbolisés dans l'histoire de Jacob par Harran dont le nom signifie « cavernes »[125]. En effet, seul celui qui a fait ses preuves dans la vie politique, celui qui en a déjoué les embûches, celui qui a su y montrer sa mesure et sa maîtrise, pourra se livrer enfin à la vie contemplative sans imposture et sans illusion[126].

Le propos d'Ambroise est ici totalement opposé à celui de Philon puisque, pour l'Alexandrin, le conseil de Rébecca et d'Isaac à leur fils est, au moins pour un temps, non pas de fuir le monde, mais de fuir dans le monde. Or Ambroise n'entend pas, comme son prédécesseur, établir en quelque sorte une typologie de la fuite. Il s'attache à un seul thème, à une seule espèce de fuite, celle qui fait sortir du « siècle ». Il laisse donc tout naturellement tomber toutes les pages que Philon consacre à l'engagement de l'ascète dans la vie de la cité. Il adopte sans doute l'étymologie que proposait l'Alexandrin et qui faisait du pays de Harran la figure des sens. Mais il ne reprend pas la formule par laquelle Philon exprime avec le plus de netteté ce thème de la fuite dans la vie sensible : « ' Fuis donc en Mésopotamie ', c'est-à-dire au milieu du fleuve impétueux de la vie[127]. » Ce qu'il souligne, en revanche, c'est la fuite dans la maison de Bathuel, c'est-à-dire selon l'étymologie déjà indiquée par l'Alexandrin, de la sagesse. Harran — les « cavernes », le domaine des sens — n'est plus expressément désigné par Ambroise comme la région vers laquelle Jacob doit s'enfuir, mais comme le pays où habitent Laban et ses filles, parmi lesquelles il aura à prendre femme.

II, p. 152.

Sans doute, malgré ces précautions formelles, Ambroise ne peut complètement supprimer l'idée d'un passage par le domaine des sens. Mais il en restreint considérablement la durée. Philon estimait que toute une période de la vie devait être consacrée à la vie active. C'est ainsi qu'il évoque la prescription faite aux Lévites d'accomplir leurs tâches jusqu'à l'âge de cinquante ans[128].

Ambroise, qui a supprimé toute mention de la vie politique, peut raccourcir considérablement la durée de l'épreuve. Elle est pour lui seulement le fait du tout jeune homme[129], qui est aussitôt rappelé de cette région où le sol n'est pas sûr[130]. Il ne s'agit donc plus d'une période de vie active, mais d'une traversée, aussi brève que possible, de la vie des sens. Et l'on constate ici encore, cette espèce de déperdition philosophique que nous avons souvent observée en passant de l'original philonien à l'adaptation ambrosienne. Chez Philon, le but de cette épreuve était d'apprendre à se connaître soi-même, en découvrant, à travers le jeu des sens et des organes, son moteur invisible : le νοῦς[131]. L'évêque de Milan, quant à lui, ne s'intéresse visiblement qu'au problème éthique posé par les sens, comme le montre sa citation du *logion* évangélique concernant l'homme qui « aura vu une femme pour la convoiter[132] ».

La façon dont Ambroise introduit dans son *De fuga saeculi* l'épisode de la fuite de Jacob est à elle seule fort instructive. La première fois qu'il en fait mention — environ une page avant de commencer à adapter l'exégèse philonienne —, c'est en tête d'une liste d'« exempla » destinés à montrer que la fuite est glorieuse, quand c'est le péché que l'on fuit[133]. Outre celui de Jacob, qui sera seul développé, les exemples avancés sont tous empruntés à l'Ancien Testament. C'est Moïse fuyant la cour de Pharaon[134], David fuyant devant Saül et devant Absalom[135], le peuple hébreu fuyant à travers la Mer Rouge[136], Jonas, enfin, s'enfuyant à Tharsis[137]. Cette liste d'*exempla*, Ambroise l'a relevée d'ornements rhétoriques qui en marquent l'importance, en recourant aux ressources de l'antithèse — « Aegyptii divitiis... obprobrium Christi », « insidiatori pepercit et parricidae salutem rogavit », « non corporis fuga, sed mentis ascensione » —, de l'isocolon — « trames innocentiae, virtutis via, pietatis adsumptio » —, et surtout de l'anaphore. Toute la période est en effet comme rythmée et structurée par la répétition d'un « sic fugit » dont les variations et le crescendo nous orientent vers ce qui est au centre des intérêts d'Ambroise : « Gloriosa enim haec fuga est *fugere* a facie peccati. *Sic fugit* Iacob... *sic fugit et* Moyses... *sic fugit etiam* David... *sic fugit* populus Hebraeorum... *audeo dicere sic fugit et Ionas*... nam si *sic non fugisset*, numquam de ventre ceti esset auditus[138]. »

Le *sic* indique évidemment qu'il n'est pas ici question de n'importe quelle fuite, mais seulement de celle qui consiste à s'éloigner du péché. Ainsi, d'entrée de jeu, Ambroise donne à la fuite de Jacob en Mésopotamie un sens assez éloigné de celui que lui reconnaît Philon. La reprise des textes de ce dernier ne pouvait donc être que très matérielle.

II, p. 152-153.

Mais le plus intéressant dans cette anaphore, dans cette espèce de leitmotiv qui apporte au texte le mouvement et la passion, c'est le crescendo qu'on y observe et que soulignent en particulier les variations dans l'accompagnement immédiat du « sic fugit ». L'attention est évidemment portée d'une manière privilégiée sur le dernier exemple, et cela non pas seulement parce qu'il est au terme de la période, mais par l'inflexion même qu'Ambroise donne à son schéma rhétorique : « Audeo dicere sic fugit et Ionas... Si sic non fugisset... » Le paradoxe, et cela explique le « audeo dicere », c'est que l'exemple de Jonas est apparemment celui qui illustre le plus mal la proposition que l'auteur veut appuyer. Jacob, Moïse, les Hébreux traversant la Mer Rouge, se sont bien éloignés de personnages pouvant symboliser le péché. David, aussi bien vis-à-vis de Saül que vis-à-vis d'Absalom, a fait preuve de miséricorde en épargnant le premier[139], en essayant de sauver le second[140]. Il en va tout autrement de Jonas. Celui-ci, au lieu de s'écarter du mal, s'est enfui « loin de la face de Yahvé », désobéissant à son ordre exprès et encourant ainsi sa colère. Le péché de fuite entraîne pour lui une série de mésaventures : la tempête qui menace de faire sombrer son navire, les marins qui le jettent à la mer, le poisson monstrueux qui l'engloutit. Aussi l'évêque de Milan a-t-il besoin de quelque artifice pour transformer cette dérobade en fuite spirituelle. Si Jonas n'avait pas fui *ainsi*, explique-t-il, — « si *sic* non fugisset » —, c'est-à-dire par la montée de l'âme et non par le mouvement du corps, il n'aurait pas été entendu de Dieu lorsqu'il se trouvait dans le ventre du monstre marin[141].

On peut alors se demander pourquoi Ambroise ne s'est pas contenté d'exemples indiscutables. Dire qu'il n'a pas voulu se priver d'évoquer une fuite célèbre et que les fatalités de la chronologie lui imposaient de terminer par Jonas, ne serait guère convaincant. Ces scrupules n'arrêtent pas l'évêque de Milan : David s'interpose chez lui entre la fuite de Moïse et la traversée de la Mer Rouge. En réalité, ces exemples de fuite semblent bien classés par ordre d'importance croissante. Aux fuites individuelles de Jacob, de Moïse, de David, succède le grand exode du peuple de Dieu, évidemment beaucoup plus important pour l'histoire du salut et beaucoup plus chargé de symbolisme chrétien.

Et c'est bien ce qui explique la place éminente faite au petit prophète dans cette série d'exemples. Jonas englouti et rejeté par le poisson monstrueux après trois jours et trois nuits est en effet la figure du Christ mis au tombeau et ressuscité le troisième jour. Et c'est la plus vénérable des typologies, celle qui remonte à un *logion* de Jésus.

En fin de compte, c'est cette similitude même qui est le terme de la fuite : « C'est ainsi que Jonas, lui aussi, s'est enfui à Tharsis, non par la fuite du corps, mais par la montée de l'âme, lui qui est monté jusqu'à la ressemblance du Christ, si bien qu'il est devenu la figure du Christ. En effet, ' de même que Jonas a été trois jours et trois nuits dans le

---

II, p. 153.

ventre du monstre marin, de même ', est-il dit, ' le fils de l'homme aussi
sera trois jours et trois nuits dans le sein de la terre '[142] ». Le lecteur
du *De fuga saeculi* est déjà préparé à comprendre cette interprétation
de la fuite de Jonas. Deux pages plus haut en effet, Ambroise a introduit
le thème central de son traité : fuir c'est devenir semblable à Dieu. Et,
là encore, la source directe, comme nous allons le voir, c'est le *De fuga*
de Philon. Mais, comme c'est souvent le cas, l'Alexandrin ne fait que
servir d'intermédiaire, et, grâce à la caution biblique qu'il fournit, il
permet à l'évêque de Milan de fonder finalement son exhortation sur
un texte profane, une page fameuse du *Théétète*. Du même coup, l'aventure du prophète, englouti trois jours dans la mort, puis rendu à la vie,
permet à Ambroise d'insinuer déjà l'interprétation qu'il va donner à
cette fuite dans la similitude divine, dont il tient l'idée de Platon, et
de préluder au thème baptismal de sa conclusion : « Nunc autem iam
non vetus homo in nobis, sed nova est creatura habens in se similitudinem
Christi, cuius mortis similitudini consepulti imaginem vitae eius adsumpsimus[143]. »

2. *Laban, figure du Prince de ce monde*

Dans la deuxième partie du *De fuga et inventione*, Philon passe du
thème de la fuite à celui de la découverte. Là aussi, il se montre soucieux
de classifier et distingue à ce point de vue quatre types d'hommes :
ceux qui ne cherchent ni ne trouvent, ceux qui cherchent et trouvent,
ceux qui cherchent sans trouver, et enfin les plus parfaits, ceux qui
trouvent sans chercher. De la troisième catégorie — la recherche qui
n'aboutit à aucune découverte — Philon donne plusieurs exemples, en
commençant par celui de Laban qui fouille toute la demeure de Jacob
sans y trouver les idoles qui y sont cachées, et par celui des hommes
de Sodome qui cherchent à assouvir leur passion sur la personne des
anges et qui ne trouvent pas la porte de la demeure de Loth où ceux-ci
sont hébergés[144].

Ambroise reprend ces deux cas de cécité spirituelle, mais sans avoir
l'intention de se livrer à une typologie de la recherche, pas plus qu'il
n'avait voulu faire une typologie de la fuite. Ici encore, les matériaux
qu'il emprunte à son prédécesseur vont servir à des fins nouvelles. Après
avoir traduit, en l'étoffant quelque peu, le passage du *De fuga et inventione*
sur les vaines recherches de Laban et des Sodomites, Ambroise passe
au plan de la réalité évangélique en introduisant l'affirmation du Christ
en saint Jean : « Venit enim huius mundi princeps et in me invenit nihil[145] ».
L'évêque de Milan développe alors ce nouveau thème et l'amplifie[146]
en recourant, une fois encore, à toutes les ressources de la rhétorique :
anaphore, *interrogatio, isocolon, parison*, antithèse et, en particulier,
cette apostrophe qui rend soudain sensible la présence du Christ : « Ipse
dixisti, domine : ' Plenus sum ', ipse dixisti : ' Mitte manum tuam in

---

II, p. 153.

latus meum et noli esse incredulus, sed fidelis '. Misit manum qui non credebat et dominum te et deum repperit[147]. » On a reconnu les paroles du Christ à Thomas, invité à mettre ses mains dans les plaies de son maître pour bien s'assurer de la réalité corporelle du ressuscité[148]. Le « plenus sum » n'appartient pas à cette péricope évangélique et surprend tout d'abord. Schenkl semble bien donner la référence juste : Isaïe, 1, 11. A vrai dire, l'usage que fait ici Ambroise de ce verset implique une audacieuse transposition. Le texte grec — Πλήρης εἰμὶ ὁλοκαυτωμάτων κριῶν — conforme à l'original hébreu, signifie simplement : « Je suis rassasié de vos holocaustes de bélier ». C'est un des passages où le prophète, parlant au nom de Yahvé, stigmatise un vain formalisme rituel. Mais Ambroise a dû être influencé par les traductions latines où le « plenus sum », au lieu de se rattacher à ce qui suit, constitue une assertion isolée, absolue, comme c'est encore le cas dans la Vulgate. Voici par exemple la version utilisée par Ambroise lui-même dans le *De interpellatione Iob et David* : « Habemus in Esaiae libro scriptum dicente deo : ' Quo mihi multitudinem sacrificiorum vestrorum ? dicit dominus. Plenus sum ', id est : ' Abundo meis, vestra non quaero. Holocautomata arietum... et sanguinem taurorum et hircorum nolo[149]. ' » Cette ponctuation rendait possible le transfert de l'énoncé à un autre plan. Il était alors loisible d'y voir non plus l'expression anthropomorphique d'un état d'âme de Yahvé — la satiété et le dégoût —, mais une affirmation proprement métaphysique. La plénitude d'être de la divinité rend superflues toutes ces immolations d'animaux par lesquelles on croit lui agréer.

Cette fois-ci, on le voit, Ambroise, au lieu de faire passer un texte philonien du plan de la métaphysique à celui de l'éthique, rattache l'allégorie de Laban — qui, dans le texte du *De fuga et inventione*, restait morale et spirituelle — à un grand thème ontologique. Il est vrai que cette opposition de la plénitude du Logos et de la vacuité des créatures, Ambroise pouvait la devoir encore à Philon. On la retrouve, en effet, dans quelques lignes du *Quis rerum divinarum heres sit*[150] que l'évêque de Milan ne devait pas ignorer : elles appartiennent à un développement sur la didrachme qu'il a longuement utilisé dans une de ses lettres à Iustus[151].

Mais, dans notre page du *De fuga saeculi*, Ambroise renverse audacieusement la perspective, en introduisant l'épisode de Thomas. La plénitude qu'il envisage ici, ce n'est plus cette densité d'être inacessible aux sens qui n'ont prise que sur des réalités corporelles, dépourvues de véritable consistance ontologique. C'est la plénitude d'un corps non seulement visible, mais palpable, et dont la solidité, la résistance, s'éprouve par le toucher, à la différence des fantasmes et des visions. Ambroise souligne fortement cette idée par une *reduplicatio* significative : « In quo plenitudo divinitatis habitabat, et habitabat corporaliter »[152], mettant ainsi en relief le dernier mot de la fameuse formule paulinienne : ᾽Εν

II, p. 153.

αὐτῷ κατοικεῖ πᾶν τὸ πλήρωμα τῆς θεότητος σωματικῶς. Mais il substitue à la phrase suivante — Καὶ ἐστὲ ἐν αὐτῷ πεπληρωμένοι — une allusion évangélique qui éclaire encore mieux le plan sensible, expérimental, où se meut sa pensée : « de quo virtus exiebat et sanabat omnes »[153].

Aussitôt, il est vrai, Ambroise revient à un thème philosophique et la transition lui est fournie par une de ces difficultés d'exégèse qui lui permettent si souvent d'opérer des associations d'idées inattendues. Le verset de Jean qui a servi de point de départ au développement que l'on vient de voir — « car il vient, le prince de ce monde, et il ne trouve rien en moi » — peut aussi être lu ainsi : « il ne trouve pas en moi le rien ». Ambroise précise : « comme on le lit dans plusieurs manuscrits[154]. » Et il interprète ainsi cette seconde forme du *logion* johannique : « Il ne trouvera pas en moi le mal, car le mal n'est rien[155]. »

On voit à quelles variations ont donné lieu les deux mots par lesquels Philon désigne les vaines idoles que Laban chercha sans succès : ces κενὰ φαντάσματα qui s'opposent au πλήρης πραγμάτων[156]. En exploitant certaines virtualités de cette image antithétique, l'auteur du *De fuga saeculi* a introduit un nouveau thème qu'il va maintenant développer dans une grande exhortation rhétorique : « Fuyons donc d'ici, où rien n'existe, où tout ce que l'on croit grandiose est vide, où celui-là même qui se croit quelque chose n'est rien, et, pour tout dire, n'existe pas[157]. »

On observe bien dans ce mouvement d'un thème à un autre, la fonction qu'Ambroise a assignée au texte philonien. Il l'a d'abord à moitié traduit, à moitié paraphrasé, avec cependant de significatives corrections. Puis il en a repris certains éléments, mais en les désarticulant, en changeant leur rapport, en modifiant profondément leur sens. Au cours de cette réexposition déformante, le style, qui était tempéré quand on suivait de près Philon, s'est chargé de figures, a pris du mouvement, du lyrisme, donnant ainsi tout son relief à l'apparition du Christ dans l'enchaînement des pensées et des métaphores. Philon a fourni les matériaux d'une construction dont les imprévus, les trompe-l'œil et le mouvement ascensionnel ne sont pas sans évoquer l'esprit du « rococo ».

L'exhortation à laquelle aboutit ce développement, « fuyons donc d'ici où rien n'existe... », en résume, sous une forme lyrique, les conclusions : puisque le prince de ce monde est aveugle à la plénitude et n'a d'affinité qu'avec le vide, l'illusoire et l'inexistant, ce monde est lui-même le domaine du néant, c'est-à-dire du mal ; il faut donc fuir d'ici. Et, pour la seconde fois, nous rencontrons la page du *Théétète* sur la fuite du monde et la ressemblance à Dieu, page dont Ambroise, on l'a vu, pouvait trouver les lignes essentielles dans le *De fuga et inventione* de Philon.

II, p. 153-154.

IV — Ambroise, Philon et le thème platonicien de la fuite
(De fvga saecvli, 4, 17 ; 7, 39)

1. *L'invitation à la fuite.*

Ambroise a terminé sa réexposition du thème philonien des villes de refuge[158] par deux pages où il a accumulé les notations de hauteur, d'élévation, de suréminence : « editior[159] », « excelsior caelis », « supereminens », « supereminet », « super arcam desuper »[160], « loqvar tibi desuper », « ubi supra caelos est »[161].

C'est après cette préparation soigneuse que l'auteur du *De fuga saeculi*, passant de l'exégèse à l'exhortation, appelle à fuir ce monde et à s'élever vers les régions célestes par l'imitation de Dieu. Il est curieux que ni Schenkl, l'éditeur d'Ambroise, ni Paul Wendland, celui de Philon, n'aient signalé, dans leurs apparats pourtant fort riches, qu'ici encore l'évêque de Milan transpose deux passages du *De fuga et inventione*, qui reprennent explicitement l'un et l'autre une page célèbre du *Théétète*[162]. Dans celle-ci, Socrate, après avoir fait le portrait du philosophe, ajoute, sur une remarque de Théodore, que, le mal ne cessera pas de hanter la région où habitent les mortels, qu'il faut, par conséquent, « d'ici vers là-bas s'enfuir au plus vite », et que « la fuite consiste à se rendre semblable à Dieu dans la mesure du possible, par la sainteté et la justice accompagnées d'intelligence ». C'est là une digression très calculée[163]. Cette page, comme celles qui la précèdent immédiatement, ramène l'esprit des lecteurs du monde de l'apparence, qui est l'objet de *Théétète*, à la région intelligible des formes, à l'univers des réalités authentiques. Aussi voit-on ici Platon évoquer systématiquement les thèmes de la *République* et faire allusion au mythe de la caverne, au vrai sens de la royauté, du bonheur, de la justice[164]. Philon, dans son interprétation allégorique des fugitifs du *Pentateuque*, a tout naturellement rencontré ce texte classique de la spiritualité platonicienne[165], et il le cite à deux reprises dans son *De fuga et inventione*[166]. Ces citations explicites disparaissent dans le *De fuga saeculi* d'Ambroise, mais leur contenu n'en est pas moins utilisé, comme le montre en particulier l'invitation à imiter Dieu qui vient conclure le long développement sur les villes de refuge et la mort du grand-prêtre :

Philon, *De fuga et inventione*, 12, 63, p. 123, 22 - 124, 2 :

Τοῦτό τις καὶ τῶν ἐπὶ σοφίᾳ θαυμασθέντων ἀνὴρ δόκιμος ἐφώνησε μεγαλειότερον ἐν Θεαιτήτῳ φάσκων· « ἀλλ' οὔτ' ἀπολέσθαι τὰ κακὰ δυνατόν... οὔτε ἐν θείοις αὐτὰ ἱδρῦσθαι, τὴν δὲ θνητὴν φύσιν καὶ τόνδε τὸν τόπον περιπολεῖν· διὸ καὶ πειρᾶσθαι χρὴ

Ambroise : *De fuga saeculi*, 4, 17, p. 178, 3-13 :

« Accedamus itaque fidei suffragio subnixi et eius remigiis elevati ad illam sedem gratiae, f u g i e n - t e s hoc saeculum et eius contagionem. H o c e s t a u t e m f u - g e r e : abstinere a peccatis, a d s i m i l i t u d i n e m et imaginem

II, p. 154.

ἐνθένθε ἐκεῖσε φεύγειν ὅτι τάχιστα.
Φυγὴ δὲ ὁμοίωσις θεῷ κατὰ
τὸ δυνατόν· ὁμοίωσις δὲ δίκαιον καὶ ὅσιον μετὰ φρο-
νήσεως γενέσθαι » (*Theaet.*, 176
ab).

d e i formam virtutum adsumere, extendere vires nostras ad imitationem dei s e c u n d u m m e n- s u r a m nostrae p o s s i b i l i- t a t i s . Vir enim perfectus imago et gloria est dei. Unde et dominus ait : « Perfecti estote, sicut et pater vester, qui in caelis est, perfectus est » (Mt., 5, 48). H o c e s t i g i t u r s i m i l e m e s s e dei, h a b e r e i u s t i t i a m , h a b e r e s a p i e n t i a m et v i r t u t e esse p e r f e c t u m .

Ibid., 15, 82, p. 126, 27 - 127, 2 :
« Θ ε ὸ ς οὐδαμῇ οὐδαμῶς
ἄ δ ι κ ο ς , ἀλλ' ὡς οἷόν τε δικαιότατος,
καὶ οὐκ ἔστιν αὐτῷ ὁμοιότερον οὐδὲν
ἢ ὃς ἂν ἡμῶν αὖ γένηται ὅτι δικαιότατος » (*Theaet.*, 176 bc)

D e u s e n i m s i n e p e c c a- t o , et ideo qui peccatum fugit ad imaginem est dei. »

Ambroise, qui adapte, est évidemment beaucoup plus libre ici que Philon, qui cite expressément. On le voit cependant, l'évêque de Milan reste fort près, dans les termes mêmes qu'il emploie, du *De fuga et inventione*, et par conséquent de la page du *Théétète*. On y retrouve le mouvement même du texte platonicien : d'abord l'exhortation à fuir là-bas, ensuite l'explication de cette fuite comme un processus de ressemblance croissante à Dieu, autant qu'il est possible, et enfin l'indication du mode de cette assimilation. Et ici, Ambroise ne manque pas de reprendre la trilogie du *Théétète*, en en modifiant seulement l'ordre : « habere iustitiam », c'est δίκαιον... γενέσθαι, « habere sapientiam » correspond à μετὰ φρονήσεως, et « virtute esse perfectum » semble paraphraser ὅσιον.

Malgré cette fidélité dans la répétition des thèmes essentiels, Ambroise n'en apporte pas moins des retouches qu'il importe d'examiner d'un peu près.

Comme toujours, il a le souci de christianiser ses emprunts et le plus simple, à cet effet, est de doubler les énoncés philonisants ou platonisants par des textes du Nouveau Testament. Ainsi, pour appuyer l'idée que s'abstenir du péché c'est fuir, Ambroise recourt au passage de l'Épître aux Corinthiens où saint Paul exhorte à « fuir la fornication »[167]. Et un appel au *topos*, bien connu depuis la *République*, de la passion représentée comme une maîtresse tyrannique persécutant son esclave[168], lui permet d'introduire dans son tissu de références la consigne du Christ en Matthieu, 10, 23 : « S'ils vous poursuivent dans cette ville, fuyez dans une autre...[169] », ce qui est une façon de souligner le lien de ce nouveau développement avec le thème des cités de refuge.

Un peu plus haut, Ambroise a recouru à un verset de la Genèse qui

II, p. 154.

était depuis longtemps un texte fondamental de la réflexion chrétienne ; l'ὁμοίωσις θεῷ du *Théétète* est, en effet, devenue, sous sa plume : « ad similitudinem et imaginem dei[170] ». Sur ce point, bien sûr, Ambroise n'avait pas à innover ; le rapprochement de la formule platonicienne et du verset biblique allait de soi depuis longtemps. Clément d'Alexandrie, qui cite très abondamment cette page du *Théétète*[171], en rapproche la doctrine des « nôtres » sur l'image et la ressemblance[172]. Origène reprend le parallèle mais déjà, semble-t-il, avec la volonté de déprécier l'apport des philosophes en soulignant leur dépendance[173]. La popularité de cette page chez les penseurs chrétiens nous est encore attestée par Eusèbe de Césarée, qui cite le long passage sur l'existence du philosophe dont elle constitue l'exhortation finale. Eusèbe voit surtout dans cet ensemble une invitation à la solitude, et c'est dans cette perspective qu'il lui donne comme contrepartie biblique deux versets des Lamentations[174] à l'éloge de l'homme qui se tient à l'écart et qui se tait[175].

On peut noter aussi l'accent que met Ambroise sur la vertu comme moyen de l'ὁμοίωσις θεῷ. Mais là encore il n'innove pas et ne fait que reprendre une tradition qui était philosophique avant d'être chrétienne. On la trouve dès Platon, dès cette même page du *Théétète* et certains passages parallèles qui viennent l'appuyer[176]. Elle sera reprise et accentuée par des épigones toujours plus attirés par les problèmes éthiques, et notamment par Philon lui-même[177]. Ce dernier insiste soit sur le rôle de la bienfaisance[178], soit sur celui de la vie menée à l'écart, qui est une imitation de la solitude de Dieu et de celle du monde, et qui, perdue par Adam avec l'apparition de la femme, peut être retrouvée comme le montre l'exemple d'Abraham[179], soit enfin sur la constance et la tranquilité d'âme[180].

Remarquons enfin que le texte du *Théétète* n'est pas coupé de la même manière dans le *De fuga saeculi* et dans le *De fuga et inventione*. Philon commence à citer la page de Platon un peu avant la célèbre exhortation à s'enfuir de ce monde au plus vite. C'est la constation de l'inévitable permanence du mal ici-bas qui amène Socrate à engager ses auditeurs à cette évasion. Ambroise conserve bien l'idée de la « contagio »[181] qu'il faut fuir, mais fait précéder cette brève mention de l'évocation longuement préparée de la grâce d'en haut. La fuite se présente donc d'emblée comme animée plutôt par l'attrait que par la répulsion. A la fin, en revanche, Ambroise suit plus longtemps le texte platonicien que ne le fait d'abord Philon. Si, dans le *De fuga et inventione*, ce dernier reprend en effet la remarque de Socrate sur Dieu qui n'est aucunement injuste, c'est seulement après quelques pages, au début d'une deuxième citation de ce célèbre morceau[182].

2. *La permanence du mal : métaphysique et histoire sainte.*

Ambroise revient, au paragraphe 39 du *De fuga saeculi*, sur la thèse pla-

---

II, p. 154-155.

tonicienne de la perennité du mal, qu'il n'avait d'abord que très vaguement évoquée. Là encore, l'Alexandrin sert d'intermédiaire. Ambroise lui emprunte une singulière allégorèse : Caïn, que Dieu marque d'un signe pour qu'il ne soit pas tué[183], représente ce mal qui ne cesse de hanter la terre. Mais, alors que Philon commence par la citation de Platon et continue par sa contrepartie biblique — cette surprenante intervention de Dieu pour protéger la vie du premier homicide —, Ambroise invoque d'emblée la Genèse. Les réminiscences philosophiques les plus nettes ne viennent qu'ensuite, pour commenter l'exemple biblique. L'évêque de Milan semble fidèle en cela à l'esprit d'Origène, toujours beaucoup plus soucieux que le libéral Clément d'humilier les philosophes devant l'Écriture. Voici le texte de Philon et son adaptation ambrosienne :

PHILON, *De fuga et inventione*, 12, 63-64, p. 123-124 :

Τοῦτό τις καὶ τῶν ἐπὶ σοφίᾳ θαυμασθέντων ἀνὴρ δόκιμος ἐφώνησε μεγαλειότερον ἐν Θεαιτήτῳ φάσκων· «'Αλλ' οὔτ' ἀπολέσθαι τὰ κακὰ δυνατόν — ὑπεναντίον γάρ τι τῷ ἀγαθῷ αἰεὶ εἶναι ἀνάγκη — οὔτε ἐν θείοις αὐτὰ ἱδρῦσθαι, τὴν δὲ θνητὴν φύσιν καὶ τόνδε τὸν τόπον π ε ρ ι π ο λ ε ῖ ν · διὸ καὶ πειρᾶσθαι χρὴ ἐνθένδε ἐκεῖσε φεύγειν ὅτι τάχιστα. Φυγὴ δὲ ὁμοίωσις θεῷ κατὰ τὸ δυνατόν... » Εἰκότως οὖν ὁ Κάϊν οὐκ ἀποθανεῖται, τὸ κ α κ ί α ς σ ύ μ β ο λ ο ν , ἣν ἀεὶ δεῖ ζῆν ἐν τῷ θνητῷ γένει παρ'ἀνθρώποις.

AMBROISE, *De fuga saeculi*, 7, 39, p. 194, 4-16 :

« Quis ergo non fugiat malitiae locum, officinam inprobitatis, quae interire nesciat ? Denique non otiose signum positum est supra C a i n , ne quis eum occideret, ut s i g n i f i c a r e t u r quod n o n e x t i n g u a t u r et auferatur a terris m a l i t i a . Timebat Cain, ne occideretur, quia fugere nesciebat. Augetur enim et cumulatur ipso usu malitia et est sine moderatione, sine fine, dolo et fraude decernens, quae factis suis proditur et sanguine peremptorum, sicut et Cain proditus est. Versatur itaque in terris malitia atque istic errat, et ideo rogamus voluntatem dei fieri in terris sicut et in caelis (Mt, 6, 10), ut et hic sit innocentia. Itaque malitia, quoniam illic locum non habet, hic c i r c u i t , hic saevit seque effundit, non mundano illo mersa diluvio, non Sodomitano exusta incendio. »

Il est possible de souligner, dans ces deux passages, quelques termes où l'emprunt se trahit d'une façon plus littérale. Mais on peut dire qu'il est flagrant tout au long de ces dix lignes ; Ambroise ne cesse guère d'y paraphraser Philon et par le fait même le *Théétète*. Comme toujours, il est vrai, cette paraphrase a ses inflexions, ses coupures, et ses ajouts. C'est là naturellement que nous pouvons espérer surprendre les intentions et les arrière-pensées de l'évêque de Milan.

La citation, explicite chez Philon, a disparu en tant que telle dans le texte d'Ambroise, qui se garde bien d'invoquer l'auteur du *Théétète*

II, p. 155.

ou même de se référer simplement à un « philosophus quidam ». Quand il prononcera le nom de Platon quelques pages plus loin, ce sera pour l'accabler. Par le fait de cette omission et de l'interversion que nous avons signalée plus haut, tout le développement d'Ambroise apparaît, pour le lecteur ou l'auditeur non prévenu, comme purement biblique.

Faut-il se scandaliser de cet occulte transfert de propriété ? Faut-il parler de plagiat, voire d'ingratitude ? Ce serait sans doute excessif, car Ambroise a suffisamment transformé la pensée du philosophe pour se sentir en droit de taire son nom.

Après avoir affirmé que la disparition des maux était impossible, Platon, et après lui Philon qui le cite, donnait la raison de cette indestructibilité du mal : il est nécessaire qu'il y ait toujours un contraire du Bien. Ambroise se garde bien de suivre ses prédécceurs sur ce terrain. Délaissant les réflexions métaphysiques, il se place sur le plan de la psychologie et de l'expérience morale : le mal — mais cette fois-ci c'est le mal en l'homme, la méchanceté, la « malice » — le mal s'accroît et s'additionne en quelque sorte par l'exercice, « augetur enim et cumulatur ipso usu malitia. » Un glissement analogue s'observe aussi dans le symbolisme de Caïn, qui n'est plus, comme chez Philon la personnification du mal en soi, mais le modèle de l'âme pécheresse à qui la fuite est impossible.

Ainsi cette permanence du mal n'est plus, pour l'évêque chrétien, ce qu'elle était pour Platon et pour Philon — l'expression d'une nécessité « physique » —, mais devient l'effet d'une impuissance morale, que l'homme sans doute est incapable de surmonter, mais que l'intervention de Dieu viendra guérir, si elle est sollicitée. Ce renversement du point de vue explique une transition qui peut paraître surprendre à qui garde présent à l'esprit le texte du *Théétète* ou celui du *De fuga et inventione*. Après avoir affirmé avec ses prédécesseurs la permanence du mal sur un monde terrestre qu'il ne cesse de hanter, Ambroise conclut : « C'est pourquoi nous demandons que la volonté de Dieu soit faite sur la terre comme aux cieux, afin qu'ici aussi soit l'innocence[184]. »

La portée de cette altération du thème platonicien transmis par Philon se précise dans les lignes qui suivent. Ambroise va amplifier l'idée de la permanence du mal ici-bas. Selon un procédé que nous observons souvent chez lui, il l'orchestre à l'aide de citations et d'exemples bibliques. Le mal, explique-t-il, n'a été ni englouti par le déluge, ni consumé par l'incendie qui a dévoré Sodome. Au contraire, il n'a cessé de proliférer jusqu'à inciter des mains parricides à s'en prendre à l'auteur du salut. La Loi condamne bien les actes, mais n'extirpe pas la malignité. Et Jésus lui-même, s'il a condamné lui aussi le péché, accorde en quelque sorte un délai à son auteur. Dieu, qui n'a pas créé le mal, diffère en effet le moment où il tirera vengeance du diable qui l'a introduit, afin que les justes soient mis à l'épreuve et qu'ils prennent leur revanche sur celui qui les a trompés[185].

II, p. 155.

On le voit, nous ne sommes plus en philosophie, mais en histoire sainte : la permanence du mal n'est plus considérée comme tenant à la nature des choses, elle s'explique uniquement par un dessein pédagogique de Dieu. Cette présence active du mal est donc finalement à la fois provisoire et contingente. C'est ce qu'Ambroise souligne fortement après une longue digression sur les serpents et leur symbolisme : « Sed ut revertamur ad propositum, quod malitiam deus reprimendam *interim* quam abolendam *putaverit*...[186] »

Toute cette page du *De fuga saeculi* illustre assez bien une démarche familière à Ambroise. Reprenant tout d'abord les formules platoniciennes, ici par l'intermédiaire de Philon, il commence par les affaiblir. L'impossibilité exprimée par les mots οὔτ' ἀπολέσθαι τὰ κακὰ δυνατόν, cède la place à une simple négation de fait : « ut significaretur quod non extinguatur et auferatur a terris malitia. » Puis, au moment même où il semble se réduire à la paraphrase, Ambroise change la signification de ce qu'il emprunte en le faisant passer du plan de la métaphysique à celui de l'observation morale : « Augetur enim et cumulatur ipso usu malitia ». L'allusion au Pater — « Que la volonté de Dieu soit faite sur la terre comme aux cieux » — vient encore souligner à quel point l'auteur du *De fuga saeculi* s'écarte déjà de la perspective philosophique. Enfin, une phrase, qui commence avec le « hic circuit » du *Théétète*, se continue et s'achève par des « exempla » bibliques, faisant conclure à la contingence de cette présence active du mal dont Platon affirmait précisément la nécessité. Tout aboutit en même temps à la personne de Jésus qui accorde au Malin un répit pour la mise à l'épreuve des justes.

3. *De Philon à Plotin.*

Mais l'évêque de Milan, dans son *De fuga saeculi*, ne semble pas s'être contenté des réminiscences platoniciennes qu'il trouvait dans le *De fuga et inventione* de Philon. En effet, F. Szabó[187] pense avoir décelé des souvenirs de Plotin en divers passages de ce traité d'Ambroise, en particulier dans l'un des endroits qui font écho à l'exhortation du *Théétète*. Il en a conclu que cet opuscule pourrait bien marquer le moment où Ambroise passe en quelque sorte de Philon à Plotin en approfondissant le thème de la fuite spirituelle rencontré chez l'Alexandrin. Car F. Szabó attribue au *De fuga saeculi* une date relativement ancienne que prouverait, selon lui, l'absence des thèmes mystiques du Cantique destinés à jouer un si grand rôle à partir de *De Isaac*[188].

Voyons d'un peu plus près comment l'auteur entend démontrer ces emprunts aux *Ennéades*. Ceux-ci lui semblent particulièrement nets dans deux passages du traité ambrosien. Le premier nous intéresse directement : il s'agit d'une page où, comme nous l'avons vu, l'évêque de Milan reprend à son compte l'invitation à la fuite mise par Platon

---

II, p. 156.

sur les lèvres de Socrate. Voici le tableau par lequel F. Szabó résume son argumentation[189] :

PLOTIN, *Ennéades*, I, 2, 1, 3-5 :

AMBROISE, *De fuga saeculi*, 4, 17, p. 178, 5-13 :

« Φευκτέον ἐντεῦθεν ». Τίς οὖν ἡ φυγή ; « θεῷ », φησιν, « ὁμοιω-θῆναι ». Τοῦτο δέ, εἰ δίκαιοι καὶ ὅσιοι μετὰ φρονήσεως γενοίμεθα καὶ ὅλως ἐν ἀρετῇ.

Ibid., 4, 15-16, p. 61 :
Δεῖ οὖν κ α θ η ρ α μ έ ν η ν συνεῖναι. Συνέσται δὲ ἐπιστραφεῖσα.

« H o c e s t a u t e m f u g e r e : abstinere a peccatis, a d s i m i-l i t u d i n e m e t i m a g i n e m d e i formam virtutum adsumere... Hoc est igitur similem esse dei, habere i u s t i t i a m , habere sapientiam et v i r t u t e e s s e p e r f e c t u m . Deus enim s i n e p e c c a t o , et ideo qui peccatum fugit ad imaginem est dei. »

Ce qui affaiblit la démonstration de F. Szabó, c'est qu'il fait trop confiance aux apparats de Schenkl et de Wendland et suppose implicite-ment que cette page du *De fuga saeculi* n'a pas de parallèle dans le *De fuga et inventione*. Il n'en est rien, comme on l'a vu. Ambroise continue à s'inspirer ici du traité de Philon qui lui a longuement servi de canevas pour l'exégèse des cités de refuge et qu'il utilisera largement dans la suite du *De fuga saeculi*. Toutes les citations ou allusions au *Théétète*, 176 ab, s'expliquent suffisamment ainsi, c'est-à-dire à peu près tous les emprunts à Plotin que F. Szabó croit discerner.

Il y a plus. « Sine peccato » est bien mal expliqué par ce καθηραμένην que l'auteur va chercher trois pages plus loin dans le texte de Plotin. Il est clair au contraire que l'expression ambrosienne complète — « deus sine peccato » — vient tout simplement de la citation du *Théétète* faite par Philon[190].

Une fois, il est vrai, la page des *Ennéades*, alléguée par F. Szabó, rend mieux compte du texte d'Ambroise. En effet ὅλως ἐν ἀρετῇ[191] qui n'appa-raît que chez Plotin, est évidemment beaucoup plus proche de « virtute esse perfectum » que le seul mot ὅσιος. Mais, sans les autres parallèles que F. Szabó pensait découvrir, on peut douter que cette indéniable ressemblance soit un argument suffisant.

L'autre passage du *De fuga saeculi* sur lequel s'appuie principalement la démonstration que nous examinons n'a pas de correspondant philonien. Voici les parallèles relevés par F. Szabó :

PLOTIN, *Ennéades*, I, 7, 1, 13-25 :

AMBROISE, *De fuga saeculi*, 6, 36, p. 192, 3-13 :

Εἰ οὖν ἔφεσις καὶ ἐνέργεια πρὸς τὸ ἄριστον ἀγαθόν, δεῖ τ ὸ ἀ γ α -θ ὸ ν μὴ πρὸς ἄλλο βλέπον μηδ'ἐ-φιέμενον ἄλλου ἐ ν ἡ σ ύ χ ῳ οὖσαν πηγὴν καὶ ἀρχήν ... Καὶ γὰρ ὅτι

« Quia bonus dominus est et maxi-me sustinentibus se bonus est, ipsi adhaereamus, cum ipso simus tota anima nostra, toto corde, tota virtute, ut simus in l u -

ἐπέκεινα οὐσίας, ἐπέκεινα καὶ ἐνερ-
γείας κ α ὶ ἐ π έ κ ε ι ν α ν ο ῦ κ α ὶ
ν ο ή σ ε ω ς. Καὶ γὰρ αὖ τοῦτο δεῖ
τἀγαθὸν τίθεσθαι, ε ἰ ς ὃ π ά ν τ α
ἀ ν ή ρ τ η τ α ι, α ὐ τ ὸ δ ὲ ε ἰ ς
μ η δ έ ν· οὕτω γὰρ καὶ ἀληθὲς τὸ
οὗ πάντα ἐφίεται... Καὶ παράδειγμα
ὁ ἥλιος...

m i n e eius et videamus eius gloriam et delectationis supernae frua-
mur gratia. Ad illud igitur bonum
erigamus animos et in illo simus
atque in ipso vivamus, ipsi adhaereamus, quod e s t s u p r a o m-
n e m m e n t e m e t o m n e m
c o n s i d e r a t i o n e m· et pace
utitur perpetua ac t r a n q u i l-
l i t a t e, pax autem s u p r a
o m n e m m e n t e m est et supra
omnem sensum. Hoc est bonum,
quod penetrat omnia, et omnes
in ipso vivimus atque e x i p s o
p e n d i m u s, i p s u m a u t e m
n i h i l s u p r a s e h a b e t, sed
est diuinum ; nemo enim bonus
nisi unus deus. »

Ici encore, tous les rapprochements que l'on nous indique ne sont pas
également convaincants. Il manque à la démonstration d'avoir tenu
compte des réminiscences scripturaires qui sont nombreuses dans cette
page et qui n'ont pas toutes été indiquées par Schenkl.

Toute analyse des sources doit d'abord mettre en lumière le substrat
biblique de ces quelques lignes. « Ipsi adhaereamus » appartient au langage
de l'Écriture[192]. C'est du Deutéronome que viennent les mots qui suivent
presque immédiatement : « tota anima nostra, toto corde, tota virtute[193]. »
Ce n'est pas le soleil du texte plotinien qu'évoque ensuite « ut simus in
lumine eius et videamus gloriam », mais un verset de psaume : « In lumine
tuo videbimus lumen[194]. » Un peu après, l'exhortation « ad illud igitur
bonum erigamus animos » rappelle une expression utilisée à plusieurs
reprises dans le livre des Psaumes[195]. Ambroise adapte ensuite une
formule du « discours sur l'Aréopage » — « et in illo simus atque in ipso
vivamus[196] » — dont il remplace le troisième terme par l'expression également biblique, déjà employée un peu plus haut : « ipsi adhaereamus ».
Dans les lignes qui suivent, on perçoit des échos de l'Épître aux Philippiens. C'est d'abord la mention de la paix qui surpasse toute pensée[197].
Il semble bien, en outre, que le couple « mens et sensus » ait été appelé
par celui que forment ἐπίγνωσις et αἴσθησις au premier chapitre de
la même Épître[198]. Vient ensuite une réminiscence probable du livre
de la Sagesse : «Hoc est bonum, quod penetrat omnia[199]. » Deux lignes plus
bas enfin, ce sont les synoptiques qui fournissent le verset où Ambroise
découvre l'identité du Bien et du Dieu de l'Évangile : « Nemo enim bonus
nisi solus deus[200]. »

Ainsi cette page du De fuga saeculi nous apparaît presque entièrement
formée de réminiscences et de citations d'Écriture. Même les passages
pour lesquels F. Szabó a trouvé les parallèles les plus frappants avec
les Ennéades font écho à quelque verset biblique. C'est ainsi que l'isocolon

---

II, p. 156.

« in ipso vivimus atque ex ipso pendimus » est une autre allusion certaine au discours sur l'Aréopage. Quant aux mots « supra omnem mentem et omnem considerationem », ils apparaissent comme une variante du « supra omnem mentem et supra omnem sensum » où nous avons discerné une double réminiscence de l'Épître aux Philippiens.

Il est assez clair que cette constatation n'a rien d'incompatible avec l'hypothèse de F. Szabó, au moins avec ce qu'elle a d'essentiel. Il serait, en effet, hors de propos d'instaurer ici un dilemme et de raisonner comme si la présence d'une allusion biblique démentait l'hypothèse d'un emprunt profane. Tout ce que la lecture d'Ambroise nous a appris de ses méthodes le montre : rien n'est plus plausible que cette espèce de surimpression grâce à laquelle l'évêque de Milan confère à ce qu'il prend aux philosophes un certain cachet biblique et surtout l'autorité des textes sacrés.

C'est même l'examen des citations d'Écriture formant l'étoffe de ce morceau qui va rendre certain ce qui jusqu'ici est simplement plausible. En effet, deux versets jouent, on l'a vu, un rôle particulièrement important dans le développement d'Ambroise : Actes, 17, 28 — « En lui, nous avons la vie, l'être et le mouvement », selon la version de l'évêque de Milan — et Luc, 18, 19 (ou Marc, 10, 18) — « Nul n'est bon que Dieu seul ». Or, on retrouve cette même association — dans un contexte analogue — vers la fin du De Isaac[201], et P. Courcelle a montré que ce dernier passage venait des Ennéades[202].

Au terme de ces analyses, le second parallèle que F. Szabó a indiqué, sans toutefois tenir compte de l'orchestration biblique, se trouve donc confirmé ; on doit, semble-t-il, en conclure que, dans cette page du De fuga saeculi, Ambroise a bien utilisé quelques lignes du traité de Plotin Περὶ τοῦ πρώτου ἀγαθοῦ. Du même coup, les preuves qui n'avaient pas semblé tout à fait suffisantes en ce qui concerne le premier texte — celui qui fait écho du Théétète, 176 ab — reçoivent un renfort décisif. En effet, non seulement il est maintenant établi que l'évêque de Milan a utilisé au moins un passage des Ennéades en écrivant son De fuga saeculi, mais on trouve l'invitation à la fuite spirituelle dans un autre endroit, également plotinien, de la conclusion du De Isaac[203]. Il est donc très probable que le « virtute esse perfectum » d'Ambroise s'explique bien par les mots ὅλως ἐν ἀρετῇ du Περὶ ἀρετῶν de Plotin[204].

Mais alors, et en cela l'analyse de F. Szabó doit être complétée, les emprunts à Philon et à Plotin, loin d'appartenir toujours à des sections différentes du De fuga saeculi, se fondent au moins une fois dans un même passage. Par un jeu subtil où se complaît Ambroise, la même expression peut renvoyer, sous des rapports divers, à Philon, à Plotin et à la Bible.

Des considérations analogues pourraient être développées à propos des autres emprunts au néo-platonisme que F. Szabó signale dans le traité de l'évêque de Milan. Beaucoup, en fait, n'ont rien de proprement

---

II, p. 156-157.

néo-platonicien. Certains, nous l'avons vu, viennent tout simplement
du *De fuga et inventione* de Philon. C'est le cas de l'équivalence établie
par le *Théétète* entre « fugere » et « assimilari deo »[205]. Il en va de même
du thème « in terris malitia », quelques pages plus loin[206]. Dans d'autres
cas, il s'agit de lieux communs bien antérieurs au néo-platonisme, comme
l'image du « vol » et des « ailes de l'âme »[207] dont Philon lui-même s'est
souvent servi[208], ou comme la métaphore du « fumus »[209] également
chère à l'Alexandrin[210].

Tous ces apports divers ont aidé Ambroise à fondre ses emprunts
philoniens dans un ensemble original : le *De fuga saeculi*. Aussi, F. Szabó
a-t-il probablement raison quand il suggère que c'est Philon qui a pour
ainsi dire conduit Ambroise vers Plotin. Il faut même aller plus loin
dans cette hypothèse. Ce n'est pas seulement le thème que développait
Philon — la fuite du siècle — qui a donné à l'évêque de Milan l'idée
d'utiliser un texte des *Ennéades* sur le même sujet. C'est plus précisément
l'exhortation du *Théétète* reprise par l'Alexandrin qui a pour ainsi dire
appelé les lignes où Plotin glose à son tour ce texte fameux. Ici encore,
comme dans ses subtiles associations de textes bibliques, Ambroise a été
guidé non seulement par des parentés d'idées mais par des identités
verbales. On reconnaît sa technique du mot ou de la phrase-charnière.

Doit-on penser enfin que ce rapprochement est venu à l'esprit de
l'évêque de Milan à la suite d'un contact personnel avec les *Ennéades* ?
Sans doute faut-il envisager plutôt l'utilisation d'un florilège thématique
à la manière de Stobée[211]. Photius louera le recueil de ce dernier comme
particulièrement utile aux orateurs et aux écrivains[212]. La rareté relative
de ces emprunts, comme l'antipathie foncière dont l'auteur du *De fuga
saeculi* fait preuve à l'égard de la métaphysique du platonisme, obligent
en effet à voir dans ce recours à Plotin beaucoup plus l'orchestration
rhétorique de thèmes édifiants que la preuve d'un intérêt doctrinal
capable de soutenir une lecture suivie des *Ennéades*. Et la remarque vaut
tout autant, on va le voir, pour la citation du *Théétète* dont ces réminiscences plotiniennes ne sont en somme que le prolongement.

4. *Du « Théétète » au quatrième évangile.*

L'invitation à la fuite spirituelle adressée par Socrate à Théétète[213]
n'apparaît que dans un seul passage du *De fuga et inventione* de Philon.
Elle revient, au contraire, comme un leitmotiv tout au long du *De fuga
saeculi* d'Ambroise, sous des variations aisément déchiffrables : « *Fugiamus* ergo *hinc*, ubi nihil est, ubi inane est omne quod magnificum puta-
tur[214] » ; « *Fugiamus hinc*. Potes animo fugere, etsi retineris corpore[215] » ;
« *Fugiamus hinc*, quia tempus breve est[216] » ; « *Fugiamus* ergo *hinc*,
sicut fugit de patria sanctus Iacob[217] » ; « Est igitur non mediocris causa
cur *hinc fugere* debeamus, ut perveniamus a malis ad bona, ab incertis
ad fidelia et plena veritatis, a morte ad vitam[218] ». Dans ce dernier passage,

---

II, p. 157.

l'opposition entre le monde que l'on quitte et celui où l'on tend est particulièrement explicite. Ailleurs, le ἐνθένδε ἐκεῖσε φευγεῖν du *Théétète*
est rendu littéralement : « Utique *hinc illo fugiendum est*, ubi pax, ubi
requies ab operibus, ubi epulemur sabbatum[219] ».

Mais c'est dès la préface du *De fuga saeculi* que l'on découvre le mot
d'ordre platonicien, soigneusement transposé, il est vrai. Ambroise,
qui vient de citer le fameux verset de l'Ecclésiaste — « omnia vanitas » —
en précisant « quae in saeculo sunt », continue en ces termes : « Enfin,
que celui qui veut être sauvé monte au-dessus du monde, qu'il cherche
le Verbe auprès de Dieu, qu'il fuie ce monde, qu'il abandonne la terre ;
il ne peut en effet percevoir ce qui est et qui est toujours, si, auparavant,
il ne s'est enfui d'ici. Aussi, voulant s'approcher de Dieu le Père, le
Seigneur dit à ses Apôtres : *Levez-vous, allons-nous en d'ici*[220]. »

Ces quelques lignes représentent une intéressante combinaison de
souvenirs philosophiques et de thèmes scripturaires. Le « supra mundum
ascendat » évoque le mythe du *Phèdre* et le lieu supra-céleste auquel
parviennent les âmes à l'apogée de leur course circulaire et d'où elles
peuvent contempler l'essence[221]. On sait que l'évêque de Milan connaissait
bien ce mythe[222]. Ambroise n'a pas de peine à introduire alors, sous
forme conditionnelle, l'exhortation du *Théétète* — « non potest percipere...
nisi prius hinc fugerit » — préludant ainsi de manière plus explicite
aux développements qui vont suivre. Mais, aussitôt, il se hâte de donner
à la formule platonicienne, qui va lui servir de leitmotiv, un équivalent
chrétien, ces mots que le Christ, en saint Jean, adresse à ses disciples
au milieu de son « discours » d'adieu : « Surgite, eamus hinc », Ἐγείρεσθε,
ἄγωμεν ἐντεῦθεν[223], ce qui peut littéralement se traduire : « Levez-vous,
allons-nous en d'ici. » Mais, comme ce verset se trouve, au moins dans
l'ordonnance actuelle du quatrième évangile, non pas à la fin, mais
au milieu des adieux de Jésus, et que la sortie réelle du Christ et de ses
apôtres n'interviendra que deux chapitres plus loin, il était particulièrement facile à Ambroise d'y voir une exhortation à fuir le monde, plutôt
qu'une invitation à quitter la salle où le petit groupe se tenait rassemblé.
Le rapprochement avec la formule du *Théétète* — Πειρᾶσθαι χρὴ ἐνθένδε
ἐκεῖσε φεύγειν — était d'autant plus tentant que Jésus adresse cet appel
après avoir annoncé l'imminente venue[224] du prince de ce monde, de
même que Socrate démontre la nécessité de la fuite à partir de la perpétuité du mal sur cette terre[225]. Ce verset — Jean, 14, 31 — fera d'ailleurs
sa réapparition plus loin, accompagné cette fois d'un équivalent vétéro-
testamentaire : « Tu marcheras à la suite du Seigneur ton Dieu »[226].
Nous avons vu que Clément d'Alexandrie avait déjà rapproché ce précepte
de Deutéronome et le mot d'ordre du *Théétète*[227].

Comme toujours chez Ambroise, cette christianisation d'une formule
philosophique a un double effet. D'une part le thème profane, garanti
par l'autorité de l'Évangile, peut être désormais réutilisé librement ;

II, p. 157-158.

d'autre part, il se trouve par là-même arraché à son contexte naturel
et à son auteur, qui se voit de la sorte convaincu de plagiat.

C'est donc tout le *De fuga saeculi* qui est porté par le souvenir de
Théétète, 176 a, évoqué périodiquement, alors que, dans le canevas philonien, la même citation platonicienne ne jouait qu'un rôle modeste, confinée
qu'elle était dans un seul passage, comme renfort occasionnel d'une
digression.

V — Objet et structure du « De fvga saecvli »

1. *Analyses philoniennes et lyrisme ambrosien.*

On voit encore mieux maintenant ce qui oppose les deux traités sur
la fuite, la différence de leur objet, le contraste de leur structure. Ambroise
n'envisage qu'une espèce de fuite, celle qui fait quitter ce monde, avec
la plus grande hâte possible. Tout au contraire, l'opuscule de Philon — et
l'ancien titre, *De profugis*, avait l'avantage de le suggérer — ne traite
pas d'une seule fuite, mais de plusieurs et fort différentes. L'une d'entre
elles, nous l'avons vu, est même une fuite dans le monde pour une longue
période probatoire.

Les deux traités ne s'opposent pas moins par leur composition. Celui
de Philon est clairement ordonné. Trois grandes parties reprennent trois
mots essentiels du texte de la Genèse que Philon entend expliquer : la
fuite, la découverte, les sources. A son tour, chacun de ces trois développements est subdivisé, et chaque fois l'auteur a soin d'annoncer son plan.
Il y a trois sortes de fuites — par honte, par haine et par crainte — quatre
types d'hommes du point de vue de la découverte, ceux qui ne cherchent
ni ne trouvent, ceux qui cherchent et qui trouvent, ceux qui cherchent
sans trouver, ceux qui trouvent sans chercher. Enfin, le mot source
peut désigner soit notre esprit, soit la faculté rationnelle et l'éducation,
soit les mauvaises, soit les bonnes dispositions, soit le Créateur et Père
de l'univers. Même le développement sur les cités de refuge, qui apparaît
un peu comme une digression par rapport à ce plan, n'est pas moins
soigneusement ordonné.

On s'explique d'ailleurs le soin mis par Philon à diviser et subdiviser
son *De fuga et inventione*. Ce qu'il propose à son lecteur, c'est une typologie
des fuites, des découvertes et des sources. Énumérations, distinctions
scrupuleusement suivies, développements fortement cernés par des
limites bien nettes, bien soulignées, c'est la méthode assez scolaire d'un
traité de vie spirituelle.

Le *De fuga saeculi* d'Ambroise relève d'un esprit tout différent. Sans
doute, on peut distinguer une introduction en forme d'exorde — le
chapitre 1 des éditeurs — et une conclusion-péroraison, le chapitre 10.

Le chapitre 2 — l'interprétation allégorique des villes de refuge — et le chapitre 3 — la transposition paulinienne du même thème — forment aussi des unités clairement délimitées et divisées. Mais tout le reste du texte présente une sorte de courant continu, au sein duquel les coupures, classiques depuis Amerbach, ne sont guère mieux que des repères plus ou moins artificiellement placés.

Les thèmes ne s'y succèdent point selon une suite linéaire. Ils reviennent, ils se croisent, ils se répondent. Ce ne sont pas des développements qui s'enchaînent, ce sont des reprises, des refrains, des variations sur les mêmes images. La composition y est en quelque sorte musicale beaucoup plus que logique. Elle semble s'adresser moins à un lecteur qu'à un auditeur.

Il ne faudrait pas trop vite en conclure que le *De fuga saeculi* est dépourvu de toute organisation. Ces répétitions, ces apparentes redites sont, dans une certaine mesure, des négligences calculées. D'un bout à l'autre de son texte. Ambroise s'attache à multiplier les relais, les correspondances, les jalons. Cette composition par échos est particulièrement sensible à qui prend soin de rapprocher ce qu'on peut appeler l'exorde et la péroraison du *De fuga saeculi*. La reprise des mêmes images et des mêmes formules favorise l'antithèse suggestive ou frappante.

A la femme de Loth qui ne peut s'empêcher de se retourner vers les choses d'en bas — l'un des « exempla » du chapitre 1 — répond, dans la péroraison, l'évocation de Loth lui-même, qui a fui sans regarder derrière lui[228]. « La mort est entrée par la fenêtre » rappelle Ambroise au début de son discours, en invoquant un verset de Jérémie, par ces fenêtres que sont nos sens, voies d'accès de l'intempérance[229]. La métaphore de la fenêtre réapparaît au cours de l'exhortation finale. Mais, cette fois-ci, il s'agit de la fenêtre par où Paul a pu échapper à ses poursuivants, donnant ainsi l'exemple de l'heureuse fuite, celle que les auditeurs d'Ambroise réaliseront en pratiquant la pureté du regard[230]. A l'évocation du paradis perdu, au chapitre 1, répond, au chapitre 9, celle du paradis retrouvé : Adam en était descendu, Paul y est emporté[231].

2. L'exposition des thèmes (Psaume 118, 36-37, et Psaume 83, 6).

Ambroise prend soin d'établir des correspondances analogues entre l'exorde et le corps de son discours, entre celui-ci et la péroraison. Certes, on ne trouve dans l'exorde aucune indication de plan, aucune division. Cependant les thèmes sur lesquels Ambroise va construire ses variations s'y trouvent déjà indiqués, à l'aide, en particulier, de trois versets de psaumes. Deux d'entre eux appartiennent au psaume 118 : « Declina cor meum in testimonia tua et non in avaritiam. Averte oculos meos ne videant vanitatem[232]. » Le mot « cor » sert à Ambroise de charnière pour introduire le verset 6 du psaume 83 : « Beatus vir, cuius est auxilium eius abs te, domine ; ascensus in corde eius[233]. »

II, p. 158.

Les grandes directions du développement sont ainsi indiquées. C'est comme un champ magnétique qui va imposer ses lignes de force et sa structure aux matériaux tirés de Philon sans souci de la construction à laquelle ils servaient tout d'abord. Le thème de la « vanitas » va s'épanouir dans l'antithèse de l'inconsistant et du réel, du précaire et de l'éternel, du vide et du plein, intégrant ainsi aussi bien les développements de Philon sur les sources que son chapitre sur la recherche infructueuse[234]. Le « ne videant » introduit l'idée du danger que les sens représentent pour l'âme, et les développements philoniens sur Harran vont servir d'illustration à cette mise en garde[235].

Le thème central de la fuite n'est pas, malgré les apparences, absent de ces trois versets qui forment en quelque sorte le « texte » développé par l'évêque de Milan. Ce sont les mots « declina cor meum » qui servent à le suggérer, mais sous forme déprécatoire, ce qui est révélateur des intentions d'Ambroise.

Plus loin, en effet, « declinare » réapparaît, intransitivement cette fois, dans un contexte qui est précisément celui de l'exhortation du *Théétète* : « C'est pourquoi David te dit : ' Détourne-toi du mal et fais le bien '. *Se détourner c'est fuir* ; or le mal est sur terre, le bien au ciel... Donc, puisqu'il faut fuir les maux et *s'en détourner*, et comme les maux sont sur terre et sur terre les fautes, fuyons les régions terrestres de peur que les fautes ne nous saisissent, elles qui ont saisi aussi le saint David, comme il en témoigne lui-même lorsqu'il dit : ' Mes fautes m'ont saisi, et je n'ai pu voir '[236]. »

Le verbe « declinare » revient dans plusieurs autres passages du *De fuga saeculi* où Ambroise exhorte à s'écarter du péché et de ses occasions : « Tu as entendu... ce dont il fallait te détourner, et tu commets les actions que tu sais interdites[237] » ; « Salomon... enseigne qu'il faut *se détourner* du manège des courtisanes. C'est l'étrangère et la prostituée dont il t'exhorte à te garder et à ne pas *détourner* ton cœur vers les chemins du siècle, mais à le placer dans la main du Seigneur[238] » ; « Mais fuir d'ici c'est mourir aux éléments de ce monde, cacher sa vie en Dieu, se *détourner* des corruptions...[239] ». L'équivalence « declinare » = « fugere » apparaît encore à deux reprises dans la péroraison : « Tu fuis bien si tes yeux *se détournent* de l'étrangère[240] » ; « Vous voyez en effet qu'il faut fuir devant la colère à venir, qu'ont pu *détourner* ceux qui par la pénitence se sont assuré l'espoir d'échapper[241]. »

3. *Développement et christianisation du thème de la fuite.*

Ainsi, dès l'exorde, Ambroise prélude à la reprise de l'exhortation du *Théétète*, d'abord par une suggestion assez voilée — « declina cor meum » — ensuite plus ouvertement avec le « surgite, eamus hinc » emprunté à l'évangile johannique. C'est là qu'il faut chercher la clé du *De fuga saeculi*.

II, p. 158-159.

Ἐνθένδε ἐκεῖσε φεύγειν ὅτι τάχιστα, le mot d'ordre prêté à Socrate résume avec énergie les différents thèmes qu'implique la métaphore de la fuite. S'enfuir suppose toujours un lieu d'où l'on part et un but vers lequel on tend, un ici et un là-bas, un ἐνθένδε et un ἐκεῖσε. De plus, loin d'être un déplacement gratuit, facultatif, et tolérant par conséquent les remises, les délais et la nonchalance, la fuite est, par essence, précipitée : ὅτι τάχιστα. Arrêtons-nous d'abord sur ces deux derniers mots. Ils définissent le genre littéraire du *De fuga saeculi*, la parénèse. C'est l'urgence en effet qui soutient et anime toute exhortation à une vie nouvelle ou à un nouvel effort : le moment est venu, il ne faut pas remettre à demain. Dans le petit traité d'Ambroise, cette nécessité de la hâte est plusieurs fois rappelée.

Le thème apparaît presque tout au début, sous forme d'une allusion à l'Épître aux Philippiens : l'évêque de Milan invoque l'exemple de l'apôtre Paul se hâtant pour obtenir le prix[242]. Un peu plus bas, Ambroise rappelle, après Philon, qu'il faut une hâte et une vélocité particulières pour gagner la plus sûre des cités de refuge, le Verbe de Dieu[243].

Une des variations sur l'invitation à la fuite souligne spécialement la hâte requise : « Mais que celui qui fuit, fuie rapidement de peur qu'il ne soit pris, qu'il pille rapidement ce monde comme l'Hébreu (pilla) l'Égypte... Cette fuite ignore... l'engourdissement de la lenteur[244]. »

Quelques pages plus loin, Ambroise invoque l'exemple de Sara, dont l'accouchement spirituel a devancé toute attente[245], et celui de Jacob, qui surprend son père Isaac par la rapidité avec laquelle il rapporte la nourriture demandée, supplantant ainsi son frère Ésaü[246]. Chacun de ces épisodes sert à illustrer la célérité de cette recherche qui est en même temps une fuite[247].

Enfin, dans l'exhortation qui conclut le *De fuga saeculi* et en rassemble encore une fois les principaux thèmes, le ὅτι τάχιστα platonico-philonien trouve un dernier écho : « Hâtez-vous afin que l'on puisse dire de vous : ' Ils sont devenus plus légers que les aigles '[248]. »

A cet élément temporel de hâte, d'urgence, l'idée de fuite ajoute une représentation spatiale, un ἐνθένδε et un ἐκεῖσε, un « ici » et un « là-bas » qui sont plus précisément dans le contexte un « ici-bas » et un « là-haut », images que le langage de la dévotion a portées jusqu'à nous. Mouvement de l'un à l'autre, la fuite implique constamment ces deux termes, mais en les opposant au lieu de les concilier puisqu'elle est refus du point de départ et désir du point d'arrivée. Une exhortation à la fuite est donc nécessairement sous le signe de cette antithèse fondamentale. Dans le traité d'Ambroise, celle-ci prend plusieurs formes : le haut et le bas, le bien et le mal, la vie et la mort, le plein et le vide.

Le couple bien-mal est presque fatalement appelé par cette synthèse du refus et de la recherche qui constitue le mouvement de fuite. C'est

---

II, p. 159.

d'ailleurs sur cette opposition que s'ouvre la page du *Théétète* reprise par Philon. On n'est donc pas surpris de la rencontrer dans le *De fuga saeculi* d'Ambroise, quoi que la notion de bien, trop générale, peut-être trop abstraite, n'y joue pas le premier rôle.

L'adjectif « bonus », le substantif « bonum », son pluriel « bona », reviennent comme un refrain aux paragraphes 35-36 du traité. Comme toujours, Ambroise appuie son développement sur un florilège de textes scripturaires qui en marquent l'orientation. Les citations explicitement utilisées sont ici : Amos, 5, 14-15 : « Exquirite bonum et non malignum, ut vivatis : et sic erit vobiscum dominus deus omnipotens, quomodo dixistis : odio habuimus mala et dileximus bona[249] » ; Psaume 26, 13 : « Credo videre bona domini in terra viventium[250] » ; Psaume 103, 28 : « Aperiente te manum implebuntur omnia bonitate[251] » ; Isaïe, 1, 19 : « Quae bona sunt terrae manducabitis[252] » ; Deutéronome, 30, 15 : « Posui ante te bonum et malum, vitam et mortem[253]. » Ce jeu de textes permet à Ambroise d'une part de montrer que le Bien, qui est au-dessus de toute intelligence et de toute pensée, ne se sépare pas de Dieu, qu'il en provient toujours et qu'il s'identifie, en fin de compte au divin[254], et, d'autre part, de définir ce Bien comme la vie, plus exactement comme la vie éternelle[255].

L'opposition du bien et du mal se ramène donc à celle de la mort et de la vie qui, plus concrète, plus pathétique, joue explicitement un rôle beaucoup plus important dans le *De fuga saeculi*. Elle y est partout présente, de l'exorde, avec Jérémie, 9, 21 — « Intravit mors per fenestram[256] » — jusqu'à la péroraison, où l'évêque de Milan, après avoir repris l'interrogation triomphante de l'Épître aux Corinthiens — « Ubi est mors victoria tua ? ubi est, mors aculeus tuus[257] ? » — fait sienne l'antithèse paulinienne de la double ressemblance au Christ mort et ressuscité : « Nova est creatura habens in se similitudinem Christi, cuius mortis similitudini consepulti imaginem vitae eius adsumpsimus[258]. »

Une autre antithèse, abondamment exploitée, permet elle aussi à Ambroise de déboucher sur la christologie : celle du vide et du plein. Elle affleure dès la seconde phrase du *De fuga saeculi*. Ambroise y indique ce qui empêche l'âme de fuir le monde : c'est la « terrenarum inlecebra cupiditatum » et la « *vanitatum* offusio[259] ». Ces deux aspects de la séduction, l'évêque de Milan les retrouve dans les versets 36 et 37 du Psaume 118 : « Declina cor meum in testimonia tua et non in *avaritiam*[260] » — voilà pour l'avidité du désir terrestre — et « Averte oculos meos ne videant *vanitatem*[261] » — voilà pour l'inanité de son objet — cette inconsistance qui marque non seulement tous les divertissements, comme les jeux du cirque, les courses de chevaux, le théâtre[262], mais encore l'ensemble des choses de ce monde, ainsi que l'affirme le texte fameux de l'Ecclésiaste : « ' Omnia ' inquit ' vanitas dixit Ecclesiastes ' quae in isto saeculo sunt[263]. »

II, p. 159-160.

Le thème de la *vanitas*, auquel Ambroise a ainsi préludé, est développé, au chapitre 4, à propos de l'épisode de Laban cherchant ses dieux dans la tente de Jacob. Ici, c'est Philon qui fournit le point d'insertion. Glosant de manière édifiante l'aventure plutôt scabreuse des idoles dérobées et cachées, l'exégète alexandrin écrit que l'âme de l'ascète est pleine de choses et non de songes ou d'images inconsistantes[264]. Sur cette pieuse allégorie, proposée en passant, et sur le couple πλήρης-κενός, Ambroise construit tout un développement dans l'orchestration rhétorique souligne l'importance : le vide, l'inanité[265], le néant de ce monde, ou du prince de ce monde, tout cela se trouve maintenant opposé à la plénitude de la divinité, mais aussi, dans un glissement hardi, à la réalité palpable du corps de Jésus[266]. Ainsi, par un bouleversement de la perspective où se plaçait le *Théétète*, le modèle vers lequel il faut tendre n'est plus un archétype immatériel, c'est un être divin sans doute, mais que l'on peut voir, toucher, palper, qui a souffert et qui est mort.

Aussi ne s'étonnera-t-on pas de voir l'auteur du *De fuga saeculi* retourner contre Platon lui-même l'antithèse du vide et du plein. Dans son *De fuga et inventione*, Philon avait au contraire tenu sur le philosophe des propos flatteurs. C'était, selon lui, « un homme estimé, du nombre de ceux qui ont étonné par leur sagesse[267]. » Ambroise est beaucoup moins aimable lorsque, supposant que Platon a emprunté le thème du cratère au livre des Proverbes[268], il ajoute : « il a invité les âmes à s'en abreuver, mais il n'a pas su les remplir, lui qui leur offrait un breuvage non de foi mais d'infidélité[269]. » A quel passage des œuvres du philosophe Ambroise fait-il ici allusion ? Dans son apparat, Schenkl renvoie au *Banquet*, 213 e. Mais il est seulement question dans ce passage d'une grande coupe demandée par Socrate à Agathon, et non d'un cratère. Ce mot ne se trouve d'ailleurs nulle part dans le *Banquet*.

Il semble plutôt que l'évêque de Milan vise ici un passage fort célèbre du *Timée* où nous trouvons à la fois, expressément désignés, et le cratère et les âmes qui en tirent leur substance : « Il dit ces mots et revenant au *cratère*, dans lequel il avait d'abord mêlé et composé l'Ame du Tout, il y versa ce qui restait des premiers ingrédients et les y mélangea à peu près de même... Puis, ayant combiné le tout, il le partagea en un nombre d'*âmes* égal à celui des astres...[270] ».

On pourrait certes objecter que, chez Platon, les âmes proviennent du mélange contenu dans le cratère tandis qu'Ambroise imagine seulement qu'elles s'y abreuvent. Compte tenu du ton polémique de ce passage du *De fuga* et des habitudes de l'auteur, la difficulté ne semble pas décisive.

La technique employée par l'évêque de Milan pour passer d'une citation à une autre est simple. On sait qu'elle consiste habituellement à utiliser comme charnière un mot commun aux deux passages. C'est précisément ce primat donné au détail de la lettre qui permet de rapprocher des contextes fort différents et d'obtenir ainsi des transitions audacieuses

---

II, p. 160.

et des rapprochements suggestifs. Il est donc tout à fait conforme aux habitudes d'Ambroise de passer du cratère de la Sagesse salomonienne au cratère du démiurge platonicien[271].

D'autre part, le ton est ici celui du persiflage qui tolère bien des approximations. Il n'est pas impossible que, dans l'esprit d'Ambroise, se soient combinés deux clichés platoniciens qui faisaient partie de la culture générale de l'époque, celui du banquet, sans évocation précise de tel ou tel passage du dialogue qui porte ce nom, et celui du cratère, provenant quant à lui d'une page bien déterminée du *Timée*. Ce cratère et les doctrines qu'il servait à exprimer avaient d'ailleurs été la cible de la polémique chrétienne comme en témoigne un passage de l'*Adversus Nationes* où Arnobe fait porter la discussion sur ce « fameux cratère de Platon » qui semble avoir joué un grand rôle chez les adversaires de l'apologiste[272]. On retrouve le même thème dans les *Oracles Chaldaïques*, dont Porphyre s'est inspiré[273]. Il semble d'ailleurs que ce soit ce philosophe qui soit visé par Arnobe sous le couvert des mystérieux « viri novi »[274]. Nous savons enfin que, dans son *De sacramento regenerationis vel de philosophia*, Ambroise faisait état des pages du *Timée* où Platon expose sa doctrine de la création des âmes[275]. Cependant, le mouvement d'ensemble de l'argumentation d'Arnobe, qui tend à rabaisser l'homme et à le mettre au rang des animaux, est tout contraire au sens de la démonstration de l'évêque de Milan[276].

Dans ce contexte, en tout cas, le cratère pouvait facilement suggérer à Ambroise une antithèse frappante entre l'abondance généreuse de la sagesse salomonienne et le vide impie de Platon. Ainsi l'auteur du *Théétète* se trouve-t-il rejeté du côté de la « vanitas » qu'Ambroie oppose fortement à la plénitude du Christ.

Il faut, semble-t-il, reconnaître la même pointe antiplatonicienne dans la page où Ambroise voit dans Rachel cachant les idoles de son père le type de l'Église, qui ignore non seulement les « vaines apparences des images » mais encore les « inconsistantes idées » et ne connaît que « la substance véritable de la Trinité[277] ».

4. *Du spiritualisme philonien à la mystique baptismale.*

On perçoit mieux maintenant le sens et la portée des aménagements et des transformations qui ont mené du *De fuga et inventione* au *De fuga saeculi*.

De Philon à Ambroise, le contenu philosophique subit une nouvelle déperdition. On peut même dire que ce qui restait de philosophie, sous forme édifiante et populaire, chez le premier cesse de mériter ce nom chez le second. Nous avons un bon exemple de ce refus des spéculations métaphysiques — doit-on parler d'inaptitude à les comprendre ? — dans la page où Ambroise voit dans la permanence du mal, non plus une

II, p. 160-161.

nécessité ontologique comme l'auteur du *Théétète*, mais l'effet d'un décret de Dieu, toujours révocable et déjà, en droit, révoqué. La théologie de la Bible devait d'ailleurs incliner Philon lui-même à une telle conception, et l'on sait que l'œuvre de l'Alexandrin est ainsi susceptible d'une double lecture. Mais c'est la foi en l'Incarnation qui amène Ambroise à affirmer sans ambiguïté cette thèse.

Et pourtant, on peut dire qu'en un sens le *De fuga saeculi* est plus proche du *Théétète* que le *De fuga et inventione*. Philon a grand soin de tempérer le pessimisme du *Théétète* à l'égard de la vie dans la cité[278] et équilibre les appels à la retraite par des invitations à la vie politique. Ambroise n'a plus de ces ménagements et fonde sa rhétorique du désert sur la reprise incessante de l'exhortation de Socrate, qui n'était guère, chez l'Alexandrin, qu'un ornement occasionnel.

Cependant ces emprunts philosophiques n'ont qu'une portée très limitée. L'usage qu'en fait Ambroise est essentiellement oratoire et peut être rattaché aux techniques de l'« *amplificatio* ». Désirant exhorter à la tempérance, à la maîtrise des désirs et des sens, voulant mettre en garde contre les divertissements du monde, il a trouvé dans la partie la moins technique du *Théétète*, comme dans l'exégèse édifiante de Philon, des thèmes et des images qui pouvaient donner à son propos plus d'ampleur, d'éclat, de lyrisme et lui assurer l'appui des grandes idées de philosophie populaire dont la conscience commune était imbue. En un mot, Ambroise s'en promet à peu près ce que la rhétorique de l'époque impériale attendait du recours à la « quaestio infinita »[279]. De la philosophie ainsi utilisée et vidée de son contenu intellectuel authentique, il ne reste plus qu'un certain nombre de schémas imaginatifs qui, pendant des siècles, vont être repris inlassablement par la littérature spirituelle de l'Occident.

Mais, ce que l'évêque de Milan a surtout trouvé dans le traité de l'Alexandrin, c'est — assez paradoxalement — le moyen de mettre en lumière une conception proprement chrétienne de la « fuga saeculi ». L'allégorèse des villes de refuge lui a fourni, en effet, la matière de cette audacieuse *retractatio* paulinienne où les itinéraires spirituels proposés par Philon apparaissent comme autant de voies sans issues. Il fallait donc un autre recours, cette mort du grand-prêtre, dont le juif Philon n'avait pu pénétrer le sens mystique, mais à laquelle tout croyant participait par le baptême. Ainsi l'évêque de Milan, par un jeu subtil, instruit le procès de celui qu'il imite et oppose à la « philosophia », acceptée avec trop de confiance par son prédécesseur, la véritable voie du salut, le « sacramentum regenerationis » des chrétiens[280].

II, p. 162.

CONCLUSION

Il n'est pas inexact de dire qu'Ambroise a rencontré l'exégèse philonienne avant même de découvrir personnellement l'œuvre de l'Alexandrin. C'est ce que montre bien le *De paradiso*. On y voit qué l'évêque de Milan replace les commentaires de Philon dans la perspective d'un système exégétique déjà constitué, mais que ce système lui-même dérive en grande partie des principes herméneutiques dont l'Alexandrin donnait le meilleur et le plus illustre modèle. Ce qui fonde cette tradition commune, antérieurement à toutes les techniques et à toutes les grilles d'interprétation, c'est une certaine conception du savoir humain, de ses objets, de ses divisions, de sa finalité[1]. C'est, plus encore et avant tout, une certaine idée des moyens dont l'homme dispose pour accéder aux vérités salutaires : celles-ci doivent être moins découvertes qu'apprises, moins cherchées que reçues. Le lieu privilégié de cette communication, c'est la Bible. En face de cette Écriture divine, la docilité obéissante est seule de mise. Entre Philon et Apelle, entre l'abandon confiant et l'inquisition soupçonneuse, Ambroise a choisi d'emblée[2].

Encore faut-il que cette confiance soit nourrie et protégée. C'est en ses moindres passages que l'Écriture doit être reconnue comme le canal d'un enseignement divin. Aussi, non seulement l'absurde et le choquant, mais la banalité même y sont inadmissibles, ne serait-ce que dans la portion de texte la plus exiguë, une simple phrase, voire un membre de phrase. Dans tous les endroits où la lettre semble scandaleuse ou décevante, il faut donc qu'elle dissimule un arrière-plan auquel on ne saurait accéder sans ce détour. Le texte, en ce cas, *dit autre chose* que ce qu'il exprime ouvertement : il est *allégorie*[3].

Assurément, l'évêque de Milan n'avait pas besoin de l'Alexandrin pour découvrir l'exégèse allégorique. Celle-ci avait eu dans l'Église de grands maîtres, notamment Origène, ses imitateurs et ses continuateurs. Néanmoins, c'est à l'école de Philon qu'Ambroise a acquis la maîtrise de cette technique. Le *De paradiso*, le *De Cain*, le *De Noe*, le *De Abraham II* nous ont fait assister en quelque sorte à cet apprentissage[4]. Le *De fuga saeculi*

II, p. 163.

représente plutôt un point d'aboutissement : on y découvre une liberté plus complète à l'égard du modèle, une utilisation plus souple et une intégration plus assurée de l'héritage philonien[5].

Cependant, dès les premiers pas — dès le premier traité[6] — ce qui séparera toujours l'évêque de Milan et le grand exégète juif apparaît clairement. En effet, chaque fois qu'il utilise Philon, Ambroise fait preuve d'une vigilance constante, minutieuse, attentive au détail. Mais ces multiples amendements, ces additions et ces suppressions, ces gloses, ces gauchissements, ces contestations, toutes ces modifications grandes ou petites n'en obéissent pas moins à un dessein d'ensemble poursuivi avec rigueur et méthode.

Car, dans ce dialogue secret entre Ambroise et Philon, deux univers spirituels s'affirment et s'opposent. Cette confrontation est d'autant plus intéressante à observer qu'elle se dissimule sous une imitation qui paraît, à certains moments, presque littérale. On dirait parfois qu'Ambroise joue avec ces fausses ressemblances : il possède à un point extrême l'art de reprendre une formule en la dépouillant de son sens originel.

Même en morale, en dépit d'un assez large accord dans l'analyse des devoirs et des passions, l'évêque de Milan juge à l'occasion nécessaire de contredire un postulat admis par l'Alexandrin.

Sans renoncer à l'idée de sanctions d'outre-tombe, Philon n'en avait pas moins fait sienne la question du souverain bien sous la forme que lui donnent aussi bien Aristote que les philosophes du Portique : quelles sont les composantes essentielles du bonheur dont l'homme est capable en cette vie ? C'est ainsi que l'Alexandrin peut raconter à son tour et fort longuement le débat de Volupté et de Vertu sans jamais faire appel aux récompenses ou aux châtiments réservés à l'âme après la mort.

Ambroise, en revanche, procède à une révision radicale de l'apologue. Il arrache le thème du bonheur à une perspective purement terrestre et le réinterprète à la lumière de l'eschatologie. Il y a ici bien plus qu'une différence de tactique, plus qu'un simple contraste entre l'intransigeance d'Ambroise et la souplesse de Philon. Si l'Alexandrin semble fort à son aise dans une problématique « terrestre » du souverain bien, ce n'est point seulement complaisance apologétique. Les sanctions d'outre-tombe n'interviennent que très tardivement dans l'Ancien Testament. Dans le Pentateuque, auquel Philon se réfère presque exclusivement, c'est sur cette terre que des récompenses sont promises à ceux qui obéissent aux commandements. On comprend alors que l'auteur du *De sacrificiis* ait pu faire sienne la façon dont l'apologue de Prodicos posait la question du bonheur. En revanche, la place centrale accordée par le Nouveau

---

II, p. 163.

Testament au fait de la résurrection et à l'espérance de la vie future explique l'attitude toute contraire adoptée par l'évêque de Milan.

Mais ce sont surtout les corrections qu'Ambroise apporte à la cosmologie et à la théologie philoniennes qui traduisent l'antagonisme profond des deux systèmes. Il est déjà significatif que Philon soit disposé à reprendre la notion de destin, en la conciliant avec le monothéisme biblique, alors qu'Ambroise repousse tout accommodement avec le *fatum*[7].

Les abondants commentaires du sacrifice de l'alliance offert par Abraham sont particulièrement révélateurs. Philon y reprend à son compte, apparemment sans arrière-pensée, deux grands thèmes de cette religion cosmique où confluaient les héritages de Pythagore, de Platon et d'Aristote : l'harmonie des sphères et l'éther, ce cinquième corps pur et indestructible. L'Alexandrin y voyait sans doute des objets de méditation qui ne pouvaient que glorifier le Créateur. Ambroise en juge autrement et prend bien soin de dépouiller l'univers visible de cette harmonie et de cette permanence. Sans doute, on peut invoquer ici l'accident historique du règne de Julien, qui avait semblé un moment poser cette théologie cosmique en rivale ultime du christianisme. Il est probable, en effet, que cette aventure a compromis davantage la croyance à la musique des sphères et la doctrine de la « cinquième essence ». Mais l'opposition est bien plus profonde. Le monde matériel tel que le voit Ambroise est marqué par la précarité, promis qu'il est à une destruction prochaine. L'évêque de Milan juge donc fallacieux d'attribuer à cet univers sensible ne serait-ce qu'une apparence d'autonomie et de chercher en lui quelque chose de stable et de permanent. Quant à l'harmonie, c'est dans l'âme vertueuse qu'il faut la chercher. Le ciel visible n'a donc rien qui doive retenir l'attention du chrétien. C'est vers le monde intérieur que celle-ci doit se tourner. Bien des corrections apportées par Ambroise à Philon traduisent cette conversion du regard[8].

Ce n'est point seulement à l'éthique et à la physique de son devancier que l'évêque de Milan juge nécessaire d'apporter de sérieuses corrections. La divergence touche à la théologie elle-même, plus exactement à la manière dont Philon conçoit les rapports de Dieu et de son Logos. Les passages où l'Alexandrin affirme la subordination du second n'ont pas dû soulever grand scandale avant Nicée. On pouvait, en effet, les rapprocher d'un thème familier aux Apologistes : quand on dit que Dieu parle ou se fait voir, il faut comprendre qu'il s'agit du Verbe et non point du Père. Celui-ci transcende en effet radicalement toute perception humaine. Aussi un conservateur comme Eusèbe de Césarée vante la théorie philonienne en soulignant l'inégalité qu'elle suppose entre Dieu et son Logos[9]. Mais une telle caution ne pouvait que rendre l'Alexandrin suspect aux tenants de Nicée. Or, au moment même où il prend en quelque sorte Philon pour guide de ses premiers essais d'allégorèse, l'évêque de Milan est engagé dans une implacable confrontation avec l'arianisme. On ne

---

II, p. 163.

s'étonne point qu'il ait mis une particulière application à purifier ses emprunts à Philon des moindres traces de subordinatianisme[10]. Ce même souci explique la méfiance dont Ambroise témoigne à l'égard de la théorie des puissances et le soin qu'il met à corriger les expressions philoniennes qui supposent une hiérarchie à l'intérieur du divin[11]. Parfois, ces précautions ne se limitent pas à l'amendement de quelques formules : Ambroise bouleverse l'exégèse de la théophanie de Mambré pour écarter l'interprétation pré-arienne qu'il croit découvrir chez Philon[12].

Tout cela montre assez que, si le judaïsme de l'Alexandrin s'accorde aisément aux grands thèmes d'une philosophie éclectique et bien pensante, il en va tout autrement du christianisme d'Ambroise. La différence d'attitude des deux exégètes à l'égard de Platon est particulièrement significative. Elle apparaît très clairement lorsque l'on compare les deux traités sur la fuite. Il est déjà intéressant de remarquer qu'en reprenant dans son *De fuga saeculi* une page du *Théétète* rencontrée chez l'Alexandrin, l'évêque de Milan se garde de citer le nom du philosophe que Philon avait accompagné d'une appréciation flatteuse. On répondra peut-être qu'Ambroise fait sienne l'exhortation de Socrate, et que cela seul indique au contraire une certaine affinité. Mais, en fait, cet emprunt reste formel.

Ambroise reprend certes l'équivalence platonicienne entre « fuir » et « s'assimiler à Dieu », mais il n'en retient guère que l'écorce. Jonas est pour lui le type de cette assimilation, qui consiste à se laisser engloutir par la mort avec le Christ et à ressusciter avec lui. Encore une fois, l'évêque de Milan montre son adresse à prendre les mots en laissant les choses et à glisser dans des formules d'emprunt un sens qui leur était jusqu'alors étranger. De ce passage du *Théétète*, Ambroise retient encore le mouvement oratoire, si pressant, et une certaine imagerie édifiante : l'opposition de la terre et du ciel, l'urgence du départ, la fuite d'ici-bas vers là-haut, évoquant les métaphores familières des ailes et du vol de l'âme. Que nous soyons ici dans l'ordre du simple remploi littéraire et non de l'inspiration philosophique, c'est bien ce que montre la manière dont Ambroise transforme le thème platonicien de la permanence du mal ici-bas. Le Socrate du *Théétète* prouvait le caractère inéluctable de cette présence en invoquant d'une part la nécessité qu'il y ait un contraire du Bien, d'autre part l'impossibilité pour ce contraire de siéger au ciel parmi les dieux. A la place de cette argumentation, Ambroise introduit inopinément la demande du Pater — « Que ta volonté soit faite sur la terre comme au ciel » — et l'espoir que ce mal terrestre prendra fin. On voit aussitôt que, pour l'évêque de Milan, si le mal a régné depuis Abel et Caïn jusqu'à nous, c'est par un décret de Dieu, libre et toujours révocable. L'arbitraire miséricordieux de la pédagogie divine s'est substitué à la nécessité de nature[13].

C'est qu'Ambroise joint à un goût certain pour les images du platonisme une aversion radicale pour la métaphysique qu'elles devaient

---

II, p. 163.

revêtir[14]. Cette antipathie s'exprime avec force dans d'autres endroits du *De fuga* où l'évêque de Milan retourne l'antithèse du réel et de l'illusoire : le réel, le solide, c'est la chair du Christ, non seulement visible, mais palpable ; les Idées, au contraire, ne sont que des simulacres, les vaines idoles de Laban[15].

Un développement du *De fuga saeculi* résume assez bien toutes ces oppositions. Ce sont les pages consacrées aux cités de refuge. La réinterprétation de l'allégorèse philonienne au moyen de catégories empruntées à l'Épître aux Romains aboutit à un étrange renversement. Cinq des six directions indiquées par Philon à l'âme désireuse de fuir le sensible et le péché sont dénoncées comme des impasses.

Mais le différend ne s'arrête point là et on le mesurerait mal si l'on croyait que l'évêque de Milan s'accorde au moins avec l'Alexandrin sur la première cité de refuge — la métropole — celle qui représente le Verbe. Ici encore, les interprétations de Philon et d'Ambroise sont radicalement opposées. On le voit bien quand ils arrivent au dernier point de cette législation : la mort du grand-prêtre qui rend possible le retour des réfugiés. Philon est visiblement gêné par cette dernière disposition. Dans son allégorèse, le grand-prêtre, c'est le Logos, qui ne peut point mourir. Il faut donc que cette mort soit en réalité celle de l'âme qui se sépare du Verbe. C'est une solution de désespoir puisqu'elle oblige Philon à une grave inconséquence : la fuite était jusqu'ici celle de l'âme ; et maintenant, les fugitifs, ce sont les péchés. Mais cette incohérence exégétique permet au moins d'éviter une absurdité doctrinale.

Or, ce qui est absurde pour Philon devient justement la clé de voûte de l'exégèse proposée par l'évêque de Milan : le seul refuge qui ne soit point illusoire, c'est la mort du Verbe fait chair. Il est donc clair que la « métropole » de Philon et celle d'Ambroise ne coïncidaient qu'en apparence. C'est ce que l'évêque de Milan indique sans ambiguïté quand il souligne que la première cité est en réalité la dixième, celle dont le nombre indique la perfection. Les réalités de l'Ancien Testament auxquelles Philon reste fixé apparaissent dès lors comme des ombres dont tout le sens est d'annoncer le lever du jour.

C'est en fin de compte une doctrine fort cohérente qui ressort de ces interventions multiples, de ces corrections minutieuses. Ce que l'évêque de Milan traque au long des pages et jusque dans les recoins du texte de Philon, c'est l'idée d'un monde trouvant en soi sa consistance, créé sans doute et administré par son Auteur, mais selon des lois immuables, expressions définitives et pour ainsi dire abstraites de la volonté générale de Dieu. C'est l'idée d'un bonheur qui ne suppose point une transmutation de l'homme et qui consiste simplement à reconnaître cet ordre cosmique auquel président des pensées divines qui ont l'universalité et l'immobilité des Idées platoniciennes. C'est enfin cette subordination du Logos et

---

II, p. 163.

cette hiérarchie de puissances qui semblent laisser le vrai Dieu dans un infranchissable éloignement.

L'univers religieux d'Ambroise est à l'opposé. C'est la chair de Jésus — que les yeux ont pu voir et les mains toucher — qui est réelle et ce sont les Idées de Platon qui sont des ombres vaines. Notre condition et notre devenir ne s'expliquent ni par des nécessités de nature, ni par des lois générales, mais par des volontés particulières de Dieu, toujours gratuites, toujours imprévisibles. L'univers est promis à la destruction, et le bonheur est seulement au-delà de la mort. Le salut ne s'obtient point par une simple contemplation, si transcendante soit-elle, mais par une participation à la fois symbolique et concrète à la mort du Verbe incarné, vrai homme, mais vrai Dieu.

Ce qui frappe ici, c'est l'accent mis sur l'essentiel et aussi la vigilance, l'aptitude d'Ambroise à déceler les implications de formules qu'un autre, plus rhéteur et moins soucieux du fond des choses, eût tenues pour des ornements anodins. Ce souci rigoureux d'orthodoxie, joint à un goût limité pour la spéculation, explique que l'originalité doctrinale n'est pas le fait de l'évêque de Milan. C'est ailleurs que sa personnalité semble s'exprimer vraiment, dans le tour particulier qu'il donne à cette technique de l'allégorèse dans laquelle Philon lui a servi de guide et de modèle.

Par la bouche de Vertu, Ambroise a implicitement reproché à Philon de ne point s'en être tenu à la Bible seule et d'y avoir mêlé des ornements étrangers[16]. L'explication de l'Écriture par elle-même caractérisait pourtant déjà la méthode philonienne. Mais Ambroise prétend appliquer ce principe avec plus de rigueur. Et, de fait, dans des morceaux comme le débat de Volupté et de Vertu, il s'applique à substituer des citations bibliques aux thèmes et aux clichés de la parénèse profane qui font le plus clair de la *syncrisis* philonienne.

Il est vrai que l'évêque de Milan dispose pour cela de moyens beaucoup plus importants et plus variés que ceux dont use l'Alexandrin. Celui-ci se borne pour l'essentiel à faire appel au Pentateuque[17]. Ambroise, en revanche, met en œuvre toutes les ressources de l'Ancien Testament. Il ne se contente pas d'ajouter à l'occasion de nouvelles références aux cinq livres de Moïse, il utilise abondamment les recueils sapientiaux, le Cantique des Cantiques, les Prophètes et naturellement les Psaumes. Bien plus, la multiplicité des versions lui est un nouveau moyen de diversité : il connaît les LXX, bien sûr, mais aussi Aquila et Symmaque, ainsi que les différentes « vieilles latines ». Ce sont autant de points de départ possibles pour l'allégorèse.

II, p. 163.

Le changement essentiel, c'est évidemment l'entrée du Nouveau Testament dans ce réseau de correspondances. Les synoptiques, saint Jean, saint Paul, sans parler des livres relativement mineurs, viennent ouvrir chacun une nouvelle perspective, ajouter un nouveau registre.

La technique est simple en son principe : c'est celle qu'utilisent encore nos concordances. Chaque mot contenu dans un verset biblique — ou dans le commentaire de Philon — fait pour ainsi dire entrer en résonance tous les autres versets des deux Testaments où on le rencontre. L'exégète n'a plus qu'à choisir parmi toutes ces corrélations celles qu'il entend exploiter. A son tour, chacun des versets ainsi évoqués est apte à devenir le point de départ de nouvelles combinaisons. Le mot d'ailleurs n'est pas seul à remplir cette fonction : telle image, tel concept peuvent susciter ces chaînes d'associations. On voit l'importance du réseau de correspondances ainsi constitué. Ambroise en joue, nous l'avons vu, avec beaucoup de maîtrise et de subtilité.

Quelques traits nous permettront de schématiser ce système exégétique. Le premier, c'est le primat du *détour*. Ce qui est mis en valeur, ce n'est pas le sens obvie du passage commenté, mais ce qu'il désigne de façon oblique et qu'il faut découvrir par le biais d'un autre endroit de l'Écriture. De même, l'enseignement à transmettre est de préférence appuyé par un texte qui ne l'exprime pas directement.

Le second élément caractéristique est ce qu'on peut appeler le *croisement*. En vertu des multiples chaînes d'associations auxquelles chacun des mots qui le composent peut donner naissance, tout verset se situe au croisement, ou plus exactement, étant donné le nombre des virtualités, au carrefour de plusieurs de ces chaînes. C'est à l'interprète autorisé, ici l'évêque de Milan, de choisir la voie, ou les voies successives par lesquelles il va mener son disciple.

Mais ce n'est pas pour autant le règne de l'arbitraire et du caprice. Le système que nous cherchons à décrire possède en effet une sorte de cellule centrale à laquelle aboutissent tous les chemins détournés que dessinent ces chaînes de correspondances. C'est en ce point que convergent le débat de Volupté et de Vertu et la *retractatio* des cités de refuge, l'allégorèse des sandales[18] enlevées et celle du sacrifice de l'alliance : le mystère du Christ mort et ressuscité. C'est, si l'on veut, le centre de gravité qui donne leur sens à tous les itinéraires inlassablement frayés par l'exégète. On pense ici à la manière dont Pascal décrit l'ordre du cœur : « Cet ordre consiste principalement à la digression sur chaque point qui a rapport à la fin, pour la montrer toujours[19] ».

Enfin, de même que toutes ces associations convergent finalement vers cette cellule centrale, toute sortie hors de ce système est pratiquement impossible. En effet, la constatation de l'inexplicable ou de l'absurde, qui aboutirait à une mise en cause de l'Écriture ou de son interprétation

---

II, p. 163.

reçue et ouvrirait par là même une voie nouvelle, se trouve rigoureusement écartée. C'est même en vue d'une telle fermeture que le système a d'abord été conçu. Ainsi, c'est une sorte de labyrinthe que construit l'allégoriste, mais un labyrinthe dont la cellule centrale est lieu de salut et non de perdition.

En partant de ce schéma, on peut dire que, du point de vue de la forme, Ambroise a apporté trois modifications au système allégorique de Philon. Tout d'abord, il l'a compliqué et enrichi, en multipliant considérablement le nombre des combinaisons possibles. Ensuite, il l'a très fortement centré, autour de la personne et du mystère de Jésus. Enfin, il l'a fermé, en l'associant étroitement à une orthodoxie et en condamnant les avenues que l'Alexandrin avaient laissées ouvertes. L'allégorisme d'Ambroise, qui doit tant à celui de Philon, n'en est donc pas moins un système réellement nouveau avec ses vertus propres.

Le lecteur moderne est peut-être d'abord frappé par la valeur poétique de cette exégèse. Ce jeu de miroirs, ces correspondances à l'infini, ces rapprochements surprenants entre les objets les plus éloignés dans la nature, ces images qui se superposent et se changent presqu'aussitôt en d'autres images, tout cela crée un univers dont un siècle de recherches nous a mieux préparés à ressentir la magie.

Mais cette poésie n'est pas sa propre fin. Elle conduit l'auditeur à se laisser faire, à se laisser guider vers le centre, à ne point s'égarer hors des limites qui ont été posées. A propos des hymnes d'Ambroise, les Ariens parlaient de sortilèges et ils n'avaient pas tout à fait tort[20]. La poésie s'associe à la structure close du labyrinthe pour soumettre l'esprit à l'enseignement qu'on veut lui inculquer. Pascal précise bien que l'ordre du cœur veut « rabaisser, non instruire ». Disons au moins que la méthode suivie par Ambroise dans ses traités « philoniens » a moins pour but d'instruire que de soumettre et d'entraîner. Aussi l'évêque de Milan laisse tomber les divisions et les points de repère dont l'Alexandrin avait muni ses commentaires. Il ne s'agit point pour Ambroise de permettre à son lecteur de se reconnaître, il ne faut que l'inciter à se laisser conduire. La conception autoritaire que l'évêque de Milan se fait de ses fonctions s'exprime ainsi dans ce qui nous paraît facilement parfois subtilités sans conséquence, parfois réussite poétique. On a sans doute eu tort de trop opposer chez Ambroise le grand homme d'action et le médiocre auteur. On peut dire, en un sens, que l'allégoriste poursuit par d'autres moyens l'œuvre du *Kirchenpolitiker*.

En même temps, ces détours, ces correspondances soudain apparues, ce cheminement imprévisible, tout cela convenait parfaitement à la communication progressive et dosée d'une réalité mystérieuse, en un mot à une initiation. L'allégorie a sur ce point une grande valeur pédagogique. Pendant un moment, qui peut être long, elle cache à demi et révèle à demi. La vérité, d'abord seulement pressentie et soupçonnée,

___

II, p. 163.

puis entrevue, reçoit de cette approche progressive et de la singularité de l'itinéraire un air de majesté secrète qui frappe les imaginations. L'esprit du disciple est alors d'autant mieux préparé à recevoir le choc salutaire des mystères de la foi. Ajoutons que même les vérités banales, les lieux communs de morale auxquels Ambroise donne aussi le voile de l'allégorie sont ainsi dotés d'une sorte de halo initiatique qui les fait accueillir avec une attention qu'ils n'auraient sans doute point suscitée autrement.

Cette réforme de l'allégorisme philonien porte bien évidemment la marque de son époque. Le labyrinthe que dessine l'exégèse ambrosienne relève en effet d'un maniérisme dont cette fin du IVe siècle fournit d'autres exemples[21]. Mais ce n'est point là seulement subtilité de lettrés chez qui la vigueur classique a dégénéré. Ce monde symbolique va faire preuve d'une étonnante vitalité. L'esprit et l'art du Moyen Age s'annoncent ici et la technique apprise à l'école de Philon va, pour plusieurs siècles, devenir l'une des composantes de l'esprit européen.

II, p. 164.

Table des matières du Volume I

INTRODUCTION 7-19

    L'image traditionnelle d'Ambroise et sa récente mise en question
(7-9). Ambroise au travail : l'adaptation de Philon (9-11).
Une condition préalable de cette étude (11-12). Les emprunts
à Philon dans l'œuvre d'Ambroise (12-15). Genre littéraire
et chronologie des « traités philoniens » de l'évêque de Milan
(15-18). Plan de la recherche (18-19).

Première Partie

Le « De Paradiso » et la rencontre avec l'exégèse de Philon

Introduction 23

CHAPITRE I : **Apelle ou Philon**

    Usage apologétique d'une exégèse de Philon 25-27

    I. « Quaestiones et solutiones » dans le « De paradiso » 27-29

    II. Les « Syllogismes » d'Apelle 29-30

    III. La survie d'une controverse 31-32

    IV. Les objections d'Apelle d'après le « De paradiso » 32-35

    V. Les solutions proposées par Ambroise 35-42
        1. La science du bien et du mal comme élément nécessaire d'un
ensemble (35-37).
        2. Les deux niveaux de connaissance (37-39).
        3. L'esprit d'enfance (39-42).

    VI. Péché et prescience : de la dialectique stoïcienne à l'histoire du
salut 43-45

    VII. Permanence de la tradition rationaliste 45-48

    VIII. Défense biblique, pluralité des interprétations et allégorie 48-51

    IX. Le recours à Philon et l'unité du « De paradiso » 51-54

Chapitre ii : Philon et le programme exégétique d'Ambroise

Philon et les catégories de l'exégèse ambrosienne : « De paradiso »,
4, 25 55-56

i. La Lettre et l'Esprit 56-62

   1. « Moralia » et « spiritalia » (56-57).

   2. « Spiritalia » et « iudaica interpretatio » (57-61).

   3. « Moralia » et « mystica » (61-62).

ii. « Naturalia », « Moralia », « Mystica » 63-81

   1. Les « trois sens » de l'Écriture (63-65).

   2. L'Écriture et les parties de la philosophie (65-67).

   3. Christianisation des trois sagesses (67-71).

   4. Les six puits d'Isaac, figures des trois sagesses (71-77).

   5. Nouvelles variations sur le thème des trois sagesses dans l'« Explanatio psalmi XXXVI » (77-78).

   6. Antécédents philoniens (78-80).

   7. La double influence — directe et indirecte — de l'exégèse de Philon (80-81).

Deuxième Partie

Ambroise censeur de Philon

Introduction 85

Chapitre iii : Philosophie, Judaïsme et Arianisme (« De Cain » et « De Noe »)

Indices et degrés du désaveu 87-89

   i. Critique et altération des thèmes philosophiques 89-96
   Attaques explicites (89). Réserves à l'égard de l'arithmologie (89-90). De la philosophie à l'édification (90-93). De l'anthropologie à l'empirisme du praticien (93-94). De l'expérience personnelle à l'orthodoxie communautaire (94-96).

   ii. Polémique contre le judaïsme 96-118
   L'allégorèse philonienne retournée contre la Synagogue (96-97). Deux additions antijuives à propos de Genèse, 8, 12 (97-99) et de Genèse, 7, 4 (99-106). Abel ajouté à Cain : de la psychologie à l'ecclésiologie (106-110). Une polémique voilée : le parallèle de Moïse et du Christ (110-118).

   iii. Précautions antiariennes 118-139
   Textes philoniens suspects de favoriser l'arianisme (118-121). Passages où l'Alexandrin enseigne la subordination du Logos (121-124). La théorie des puissances (124-129). Les trois visiteurs d'Abraham : l'exégèse de Philon et la « retractatio » d'Ambroise (129-130). De l'interprétation christologique à l'interprétation trinitaire (130-133). Les raisons de la « retractatio » du « De Cain » (133-137). Un thème nicéen repris par Ambroise ; la collusion judéo-arienne (137-139).

Chapitre iv : **La religion cosmique (De Abraham II)**

i. Abraham et l'aruspicine : l'interprétation de « Genèse », 15, 7-11   141-143

ii. La « Quaestio » de Philon sur les victimes du sacrifice et le remaniement ambrosien 143-150
L'explication de Philon (143-144). L'adaptation d'Ambroise. De la « traditio naturalis » à la « traditio moralis » (144-145). Le bélier (145-148). La colombe et la tourterelle (148-150).

iii. Ezéchiel contre Platon : le char du « Phèdre » et le char de Yahvé   150-154
Une application de la théorie du plagiat (150-152). Explication psychologique des quatre animaux d'Ezéchiel selon Origène et Jérôme (152-154). Chez Ambroise, le λογικόν garde sa prééminence. (154).

iv. Διορατικον 154-159
Διορατικός et διορατικόν avant Ambroise (154-155). Antécédents philosophiques de l'interprétation ambrosienne des quatre animaux (155-159).

v. « Partes » ou « motus animae » ? 159-161

vi. La musique des sphères 162-168
Ambroise censure le passage de la « Quaestio in Genesin » consacré à la musique des sphères (162-164). La musique des sphères, thème caractéristique de la religion cosmique (164-166). La musique des sphères dans la pensée de Philon (166-168).

vii. La « doctrine des Chaldéens » 168-178
La religion cosmique et le salut par le Christ (168-169). Harmonie des sphères, magie, astrologie (169-170). Philon et la doctrine des Chaldéens (170-174). La migration d'Abraham vue par Philon et par Ambroise (174-178).

viii. Le cinquième corps 178-185
Les oiseaux du sacrifice et l'éther (178-179). Rôle de l'éther dans la tradition philosophique (180-181). La cinquième substance chez Philon (182-184). L'éther et la « réaction païenne » (184-185).

ix. L'âme est-elle immortelle ? 185-195
La cinquième substance, principe interne de permanence pour le monde et pour l'âme (185-187). La « mortalité » de l'âme dans la tradition chrétienne (187-188). Aversion d'Ambroise pour la cosmologie de la cinquième substance (189-190). Ambroise contre la notion philosophique de l'immortalité de l'âme (190-194). Ambroise et Philon devant la religion cosmique (194-195).

Troisième Partie

Ambroise christianise Philon

Introduction 199

Chapitre v : **Les sandales enlevées**
La célébration de la Pâque dans un passage du « De sacrificiis » de Philon et dans son adaptation par Ambroise 201-202

I. Une négation suspecte 202-204

II. Le thème du « transitus » et ses variations 204-208

III. « Pedes exuere vinculis » : la condition du dépassement 208-210

IV. La célébration pascale : figure et réalité 210-213

CHAPITRE VI : **Les quatre fleuves du Paradis**

    Variations exégétiques sur les quatre fleuves de l'Éden 215-216

I. Les deux exposés de Philon 216-218

II. La « retractatio » d'Ambroise.

    1. L'origine des quatre fleuves 218-224
    Le thème de la source et le Psaume 35, 10 (218-222). Le thème
    du fleuve et Jean, 7, 38 (222-223). « In vitam aeternam » : Jean,
    4, 14. De la Sagesse à Jésus : Proverbes, 9, 5 et Jean, 7, 37
    (223-224).

    2. Correspondance des quatre fleuves et des quatre vertus
    (De paradiso, 3, 15-18) 225-227

    3. Les quatre vertus et les quatre « tempora mundi » (De paradiso,
    3, 19-23) 227-235
    Les quatre époques selon Ambroise (227-228). Les époques de
    l'histoire religieuse dans le « De Abrahamo » de Philon (228-229).
    Une autre version du même thème dans le « De praemiis et
    poenis » (229-230). Originalité de la « retractatio » ambrosienne :
    les idées de préparation et de progrès (230-235).

    4. L'épilogue : « Secundum Orientem » (De paradiso, 3, 23) ... 235-239
    Les correspondances scripturaires (235-237). De la « droite
    raison » au Verbe Incarné (237-239).

III. Techniques de transposition 239-241

CHAPITRE VII : **Le débat de Volupté et de Vertu**

I. Philon et l'« apologue de Prodicos » 243-246

II. La « retractatio » Ambrosienne : L'intervention de volupté

    1. La tentatrice 246-249

    2. Le « convivium luxuriosum » 249-262
    Le banquet de Volupté et le « Livre des Proverbes » (249-250).
    Le « convivium luxuriosum » d'Ambroise et le « Pro Gallio » de
    Cicéron (250-257). Le mode de la description : la « leptologia »
    (257-260). L'allocution adressée par Volupté à ses convives
    (260-261). Métamorphose du modèle philonien (261-262).

III. La « retractatio » ambrosienne : Le discours de Vertu

    1. La part de l'imitation 262-267

    2. Vertu prend la parole 267-273
    Double greffe sur le texte de Philon : Isaïe, 65, 1 — Romains,
    10, 20 (267-268). Lecture chrétienne d'Isaïe, 65, 1 (268-271).
    La personne du Christ et les premiers mots de Vertu (271-273).

3. Les lacets de la tentation 273-275

4. Des filets du Cantique au lacet des Épîtres à Timothée 275-280

5. Le lacet et l'hameçon 281-282

6. Des lacs de Volupté aux lacets du diable 282-294
Les lacs de Volupté : une métaphore conventionnelle et galante
(282-284). Le diable substitué à Volupté (284). Le combat
spirituel dans la tradition patristique (284-286). Démonologie
ambrosienne (286-289). Ce dualisme est étranger à Philon
(289-293). De la métaphore du lettré à la vision du croyant
(293-294).

7. « Sequere eum ». De l'« exemplum » à l'exemplaire 294-300
Rôle subordonné des « exempla » dans la σύγκρισις (294-295).
« Suivre Jésus » dans le Nouveau Testament (295-296). « Suivre
Dieu » dans la tradition philosophique (296-297). « Suivre »
et « devenir semblable », une équivalence platonicienne et son
adaptation chrétienne (297-299). Le Christ comme παράδειγμα
(299-300).

8. « Convivium ecclesiae ». Fiction allégorique et réalité sacramentaire 300-307
Du banquet de Vertu à la dernière Cène (300-302). Évocation
voilée du repas eucharistique. Fonction initiatique de Cantique,
5, 11 (303-307).

IV. Structure et principe directeur de la « retractatio » Ambrosienne

1. Construction 307-321
Symétrie : les deux tentations et les deux banquets (307-312).
Succession : de la séduction au festin (312-314). Une composition
en « abyme » (315-316). Le thème du πόνος réduit à un rôle
subalterne (316-317). De la sagesse terrestre à l'eschatologie
(317-321).

2. Principe : l'Écriture seule 321-325
Retournement d'une métaphore philonienne (321-323). Le langage
nu de l'Écriture (323-324). Enracinement liturgique de la « retractatio » d'Ambroise (324-325).

Quatrième Partie

Le « De fuga saeculi »
et l'assimilation des thèmes philoniens

CHAPITRE VIII : Du « De fuga et inventione » au « De fuga saeculi »

Le modèle et l'adaptation. Bouleversement du plan de Philon 329-332

I. Les cités de refuge. L'allégorèse philonienne et l'adaptation d'Ambroise (De fuga saeculi, 2, 5-13).

1. L'exégèse philonienne des villes de refuge 332-334

2. L'adaptation d'Ambroise.

a. Lévites et fugitifs 334-336

b. Les cités de refuge 336-338

c. La mort du grand-prêtre 338-341

II. La « retractatio » chrétienne de l'allégorèse des cités de refuge
(De fuga saeculi, 3, 14-16)

   1. De l'ombre à la pleine lumière 341-343

   2. Les cités de refuge et l'Épître aux Romains 343-347

   3. La mort du grand-prêtre et le Nouveau Testament 347-350

III. Jacob et Laban (De fuga saeculi, 4, 20-24).

   1. La fuite de Jacob 350-355

   2. Laban, figure du prince de ce monde 355-357

IV. Ambroise, Philon et le thème platonicien de la fuite (De fuga
saeculi, 4, 17 ; 7, 39).

   1. L'invitation à la fuite 358-360

   2. La permanence du mal : métaphysique et histoire sainte ... 360-363

   3. De Philon à Plotin 363-367

   4. Du « Théétète » au quatrième évangile 367-369

V. Objet et structure du « De fuga saeculi ».

   1. Analyses philoniennes et lyrisme ambrosien 369-370

   2. L'exposition des thèmes (Psaume 118, 36-37 ; Psaume 83, 6) 370-371

   3. Développement et christianisation du thème de la fuite .. 371-375

   4. Du spiritualisme philonien à la mystique baptismale 375-376

CONCLUSION 377-385

CET OUVRAGE A ÉTÉ ACHEVÉ D'IMPRIMER EN AVRIL 1977
SUR LES PRESSES DE L'IMPRIMERIE DE L'INDÉPENDANT A CHATEAU-GONTIER
DÉPOT LÉGAL - 2ᵉ TRIMESTRE 1977